U0095589

青銅器銘文檢索

第三冊

總編　　周　何
主編　　季旭昇　汪中文
編輯　　周聰俊　陳　韻
　　　　方炫琛　盧心懋
協編　　陳美蘭

文史哲出版社
印行

木 0952

0997	__父鼎一	休王易L3父貝
0998	__父鼎二	休王易L3父貝
0999	__父鼎三	休王易L3父貝
1046	圉方鼎	休朕公君匽侯易圉貝
1091	小臣趚鼎	小臣趚即事于西、休
1092	小臣建鼎	休于小臣Lq貝五朋
1127	嗣鼎	易馬□□__嗣□□休
1139	寓鼎	易乍冊寓□__寓拜䭫首、對王休
1145	舍父鼎	揚辛宮休
1156	毫鼎	毫敢對公中休
1174	易乍旅鼎	寔白于成周休賜小臣金
1187	員乍父甲鼎	王令員執犬、休善
1206	旟鼎	用對王休
1216	貿鼎	公貿用揚休龘
1221	井鼎	對揚王休
1222	寂鼎一	對揚其父休
1223	寂鼎二	對揚其父休
1228	獻𪭢方鼎	對揚尹休
1235	不䀠方鼎一	敢揚王休
1236	不䀠方鼎甲二	敢揚王休
1248	庚贏鼎	對王休
1249	害鼎	揚侯休
1262	穸鼎	對揚趞中休
1263	呂方鼎	對揚　王休
1264	螢鼎	休朕皇君弗忘氒寶臣
1270	小臣夌鼎	對揚王休
1271	史獸鼎	對揚皇尹不顯休
1272	剌鼎	剌對揚王休
1276	__季鼎	對揚王休
1277	七年趞曹鼎	敢對揚天子休
1278	十五年趞曹鼎	敢對揚天子休
1279	中方鼎	中對王休令
1280	康鼎	敢對揚天子不顯休
1281	史頌鼎一	休又成事
1282	史頌鼎二	休又成事
1283	微䜌鼎	用易康龢𩠡休
1284	尹姞鼎	休天君弗望穆公聖粦明
1284	尹姞鼎	拜䭫首、對揚天君休
1285	㦰方鼎一	對揚王𠬝姜休
1286	大夫始鼎	大夫始敢對揚天子休
1288	令鼎一	令對揚王休
1289	令鼎二	令對揚王休

休

1290	利鼎	對楊天子不顯皇休
1291	善夫克鼎一	克其日用𩰫朕辟魯休
1292	善夫克鼎二	克其日用𩰫朕辟魯休
1293	善夫克鼎三	克其日用𩰫朕辟魯休
1294	善夫克鼎四	克其日用𩰫朕辟魯休
1295	善夫克鼎五	克其日用𩰫朕辟魯休
1296	善夫克鼎六	克其日用𩰫朕辟魯休
1297	善夫克鼎七	克其日用𩰫朕辟魯休
1299	鄂侯鼎一	王休宴、乃射
1299	鄂侯鼎一	馭方休闌
1299	鄂侯鼎一	敢___天子不顯休釐
1300	南宮柳鼎	對揚天子休
1301	大鼎一	對揚王天子不顯休
1302	大鼎二	對揚王天子不顯休
1303	大鼎三	對揚王天子不顯休
1305	師奎父鼎	對揚天子不杯魯休
1306	無叀鼎	無叀敢對揚天子不顯魯休
1307	師望鼎	多蔑曆易休
1307	師望鼎	望敢對揚天子不顯魯休
1308	白晨鼎	敢對揚王休
1309	寰鼎	敢對揚天子不顯叚休令
1311	師晨鼎	敢對揚天子不顯休令
1312	此鼎一	此敢對揚天子不顯休令
1313	此鼎二	此敢對揚天子不顯休令
1314	此鼎三	此敢對揚天子不顯休令
1315	善鼎	對揚皇天子不杯休
1316	㦰方鼎	弋休則尚
1317	善夫山鼎	山敢對揚天子休令
1319	頌鼎一	頌敢對揚天子不顯魯休
1320	頌鼎二	頌敢對揚天子不顯魯休
1321	頌鼎三	頌敢對揚天子不顯魯休
1323	師𩛥鼎	休白大師肩𦣞
1323	師𩛥鼎	𩛥敢對王休
1324	禹鼎	休隻氒君馭方
1326	多友鼎	余肇吏女休
1326	多友鼎	多友敢對揚公休
1327	克鼎	多易寶休
1327	克鼎	敢對揚天子不顯魯休
1328	盂鼎	盂用對王休
1330	曶鼎	㫚(曶)受休□王
1331	中山王譽鼎	天降休命于朕邦
1331	中山王譽鼎	烏虖、休絲
1332	毛公鼎	毛公厝對揚天子皇休
1528	公姞鬲鼎	拜䭫首、對揚天君休
1533	尹姞寶鬲一	休天君弗望穆公聖粦明𩐋吏(事)先王
1533	尹姞寶鬲一	拜䭫首、對揚天君休
1534	尹姞寶鬲二	休天君弗望穆公聖粦明𩐋吏(事)先王
1534	尹姞寶鬲二	拜䭫首、對揚天君休
1668	中𢧁	日傳□王□休
2243	_休乍父丁寶毀	休乍父丁寶毀[cq]

2373	始休𣪘	始休易(賜)氒瀕吏貝
2404	效父𣪘一	休王易效父𨥓三
2405	效父𣪘二	休王易效父𨥓三
2406	五八六效父𣪘三	休王易效父𨥓三
2567.	戊寅𣪘	王商易天子休
2570	榮𣪘	王休易氒臣父榮𤔲
2570	榮𣪘	對揚天子休
2598	㸓乍宮仲念器	對揚王休
2606	易＿乍父丁𣪘一	hz弔休于小臣貝三朋、臣三家
2606	易＿乍父丁𣪘一	對氒休、用乍父丁尊彝
2607	易＿乍父丁𣪘二	hz弔休于小臣貝三朋
2607	易＿乍父丁𣪘二	對氒休
2612	不壽𣪘	對揚王休、用乍寶
2628	畢鮮𣪘	用旂釁壽魯休
2633	相侯𣪘	相侯休于氒臣殳
2633	相侯𣪘	易帛金、殳揚侯休
2653	𣪕𣪘	𣪕用從永揚公休
2655	小臣靜𣪘	揚天子休
2656	師害𣪘一	休氒成旋
2657	師害𣪘二	休氒成旋
2658.	大𣪘	敢對揚休
2659	郾侯㢊𣪘	休台馬＿皇民
2659	郾侯㢊𣪘	休台□L0
2660	彔乍辛公𣪘	對揚白休
2661	競𣪘一	競揚白屖父休
2662	競𣪘二	競揚白屖父休
2675	大保𣪘	易休余土
2687	敔𣪘	敔對揚王休
2688	大𣪘	對揚王休
2690.	相侯𣪘	相侯休于氒臣□
2690.	相侯𣪘	對揚侯休
2693	𦤎𣪘	𦤎對揚公休
2694	㝨乍且考𣪘	休朕匋(寶)君
2694	㝨乍且考𣪘	㝨弗敢望公白休
2694	㝨乍且考𣪘	對揚白休
2696	孟𣪘一	對揚朕考易休
2697	孟𣪘二	對揚朕考易休
2699	公臣𣪘一	敢揚天尹不顯休
2699	公臣𣪘一	公臣其萬年用寶茲休
2700	公臣𣪘二	敢揚天尹不顯休
2700	公臣𣪘二	公臣其萬年用寶茲休
2701	公臣𣪘三	敢揚天尹不顯休
2701	公臣𣪘三	公臣其萬年用寶茲休
2702	公臣𣪘四	敢揚天尹不顯休
2702	公臣𣪘四	公臣其萬年用寶茲休
2703	免乍旅𣪘	對揚王休
2704	穆公𣪘	穆公對王休
2705	君夫𣪘	君夫敢每揚王休
2707	小臣守𣪘一	守敢對揚天子休令
2708	小臣守𣪘二	守敢對揚天子休令

休

2709	小臣守𣪘三	守敢對揚天子休令
2710	𩛥自乍寶器一	𩛥對揚王休
2711	𩛥自乍寶器二	𩛥對揚王休
2711.	乍冊般𣪘	對揚天子不顯王休命
2721	㒳𣪘	㒳對揚天子休
2723	沓𣪘	友對揚王休
2724	𩠐白㲃𣪘	敢對揚王休
2725	師毛父𣪘	對揚王休
2726	曶𣪘	曶敢對揚王休
2728	恆𣪘一	敢對揚天子休
2729	恆𣪘二	敢對揚天子休
2730	𩾌𣪘	休、亡尤
2730	𩾌𣪘	對朕辟休
2730	𩾌𣪘	受天子休
2731	小臣宅𣪘	揚公白休
2734	適𣪘	敢對揚穆王休
2736	師遽𣪘	敢對揚天子不杯休
2737	段𣪘	敢對揚王休、用乍𣪘
2738	衛𣪘	衛敢對揚天子不顯休
2739	無㠱𣪘一	曰敢對揚天子魯休令
2740	無㠱𣪘二	曰敢對揚天子魯休令
2741	無㠱𣪘三	曰敢對揚天子魯休令
2742	無㠱𣪘四	曰敢對揚天子魯休令
2742.	無㠱𣪘五	敢對揚天子魯休令
2742.	無㠱𣪘五	敢對揚天子魯休令
2743	𩴯𣪘	對揚王休命
2744	五年師旋𣪘一	旋敢易王休
2745	五年師旋𣪘二	旋敢易王休
2746	追𣪘一	天子多易追休
2747	追𣪘二	天子多易追休
2748	追𣪘三	天子多易追休
2749	追𣪘四	天子多易追休
2750	追𣪘五	天子多易追休
2751	追𣪘六	天子多易追休
2752	史頌𣪘一	休又成吏
2753	史頌𣪘二	休又成吏
2754	史頌𣪘三	休又成吏
2755	史頌𣪘四	休又成吏
2756	史頌𣪘五	休又成吏
2757	史頌𣪘六	休又成吏
2758	史頌𣪘七	休又成吏
2759	史頌𣪘八	休又成吏
2759	史頌𣪘九	休又成吏
2762	免𣪘	免對揚王休
2765	救𣪘	敢對揚天子休
2767	𠪚𣪘一	𠪚拜䭫首敢對揚天子不顯休
2768	楚𣪘	㝛揚天子不顯休
2770	𢦏𣪘	對揚王休
2771	弭弔師𣱼𣪘一	敢對揚天子休
2772	弭弔師𣱼𣪘二	敢對揚天子休

休

2773	即𣪘	即敢對揚天子不顯休
2774.	南宮乎𣪘	揚天子休
2775	裘衛𣪘	衛拜䭫首敢對揚天子不顯休
2775.	害𣪘一	對揚王休
2775.	害𣪘二	對揚王休
2776	走𣪘	徒敢拜䭫首對揚王休
2777	天亡𣪘	每揚王休于尊𣪘
2783	趞𣪘	趞拜䭫首對揚王休
2784	申𣪘	申敢對揚天子休令
2785	王臣𣪘	不敢顯天子對揚休
2786	縣妃𣪘	白犀父休于縣改口
2786	縣妃𣪘	縣改每揚白犀父休
2786	縣妃𣪘	日：休白哭Lm卹縣白室
2786	縣妃𣪘	其自今日孫孫子子母敢望白休
2787	望𣪘	對揚天子不顯休
2787	望𣪘	敢對揚天子不顯休
2788	靜𣪘	對揚天子不顯休
2789	同𣪘一	對揚天子𠦪休
2790	同𣪘二	對揚天子𠦪休
2791	豆閉𣪘	敢對揚天子不顯休命
2791.	史密𣪘	對揚天子休
2792	師俞𣪘	日易魯休
2792	師俞𣪘	俞敢揚天子不顯休
2793	元年師旋𣪘一	敢對揚天子不顯魯休命
2794	元年師旋𣪘二	敢對揚天子不顯魯休命
2795	元年師旋𣪘三	敢對揚天子不顯魯休命
2796	諫𣪘	敢對揚天子不顯休
2796	諫𣪘	敢對揚天子不顯休
2797	輔師𠭰𣪘	𠭰拜䭫首敢對揚王休令
2798	師瘨𣪘一	敢對揚天子不顯休
2799	師瘨𣪘二	敢對揚天子不顯休
2800	伊𣪘	對易天子休
2802	六年召白虎𣪘	對揚朕宗君其休
2803	師酉𣪘一	對揚天子不顯休命
2804	師酉𣪘二	對揚天子不顯休命
2804	師酉𣪘二	對揚天子不顯休命
2805	師酉𣪘三	對揚天子不顯休命
2806	師酉𣪘四	對揚天子不顯休命
2806.	師酉𣪘五	對揚天子不顯休命
2810	揚𣪘一	敢對揚天子不顯休
2811	揚𣪘二	敢對揚天子不顯休
2812	大𣪘一	不顯休
2813	大𣪘二	不顯休
2815	師𩰫𣪘	敢對揚皇君休
2816	彔白𢦚𣪘	對揚天子不顯休
2816	彔白𢦚𣪘	子子孫孫其帥井受兹休
2817	師穎𣪘	穎拜䭫首敢對揚天子不顯休
2818	此𣪘一	此敢對揚天子不顯休令
2819	此𣪘二	此敢對揚天子不顯休令
2820	此𣪘三	此敢對揚天子不顯休令

休

2821	此𣪘四	此敢對揚天子不顯休令
2822	此𣪘五	此敢對揚天子不顯休令
2823	此𣪘六	此敢對揚天子不顯休令
2824	此𣪘七	此敢對揚天子不顯休令
2825	此𣪘八	此敢對揚天子不顯休令
2826	師𡨦𣪘一	休既又工
2826	師𡨦𣪘一	休既又工
2827	師𡨦𣪘二	休既又工
2828	宜侯夨𣪘	宜侯夨揚王休
2829	師虎𣪘	對揚天子不杯魯休
2830	三年師兌𣪘	敢對揚天子不顯魯休
2831	元年師兌𣪘一	敢對揚天子不顯魯休
2832	元年師兌𣪘二	敢對揚天子不顯魯休
2835	㝬𣪘	㝬䭫首對揚天子休令
2836	𢦏𣪘	休宕厥心
2837	敔𣪘一	敔敢對揚天子休
2838	師嫠𣪘一	敢對揚天子休
2838	師嫠𣪘一	敢對揚于子休
2839	師嫠𣪘二	敢對揚天子休
2839	師嫠𣪘二	敢對揚于子休
2840	番生𣪘	番生敢對天子休
2841	茀白𣪘	茀白拜手䭫首天子休
2842	卯𣪘	敢對揚榮白休
2843	沈子它𣪘	休同公克成妥吾考目于顯受令
2843	沈子它𣪘	休沈子肇𣪕tc賈嗇乍兹𣪘
2844	頌𣪘一	頌敢對揚天子不顯魯休
2845	頌𣪘二	頌敢對揚天子不顯魯休
2845	頌𣪘二	頌敢對揚天子不顯魯休
2846	頌𣪘三	頌敢對揚天子不顯魯休
2847	頌𣪘四	頌敢對揚天子不顯魯休
2848	頌𣪘五	頌敢對揚天子不顯魯休
2849	頌𣪘六	頌敢對揚天子不顯魯休
2850	頌𣪘七	頌敢對揚天子不顯魯休
2851	頌𣪘八	頌敢對揚天子不顯魯休
2852	不嬰𣪘一	女休、弗目我車函(陷)于艱
2852	不嬰𣪘一	不嬰拜䭫手休
2853	不嬰𣪘二	女休、弗以我車函于艱
2853	不嬰𣪘二	不嬰拜䭫手休
2853.	_弔𣪘	揚天子休
2853.	尹𣪘	唯對揚尹休
2854	蔡𣪘	敢對揚天子不顯魯休
2856	師㝬𣪘	㝬䭫首、敢對揚天子休
2857	牧𣪘	牧拜䭫首敢對揚王不顯休
2982.	甲午匿	帝戒夭休
3083	㾓𣪘(盨)一	敢對揚天子休
3084	㾓𣪘(盨)二	敢對揚天子休
3085	駒父旅盨(蓋)	駒父其萬年永用多休
3086	善夫克旅盨	敢對天子不顯魯休揚
3086	善夫克旅盨	克其日易休無疆
3088	師克旅盨一(蓋)	克敢對揚天子不顯魯休

3089	師克旅盨二	克敢對揚天子不顯魯休	休
3090	曩盨（器）	對揚天子不顯魯休	
4432.	鬲盉	鬲對揚王休	
4448	長由盉	敢對揚天子不顯休	
4841	守宮乍父辛雞形尊	守宮揚王休	
4846	榮尊	對揚王休	
4848	𠂤尚𨙶乍父乙尊	對揚公休	
4856	季受尊	vd休于tv季	
4856	季受尊	揚㽙休	
4864	乍冊劉尊	劉揚公休	
4868	趞乍姞尊	趞對王休	
4869	次尊	對揚公姞休	
4875	㪿折尊	揚王休	
4877	小子生尊	用對揚王休	
4879	彔䵼尊	對揚白休	
4880	免尊	對揚王休	
4881	䵼方尊	易休乍□	
4881	䵼方尊	敢對揚㽙休	
4882	匡乍文考日丁尊	王曰休	
4882	匡乍文考日丁尊	對揚天子不顯休	
4883	耳尊	侯休于q3	
4883	耳尊	pp師q3對揚侯休	
4883	耳尊	耳日受休	
4884	臤尊	臤拜稽首、敢對揚競父休	
4885	效尊	公易厥涉子效王休貝廿朋	
4885	效尊	效對公休、用乍寶尊彝	
4886	趩尊	趩拜稽首、揚王休對	
4888	盠駒尊一	盠日、余其敢對揚天子之休	
4890	盠方尊	敢對揚王休	
4892	麥尊	唯歸、遅天子休、告亡尤	
4892	麥尊	唯天子休于麥辟侯之年	
4928	折觥	揚王休	
4976	折方彝	易金、易貝、揚王休	
4977	師遽方彝	對揚天子不顯休	
4978	吳方彝	吳拜稽首、敢對揚王休	
4979	盠方彝一	敢對揚王休	
4980	盠方彝二	敢對揚王休	
5461	寓乍幽尹卣	寓對揚王休	
5464	刀耳乍父乙卣	耳休、弗敢且	
5469	白ns卣	休□非余馬	
5469	白ns卣	對揚父休	
5470	__盂乍父丁卣	盂對揚公休	
5473	同乍父戊卣	同對揚王休	
5474	劉卣	劉揚公休	
5474	劉卣	劉揚公休	
5476	趞乍姞寶卣	趞對王休	
5478	次卣	對揚	
5481	叔卣一	叔對大保休	
5482	叔卣二	叔對大保休	
5484	乍冊睘卣	揚王姜休	

休

5484	乍冊睘卣	揚王姜休
5485	貉子卣一	貉子對揚王休
5486	貉子卣二	貉子對揚王休
5487	靜卣	敢對揚王休
5488	靜卣二	敢對揚王休
5490	戉𪏽卣	對揚師𨿝父休
5490	戉𪏽卣	對揚師𨿝父休
5493	召乍_宮旅卣	休王自𣪘𣪘事
5493	召乍_宮旅卣	召弗敢諲王休異
5497	農卣	敢對揚王休、從乍寶彝
5498	彔𢦚卣	對揚白休
5499	彔𢦚卣二	對揚白休
5500	免卣	對揚王休
5503	競卣	對揚白休
5504	庚贏卣一	庚贏對揚王休
5505	庚贏卣二	庚贏對揚王休
5506	小臣傳卣	白𠨘父賫小臣傳□□白休
5507	乍冊䰠卣	揚公休
5509	𤞷卣	隹𤞷揚尹休
5511	效卣一	公易𠂤涉子效王休貝廿朋
5511	效卣一	效對公休
5511	效卣一	效不敢不萬年夙夜奔走揚公休
5597	次瓿	對揚公姞休
5730	保𠈎母壺	揚始休、用乍寶壺
5785	史懋壺	懋拜䭫首對王休
5791	十三年𤼈壺一	𤼈拜䭫首對揚王休
5792	十三年𤼈壺一	𤼈拜䭫首對揚王休
5793	幾父壺一	對揚朕皇君休
5794	幾父壺二	對揚朕皇君休
5795	白克壺	白克敢對揚天君王白休
5796	三年𤼈壺一	拜䭫首敢對揚天子休
5797	三年𤼈壺二	拜䭫首敢對揚天子休
5798	曶壺	敢對揚天子不顯魯休令
5799	頌壺一	頌敢對揚天子不顯魯休
5800	頌壺二	頌敢對揚天子不顯魯休
5805	中山王嚳方壺	休有成工
6633	𣂔乍文考觶	𣂔揚中休
6635	中觶	中埶王休
6775	_仲乍父丁盤	中揚弔休
6775	_仲乍父丁盤	孫子其永寶弔休
6778	免盤	免蔑、靜女王休
6784	三十四祀盤（裸盤）	對王休、用乍子孫其永寶
6787	走馬休盤	益公右走馬休入門
6787	走馬休盤	王乎乍冊尹冊易休玄衣黹屯
6787	走馬休盤	休拜䭫首
6787	走馬休盤	敢對揚天子不顯休令
6787	走馬休盤	休其萬年子子孫孫永寶
6789	寰盤	敢對揚天子不顯叚休令
6791	兮甲盤	休亡敃
6792	史𤼈盤	對揚天子不顯休令

6792	史墻盤	剌且文考弋寶(休)
6910	師永盂	對揚天子休命
7039	應侯見工鐘二	見工敢對揚天子休
7043	克鐘四	尃奠王令克敢對揚天子休
7044	克鐘五	尃奠王令克敢對揚天子休
7060	旲生鐘一	拜手韻手敢對楊王休
7062	柞鐘	柞拜手對揚中大師休
7063	柞鐘二	柞拜手對揚中大師休
7064	柞鐘三	柞拜手對揚中大師休
7065	柞鐘四	柞拜手對揚中大師休
7067	柞鐘六	柞拜手對揚中大師休
7075	者沕鐘七	齊休祝成
7078	者沕鐘十	齊休祝成
7083	鮮鐘	敢對揚天子休
7116	南宮乎鐘	敢對揚天子不顯魯休
7122	梁其鐘一	沕其敢對天子不顯休揚
7123	梁其鐘二	沕其敢對天子不顯休揚
7125	蔡侯𧿹緇甬鐘一	休有成慶
7126	蔡侯𧿹緇甬鐘二	休有成慶
7132	蔡侯𧿹緇甬鐘八	休有成慶
7133	蔡侯𧿹緇甬鐘九	休有成慶
7134	蔡侯𧿹甬鐘	休有成慶
7150	虢叔旅鐘一	逌天子多易旅休
7150	虢叔旅鐘一	旅對天子魯休揚
7151	虢叔旅鐘二	逌天子多易旅休
7151	虢叔旅鐘二	旅對天子魯休揚
7152	虢叔旅鐘三	逌天子多易旅休
7152	虢叔旅鐘三	旅對天子魯休揚
7153	虢叔旅鐘四	逌天子多易旅休
7153	虢叔旅鐘四	旅對天子魯休揚
7155	虢叔旅鐘六	逌天子多易旅休
7155	虢叔旅鐘六	旅對天子魯休揚
7184	叔夷編鐘三	易休命
7204	克鎛	克敢對揚天子休
7205	蔡侯𧿹緇編鎛一	休有成慶
7206	蔡侯𧿹緇編鎛二	休有成慶
7207	蔡侯𧿹緇編鎛三	休有成慶
7208	蔡侯𧿹緇編鎛四	休有成慶
7214	叔夷鎛	弗敢不對揚朕辟皇君之易休命
M171	小臣靜卣	揚天子休
M191	繁卣	對揚公休
M252	免簠	對揚王休
M423.	趞鼎	敢對揚天子不顯魯休
M616	番休伯者君盤	隹番休伯者君用其吉金
		小計：共　436 筆

棺　0953

7975	中山王墓兆域圖	丌葬棺(棺)中棺眂悠后

小計：共 1 筆

榭 0954

6474 榭父辛觶 [榭]父辛

小計：共 1 筆

籴 0955

2675 大保毁 易休籴土

小計：共 1 筆

柝 0956

5504 庚贏卣一 又丹一柝
5505 庚贏卣二 又丹一柝
6793 夨人盤 封割柝、隣陵、剛柝
6793 夨人盤 陟州剛、登柝

小計：共 4 筆

欶 0957

2331 欶冊_乍丁癸毁 vovp乍丁癸尊彝[欶冊]
4427 欶冊汱乍父乙盉一 汱乍父乙尊彝[欶冊]
4428 欶冊汱乍父乙盉二 汱乍父乙尊彝[欶冊]
5684 欶_汱父乙壺 汱父乙彝[欶冊]

小計：共 4 筆

梪 0958

4875 忻折尊 令乍冊忻(折)兄望土于梪侯
4928 折觥 令乍冊忻(折)兄望土于梪侯
4976 折方彝 令乍冊忻(折)兄望土于梪侯
5662 亞梹梪父乙壺 [亞梹梪]父乙

小計：共 4 筆

欃 0958+

2980 鼄大宰𨻰匠一 鼄大宰欃子𠕋鑄其𨻰匠
2981 鼄大宰𨻰匠二 鼄大宰欃子𠕋鑄其𨻰匠
7019 邾太宰鐘 鼄大宰欃子懿自乍其御鐘

小計：共 3 筆

桿 0959

7871	子禾子釜一	關人築桿rw斧、閉□
		小計：共 1 筆

梳 0960

1406	梳弔叔父鬲	梳弔叔父乍鼎
2613	白梳乍宄寶毁	白梳乍氒宄室寶毁
2641	伯梳盧毁一	伯梳盧肇乍皇考剌公尊毁
2642	伯梳盧毁二	伯虢盧肇乍皇考剌公尊毁
2644.	伯梳盧毁	白梳盧肇乍皇考剌公尊毁
3056	師趛乍構姬旅盨	師趛乍梳構旅盨
4242	膚冊宰梳乍父丁角	王各、宰梳从
4498	梳尊一	[梳]
4498.	梳尊二	[梳]
5662	亞梳樞父乙壺	[亞梳樞]父乙
6164	梳父辛觚	[梳]父辛
		小計：共 11 筆

棍 0961

7975	中山王墓兆域圖	丌棍跿長三乇
7975	中山王墓兆域圖	丌棍跿長三乇
		小計：共 2 筆

構 0962

0702	構仲乍旅鼎	構中乍旅彝
0849	吹乍構妊鼎	吹乍構妊尊彝
1206	旟鼎	師構酤兄
1228	歔甗方鼎	構中賞氒歔甗遂毛兩
1406	梳弔叔父鬲	構弔叔父乍鼎
2032	構仲乍旅毁	構中乍旅
2519	周雝生媵毁	周雝生乍構娟媸媵毁
2670	構侯毁	構侯乍姜氏寶鬻彝
2670	構侯毁	用乍文母構妊寶毁
2730	獻毁	構白于遘王
2730	獻毁	構白令氒臣獻金車
3056	師趛乍構姬旅盨	師趛乍梳構旅盨
3056	師趛乍構姬旅盨	師趛乍構姬旅盨
5671	構侯旅壺	構侯乍旅彝
6625	弔__乍構公觶	弔om乍構公寶彝
		小計：共 15 筆

東 0963

東

0526	東父辛鼎	[東]父辛
0814	東陵鼎	東陵__大右秦
1103	臣卿乍父乙鼎	公違省自東、才新邑
1233	__鼎	王令h0捷東反尸
1239	__鼎一	隹王伐東尸
1240	__鼎二	隹王伐東尸
1242	塑方鼎	隹周公于征伐東尸
1322	九年裘衛鼎	東臣羔裘
1324	禹鼎	亦唯噩侯馭方率南淮尸、東尸
1324	禹鼎	廣伐南或、東或
1325	五祀衛鼎	氒東彊眔散田
1329	小字盂鼎	征邦賓尊其旅服、東鄉
1330	曶鼎	以匡季告東宮
1330	曶鼎	東宮迺曰
1330	曶鼎	𠭯(曶)或目匡季告東宮
1330	曶鼎	東宮迺曰：賞𠭯(曶)禾十秭
2510	臣卿乍父乙毁	公違省自東、才新邑
2653	𡚸毁	易𡚸弓矢東、馬匹、貝五朋
2662.	宴毁一	宴從㕧父東
2662.	宴毁二	宴從㕧父東
2663	宴毁一	宴從㕧父東
2664	宴毁二	宴從㕧父東
2760	小臣謎毁一	𢦚東尸 (夷) 大反
2760	小臣謎毁一	白懋父目毁八自征東尸(夷)
2760	小臣謎毁一	述東𨸏
2761	小臣謎毁二	𢦚東尸 (夷) 大反
2761	小臣謎毁二	白懋父目毁八自征東尸(夷)
2761	小臣謎毁二	述東𨸏
2778	格白毁一	涉東門
2778	格白毁一	涉東門
2779	格白毁二	涉東門
2780	格白毁三	涉東門
2781	格白毁四	涉東門
2782	格白毁五	涉東門
2782.	格白毁六	涉東門
2789	同毁一	自淲東至于河
2790	同毁二	自淲東至于河
2791.	史密毁	王令師俗、史密曰：東征
2791.	史密毁	廣伐東或(國)
2815	師𣪘毁	𩰫嗣我西扁東扁
2815	師𣪘毁	東栽内外
2826	師寰毁一	弗迹東域
2826	師寰毁一	弗迹我東域
2827	師寰毁二	弗迹我東域
2828	宜侯夨毁	征省東或圖
2855	班毁一	伐東或𤸫戎、咸
2855	班毁一	三年靜東或、亡不成
2855.	班毁二	伐東或
2855.	班毁二	靜東或

2959	鑄公乍朕匠一	鑄公乍孟妊東母朕匠
2960	鑄公乍朕匠二	鑄公乍孟妊東母朕匠
3930	東父辛爵	[東]父辛
4145.	子東壬父辛爵	[子東]壬父辛
4575	東父乙尊	[東]乙父
4763	辟東乍父乙尊	辟東乍父乙尊彝
4860	魯侯尊	隹王令明公遣三族伐東或、才vq
4876	保尊	乙卯、王令保及殷東或(國)五侯
4885	效尊	公東宮內鄉于王
5495	保卣	乙卯、王令保及殷東或五侯
5495	保卣	乙卯、王令保及殷東或五侯
5503	競卣	隹白屖父以成自即東
5511	效卣一	公東宮內鄉于王
5727	廿九年東周左自歙壺	為東周左自歙壺
6793	矢人盤	以東封于mk東彊右
6793	矢人盤	道以東、一封
6793	矢人盤	矢王于豆新宮東廷
7040	克鐘一	王親令克遹涇東至于京自
7041	克鐘二	王親令克遹涇東至于京自
7042	克鐘三	王親令克遹涇東至于京
7108	爲弔之仲子平編鐘一	rp于hs東
7109	爲弔之仲子平編鐘二	rp于hs東
7110	爲弔之仲子平編鐘三	rp于hs東
7111	爲弔之仲子平編鐘四	rp于hs東
7176	㝬鐘	南尸東尸具見
7204	克鎛	王親令克遹涇東
7547	廿六年蜀守武戈	武、廿六年蜀守武造東工師宦丞耒工篪
7627	東周矛	東周左軍
M160	□貯殷	隹巢來钕王令東宮追目六自之年
		小計：共 78 筆

朸 0963+

5493	召乍＿宮旅卣	用乍朸宮旅彝
		小計：共 1 筆

䔲 0963+

2102	䔲晾乍寶彝殷	䔲晾乍寶彝
		小計：共 1 筆

輮 0964

4092	天輮父癸爵	[天輮]父癸
		小計：共 1 筆

林 0965

1120	湶白鼎	唯湶白友□林乍鼎
1205	公朱左自鼎	左自__大夫林自□夫__鑄鼎
1284	尹姞鼎	穆公乍尹姞宗室于py林
1284	尹姞鼎	各于尹姞宗室py林
1322	九年裘衛鼎	迺舍裘衛林舀里
1322	九年裘衛鼎	𢼸、𠂤住顏林
1322	九年裘衛鼎	付裘衛林舀里
1440	亞俞林𡘲鬲	林𡘲乍父辛寶尊彝[亞俞]
1533	尹姞寶鬲一	穆公乍尹姞宗室于繇林
1533	尹姞寶鬲一	各于尹姞宗室繇林
1534	尹姞寶鬲二	穆公乍尹姞宗室于繇林
1534	尹姞寶鬲二	各于尹姞宗室繇林
2213	姜林母乍𩰫毁	姜林母乍𩰫毁
2569	鼎卓林父毁	卓林父乍寶毁
2789	同毁一	王命周左右吳大父𤔲昜林吳牧
2790	同毁二	王命周左右吳大父𤔲昜林吳牧
2836	㦰毁	㦰達有𤔲師氏奔追御戎于𩀁林
5288.	林卣	[林亞皿矢]
5803	𤔲𤔲好𧊒壺	其會女(如)林
6773	__湯弔盤	林__湯弔obG1鑄其尊
7164	𤸫鐘七	肈乍龢林鐘用

小計：共 21 筆

無 0966

0290	公無鼎	公無
0719	無臭之𩰫鼎一	無臭之𩰫鼎
0720	無臭之𩰫鼎二	無臭之𩰫鼎
1052	褱自乍𥖊𩰫	其釁壽無期、永保用之
1063	鄧公乘鼎	其釁壽無期
1102	無大邑魯生鼎	無大邑魯生乍壽母朕(媵)貞(鼎)
1106	曾孫無䢼乍飤鼎	曾孫無箕自乍飤𩰫
1106	曾孫無䢼乍飤鼎	釁壽無疆
1120	湶白鼎	其萬年無疆
1122	𧙗白乍石𩰫	其萬年無疆
1126	弔夜鼎	用旂釁壽無疆
1130	虢文公子𤔲鼎一	其萬年無疆
1131	虢文公子𤔲鼎二	其萬年無疆
1132	郣白祀乍善鼎	其萬年釁壽無疆
1148	䶂姜白鼎一	其萬年釁壽無疆
1149	䶂姜白鼎二	其萬年釁壽無疆
1154	黃孫子𧊒君弔單鼎	其萬年無疆
1188	旅弔樊乍易姚鼎	其萬年無疆
1195	𢦏弔朕鼎一	其萬年無疆
1196	𢦏弔朕鼎二	其萬年無疆
1197	𢦏弔朕鼎三	其萬年無疆
1198	姬𦤎彝鼎	用匄釁壽無疆

1211	庚兒鼎一	釁壽無彊
1212	庚兒鼎二	釁壽無彊
1218	寡兒鼎	釁壽無期
1220	鄁公鼎	其萬年無彊
1224	王子吳鼎	其釁壽無諆（期）
1233	__鼎	攻龠無啻（敵）
1238	曾子仲宣鼎	其萬年無彊
1241	蔡大師䑗鼎	用旂釁壽萬年無彊
1245	仲師父鼎一	用易釁壽無彊
1246	仲師父鼎二	用易釁壽無彊
1259	鄀公諴鼎	用气（乞）釁壽萬年無彊
1266	鄀公平侯鼎一	萬年無彊
1267	鄀公平侯鼎二	萬年無彊
1268	梁其鼎一	釁壽無彊
1268	梁其鼎一	其萬年無彊
1269	梁其鼎二	釁壽無彊
1269	梁其鼎二	其萬年無彊
1270	小臣夌鼎	王至于达应、無遣
1281	史頌鼎一	頌其萬年無彊
1282	史頌鼎二	頌其萬年無彊
1283	微䜌鼎	其萬年無彊
1291	善夫克鼎一	萬年無彊
1292	善夫克鼎二	萬年無彊
1293	善夫克鼎三	萬年無彊
1294	善夫克鼎四	萬年無彊
1295	善夫克鼎五	萬年無彊
1296	善夫克鼎六	萬年無彊
1297	善夫克鼎七	萬年無彊
1304	王子午鼎	萬年無諆（期）
1306	無叀鼎	嗣徒南中右無叀內門
1306	無叀鼎	王乎史翏冊令無叀曰：官嗣Lk王1J側虎臣
1306	無叀鼎	無叀敢對揚天子不顯魯休
1312	此鼎一	此其萬年無彊
1313	此鼎二	此其萬年無彊
1314	此鼎三	此其萬年無彊
1318	晉姜鼎	萬年無彊
1327	克鼎	易釐無彊
1327	克鼎	天子其萬年無彊
1327	克鼎	克其萬年無彊
1328	盂鼎	酉無敢醵（酖）
1328	盂鼎	無敢醵（醻）
1330	曶鼎	余無卣貝寇足□
1332	毛公鼎	無唯正聞（昏）
1461	鼄來隹鼎	萬壽釁其年無彊用
1481	咏仲無龍寶鼎一	咏中無龍乍寶鼎
1482	咏仲無龍寶鼎二	咏中無龍乍寶鼎
1505	番君酌白鼎	萬年無彊子孫永寶
1525	隮子奠白尊鬲	其釁壽萬年無彊
1661	乍冊般甗	無敄、咸
1663	鼄五世孫矩甗	其釁壽無彊

	1664	邕子良人 歃甗	其萬年無疆、其子子孫永寶用
	1665	王孫壽𩰫甗	其釁壽無疆、萬年無諆(期)
	1667	陳公子弔遷父甗	用旛釁壽、萬年無疆
無	2512	乙自乍歃鉚	其釁壽無朞(箕期)
	2553	虢季氏子組毁一	其萬年無疆
	2554	虢季氏子組毁二	其萬年無疆
	2555	虢季氏子組毁三	其萬年無疆
	2571	穌公子癸父甲毁	其萬年無疆
	2571.	穌公子癸父甲毁二	其萬年無疆
	2572	毛白嘰父毁	其萬年無疆
	2578	兮吉父乍仲姜毁	其萬年無疆
	2583	鄁公毁	萬年無疆
	2646	仲辛父毁	辛父其萬年無疆
	2653.	弔_孫父毁	彌生萬年無疆
	2667	尌仲毁	其萬年無疆
	2689	白康毁一	無疆屯右
	2689	白康毁一	用夙夜無怠
	2690	白康毁二	無疆屯右
	2690	白康毁二	用夙夜無怠
	2691	善夫梁其毁一	釁壽無疆
	2692	善找梁其毁二	釁壽無疆
	2695	㴱兌毁	用祈釁壽萬年無疆多寶
	2696	盂毁一	盂曰:朕文考眔毛公遣中征無需
	2697	盂毁二	盂曰:朕文考眔毛公遣中征無需
	2706	郜公敄人毁	萬年無疆
	2711.	乍冊般毁	王宜人方無敄
	2712	虢姜毁	受福無疆
	2725.	桒星毁	其萬年無疆
	2727	蔡姞乍尹弔毁	其萬年無疆
	2739	無曩毁一	王易無曩馬四匹
	2739	無曩毁一	無曩拜手韻首
	2739	無曩毁一	無曩用乍朕皇且釐季尊毁
	2739	無曩毁一	無曩其萬年子孫永寶用
	2740	無曩毁二	王易無曩馬四匹
	2740	無曩毁二	無曩拜手韻首
	2740	無曩毁二	無曩用乍朕皇且釐季尊毁
	2740	無曩毁二	無曩其萬年子孫永寶用
	2741	無曩毁三	王易無曩馬四匹
	2741	無曩毁三	無曩拜手韻首
	2741	無曩毁三	無曩用乍朕皇且釐季尊毁
	2741	無曩毁三	無曩其萬年子孫永寶用
	2742	無曩毁四	王易無曩馬四匹
	2742	無曩毁四	無曩拜手韻首
	2742	無曩毁四	無曩用乍朕皇且釐季尊毁
	2742	無曩毁四	無曩其萬年子孫永寶用
	2742.	無曩毁五	王易無曩馬四匹
	2742.	無曩毁五	無曩拜手韻首
	2742.	無曩毁五	無曩用乍朕皇且釐季尊毁
	2742.	無曩毁五	無曩其萬年子孫永寶用
	2742.	無曩毁五	王易無曩馬四匹

2742.	無㠱毁五	無㠱拜手𩒨首
2742.	無㠱毁五	無㠱用乍朕皇且釐季尊毁
2742.	無㠱毁五	無㠱其萬年子孫永寶用
2752	史頌毁一	頌其萬年無彊
2753	史頌毁二	頌其萬年無彊
2754	史頌毁三	頌其萬年無彊
2755	史頌毁四	頌其萬年無彊
2756	史頌毁五	頌其萬年無彊
2757	史頌毁六	頌其萬年無彊
2758	史頌毁七	頌其萬年無彊
2759	史頌毁八	頌其萬年無彊
2759	史頌毁九	頌其萬年無彊
2764	艾毁	無冬令玙(于)有周
2788	靜毁	靜學無眈
2800	伊毁	伊其萬年無彊
2807	䣄陵毁一	䣄其釁壽萬年無彊
2808	䣄陵毁二	䣄其釁壽萬年無彊
2809	䣄陵毁三	䣄其釁壽萬年無彊
2809	䣄陵毁三	年無彊
2818	此毁一	此其萬年無彊
2819	此毁二	此其萬年無彊
2820	此毁三	此其萬年無彊
2821	此毁四	此其萬年無彊
2822	此毁五	此其萬年無彊
2823	此毁六	此其萬年無彊
2824	此毁七	此其萬年無彊
2825	此毁八	此其萬年無彊
2826	師寰毁一	無諆徒馭
2826	師寰毁一	無諆徒馭
2827	師寰毁二	無諆徒馭
2833	秦公毁	釁壽無彊
2836	㦰毁	無眈于㦰身
2844	頌毁一	頌其萬年釁壽無彊
2845	頌毁二	頌其萬年釁壽無彊
2845	頌毁二	頌其萬年釁壽無彊
2846	頌毁三	頌其萬年釁壽無彊
2847	頌毁四	頌其萬年釁壽無彊
2848	頌毁五	頌其萬年釁壽無彊
2849	頌毁六	頌其萬年釁壽無彊
2850	頌毁七	頌其萬年釁壽無彊
2851	頌毁八	頌其萬年釁壽無彊
2852	不𩵦毁一	釁壽無彊
2853	不𩵦毁二	釁壽無彊
2957	子季固	萬壽無期
2958	陳公子固	萬年無彊
2961	敶侯乍媵固一	用旛釁壽無彊
2962	敶侯乍媵固二	用旛釁壽無彊
2963	陳侯固	用旛釁壽無彊
2964	曾□□觮固	其釁壽無彊
2964.	弔邦父固	其萬年釁壽無彊

無

2967	陳侯乍孟姜朕匿	萬年無疆
2970	考弔𤔲父尊匿一	其釁壽萬年無疆
2971	考弔𤔲父尊匿二	其釁壽萬年無疆
2972	弔家父乍仲姬匿	用旟釁考無疆
2973	楚屈子匿	其釁壽無疆
2974	上鄀府匿	其釁壽無記
2976	盤公匿	永命無疆
2977	□孫弔左諆匿	其萬年釁壽無疆
2978	樂子敬豧觚匿	其釁壽萬年無諆(期)
2979	弔朕自乍𥫗匿	萬年無疆
2979.	弔朕自乍𥫗匿二	萬年無疆
2980	鼄大宰𩞁匿一	其釁壽、用𩞁萬年無㠯
2981	鼄大宰𩞁匿二	其釁壽、用𩞁萬年無㠯
2982	長子□臣乍媵匿	其釁壽萬年無期
2982	長子□臣乍媵匿	其釁壽萬年無期
2983	弭仲簠匿	弭中受無疆福
2984	伯公父盨	多福無疆
2984	伯公父盨	多福無疆
2986	曾白棗旅匿一	釁壽無疆
2987	曾白棗旅匿二	釁壽無疆
3051	兮白吉父旅盨(蓋)	其萬年無疆子子孫孫永寶用
3057	仲𠂤父𩰫(盨)	用□釁壽無疆
3058	曼𦨶父盨一	其萬年無疆子子孫孫永寶用
3064	㠯白子𡧊父征盨一	割釁壽無疆、慶其以臧㠯白子𡧊父乍其征盨
3064	㠯白子𡧊父征盨一	割釁壽無疆、慶其以臧
3065	㠯白子𡧊父征盨二	割釁壽無疆、慶其以臧㠯白子𡧊父乍其征盨
3065	㠯白子𡧊父征盨二	割釁壽無疆、慶其以臧
3066	㠯白子𡧊父征盨三	割釁壽無疆、慶其以臧㠯白子𡧊父乍其征盨
3066	㠯白子𡧊父征盨三	割釁壽無疆、慶其以臧
3067	㠯白子𡧊父征盨四	割釁壽無疆、慶其以臧㠯白子𡧊父乍其征盨
3067	㠯白子𡧊父征盨四	割釁壽無疆、慶其以臧
3086	善夫克旅盨	克其日易休無疆
3087	鬲从盨	令小臣成友逆__□內史無𣏟
3096	齊侯乍孟姜善𦎫	用旟釁壽、萬年無疆
3096	齊侯乍孟姜善𦎫	它它熙熙、男女無期
3112	𨚕陵君王子申豆一	官攸無疆
3113	𨚕陵君王子申豆二	官攸無疆
3118	魯大嗣徒厚氏元善𠑹一	其釁壽萬年無疆
3119	魯大嗣徒厚氏元善𠑹二	其釁壽萬年無疆
3120	魯大嗣徒厚氏元善𠑹三	其釁壽萬年無疆
3124	𥙊仲無龍匕	咏中無龍公
3128	魚鼎匕	下民無智
4344	嘉仲父斝	其釁壽萬年無疆
4887	蔡侯𦄂𬯀	冬歲無疆
4977	師遽方彝	用匄萬年無疆
5376	亞束無憂乍父丁卣	[亞束]無憂乍父丁彝
5580	㳄___罍	其萬年無疆
5583	不白夏子罍一	用旟釁壽無疆
5584	不白夏子罍二	用旟釁壽無疆
5721	蔡侯壺	蔡侯□□皇□朕□□其萬年無□

5743	齊良壺	其釁壽無期
5752	陳侯壺	用旛釁壽無疆
5775	蔡公子壺	其釁壽無疆
5776	曩公壺	也熙受福無期
5777	孫弔師父行具	釁壽萬年無疆
5781	曾姬無卹壺一	聖趄之夫人曾姬無卹
5781	曾姬無卹壺一	蔿間之無駟
5782	曾姬無卹壺二	聖趄之夫人曾姬無卹
5782	曾姬無卹壺二	蔿間之無駟
5783	曾白陭壺	為德無叚
5783	曾白陭壺	子子孫孫用受大福無疆
5787	汈其壺一	永令無疆
5788	汈其壺二	永令無疆
5789	命瓜君厚子壺一	旂無疆
5790	命瓜君厚子壺二	旂無疆
5795	白克壺	克用匃釁壽無疆
5801	洹子孟姜壺一	于大無嗣折于大嗣命用璧
5801	洹子孟姜壺一	瑾nz無用從爾大樂
5801	洹子孟姜壺一	萬年無疆
5802	洹子孟姜壺二	于大無嗣折于與大嗣命用璧
5802	洹子孟姜壺二	瑾nz無用從爾大樂
5802	洹子孟姜壺二	萬年無疆
5808	孟城行鈃	其釁壽無疆
5810	喪鈃	萬年無疆
5816.	伯亞臣鑐	用祈釁壽萬年無疆
6715	曩白姪父盤	曩白姪父朕姜無須盤
6746	齊侯乍孟姬盤	其萬年釁壽無疆
6751	昶白章盤	其萬年疆無
6755	毛叔盤	其萬年釁壽無疆
6763	句它盤	其萬年無疆
6764	般仲__盤	其萬年釁壽無疆
6765	齊弔姬盤	其萬年無疆
6767	齊縈姬之孀盤	其釁壽萬年無疆
6773	__湯弔盤	其萬年無用之疆
6777	邛仲之孫白戔盤	用旛釁壽萬年無疆
6779	齊侯盤	用祈釁壽萬年無疆
6779	齊侯盤	男女無期
6780	黃大子白克盤	用旛釁壽萬年無疆
6781	夆弔盤	壽老無期
6786	__弔多父盤	兄弟者子聞(婚)媾無不喜
6788	蔡侯𨹸盤	冬歲無疆
6790	虢季子白盤	子子孫孫萬年無疆
6791	兮甲盤	其釁壽萬年無疆
6792	史墻盤	天子釁無匃
6792	史墻盤	得屯無諫
6826	曩白姪父匜	曩白姪父朕姜無顐它
6840	__子匜	其萬年無疆
6847	蛈__匜	萬年無疆孫啚
6857	蔡白𣎆匜	其萬年無疆
6866	齊侯乍虢孟姬匜	其萬年無疆

無

6870	算公孫搖父匜	其釁壽無彊
6871	陳子匜	用旛釁壽萬年無彊
6872	魯大嗣徒子仲白匜	其釁壽萬年無彊
6873	齊侯乍孟姜盥匜	用祈釁壽萬年無彊
6873	齊侯乍孟姜盥匜	男女無期
6874	鄭大內史弔上匜	其萬年無彊
6875	慶弔匜	男女無期
6876	筆弔乍季妃盥盤(匜)	壽老無期
6887	挪陵君王子申鑑	攸無彊(盤外)
6888	吳王光鑑一	釁壽無彊
6889	吳王光鑑二	釁壽無彊
6905	要君餘盂	用祈釁壽無彊
6906	王子申蓋盂	其釁壽無期
6921	鄧子仲盆	其釁壽無彊
6923	庚午盨	萬年無彊
6924	江仲之孫白戔餘盨	其釁壽萬年無彊
6989	□鐘	福無彊猷
6991	眉壽鐘一	年無彊
6992	眉壽鐘二	年無彊
6993	弔旅魚父鐘	豐豐鑲鑲、降多福無
7005	郜公鐘	釁壽萬年無彊
7007	梁其鐘	其萬年無彊
7016	楚王鐘	其釁壽無彊
7019	邾太宰鐘	萬年無彊
7026	邾弔鐘	□用旂釁壽無彊
7045	□□自乍鐘一	其釁□無彊
7049	井人鐘三	降余厚多福無彊
7050	井人鐘四	降余後多福無彊
7051	子璋鐘一	其釁壽無基
7052	子璋鐘二	其釁壽無基
7053	子璋鐘三	其釁壽無基
7054	子璋鐘四	其釁壽無基
7055	子璋鐘五	其釁壽無基
7056	子璋鐘六	其釁壽無基
7057	子璋鐘八	其釁壽無基
7058	邾公孫班鐘	□□是□需命無其
7059	師臾鐘	用匄釁壽無彊
7107	曾侯乙甬鐘	呂其反宣鐘之羽角無鐸之徵曾
7108	鷹弔之仲子平編鐘一	萬年無諆
7109	鷹弔之仲子平編鐘二	萬年無諆
7110	鷹弔之仲子平編鐘三	萬年無諆
7111	鷹弔之仲子平編鐘四	萬年無諆
7116	南宮乎鐘	絃名曰無數鐘
7121	郤王子旃鐘	釁壽無諆
7124	沇兒鐘	釁壽無期
7125	蔡侯𨐓紐鐘一	元鳴無期
7126	蔡侯𨐓紐鐘二	元鳴無期
7131	蔡侯𨐓紐鐘七	元鳴無期
7132	蔡侯𨐓紐鐘八	元鳴無期
7133	蔡侯𨐓紐鐘九	元鳴無期

7134	蔡侯𩔳甬鐘	元鳴無期
7157	邾公華鐘一	其萬年無疆
7159	獮鐘二	義文神無疆䪨福
7167	獮鐘十	義天神無疆䪨福
7174	秦公鐘	𩟄壽無疆
7175	王孫遺者鐘	萬年無諆
7178	秦公及王姬編鐘二	𩟄壽無疆
7205	蔡侯𩔳編鎛一	元鳴無期
7206	蔡侯𩔳編鎛二	元鳴無期
7207	蔡侯𩔳編鎛三	元鳴無期
7208	蔡侯𩔳編鎛四	元鳴無期
7209	秦公及王姬鎛	𩟄壽無疆
7210	秦公及王姬鎛二	𩟄壽無疆
7211	秦公及王姬鎛三	𩟄壽無疆
7212	秦公鎛	𩟄壽無疆
7218	郐諳尹征城	𩟄壽無疆
7220	喬君鉦	乍無者俞寶sq__
7364	乍潭右戈	無潭右
7531	廿九年高都令陳愈戈	工帀華、冶無
7552	__生戈	郾侯庫乍戎__蚔生不祇□無□□□自洹來
7653	十年邦司寇富無矛	十年邦司寇富無
M548	吳王孫無壬鼎	吳王孫無壬之脰鼎
M581	陳公子中慶簠蓋	用祈顈壽萬年無彊子子孫孫永壽用之
M582	陳公孫揞父甒	用祈𩟄壽萬年無彊
M602	蔡矦匜	邁(萬)年無彊
M612	鄦子鐘	萬年無諆
M617	番白享匜	其萬年無彊
M706	曾侯乙編鐘下一・二	無鐸之宮曾
M706	曾侯乙編鐘下一・二	為無睪徵頔
M708	曾侯乙編鐘下二・一	為無睪之羽顧下角
M711	曾侯乙編鐘下二・四	無睪之宮曾
M711	曾侯乙編鐘下二・四	為無睪徵角
M713	曾侯乙編鐘下二・七	無睪之徵
M744	曾侯乙編鐘中三・五	無睪之徵曾
M746	曾侯乙編鐘中三・七	為無睪徵角
M748	曾侯乙編鐘中三・九	無睪之徵
M768	曾侯乙編鐘上三・七	宮、徵曾，無睪之宮，

小計：共 359 筆

楚 0967

0837	楚子適之飤𨮦	楚子適之飤𨮦
0920	倗鼎	楚弔之孫倗之飤䵼
1003	楚王酓肯釶鼎	楚王酓肯(朏)鑄釶(匜)鼎
1005	楚王酓肯喬鼎	楚王酓朏吏鑄喬鼎
1115	楚王酓肯喬鼎	楚王酓朏乍鑄喬鼎
1231	楚王酓忓鼎一	楚王酓忓戰隻銅
1231	楚王酓忓鼎一	三楚

楚

1232	楚王酓忏鼎二	楚王酓忏戰隻銅
1232	楚王酓忏鼎二	三楚
1270	小臣夌鼎	王式于楚麓
1270	小臣夌鼎	令小臣夌先省楚应
1332	毛公鼎	埶小大楚賦
2122	季楚乍寶段	季楚乍寶段
2543	鈦馭段	伐楚枡（荊）
2768	楚段	又楚立中廷
2768	楚段	內史尹氏冊命楚
2768	楚段	楚敢拜手韻首
2770	截段	楚徒馬、取遺五孚、用吏
2771	弭弔師求段一	用楚弭白
2772	弭弔師求段二	用楚弭白
2814	鳥冊夨令段一	隹王于伐楚白、才炎
2814.	夨令段二	隹王于伐楚白、才炎
2908	楚王酓肯匿一	楚王酓肯（朏）乍鑄金匿
2909	楚王酓肯匿二	楚王酓肯（朏）乍鑄金匿
2910	楚王酓肯匿三	楚王酓肯（朏）乍鑄金匿
2942	楚子＿飤匿一	楚子o4鑄其飤匿
2943	楚子＿飤匿二	楚子o4鑄其飤匿
2944	楚子＿飤匿三	楚子o4鑄其飤匿
2973	楚屈子匿	楚屈子赤角賸中孎飤匿
3091	楚子敦	楚子□□之飤□
4436	堯盉	用楚匋（保）眔叔堯
5566	楚高罍一	征寇右征　尹楚高
5567	楚高罍二	楚泂高
6602	義楚之祭耑	義楚之祭耑
6634	郐王義楚祭耑	仔郐王義楚羼余吉金
6723	楚王酓肯盤	楚王酓肯乍為鑄盤
6725	郐王義楚盤	徐王義楚羼其吉金自乍朕盤
6734	才盤	用萬年用楚保眔弔堯
6754	楚季苟盤	楚季苟乍孎尊賸盥般
6760	中子化盤	中子化用保楚王
6776	楚王酓忎盤	楚王酓忎戰隻兵銅
6792	史墙盤	廣能楚荊
6865	楚瀛匜	楚瀛鑄其匜
6925	晉邦盦	宗婦楚邦
6973	益公鐘	益公為楚氏龢鐘
6990	晉篙鐘	晉人救戎於楚競
6994	楚公冢鐘一	楚公冢自鑄錫鐘
6995	楚公冢鐘二	楚公冢自乍寶大蓄鐘
6996	楚公冢鐘三	楚公冢自乍寶大蓄鐘
6997	楚公冢鐘四	楚公自乍寶大蓄鐘
6998	楚公冢鐘五	楚公冢自鑄錫鐘
7004	楚王頟鐘	楚王頟自乍鈴鐘
7016	楚王鐘	楚王賸邛中孎南龢鐘
7017	楚王酓章鐘一	楚王酓章乍曾侯乙宗彝
7083	鮮鐘	王易鮮□□鮮楚遺啓
7092	㠱羌鐘一	䵼敓楚京
7093	㠱羌鐘二	䵼敓楚京

7094	𠨘羌鐘三	𡨦𣪘楚京
7095	𠨘羌鐘四	𡨦𣪘楚京
7096	𠨘羌鐘五	𡨦𣪘楚京
7107	曾侯乙甬鐘	割肄之才楚號為呂鐘
7117	斜𩔩兒鐘一	余義楚之良臣
7125	蔡侯[illegible]鈕鐘一	佐右楚王
7126	蔡侯[illegible]鈕鐘二	佐右楚王
7132	蔡侯[illegible]鈕鐘八	佐右楚王
7133	蔡侯[illegible]鈕鐘九	佐右楚王
7134	蔡侯[illegible]甬鐘	佐右楚王
7201	楚王酓章乍曾侯乙鎛	楚王酓章乍曾侯乙宗彝
7202	楚公逆鎛	楚公逆自乍夜雨䨓(雷)鎛
7205	蔡侯[illegible]編鎛一	佐右楚王
7206	蔡侯[illegible]編鎛二	佐右楚王
7207	蔡侯[illegible]編鎛三	佐右楚王
7208	蔡侯[illegible]編鎛四	佐右楚王
7429	楚公豪秉戈	楚公豪秉戈
7462	楚王孫漁戈	楚王孫漁之用
7511	□克戈	武克氏楚羿其黃鏐鑄
7554	楚王酓璋戈	楚王酓璋嚴龔寅乍su戈
7557	楚屈弔沱戈	楚王之元右王鐘
7557	楚屈弔沱戈	楚屈弔沱屈□之孫
7711	楚王酓章劍	楚王酓章為從士鑄
M706	曾侯乙編鐘下一・二	妥賓之才楚號為坪皇
M709	曾侯乙編鐘下二・二	贏孠之才楚號為新鐘
M709	曾侯乙編鐘下二・二	穆音之才楚為穆鐘
M710	曾侯乙編鐘下二・三	韋音之才楚號為文王
M710	曾侯乙編鐘下二・三	𨜏音之才楚為獸鐘
M711	曾侯乙編鐘下二・四	妥賓之才楚號為坪皇
M712	曾侯乙編鐘下二・五	割肄之才楚號為呂鐘
M738	曾侯乙編鐘中二・十一	贏孠之才楚為新鐘
M738	曾侯乙編鐘中二・十一	穆音之才楚為穆鐘
M740	曾侯乙編鐘中三・一	割肄之才楚為呂鐘
M741	曾侯乙編鐘中三・二	贏孠之才楚號為新鐘
M741	曾侯乙編鐘中三・二	穆立楚號為穆鐘
M742	曾侯乙編鐘中三・三	其才楚為文王
M744	曾侯乙編鐘中三・五	割肄之才楚號為呂鐘
M745	曾侯乙編鐘中三・六	韋音之才楚號為文王
M746	曾侯乙編鐘中三・七	妥賓之才楚號為坪皇
M747	曾侯乙編鐘中三・八	割肄之才楚號為呂鐘

小計：共　97 筆

楙　0968

2713	瘐𣪘一	王對瘐楙、易佩
2714	瘐𣪘二	王對瘐楙、易佩
2715	瘐𣪘三	王對瘐楙、易佩
2716	瘐𣪘四	王對瘐楙、易佩

	2717	瘐𣪘五	王對瘐楙、易佩
	2718	瘐𣪘六	王對瘐楙、易佩
	2719	瘐𣪘七	王對瘐楙、易佩
楙	2720	瘐𣪘八	王對瘐楙、易佩
麓	5739	鄭楙弔賓父醴壺	鄭楙弔賓父乍醴壺
棼	7158	瘐鐘一	皇王對瘐身楙、易佩
杳	7160	瘐鐘三	皇王對瘐身楙、易佩
囍	7161	瘐鐘四	皇王對瘐身楙、易佩
	7162	瘐鐘五	皇王對瘐身楙、易佩
			小計：共 13 筆
麓 0969			
	1270	小臣夌鼎	王迖于楚麓
			小計：共 1 筆
棼 0969			
	2725.	棼星𣪘	棼星父乍匋中姞寶𣪘
			小計：共 1 筆
杳 0970			
	2878	西杳鈷	西杳乍其妹靳尊鈷（匿）
			小計：共 1 筆
囍 0971			
	2703	免乍旅𣪘	嗣奠還𢻱（囍）
	2762	免𣪘	令女足周師、嗣（司辭）𢻱（囍），
	2812	大𣪘一	余弗敢𢻱（囍）
	2813	大𣪘二	余弗敢𢻱（囍）
	2982.2	免簠	嗣奠還𢻱（囍）眔吳眔牧
	5816	奠義白𦉜	以囍狩用
	6995	楚公豙鐘二	楚公豙自乍寶大囍鐘
	6996	楚公豙鐘三	楚公豙自乍寶大囍鐘
	6997	楚公豙鐘四	楚公自乍寶大囍鐘
	7009	兮仲鐘一	兮中乍大囍鐘
	7010	兮仲鐘二	兮中乍大囍鐘
	7011	兮仲鐘三	兮中乍大囍鐘
	7012	兮仲鐘四	兮中乍大囍鐘
	7013	兮仲鐘五	兮中乍大囍鐘
	7014	兮仲鐘六	兮中乍大囍鐘
	7015	兮仲鐘七	兮中乍大囍鐘
	7023	虘鐘三	用乍朕文考釐白龢囍鐘
	7037	遟父鐘	遟父乍姬齊姜龢囍鐘

7039	應侯見工鐘二	用乍朕皇且𤼈侯大𧀹鐘
7043	克鐘四	用乍朕皇且考白寶𧀹鐘
7044	克鐘五	用乍朕皇且考白寶𧀹鐘
7049	井人鐘三	宗室、肄妄乍龢父大𧀹鐘
7050	井人鐘四	肄妄乍龢父大𧀹鐘
7059	師臾鐘	朕皇考德弔大𧀹鐘
7060	旲生鐘一	斁生用乍＿公大𧀹鐘
7062	柞鐘	用乍大𧀹鐘
7063	柞鐘二	用乍大𧀹鐘
7064	柞鐘三	用乍大𧀹鐘
7065	柞鐘四	用乍大𧀹鐘
7083	鮮鐘	用乍朕皇考𧀹鐘
7088	士父鐘一	□□□□□乍朕皇考弔氏寶𧀹鐘
7089	士父鐘二	□□□□□乍朕皇考弔氏寶𧀹鐘
7090	士父鐘三	□□□□□乍朕皇考弔氏寶𧀹鐘
7091	士父鐘四	□□□□□乍朕皇考弔氏寶𧀹鐘
7116	南宮乎鐘	嗣土南宮乎乍大𧀹𨫸鐘
7150	虢叔旅鐘一	用乍朕皇考叀弔大𧀹龢鐘
7151	虢叔旅鐘二	用乍朕皇考叀弔大𧀹龢鐘
7152	虢叔旅鐘三	用乍朕皇考叀弔大𧀹龢鐘
7153	虢叔旅鐘四	用乍朕皇考叀弔大𧀹龢鐘
7156	虢叔旅鐘七	朕皇考叀弔大𧀹龢鐘
7159	𤼈鐘二	皇考丁公龢𧀹鐘
7204	克鎛	用乍朕皇且考白寶𧀹鐘

小計：共　42 筆

才　0972

0785	才俁父鼎	才俁父乍尊彝
1032	𠭰乍父丁鼎	乙＿□□＿貝□用乍父丁彝、才六月
1037	乍冊𡿁鼎	康侯才歺自易乍冊𡿁貝
1073	白鼎	吏農才井
1103	臣卿乍父乙鼎	公違省自東、才新邑
1121	唯弔從王南征鼎	隹八月才𨜶㡴
1121	唯弔從王南征鼎	隹八月才䢅㡴
1135	獻侯乍丁侯鼎	唯成王大𣳿、才宗周
1136	獻侯乍丁侯鼎二	唯成王大𣳿、才宗周
1139	寓鼎	王才𦫺京鼎（真）＿
1158	小子＿鼎	王商貝、才𣪕師次
1164	旂乍文父日乙鼎	唯八月初吉辰才乙卯
1172	征人乍父丁鼎	丙午天君鄉Gz酉才斤
1184	德方鼎	隹三月王才成周
1208	乙亥乍父丁方鼎	乙亥、王□才𩜼𩜼
1209	𡛸方鼎	才穆、朋二百
1210	寧＿鼎	才二月
1219	戍嗣子鼎	隹王寶𨶹大室、才九月
1221	井鼎	隹七月、王才𦫺京
1228	𢼸𪖉方鼎	才宗周
1234	旅鼎	才十又一月庚申

才

1234	旅鼎	公才盩自
1235	不栺方鼎一	王才上侯应
1236	不栺方鼎甲二	王才上侯应
1244	瘨鼎	王才豊
1249	寓鼎	隹九月既生霸辛酉、才匽
1263	呂方鼎	唯五月既死霸辰才壬戌
1270	小臣夌鼎	正月、王才成周
1272	剌鼎	唯五月、王才□
1272	剌鼎	辰才丁卯
1273	師湯父鼎	王才周新宮
1273	師湯父鼎	才射廬
1277	七年趞曹鼎	王才周般宮
1278	十五年趞曹鼎	龏王才周新宮
1279	中方鼎	王才寒餗
1280	康鼎	王才康宮
1281	史頌鼎一	王才宗周
1282	史頌鼎二	王才宗周
1283	微䜌鼎	王才宗周
1285	㺇方鼎一	隹九月既望乙丑、才𠂤
1286	大夫始鼎	隹三月初吉甲寅、王才龢宮
1286	大夫始鼎	王才華宮□
1286	大夫始鼎	王才邦宮
1286	大夫始鼎	王才邦
1291	善夫克鼎一	王才宗周
1292	善夫克鼎二	王才宗周
1293	善夫克鼎三	王才宗周
1294	善夫克鼎四	王才宗周
1295	善夫克鼎五	王才宗周
1296	善夫克鼎六	王才宗周
1297	善夫克鼎七	王才宗周
1298	師旂鼎	才莽
1299	𨙶侯鼎一	才坏
1300	南宮柳鼎	王才康廟
1301	大鼎一	王才𣈆侲宮
1302	大鼎二	王才𣈆侲宮
1303	大鼎三	王才𣈆侲宮
1308	白晨鼎	隹王八月辰才丙午
1309	寰鼎	王才周康穆宮
1310	鬲攸從鼎	王才周康宮、徲大室
1311	師晨鼎	王才周師彔宮
1312	此鼎一	王才周康宮徲宮
1313	此鼎二	王才周康宮徲宮
1314	此鼎三	王才周康宮徲宮
1315	善鼎	唯十又一月初吉辰才丁亥
1315	善鼎	王才宗周
1317	善夫山鼎	王才周、各圖室
1319	頌鼎一	王才周康卲宮
1320	頌鼎二	王才周康卲宮
1321	頌鼎三	王才周康卲宮
1322	九年裘衛鼎	王才周駒宮

1323	師訊鼎	唯王八祀正月辰才丁卯
1327	克鼎	王才宗周
1328	盂鼎	隹九月、王才宗周、令盂
1330	曶鼎	王才周穆王大□
1330	曶鼎	王才1m应
1330	曶鼎	隹王四月既生霸、辰才丁酉
1330	曶鼎	井弔才異為□
1330	曶鼎	井弔曰、才
1331	中山王嚳鼎	而皇(況)才烏(於){ 小子 }(少)君虖
1331	中山王嚳鼎	学業才祇
1331	中山王嚳鼎	栽(仇)人才彷(旁)
1485	白矩鬲	才戊辰
1503	御鬲	[亞]庚寅、御寅□、才寢
1666	遹乍旅甗	師雝父戍才古師
2446	亞古乍父己毁	己亥王易貝、才闌
2510	臣卿乍父乙毁	公違省自東、才新邑
2525	宰椃毁	辛亥、王才_
2542	辰才寅□□毁	隹七月既生霸辰才寅
2544	亞糿乍父乙毁	[亞]辛己、糿ub畜、才小圃
2559	白中父毁	隹五月辰才壬寅
2567.	戊寅毁	隹王八月、才貝、戊寅
2568	_玨乍父辛毁	隹八月甲申、公中才宗周
2599	宰亩毁	才Gy餗
2612	不壽毁	王才大宮
2626	奢乍父乙毁	公姒(始)易奢貝、才莽京
2644	命毁	王才華、王易命鹿
2654	奘乍文父丁毁	才□自
2654	奘乍文父丁毁	才十月彡(肜)日[奘]
2671	利毁	王才闌自
2676	旅肄乍父乙毁	才十月一、隹王廿祀劦日
2677	居_献鑄____	才鍚賢余一斧
2677.	居_献毁二	才鍚賢余一斧
2687	敔毁	王才周、各于大室
2688	大毁	王才奠、蔑大曆
2703	免乍旅毁	王才周
2705	君夫毁	王才康宮大室
2722	窒弔乍豐姞旅毁	唯王五月辰才丙戌
2730	献毁	獻身才畢公家
2731	小臣宅毁	周公才豐
2733	何毁	王才華宮
2734	遹毁	穆王才莽京
2736	師遽毁	王才周、客新宮
2737	段毁	王鼐(才)畢丞
2743	醆毁	唯王正月辰才甲午
2752	史頌毁一	王才宗周
2753	史頌毁二	王才宗周
2754	史頌毁三	王才宗周
2755	史頌毁四	王才宗周
2756	史頌毁五	王才宗周
2757	史頌毁六	王才宗周

才

2758	史頌㲃七	王才宗周
2759	史頌㲃八	王才宗周
2759	史頌㲃九	王才宗周
2760	小臣謎㲃一	雩𠂤復歸、才牧自
2761	小臣謎㲃二	雩𠂤復歸、才牧自
2762	免㲃	王才周、昧爽
2763	弔向父禹㲃	其嚴才上
2765	㲋㲃	王才師嗣(司辭)馬宮大室即立
2767	盧㲃一	王才周師量宮
2771	弭弔師求㲃一	王才葊、各于大室
2772	弭弔師求㲃二	王才葊、各于大室
2773	即㲃	王才康宮、各大室
2774.	南宮弔㲃	王才周
2775	裘衛㲃	王才周、各大室、即立
2775.	害㲃一	王才屖宮
2775.	害㲃二	王才屖宮
2776	走㲃	王才周、各大室、即立
2778	格白㲃一	王才成周
2778	格白㲃一	王才成周
2779	格白㲃二	王才成周
2780	格白㲃三	王才成周
2781	格白㲃四	王才成周
2782	格白㲃五	王才成周
2782.	格白㲃六	王才成周
2783	趩㲃	唯二月、王才宗周、戊寅
2786	縣妃㲃	佳十又二月既望辰才壬午
2787	望㲃	王才周康宮新宮
2787	望㲃	王才周康宮新宮
2788	靜㲃	王才葊京
2789	同㲃一	王才宗周
2790	同㲃二	王才宗周
2791	豆閉㲃	辰才戊寅
2792	師俞㲃	才周師彔宮
2792	師俞㲃	畯才位
2793	元年師旋㲃一	王才淢㡴
2794	元年師旋㲃二	王才淢㡴
2795	元年師旋㲃三	王才淢㡴
2796	諫㲃	王才周師彔宮
2796	諫㲃	王才周師彔宮
2797	輔師𠩺㲃	王才周康宮
2798	師瘨㲃一	王才周師司馬宮
2799	師瘨㲃二	王才周師司馬宮
2800	伊㲃	王才周康宮
2802	六年召白虎㲃	王才葊
2803	師酉㲃一	王才吳
2804	師酉㲃二	王才吳
2804	師酉㲃二	王才吳
2805	師酉㲃三	王才吳
2806	師酉㲃四	王才吳
2806.	師酉㲃五	王才吳

2807	𨚕殷一	王才周卲宮
2808	𨚕殷二	王才周卲宮
2809	𨚕殷三	王才周卲宮
2810	揚殷一	王才周康宮
2811	揚殷二	王才周康宮
2812	大殷一	王才𣿅侲宮
2813	大殷二	王才𣿅侲宮
2814	鳥冊夨令殷一	隹王于伐楚白、才炎
2814.	夨令殷二	隹王于伐楚白、才炎
2816	彔白𢦚殷	隹王正月辰才庚寅
2817	師𩔰殷	王才周康宮
2817	師𩔰殷	才先王既令女乍𤔲土
2818	此殷一	王才周康宮𢓊宮
2819	此殷二	王才周康宮𢓊宮
2820	此殷三	王才周康宮𢓊宮
2821	此殷四	王才周康宮𢓊宮
2822	此殷五	王才周康宮𢓊宮
2823	此殷六	王才周康宮𢓊宮
2824	此殷七	王才周康宮𢓊宮
2825	此殷八	王才周康宮𢓊宮
2828	宜侯夨殷	隹四月辰才丁未
2828	宜侯夨殷	易才宜王人□又七生
2829	師虎殷	王才杜㡴
2830	三年師兌殷	王才周
2831	元年師兌殷一	王才周、各康廟即立
2832	元年師兌殷二	王才周、各康廟即立
2833	秦公殷	才帝之坏
2833	秦公殷	畯疐才天
2834	㝬殷	其瀕才帝廷陟降
2834	㝬殷	畯才立、乍疐才下
2835	訇殷	王才射日宮
2836	𢦚殷	隹六月初吉乙酉、才堂（ 𠂤 ）𠂤
2837	敔殷一	隹王十月、王才成周
2838	師𣪕殷一	王才周、各于大室、即立
2838	師𣪕殷一	才先王小學女
2838	師𣪕殷一	王才周
2838	師𣪕殷一	才昔先王小學女
2839	師𣪕殷二	王才周、各于大室、即立
2839	師𣪕殷二	才先王小學女
2839	師𣪕殷二	王才周
2839	師𣪕殷二	才昔先王小學女
2840	番生殷	嚴才上
2844	頌殷一	王才周康卲宮
2845	頌殷二	王才周康卲宮
2845	頌殷二	王才周康卲宮
2846	頌殷三	王才周康卲宮
2847	頌殷四	王才周康卲宮
2848	頌殷五	王才周康卲宮
2849	頌殷六	王才周康卲宮
2850	頌殷七	王才周康卲宮

才

2851	頌毁八	王才周康卲宮
2853.	尹毁	辰才庚口口歙口宮
2854	蔡毁	王才雝应
2855	班毁一	隹八月初吉才宗周甲戌
2855	班毁一	隹民亡偕才
2855	班毁一	允才顯、隹敬德、亡攸違
2855.	班毁二	才宗周
2855.	班毁二	隹民亡偕才
2855.	班毁二	允才顯
2856	師訇毁	王曰：師訇、哀才
2857	牧毁	王才周、才師游父宮
3055	虢仲旅盨	才成周乍旅盨
3068	白寬父盨一	王才成周
3069	白寬父盨二	王才成周
3077	弔尃父乍奠季盨一	王才成周
3078	弔尃父乍奠季盨二	王才成周
3079	弔尃父乍奠季盨三	王才成周
3080	弔尃父乍奠季盨四	王才成周
3083	瘨毁(盨)一	王才周師彔宮
3084	瘨毁(盨)二	王才周師彔宮
3086	善夫克旅盨	王才周康穆宮
3087	鬲从盨	才永師田宮
3854	才父戊爵	[才]父戊
4202.	___爵	乙未王賫(賞貝合文)姛母申才寢
4241	箙亞__乍父癸角	丙申王易箙亞Jb奚貝、才虆
4242	膚冊宰椃乍父丁角	庚申、王才闌
4242	膚冊宰椃乍父丁角	才六月隹王廿祀昱又五
4343	亞吴小臣邑斝	隹王六祀肜日、才四月[亞吴]
4447	臣辰冊冊歺乍冊父癸盉	才五月既望辛酉
4448	長甶盉	穆王才下淢应
4449	裘衛盉	才八十朋
4449	裘衛盉	才廿朋
4859	戉箙啟尊	iG山谷才遄水上
4860	魯侯尊	隹王令明公遣三族伐東或、才vq
4861	嗽士卿尊	丁巳、王才新邑初wa
4867	鋻睘尊	才序、君令余乍冊睘安尸(夷)白
4868	趞乍姞尊	隹十又三月辛卯、王才序
4870	哭商尊	隹五月辰才丁亥
4871	鼺羍豊尊	王才成周
4873	臣辰冊甹冊乍父癸尊	才五月既□□□酉
4875	阞折尊	隹五月王才序、戊子
4876	保尊	才二月既望
4877	小子生尊	隹王南征才□
4878	召尊	隹九月才炎自、甲午
4880	免尊	王才奠、丁亥
4882	�乍文考日丁尊	懿王才射廬
4883	耳尊	隹六月初吉辰才辛卯
4886	趩尊	王才周
4888	盠駒尊一	隹王十又三月、辰才甲申
4891	何尊	才四月丙戌

4891	何尊	昔才爾考公氏
4892	麥尊	于若昱日才璧雝
4892	麥尊	于王才啟
4893	矢令尊	隹八月、辰才甲申
4921	子𥫗乍父乙觥	子𥫗才𠙵
4928	折觥	隹五月王才序、戊子
4971	_乍父癸方彝（蓋）	癸亥王才圃雚京
4975	麥方彝	才八月乙亥、辟井侯光𠭰正吏
4976	折方彝	隹五月王才序、戊子
4977	師遽方彝	王才周康宮、鄉醴
4978	吳方彝	王才周成大室
4981	𤔲冊令方彝	隹八月、辰才甲申
5457	小臣系乍且乙卣一	易才寢
5458	小臣系乍且乙卣二	易才寢
5472	乍毓且丁卣	辛亥、王才廙
5472	乍毓且丁卣	辛亥、王才廙
5475	六祀𠨘其卣	才六月隹王六祀昱日［亞獏］
5476	趞乍姑寶卣	王才序
5479	𠫑商乍文辟日丁卣	隹五月辰才丁亥
5480	冊𡘪冊豐卣	王才成周
5480	冊𡘪冊豐卣	王才成周
5484	乍冊睘卣	隹十又九年王才序
5484	乍冊睘卣	隹十又九年王才序
5487	靜卣	王才葊京
5488	靜卣二	王才葊京
5491	亞獏二祀𠨘其卣	才正月遘于匕丙彡日大乙爽
5492	亞獏四祀𠨘其卣	才召大庰
5492	亞獏四祀𠨘其卣	遘乙昱日丙午、才𨜱
5492	亞獏四祀𠨘其卣	己酉、王才梌
5492	亞獏四祀𠨘其卣	才四月隹王四祀昱日
5494	𠫑𪓐乍母辛卣	才十月二
5495	保卣	才二月既望
5495	保卣	才二月既望
5496	召卣	唯九月才炎𠂤、甲午
5497	農卣	隹正月甲午、王才s2𠂤
5500	免卣	隹六月初吉、王才鄭、丁亥
5501	臣辰冊冊𡖊卣一	才五月既望辛酉
5502	臣辰冊冊𡖊卣二	才五月既望辛酉
5503	競卣	正月既生霸辛丑、才坏
5504	庚嬴卣一	隹王十月既望辰才己丑
5505	庚嬴卣二	隹王十月既望辰才己丑
5509	𤔲卣	辰才庚申
5509	𤔲卣	亡競才服
5785	史懋壺	王才葊京溼宮
5791	十三年瘨壺	王才成周𤔲土虎宮
5792	十三年瘨壺一	王才成周𤔲土虎宮
5796	三年瘨壺一	王才鄭、鄉醴
5796	三年瘨壺一	己丑、王才句陵
5797	三年瘨壺二	王才鄭、鄉醴
5797	三年瘨壺二	己丑、王才句陵

才

5799	頌壺一	王才周康卲宮
5800	頌壺二	王才周康卲宮
5805	中山王譽方壺	夫古之聖王務才得賢
6631	小臣單觶一	王後J6克商、才成自
6778	免盤	王才周
6784	三十四祀盤（裸盤）	王才蒡京
6785	守宮盤	王才周
6787	走馬休盤	王才周康宮
6789	寰盤	王才周康穆宮
6792	史墻盤	才敚龗處
6793	夨人盤	唯王九月辰才乙卯
6877	僩乍旅盉	王才蒡上宮
6909	遹盂	君才齝、即宮
6925	晉邦盦	虩虩才上
7006	戰狄鐘	先王其嚴才帝左右
7040	克鐘一	王才周康剌宮
7041	克鐘二	王才周康剌宮
7042	克鐘三	王才周康剌宮
7049	井人鐘三	前文人其嚴才上
7050	井人鐘四	前文人其嚴才上
7058	邾公孫班鐘	辰才丁亥
7083	鮮鐘	王才成周嗣□滮宮
7084	邾公牼鐘一	辰才乙亥
7085	邾公牼鐘二	辰才乙亥
7086	邾公牼鐘三	辰才乙亥
7087	邾公牼鐘四	辰才乙亥
7088	士父鐘一	其嚴才上
7089	士父鐘二	其嚴才上
7090	士父鐘三	其嚴才上
7091	士父鐘四	其嚴才上
7107	曾侯乙甬鐘	割肄之才楚號為呂鐘
7150	虢叔旅鐘一	皇考嚴才上、異才下
7151	虢叔旅鐘二	皇考嚴才上、異才下
7152	虢叔旅鐘三	皇考嚴才上、異才下
7153	虢叔旅鐘四	皇考嚴才上、異才下
7156	虢叔旅鐘七	皇考嚴才上、異才下
7159	瘨鐘二	嚴才上
7174	秦公鐘	秦公其畯紟才立
7176	㝬鐘	其嚴才上
7178	秦公及王姬編鐘二	秦公其畯紟才立
7182	叔夷編鐘一	隹王五月辰才戊寅
7185	叔夷編鐘四	又敢才帝所
7204	克鎛	王才周康剌宮
7209	秦公及王姬鎛	秦公其畯紟才立
7210	秦公及王姬鎛二	秦公其畯紟才立
7211	秦公及王姬鎛三	秦公其畯紟才立
7212	秦公鎛	十又二公不家才下
7212	秦公鎛	畯疐才立高引又慶
7214	叔夷鎛	隹王五月辰才戊寅
7214	叔夷鎛	又敢才帝所

7218	剁瞻尹征城	唯正月月初吉、日才庚
7744	工獻太子劍	才行之先
7886	新郪虎符	右才王
7886	新郪虎符	左才新郪
7887	杜虎符	右才君
7887	杜虎符	左才杜
7953	三年錯銀鳩杖首	三年才鄭
M706	曾侯乙編鐘下一・二	妥賓之才楚號為坪皇
M706	曾侯乙編鐘下一・二	其才䦯(申)號為遟則
M709	曾侯乙編鐘下二・二	贏孠之才楚號為新鐘
M709	曾侯乙編鐘下二・二	其才齊為呂音
M709	曾侯乙編鐘下二・二	穆音之才楚為穆鐘
M709	曾侯乙編鐘下二・二	其才周為剌音
M709	曾侯乙編鐘下二・二	其反才晉為槃鐘
M710	曾侯乙編鐘下二・三	韋音之才楚號為文王
M710	曾侯乙編鐘下二・三	鄦音之才楚為獸鐘
M710	曾侯乙編鐘下二・三	其才周為鄦音
M711	曾侯乙編鐘下二・四	妥賓之才楚號為坪皇
M711	曾侯乙編鐘下二・四	其才䦯(申)號為遟則
M712	曾侯乙編鐘下二・五	割肄之才楚號為呂鐘
M712	曾侯乙編鐘下二・五	宣鐘之才晉號為六墉
M738	曾侯乙編鐘中二・十一	贏孠之才楚為新鐘
M738	曾侯乙編鐘中二・十一	其才齊為呂音
M738	曾侯乙編鐘中二・十一	其反才晉為槃鐘
M738	曾侯乙編鐘中二・十一	穆音之才楚為穆鐘
M738	曾侯乙編鐘中二・十一	其才周為剌音
M740	曾侯乙編鐘中三・一	割肄之才楚為呂鐘
M740	曾侯乙編鐘中三・一	亘鐘之才晉為六墉
M741	曾侯乙編鐘中三・二	贏孠之才楚號為新鐘
M741	曾侯乙編鐘中三・二	刃才齊號為呂音
M741	曾侯乙編鐘中三・二	大族之才周號為剌音
M741	曾侯乙編鐘中三・二	刃才晉號為槃鐘
M742	曾侯乙編鐘中三・三	其才楚為文王
M743	曾侯乙編鐘中三・四	妥賓之才䦯(申)號為遟則
M744	曾侯乙編鐘中三・五	割肄之才楚號為呂鐘
M745	曾侯乙編鐘中三・六	韋音之才楚號為文王
M746	曾侯乙編鐘中三・七	妥賓之才楚號為坪皇
M746	曾侯乙編鐘中三・七	其才䦯(申)號為遟則
M747	曾侯乙編鐘中三・八	割肄之才楚號為呂鐘
M747	曾侯乙編鐘中三・八	亘鐘之才晉為六墉

小計：共 411 筆

叒 0973 與0083若為同字，請參看

之 0974

0628	為之行鼎	為之行鼎
0719	無臭之饎鼎一	無臭之饎鼎
0720	無臭之饎鼎二	無臭之饎鼎

之

0732	大府之饙盞	大府之饙盞
0737	蔡子鼎	蔡子__之貞(鼎)
0805	取它人善鼎	取它人之善貞(鼎)
0806	沖子行鼎	沖子Ja之行貞(鼎)
0807	須丞生飤鼎	須丞生之飤貞(鼎)
0827	宋公欒鼎	宋公欒之饙貞(鼎)
0830	蔡侯𩰫飤鬲	蔡侯𩰫之飤鬲
0831	蔡侯𩰫飤鬲	蔡侯𩰫之飤鬲
0832	蔡侯𩰫飤鼎	蔡侯𩰫之飤貞(鼎)
0837	楚子適之飤𩰫	楚子適之飤𩰫
0864	𠭯侯之孫陳鬲	𠭯侯之孫陳之𩰫(鬲)
0865	邵王之諻饙鼎	邵王之諻之饙貞(鼎)
0866	__夜君鼎	sd夜君戊之__鼎
0867	__公鼎	__公上之__保登
0868	之左鼎	□府(府)之左但(剛)□□盛
0871	鑄客為集醻鼎	鑄客為集糕為之
0872	鑄客為集醻鼎	鑄客為集醻為之
0873	鑄客為集脰鼎一	鑄客為集脰為之
0874	鑄客為集脰鼎二	鑄客為集脰為之
0875	子陳□之孫鼎	□□□□行□子𨸏□□之孫□
0918	遙叔鼎	遙弔之行貞(鼎)永用之
0919	䖵鼎	䖵之__貞(鼎)
0919	䖵鼎	其永用之
0920	倗鼎	楚弔之孫倗之飤鬲
0921	余子鼎	余子__之鼎
0921	余子鼎	百載用之
0945	鑄客為大后脰官鼎	鑄客為大句(后)脰官為之
0946	鑄客為王后七府鼎	鑄客為王句(后)七府為之
0968	走馬吳買乍雗鼎	sz父之走馬吳買乍雗貞(鼎)用
1004	鑄客鼎	鑄客為集𦝨、伸𦝨、睘豚𦝨為之
1006	鐈鼎	釁壽□□□孫用之
1052	褱自乍𥕢𨭚_	其釁壽無期、永保用之
1063	鄧公乘鼎	永保用之
1064	武生__弔差鼎一	子子孫孫永寶用之
1065	武生__弔差鼎二	子子孫孫寶用之
1070	鄲孝子鼎	王四月、鄲孝子台(以)庚寅之日
1072	痒乍其𩱦鼎	子孫永寶用之
1093	奠登白鼎	其子子孫孫永寶用之
1094	魯大左司徒元善鼎	其萬年釁壽永寶用之
1106	曾孫無期乍飤鼎	子孫永寶用之
1111	□魯宰鼎	其子子孫孫永寶用之
1118	宋莊公之孫趄亥鼎	宋莊公之孫趄亥自乍會鼎
1118	宋莊公之孫趄亥鼎	子子孫孫永壽用之
1120	㴱白鼎	子孫永寶用之
1134	𨻰侯鼎	其永壽用之
1143	曾子仲謱鼎	子子孫孫其永用之
1163	齊陳__鼎蓋	永保用之[吳]
1165	大師鐘白乍石𨭚	其子子孫永寶用之
1166	茲太子鼎	隹九月之初吉丁亥
1166	茲太子鼎	子子孫永寶用之

1169	平安邦鼎	一益十釿料釿四分釿{之重}
1169	平安邦鼎	六益料釿{之重}
1178	宗婦䣄嬰鼎一	王子剌公之宗婦䣄嬰為宗彝䵼彝
1179	宗婦䣄嬰鼎二	王子剌公之宗婦䣄嬰為宗彝䵼彝
1180	宗婦䣄嬰鼎三	王子剌公之宗婦䣄嬰為宗彝䵼彝
1181	宗婦䣄嬰鼎四	王子剌公之宗婦䣄嬰為宗彝䵼彝
1182	宗婦䣄嬰鼎五	王子剌公之宗婦䣄嬰為宗彝䵼彝
1183	宗婦䣄嬰鼎六	王子剌公之宗婦䣄嬰為宗彝䵼彝
1195	戈弔朕鼎一	子子孫孫永寶用之
1196	戈弔朕鼎二	子子孫孫永寶用之
1197	戈弔朕鼎三	子子孫孫永寶用之
1204	淮白鼎	__其及氒妻子孫于之__饋獻肉
1211	庚兒鼎一	郐王之子庚兒自乍飤緐
1212	庚兒鼎二	郐王之子庚兒自乍飤緐
1218	寬兒鼎	蘇公之孫寬兒睪其吉金
1218	寬兒鼎	永保用之
1224	王子吳鼎	子子孫孫永保用之
1225	簷大史申鼎	鄬安之孫簷(筥)大吏申
1231	楚王酓忓鼎一	剛工師盤野佐秦忓為之
1232	楚王酓忓鼎二	剛工師盤野佐秦忓為之
1241	蔡大師腴鼎	子子孫孫永寶用之
1251	中先鼎一	隹王令南宮伐反虎方之年
1252	中先鼎二	隹王令南宮伐反虎方之年
1253	平安君鼎	容四分齍五益六釿半釿四分釿之重
1274	哀成弔鼎	余鄭邦之產
1274	哀成弔鼎	哀成弔之鼎
1291	善夫克鼎一	王命善夫克舍令于成周遹正八𠂤之年
1292	善夫克鼎二	王命善夫克舍令于成周遹正八𠂤之年
1293	善夫克鼎三	王命善夫克舍令于成周遹正八𠂤之年
1294	善夫克鼎四	王命善夫克舍令于成周遹正八𠂤之年
1295	善夫克鼎五	王命善夫克舍令于成周遹正八𠂤之年
1296	善夫克鼎六	王命善夫克舍令于成周遹正八𠂤之年
1297	善夫克鼎七	王命善夫克舍令于成周遹正八𠂤之年
1299	鼂侯鼎一	乃鄹(祼)之
1304	王子午鼎	命尹子庚殹民之所亟
1307	師望鼎	王用弗諲聖人之後
1315	善鼎	其永寶用之
1324	禹鼎	睗(賜)共朕辟之命
1326	多友鼎	甲申之辰搏于郱
1326	多友鼎	復奪京𠂤之孚
1331	中山王嚳鼎	寡人聞之
1331	中山王嚳鼎	閈烏(於)天下之勿(物)矣
1331	中山王嚳鼎	猶規(眯迷)惑烏(於)子之而亡其邦
1331	中山王嚳鼎	使智(知)社稷之任
1331	中山王嚳鼎	臣宗之宜
1331	中山王嚳鼎	寡人聞之
1331	中山王嚳鼎	其隹(誰)能之
1331	中山王嚳鼎	其隹(誰)能之
1331	中山王嚳鼎	是克行之
1331	中山王嚳鼎	氏(是)以寡人匡(委)賃(任)之邦

之

1331	中山王嚳鼎	而去之遊
1331	中山王嚳鼎	亡遽惕之慮
1331	中山王嚳鼎	親達(率)參(三)軍之眾
1331	中山王嚳鼎	以征不宜(義)之邦
1331	中山王嚳鼎	氏(是)以賜之氒命
1331	中山王嚳鼎	恐隕社稷之光
1331	中山王嚳鼎	氏(是)以寡許之謀慮虘(皆)從
1331	中山王嚳鼎	詒死辠之有若(赦)
1331	中山王嚳鼎	智(知)為人臣之宜施(也)
1331	中山王嚳鼎	烏虖、念之夆(哉)
1331	中山王嚳鼎	後人其庸庸之
1331	中山王嚳鼎	克并之、于含(今)
1331	中山王嚳鼎	烏虖、念之夆(哉)
1331	中山王嚳鼎	子子孫孫永定保之
1332	毛公鼎	王曰：父厝、雩之庶出入事
1484	江叔鬲	子子孫孫永寶用之
1524	□大嗣攻鬲	子子孫孫永保用之
1660	曾子仲訂旅甗	子子孫孫其永用之
1663	鬵五世孫矩甗	子子孫孫永寶用之
1665	王孫壽飤甗	子子孫孫永保用之
1975	倗殷	倗?之匿
2227	蔡侯𪊨之鬻殷	蔡侯𪊨之鬻殷
2267	邵王之諻鷹廄一	邵王之諻之鷹(薦)廄(殷)
2268	邵王之諻鷹廄二	邵王之諻之鷹(薦)廄(殷)
2512	乙自乍歙𨚕	永保用之
2516	鄧公𩐋殷	其萬年子子孫孫永壽用之
2556	復公子白舍殷一	永壽用之
2557	復公子白舍殷二	永壽用之
2558	復公子白舍殷三	永壽用之
2586	史𦣞殷一	其于之朝夕監
2587	史𦣞殷二	其于之朝夕監
2614	宗婦鄁嬰殷一	王子剌公之宗婦鄁嬰為宗彝𪗮彝
2615	宗婦鄁嬰殷二	王子剌公之宗婦鄁嬰為宗彝𪗮彝
2616	宗婦鄁嬰殷三	王子剌公之宗婦鄁嬰為宗彝𪗮彝
2617	宗婦鄁嬰殷四	王子剌公之宗婦鄁嬰為宗彝𪗮彝
2618	宗婦鄁嬰殷五	王子剌公之宗婦鄁嬰為宗彝𪗮彝
2619	宗婦鄁嬰殷六	王子剌公之宗婦鄁嬰為宗彝𪗮彝
2620	宗婦鄁嬰殷七	王子剌公之宗婦鄁嬰為宗彝𪗮彝
2766	三兒殷	余邑㠯□□之孫
2766	三兒殷	其□又之□□𨱆氒吉金用乍□寶殷
2786	縣妃殷	易女婦爵娀之弋周玉
2833	秦公殷	才帝之坏
2837	敔殷一	畾于榮白之所
2857	牧殷	迺侯之__
2859	倗之匿	倗之匿
2860	大府匿	大府之匿
2861	__之行匿	__之行匿
2864	曾子遇行匿	曾子遇之行匿
2865	曾匿二	曾子遇之行匿
2866	樊君飛飤匿	樊君飛之飤匿

2867	蔡侯𦅫飤匜	蔡侯𦅫之飤匜
2867.	蔡侯𦅫飤匜二	蔡侯𦅫之飤匜
2867.	蔡侯𦅫飤匜三	蔡𦅫之飤匜
2876	慶孫之子蛛𩞁匜	慶孫之子蛛之𩞁匜
2878.	蔡公子義工飤匜	蔡公子義工之飤匜
2880	鑄客匜一	鑄客為王后六室為之
2881	鑄客匜二	鑄客為王后六室為之
2882	鑄客匜三	鑄客為王后六室為之
2883	鑄客匜四	鑄客為王后六室為之
2884	鑄客匜五	鑄客為王后六室為之
2885	鑄客匜六	鑄客為王后六室為之
2886	鑄客匜七	鑄客為王后六室為之、八
2893	隨侯𦀚逆匜	隨侯𦀚逆之匜、永壽用之
2937	仲義昱乍縣妃鬻一	其萬年子子孫孫永寶用之
2938	仲義昱乍縣妃鬻二	其萬年子子孫孫永寶用之
2942	楚子＿飤匜一	子孫永保之
2943	楚子＿飤匜二	子孫永保之
2944	楚子＿飤匜三	子孫永保之
2946	曾子□匜	子孫永保用之
2953	白其父麐旅祜	子子孫孫永寶用之
2957	子季匜	子子孫孫永保用之
2958	陳公子匜	子子孫孫永壽用之
2961	陳侯乍媵匜一	永壽用之
2962	陳侯乍媵匜二	永壽用之
2963	陳侯匜	永壽用之
2964	曾□□𩞁匜	子子孫孫孫永寶用之
2965	曾侯乍弔姬賸器鬻彝	其子子孫孫其永用之
2967	陳侯乍孟姜朕匜	永壽用之
2970	考弔脂父尊匜一	子子孫孫永寶用之
2971	考弔脂父尊匜二	子子孫孫永寶用之
2972	弔家父乍仲姬匜	孫子之𩱦
2973	楚屈子匜	子子孫孫永保用之
2974	上鄀府匜	子子孫孫永寶用之
2975	鄦子妝匜	其子子孫孫羕（ 永 ）保用之
2977	□孫弔左𩞁匜	子子孫孫永寶用之
2978	樂子敬豧飤匜	子子孫孫永保用之
2979	弔朕自乍薦匜	子子孫孫永寶用之
2979.	弔朕自乍薦匜二	子子孫孫永寶用之
2980	龔大宰𩞁匜一	子子孫孫永寶用之
2981	龔大宰𩞁匜二	子子孫孫永寶用之
2982	長子□臣乍媵匜	乍其子孟之母賸（ 媵 ）匜
2982	長子□臣乍媵匜	子子孫孫永保用之
2982	長子□臣乍媵匜	乍其子孟之母賸（ 媵 ）匜
2982	長子□臣乍媵匜	子子孫孫永保用之
2983	弭仲簠	羼之金、鏷鋁鏷鑪
2984	伯公父盤	羼之金
2984	伯公父盤	羼之金
2985	陳逆匜一	台（ 以 ）乍氒元配季姜之祥器
2985.	陳逆匜二	台（ 以 ）乍氒元配季姜之祥器
2985.	陳逆匜三	台（ 以 ）乍氒元配季姜之祥器

之

之

2985.	陳逆𠤳四	台(以)乍氒元配季姜之祥器
2985.	陳逆𠤳五	台(以)乍氒元配季姜之祥器
2985.	陳逆𠤳六	台(以)乍氒元配季姜之祥器
2985.	陳逆𠤳七	台(以)乍氒元配季姜之祥器
2985.	陳逆𠤳八	台(以)乍氒元配季姜之祥器
2985.	陳逆𠤳九	台(以)乍氒元配季姜之祥器
2985.	陳逆𠤳十	台(以)乍氒元配季姜之祥器
2986	曾白𩁹旅𠤳一	天賜之福
2986	曾白𩁹旅𠤳一	子子孫孫永寶用之亯
2987	曾白𩁹旅𠤳二	天賜之福
2987	曾白𩁹旅𠤳二	子子孫孫永寶用之亯
3091	楚子敦	楚子□□之飤□
3094	□公克錞	永保用之
3096	齊侯乍孟姜善𩏉	子子孫孫永保用之
3104	哀成弔豆	哀成弔之朕
3105	鑄客豆一	鑄客為王后六室為之
3106	鑄客豆二	鑄客為王后六室為之
3107	鑄客豆三	鑄客為王后六室為之
3108	鑄客豆四	鑄客為王后六室為之
3112	𨟻陵君王子申豆一	兼甫之
3113	𨟻陵君王子申豆二	兼甫之
3118	魯大嗣徒厚氏元善𠥮一	子孫永寶用之
3119	魯大嗣徒厚氏元善𠥮二	子孫永寶用之
3120	魯大嗣徒厚氏元善𠥮三	子孫永寶用之
3121	王子嬰次盧	王子嬰次之炒盧
3121.	鑄客鑪	鑄客為集豆__為之
3122	__君之孫盧(者旨𣁋盤)	n8君之孫郐命尹者旨𣁋
3128	魚鼎匕	參之蜅蚘命
4360.	之__盉	之__
4884	臤尊	臤从師雝父戍于古自之年
4887	蔡侯𤐶尊	永保用之
4888	盠駒尊一	盠曰、余其敢對揚天子之休
4888	盠駒尊一	盠曰、其萬年、世子孫永寶之
4891	何尊	自之辥民
4892	麥尊	之日、王㠯侯內于寢
4892	麥尊	唯天子休于麥辟侯之年
5450	天黿𥁰乍父辛卣	宜之商𥁰
5571	鑄客罍一	鑄客為王后六室為之
5572	鑄客罍二	鑄客為王后六室為之
5583	不白夏子罍一	子子孫孫永寶用之
5584	不白夏子罍二	子子孫孫永寶用之
5653	莊君壺	莊君之壺
5687	孟姬嬪壺	孟姬嬪之尊缶
5688	蔡侯𤐶飤壺一	蔡侯𤐶之飤壺
5689	蔡侯𤐶飤壺二	蔡侯𤐶之飤壺
5692	__子__壺	__子氏之__壺
5693	鑄大□之筲壺	鑄大__之筲
5700	__壺	__客、之官__、辛、五官
5719	盜弔壺一	□□吉□盜弔永用之
5720	盜弔壺二	□□吉□盜弔永用之

5731	邛君婦龢壺	子子孫孫永匋(寶)用之
5758	匹君壺	永保用之
5759	趙孟壺一	邗王之惕金
5760	蓮花壺蓋	子子孫孫其永用之
5768	虞嗣寇白吹壺一	子子孫孫永寶用之(器蓋)
5769	虞嗣寇白吹壺二	子子孫孫永寶用之(器蓋)
5770	宗婦鄁嬰壺一	王子剌公之宗婦鄁嬰為宗彝𧽊彝
5771	宗婦鄁嬰壺二	王子剌公之宗婦鄁嬰為宗彝𧽊彝
5772	陳璋方壺	大壯孔陳璋內伐匽亳邦之隻
5776	曩公壺	子孫永保用之
5777	孫弔師父行具	子子孫永寶用之
5780	公孫窹壺	公子土斧乍子中姜Lw之盤壺
5780	公孫窹壺	子子孫孫羕保用之
5781	曾姬無卹壺一	聖趄之夫人曾姬無卹
5781	曾姬無卹壺一	蒿間之無匹
5781	曾姬無卹壺一	後嗣甬(用)之
5782	曾姬無卹壺二	聖趄之夫人曾姬無卹
5782	曾姬無卹壺二	蒿間之無匹
5782	曾姬無卹壺二	後嗣甬(用)之
5789	命瓜君厚子壺一	子之子
5789	命瓜君厚子壺一	孫之孫
5789	命瓜君厚子壺一	其永用之
5790	命瓜君厚子壺二	子之子
5790	命瓜君厚子壺二	孫之孫
5790	命瓜君厚子壺二	其永用之
5801	洹子孟姜壺一	用御天子之事
5802	洹子孟姜壺二	用御天子之事
5803	胤嗣好蚉壺	以憂氒民之隹不辜
5803	胤嗣好蚉壺	或得賢佐司馬賈而冢任之邦
5803	胤嗣好蚉壺	子之大Lf不宜
5803	胤嗣好蚉壺	隹邦之幹
5803	胤嗣好蚉壺	於呼、先王之悳
5803	胤嗣好蚉壺	以追庸先王之工剌(烈)
5803	胤嗣好蚉壺	工qL重一石三百卅九刀之冢(重)
5804	齊侯壺	__王之孫右帀之子武弔曰庚羼其吉金
5804	齊侯壺	庚大門之
5804	齊侯壺	執者獻于靈公之所
5804	齊侯壺	商之台邑嗣衣裘車馬
5804	齊侯壺	__靈公之身
5804	齊侯壺	商之台兵執車馬
5804	齊侯壺	執車馬獻之于莊公之所
5805	中山王譽方壺	詆郾之訛
5805	中山王譽方壺	而專賃(任)之邦
5805	中山王譽方壺	以內絕邵公之業
5805	中山王譽方壺	乏其先王之祭祀
5805	中山王譽方壺	外之則將使上勤於天子之廟
5805	中山王譽方壺	寡人非之
5805	中山王譽方壺	新君子之
5805	中山王譽方壺	曾亡鬼夫之救
5805	中山王譽方壺	述(遂)定君臣之位

之

5805	中山王嚳方壺	上下之體
5805	中山王嚳方壺	夫古之聖王務才得賢
5805	中山王嚳方壺	明__之于壺而時觀焉
5805	中山王嚳方壺	載之笲(簡)篩(策)
5805	中山王嚳方壺	子之子
5805	中山王嚳方壺	孫之孫
5806	蔡侯𨽻鈃	蔡侯𨽻之鈃
5808	孟城行鈃	子子孫孫永寶用之
5809	弘乍旅鈃	樂大嗣徒子蔡之子引乍旅鈃
5818	倗缶	倗之尊缶
5819	蔡侯朱之缶	蔡侯朱之缶
5820	蔡侯𨽻尊缶	蔡侯𨽻之尊缶
5821	蔡侯𨽻尊缶	蔡侯𨽻之尊缶
5822	蔡侯𨽻之盥缶	蔡侯𨽻之盥缶
5824	孟縢姬賸缶	永保用之
5825	䜌書缶	䜌書之子孫
5826	國差罎	子子孫孫永保用之
6602	義楚之祭耑	義楚之祭耑
6630	郐王__義之耑	郐王t2父之耑
6630	郐王__義之耑	耑溉之t3
6657	但吏勺一	但吏秦苛蜡為之
6658	但吏勺二	但吏秦苛蜡為之
6659	但盤勺一	但盤埜(野)秦忑為之
6660	但□圣勺一	但□圣陳共為之
6661	但□圣勺二	但□圣陳共為之
6662	但盤勺	但盤野秦忑為之
6700	蔡侯𨽻盤	蔡侯𨽻之尊盤
6707	鑄客為集脰盤	鑄客為集脰為之
6721	曾中盤	子孫永寶用之
6744	鮇吉妊盤	子子孫孫永寶用之
6750	白侯父盤	用旂覺壽萬年用之
6752	取膚子商盤	用賸之麗妀
6754.	徐令尹者旨𦺇爐盤	n8君之孫郐令尹者旨𦺇罿其吉金
6756	番君白𤔲盤	萬年子孫永用之亯
6757	干氏弔子盤	子子孫孫永寶用之
6758	殷敦盤一	子子孫孫永壽之
6759	殷敦盤二	子子孫孫永壽用之
6764	般仲__盤	子子孫孫永寶用之
6766	黃韋艅父盤	子子孫孫其永用之
6767	齊縈姬之嬃盤	齊縈姬之嬃(姪)乍寶般
6770	囂白盤	其萬年子子孫孫永用之
6771	宗婦鄁嬰盤	王子刺公之宗婦鄁嬰為宗彝𩰫彝
6772	魯少司寇封孫宅盤	永寶用之
6773	__湯弔盤	其萬年無用之彊
6774	__右盤	迺用萬年□孫永寶用亯□用之
6776	楚王酓志盤	剛市紹圣差陳共為之
6777	邛仲之孫白戔盤	邛中之孫白戔自乍顋盤
6777	邛仲之孫白戔盤	子子孫孫永寶用之
6779	齊侯盤	子子孫孫永保用之
6780	黃大子白克盤	子子孫孫永寶用之

6781	夆弔盤	永保用之
6782	者尚余卑盤	子子孫孫永寶用之
6788	蔡侯𨬛盤	永保用之
6790	虢季子白盤	于洛之陽
6793	矢人盤	襄之有𤔲
6793	矢人盤	則爰千罰千、傳棄之
6806	王子__之遣盥匜	王子ie之遣盤
6808	蔡侯𨬛盥匜	蔡侯𨬛之盥匜
6814	鑄客為御睳匜	鑄客為御睳（ 室 ）為之
6823	長湯匜	長湯白18乍它、永用之
6833	□弔教匜	萬年用之
6842	王婦㠱孟姜旅匜	其萬年𩰫壽用之
6852	__邑戈白匜	子子孫孫永寶用之
6853	取膚__商它	用賸之麗奴子孫永寶用
6857	蔡白㳄匜	子子孫永用之
6860	敶白元匜	陳白vm之子白元乍西孟嬀婤母賸匜
6860	敶白元匜	永壽用之
6869	浮公之孫公父宅匜	浮公之孫公父宅鑄其行它
6869	浮公之孫公父宅匜	其萬年子子孫永寶用之
6870	寶公孫𢓊父匜	子子孫孫永寶用之
6871	敶子匜	永壽用之
6872	魯大𤔲徒子仲白匜	子子孫孫永保用之
6873	齊侯乍孟姜盥匜	子子孫孫永用之
6874	鄭大內史弔上匜	子子孫孫永寶用之
6875	慶弔匜	子子孫孫羕保用之
6876	夆弔乍季妃盥盤（匜）	永保用之
6880	智君子之弄鑑一	智君子之弄鑑
6881	智君子之弄鑑二	智君子之弄鑑
6883	蔡侯尊鈼（ 方鑑 ）	蔡侯𨬛之匜
6884	鑄客鑑	鑄客為王句（ 后 ）六室為之
6887	𨚕陵君王子申鑑	永甬（ 用 ）之官
6898	__子𢿡行盞	wp子𢿡之行盞
6906	王子申盞盂	永保用之
6907	齊侯乍朕子仲姜盂	子子孫孫永保用之
6908	郐宜同歆盂	郐王季糧之孫宜桐乍鑄歆盂
6908	郐宜同歆盂	孫子永壽用之
6917	郳子行飤盆	永寶用之
6918	曾孟嬭諫盆	其𩰫壽用之
0920	曾大保旅盆	子子孫孫永用之
6921	鄧子仲盆	子子孫孫永寶用之
6923	庚午𥂴	子子孫孫永寶用之
6924	江仲之孫白戔𩟄𥂴	邛中之孫白戔自乍𩟄𥂴
6924	江仲之孫白戔𩟄𥂴	永保用之（蓋）
6924	江仲之孫白戔𩟄𥂴	邛中之孫白戔自乍𩟄𥂴
6924	江仲之孫白戔𩟄𥂴	子子孫孫永保用之（器）
6972	宋公鐘	宋公戌之訶鐘
6977	旨賞鐘	者賞□□__之鐘
6990.	秦王鐘	秦王卑命、竟sd王之定救秦戎
7002	鑄侯求鐘	其子子孫孫永享用之
7016	楚王鐘	子孫永保用之

之

之

7017	楚王酓章鐘一	窠之于西昜
7018	楚王酓章鐘二	窠之于西昜
7027	邾公釛鐘	陸𩁹之孫邾公釛乍氒禾鐘
7028	臧孫鐘	攻敔中冬戚之外孫
7028	臧孫鐘	坪之子臧孫
7029	臧孫鐘二	攻敔中冬戚之外孫
7029	臧孫鐘二	坪之子臧孫
7030	臧孫鐘三	攻敔中冬戚之外孫
7030	臧孫鐘三	坪之子臧孫
7031	臧孫鐘四	攻敔中冬戚之外孫
7031	臧孫鐘四	坪之子臧孫
7032	臧孫鐘五	攻敔中冬戚之外孫
7032	臧孫鐘五	坪之子臧孫
7033	臧孫鐘六	攻敔中冬戚之外孫
7033	臧孫鐘六	坪之子臧孫
7034	臧孫鐘七	攻敔中冬戚之外孫
7034	臧孫鐘七	坪之子臧孫
7035	臧孫鐘八	攻敔中冬戚之外孫
7035	臧孫鐘八	坪之子臧孫
7036	臧孫鐘九	攻敔中冬戚之外孫
7036	臧孫鐘九	坪之子臧孫
7046	□□自乍鐘二	江漢之陰陽
7046	□□自乍鐘二	百歲之外
7046	□□自乍鐘二	以之大行
7051	子璋鐘一	子子孫孫永保鼓之
7052	子璋鐘二	子子孫孫永保鼓之
7053	子璋鐘三	子子孫孫永保鼓之
7054	子璋鐘四	子子孫孫永保鼓之
7055	子璋鐘五	子子孫孫永保鼓之
7056	子璋鐘六	子子孫孫永保鼓之
7057	子璋鐘八	子子孫孫永保鼓之
7058	邾公孫班鐘	子子孫孫永保用之
7061	能原鐘	之於大□者
7061	能原鐘	隹余□尸(夷)□□邾曰之
7069	者汈鐘一	以克__光朕卲示之
7070	者汈鐘二	女亦虔秉不經悳台克刺__光之于聿
7071	者汈鐘三	以克__光朕卲示之
7074	者汈鐘六	之
7075	者汈鐘七	用受刺__光之于聿
7076	者汈鐘八	詨之于不啻
7077	者汈鐘九	之
7078	者汈鐘十	光之于聿
7079	者汈鐘十一	詨之于不啻
7080	者汈鐘十二	詨之于不啻
7080	者汈鐘十二	光之于聿
7081	者汈鐘十三	詨之于不
7082	齊鞄氏鐘	子子孫孫永保鼓之
7083	鮮鐘	用利鼓之
7092	屭羌鐘一	用明則之于銘
7093	屭羌鐘二	用明則之于銘

7094	驫羌鐘三	用明則之于銘
7095	驫羌鐘四	用明則之于銘
7096	驫羌鐘五	用明則之于銘
7098	驫氏鐘一	驫氏之鐘
7099	驫氏鐘二	驫氏之鐘
7100	驫氏鐘三	驫氏之鐘
7101	驫氏鐘四	驫氏之鐘
7102	驫氏鐘五	驫氏之鐘
7103	驫氏鐘六	驫氏之鐘
7104	驫氏鐘七	驫氏之鐘
7105	驫氏鐘八	驫氏之鐘
7106	驫氏鐘九	驫氏之鐘
7107	曾侯乙甬鐘	割肄之羽
7107	曾侯乙甬鐘	妥賓之冬、黃鐘、羽
7107	曾侯乙甬鐘	割洗之宮反
7107	曾侯乙甬鐘	割肄之才楚號為呂鐘
7107	曾侯乙甬鐘	嚮音之角
7107	曾侯乙甬鐘	穆音之商
7107	曾侯乙甬鐘	新鐘之變徵
7107	曾侯乙甬鐘	韋音之變羽
7107	曾侯乙甬鐘	呂其反宣鐘之羽角無鐸之徵曾
7108	篙弔之仲子平編鐘一	筥弔之中子平自乍鑄游鐘
7108	篙弔之仲子平編鐘一	乃為之音___雝雝
7108	篙弔之仲子平編鐘一	子子孫孫永保用之
7109	篙弔之仲子平編鐘二	筥弔之中子平自乍鑄游鐘
7109	篙弔之仲子平編鐘二	乃為之音___雝雝
7109	篙弔之仲子平編鐘二	子子孫孫永保用之
7110	篙弔之仲子平編鐘三	筥弔之中子平自乍鑄游鐘
7110	篙弔之仲子平編鐘三	乃為之音___雝雝
7110	篙弔之仲子平編鐘三	子子孫孫永保用之
7111	篙弔之仲子平編鐘四	筥弔之中子平自乍鑄游鐘
7111	篙弔之仲子平編鐘四	乃為之音___雝雝
7111	篙弔之仲子平編鐘四	子子孫孫永保用之
7112	者減鐘一	工鷹王皮然之子者減睪其吉金
7113	者減鐘二	工鷹王皮然之子者減睪其吉金
7114	者減鐘三	工鷹王皮然之子者減自乍__鐘
7114	者減鐘三	子子孫孫永保用之
7115	者減鐘四	工鷹王皮然之子者減自乍__鐘
7115	者減鐘四	子子孫孫永保用之
7116	南宮乎鐘	必父之家
7117	郐讞兒鐘一	余达斯于之孫
7117	郐讞兒鐘一	余兹佫之元子
7117	郐讞兒鐘一	余義楚之良臣
7117	郐讞兒鐘一	而__之字父
7117	郐讞兒鐘一	孫子用之
7118	郐儔兒鐘二	余达斯于之孫
7118	郐儔兒鐘二	余兹佫之元子
7119	郐儔兒鐘三	之字父
7119	郐儔兒鐘三	孫子用之
7120	郐儔兒鐘四	孫子用之

之

7121	𨛗王子旃鐘	萬世鼓之
7124	沇兒鐘	徐王庚之子沇兒
7124	沇兒鐘	子子孫孫永保鼓之
7125	蔡侯援紐鐘一	子孫鼓之
7126	蔡侯援紐鐘二	子孫鼓之
7127	蔡侯援紐鐘三	蔡侯援之行鐘
7128	蔡侯援紐鐘四	蔡侯援之行鐘
7130	蔡侯援紐鐘六	之行鐘
7131	蔡侯援紐鐘七	子孫鼓之
7132	蔡侯援紐鐘八	子孫鼓之
7133	蔡侯援紐鐘九	子孫鼓之
7134	蔡侯援誦鐘	子孫鼓之
7136	郘鐘一	畢公之孫
7136	郘鐘一	郘白之子
7137	郘鐘二	郘__曰：余畢公之孫
7137	郘鐘二	郘白之子
7138	郘鐘三	郘__曰：余畢公之孫
7138	郘鐘三	郘白之子
7139	郘鐘四	郘__曰：余畢公之孫
7139	郘鐘四	郘白之子
7140	郘鐘五	郘__曰：余畢公之孫
7140	郘鐘五	郘白之子
7141	郘鐘六	郘__曰：余畢公之孫
7141	郘鐘六	郘白之子
7142	郘鐘七	郘__曰：余畢公之孫
7142	郘鐘七	郘白之子
7143	郘鐘八	郘__曰：余畢公之孫
7143	郘鐘八	郘白之子
7144	郘鐘九	郘__曰：余畢公之孫
7144	郘鐘九	郘白之子
7145	郘鐘十	郘__曰：余畢公之孫
7145	郘鐘十	郘白之子
7146	郘鐘十一	郘__曰：余畢公之孫
7146	郘鐘十一	郘白之子
7147	郘鐘十二	郘__曰：余畢公之孫
7147	郘鐘十二	郘白之子
7148	郘鐘十三	郘__曰：余畢公之孫
7148	郘鐘十三	郘白之子
7149	郘鐘十四	郘__曰：余畢公之孫
7149	郘鐘十四	郘白之子
7157	邾公華鐘一	慎為之聑
7175	王孫遺者鐘	永保鼓之
7182	叔夷編鐘一	肅成朕師旟之政德
7183	叔夷編鐘二	弗敢不對揚朕辟皇君之
7184	叔夷編鐘三	䌛命于外內之吏
7185	叔夷編鐘四	雁受君公之易光
7186	叔夷編鐘五	處禹之堵
7186	叔夷編鐘五	不顯穆公之孫
7186	叔夷編鐘五	其配襄公之__
7186	叔夷編鐘五	而成公之女

之

7186	叔夷編鐘五	是辟于齊侯之所
7186	叔夷編鐘五	又共于趄武靈公之所
7189	叔夷編鐘八	母公之孫
7189	叔夷編鐘八	其配襄公之__
7189	叔夷編鐘八	而成公之女
7192	叔夷編鐘十一	敢再拜䭫首膺受君公之
7193	叔夷編鐘十二	處禹之堵
7195	宋公戌鎛一	宋公戌之訶鐘
7196	宋公戌鎛二	宋公戌之訶鐘
7197	宋公戌鎛三	宋公戌之訶鐘
7198	宋公戌鎛四	宋公戌之訶鐘
7199	宋公戌鎛五	宋公戌之訶鐘
7200	宋公戌鎛六	宋公戌之訶鐘
7201	楚王酓章乍曾侯乙鎛	奠之于西昜
7203	能原鎛	之於大□者
7203	能原鎛	隹余□尸（ 夷 ）□□邾阳之
7205	蔡侯𨾊編鎛一	子孫鼓之
7206	蔡侯𨾊編鎛二	子孫鼓之
7207	蔡侯𨾊編鎛三	子孫鼓之
7208	蔡侯𨾊編鎛四	子孫鼓之
7213	𬙊鎛	齊辟鞄(鮑)弔之孫
7213	𬙊鎛	𨂝中之子𬙊乍子中姜寶鎛
7213	𬙊鎛	侯氏易之邑二百又九十又九邑
7213	𬙊鎛	與鄩之民人
7213	𬙊鎛	侯氏從告之日
7214	叔夷鎛	肅成朕師旟之政德
7214	叔夷鎛	弗敢不對揚朕辟皇君之易休命
7214	叔夷鎛	䛔命于外內之吏
7214	叔夷鎛	雁受君公之易光
7214	叔夷鎛	處禹之堵
7214	叔夷鎛	不顯穆公之孫
7214	叔夷鎛	其配襄公之__
7214	叔夷鎛	而成公之女
7214	叔夷鎛	是辟于齊侯之所
7215	其次勾鑃一	子子孫孫永保用之
7216	其次勾鑃二	子子孫孫永保用之
7217	姑馮勾鑃	姑wd昏同之子羼㚸吉金
7217	姑馮勾鑃	子子孫孫永保用之
7219	冉鉦鋮（ 南疆征 ）	□□其之子□□□吉金□作鉦□
7219	冉鉦鋮（ 南疆征 ）	萬枼之外子子孫孫□堋作台□□
7220	喬君鉦	子子孫孫永寶用之
7227	內公鐘一	內公乍鑄從鐘之句
7228	內公鐘二	內公乍鑄從鐘之句
7392	王卒威之戈	王卒威之戈
7397	鳥篆戈二	翏用之
7401	齨之田戈	齨之田戈
7402	邦之新郜戈	邦之新造
7404	白之□執戈	尹執白之戈
7410	子鑄戈	子淵𩐁之戈
7415	□子戈	□子之造

	7419	滕侯耆之造戈一	滕侯耆之造
	7420	滕侯耆之造戈二	滕侯耆之造
	7422	羊子之造戈	羊子之造戈
之	7424	□屁戈	□屁之侯戈
	7427	子賏之用戈	子賏之用戈
	7428	陳皮之告戈	陳皮之造戈
	7430	__子戈	__子之造戈
	7431	右買之用戈	右買之用戈
	7437	童□戈	越王之____
	7448	蔡侯𨾊之行戈	蔡侯𨾊之行戈
	7449	蔡侯𨾊之用戈	蔡侯𨾊之用戈
	7450	蔡公子果之用戈一	蔡公子果之用
	7451	蔡公子果之用戈二	蔡公子果之用戈
	7452	蔡公子果之用戈三	蔡公子果之用
	7453	蔡公子加戈	蔡公子加之用
	7454	蔡加子之用戈	蔡公子加之用
	7455	宋公䜌之造戈	宋公䜌之造戈
	7456	宋公得之造戈	宋公得之造戈
	7461	㳄阝並果戈	㳄阝並果之造戈[Gu]
	7462	楚王孫漁戈	楚王孫漁之用
	7464	曾侯乙之用戈	曾侯乙之用戟
	7465	曾侯乙寢戈	曾侯乙之寢戈
	7467	滕侯昃戈	滕侯昃之造戟
	7468	𩫖于公戈	𩫖于公之__造
	7469	王子□戈	王子□之共戈
	7474	郢侯戈	郢侯之造戈五百
	7475	衛公孫呂戈	衛公孫呂之告戈
	7476	周王叚戈	周王叚之元用戈
	7477	王子狄戈	王子狄之用戈、q5
	7491	郳大嗣馬之造戈	郳大嗣馬之造戈
	7499	邛季之孫戈	邛季之孫□方或之元
	7505	陳旺戈	陳旺之歲□府戟
	7506	郐王之子戈	郐王之子__之元用__
	7510	□公戈	王賞戴公遄之造、輈
	7513	宋公差戈	宋公差之所造不陽族戈
	7514	宋公差戈	宋公差之所造柳族戈
	7517	六年上郡守戈	王六年上郡守疾之造戟禮、□□
	7539	伺戈	𪊲鼎之歲
	7539	伺戈	𦍩陲公伺之自所造
	7543	四年相邦樛游戈	四年相邦樛游之造
	7554	楚王酓璋戈	以卲昜文武之戊(茂)用
	7557	楚屈弔沱戈	楚王之元右王鐘
	7557	楚屈弔沱戈	楚屈弔沱屈□之孫
	7566	十三年相邦義戈	十三年相邦義之造
	7574	左軍戈	之玫僕
	7574	左軍戈	大夫__之卒
	7574	左軍戈	公孫__脽之□
	7591	宜乘之棗戟	宜此之棗戟
	7593	大良造鞅戟	秦大良造鞅之造戟
	7649	帝降矛	帝降棘余子之貳金

7655	中央勇矛	中央勇生安空五年之後日册
7655	中央勇矛	中央勇□生安空三年之後日册
7677	富鄭劍	富奠（鄭）之劃鐱
7680	郜侯劍	郜侯之造
7681	高都侯劍	高都侯散之徒
7682	繁陽之金劍	繁湯之金
7683	陰平左軍劍	陰平左庫之造
7685	__侯武弔之用劍	p4侯武弔之用
7686	賸之丕劍	賸之丕忕古于
7689	蔡侯產劍	蔡侯產之用劍
7690	蔡公子永之用劍	蔡公子永之用
7690	蔡公子永之用劍	蔡公子永之用
7691	衛司馬劍	衛司馬與之□工帀
7696	__劍	__自乍保弘吉之
7698	越王勾踐之子劍一	越王越王、勾踐之子
7717	吳季子之子劍	吳季子之子逞之永用劍
7718	雁公劍	者匋用之
7720	越劍	張永□□卲□□弘吉之□古
7721	__劍	自之田
7721	__劍	自之心
7721	__劍	自之紀
7721	__劍	自之□
7735	少虡劍一	朕余名之
7735	少虡劍一	胃之少虡
7736	少虡劍二	朕余名之
7736	少虡劍二	胃之少虡
7743	越王兀北古劍	唯越王丌北自乍元之用之劍
7743	越王兀北古劍	自乍用之自
7743	越王兀北古劍	自乍用之自
7744	工𪒠太子劍	才行之先
7744	工𪒠太子劍	余處江之陽
7761	郘大叔斧一	郘大叔以新金為資車之斧十
7762	郘大叔斧二	郘大叔____資車之斧
7763	郘大叔斧三	郘大叔____資車之斧
7830	十六年大良造鞅戈	十六年大良造庶長鞅之造__革
7867	郢大府之□筩	郢大府之敦筩
7867.	龍__	□客臧（臧）嘉聞王於栽（蒧）之歲
7867.	龍__	亯月己酉之日
7867.	龍	攻（工）差（佐）競之
7868	商鞅方升	皆明壹之
7870	陳純釜	敕成左關之斧節于稟斧
7871	子禾子釜一	而車人制之
7871	子禾子釜一	丘關之__
7872	左關之鉌	左關之鉌
7880	郜權	郜__之□
7886	新郪虎符	甲兵之符
7886	新郪虎符	乃敢行之
7887	杜虎符	兵甲之符
7887	杜虎符	乃敢行之
7887	杜虎符	燔隊之吏

之

之

7890	王命傳賃節一	飤之
7895	王命傳節一	王命傳賃一擔飤之
7896	王命傳節二	王命傳賃一擔飤之
7897	王命傳節三	王命傳賃一擔飤之
7898	王命傳節四	王命傳賃一擔飤之
7899	鄂君啟車節	大司馬邵陽敗晉帀於襄陽之歲
7899	鄂君啟車節	夏层之月、乙亥之日
7899	鄂君啟車節	王居於茂郢之遊宮
7899	鄂君啟車節	為鄂君啟之廎商鑄金節
7899	鄂君啟車節	台毀於五十乘之中
7900	鄂君啟舟節	大司馬邵陽敗晉帀於襄陵之歲
7900	鄂君啟舟節	夏层之月、乙亥之日
7900	鄂君啟舟節	王居於茂郢之遊宮
7900	鄂君啟舟節	為鄂君啟之廎商鑄金節
7919	晉公車器一	晉公之車
7920	晉公車器二	晉公之車
7932	集脰大子鎬	集脰大子之鎬
7933	大府鎬	秦客王子齊之歲
7947	鑄客銅器一	鑄客為集脰為之
7948	鑄客銅器二	鑄客為王后六室為之
7949	鑄客銅器三	鑄客為王后六室為之
7975	中山王墓兆域圖	闊閔(狹)小大之□
7975	中山王墓兆域圖	有事者官□之
7976	之利殘片	之利寺王之奴旨____弘____萬
7976	之利殘片	利玄鏐之□
7977	大廎銅牛	大廎之器
7982	官鍰	□之官□
7996.	上官登	富子之上官隻之畫sp□鈇十
7996.	上官登	台為大𤔲之從鈇登□□
M160	□貯㲃	隹巢來钕王令東宮追㠯六𠂤之年
M545	配兒勾鑃	子孫用之
M548	吳王孫無壬鼎	吳王孫無壬之脰鼎
M553	越王者旨於賜鐘	其㠯鼓之
M553	越王者旨於賜鐘	用之勿相
M561	越王大子□𦾔矛	於戉□王弋医之大子□𦾔
M581	陳公子中慶簠蓋	用祈顙壽萬年無彊子子孫孫永壽用之
M582	陳公孫㝬父𦉢	永壽用之
M596	蔡侯匜	蔡侯𩕣之尊匜
M599	蔡公子義工簠	蔡公子義工之飤𠂤
M602	蔡𢍰匜	蔡弔季之孫𢍰賸孟𦣻有止婦𦣻盤
M602	蔡𢍰匜	子子孫孫永寶用之、匜
M612	鄦子鐘	子子孫孫永保鼓之
M616	番休伯者君盤	盤永寶用之
M622	番仲戈	番中乍之造戈、白皇
M693	曾大工尹戈	穆侯之子
M693	曾大工尹戈	西宮之孫
M693	曾大工尹戈	季怡之用
M697	曾𣏟㪃戈	曾中之孫𣏟㪃用戈
M705	曾侯乙編鐘下一・一	獸鐘之渚𨭉
M705	曾侯乙編鐘下一・一	穆鐘之渚商

M705　曾侯乙編鐘下一・一　割肄之渻宮
M705　曾侯乙編鐘下一・一　濁新鐘之徵
M705　曾侯乙編鐘下一・一　獸鐘之渻徵
M705　曾侯乙編鐘下一・一　濁坪皇之商
M705　曾侯乙編鐘下一・一　濁文王之宮
M705　曾侯乙編鐘下一・一　濁割肄之下角
M705　曾侯乙編鐘下一・一　新鐘之渻羽
M705　曾侯乙編鐘下一・一　濁坪皇之渻商
M705　曾侯乙編鐘下一・一　濁文王之渻宮
M706　曾侯乙編鐘下一・二　妥賓之宮
M706　曾侯乙編鐘下一・二　妥賓之才楚號為坪皇
M706　曾侯乙編鐘下一・二　大族之珈鎶
M706　曾侯乙編鐘下一・二　無鐸之宮曾
M706　曾侯乙編鐘下一・二　黃鐘之商角
M706　曾侯乙編鐘下一・二　文王之變商
M706　曾侯乙編鐘下一・二　夷則之徵曾
M706　曾侯乙編鐘下一・二　割肄之羽曾
M706　曾侯乙編鐘下一・二　為妥賓之徵顚下角
M707　曾侯乙編鐘下一・三　割肄之徵角
M707　曾侯乙編鐘下一・三　坪皇之羽
M707　曾侯乙編鐘下一・三　贏孠之羽曾
M707　曾侯乙編鐘下一・三　割肄之徵曾
M707　曾侯乙編鐘下一・三　新鐘之羽
M707　曾侯乙編鐘下一・三　為穆音之羽顚下角
M707　曾侯乙編鐘下一・三　剌音之羽曾
M707　曾侯乙編鐘下一・三　符于索宮之顚
M708　曾侯乙編鐘下二・一　穆音之羽
M708　曾侯乙編鐘下二・一　贏孠之羽角
M708　曾侯乙編鐘下二・一　犀則之羽曾
M708　曾侯乙編鐘下二・一　應鐘之變宮
M708　曾侯乙編鐘下二・一　割肄之徵角
M708　曾侯乙編鐘下二・一　坪皇之羽
M708　曾侯乙編鐘下二・一　為無睪之羽顚下角
M708　曾侯乙編鐘下二・一　妥賓之羽
M708　曾侯乙編鐘下二・一　為獸鐘之徵顚下角
M709　曾侯乙編鐘下二・二　割肄之商角
M709　曾侯乙編鐘下二・二　贏孠之宮
M709　曾侯乙編鐘下二・二　贏孠之才楚號為新鐘
M709　曾侯乙編鐘下二・二　割肄之商曾
M709　曾侯乙編鐘下二・二　穆音之宮
M709　曾侯乙編鐘下二・二　穆音之才楚為穆鐘
M709　曾侯乙編鐘下二・二　大族之宮
M709　曾侯乙編鐘下二・二　贏孠之宮角
M709　曾侯乙編鐘下二・二　妥賓之宮曾
M710　曾侯乙編鐘下二・三　割肄之中鎛
M710　曾侯乙編鐘下二・三　韋音之宮
M710　曾侯乙編鐘下二・三　韋音之才楚號為文王
M710　曾侯乙編鐘下二・三　犀則之商
M710　曾侯乙編鐘下二・三　割肄之宮曾
M710　曾侯乙編鐘下二・三　韋音之下角

之

M710	曾侯乙編鐘下二・三	坪皇之變徵
M710	曾侯乙編鐘下二・三	贏孠之商
M710	曾侯乙編鐘下二・三	鄘音之宮
M710	曾侯乙編鐘下二・三	鄘音之才楚為獸鐘
M711	曾侯乙編鐘下二・四	妥賓之宮
M711	曾侯乙編鐘下二・四	妥賓之才楚號為坪皇
M711	曾侯乙編鐘下二・四	大族之珈鐻
M711	曾侯乙編鐘下二・四	無睪之宮曾
M711	曾侯乙編鐘下二・四	黃鐘之商角
M711	曾侯乙編鐘下二・四	割肄之羽曾
M711	曾侯乙編鐘下二・四	為妥賓之徵顧下角
M711	曾侯乙編鐘下二・四	文王之變商
M711	曾侯乙編鐘下二・四	屖則之徵曾
M711	曾侯乙編鐘下二・四	符于索商之顧
M712	曾侯乙編鐘下二・五	割肄之宮
M712	曾侯乙編鐘下二・五	割肄之才楚號為呂鐘
M712	曾侯乙編鐘下二・五	宣鐘之才晉號為六墉
M712	曾侯乙編鐘下二・五	大族之商
M712	曾侯乙編鐘下二・五	黃鐘之鐻
M712	曾侯乙編鐘下二・五	妥賓之商曾
M712	曾侯乙編鐘下二・五	新鐘之羽
M712	曾侯乙編鐘下二・五	為穆音之羽顧下角
M712	曾侯乙編鐘下二・五	刺音之羽曾
M712	曾侯乙編鐘下二・五	符于索宮之顧
M712	曾侯乙編鐘下二・五	割肄之徵曾
M713	曾侯乙編鐘下二・七	割肄之羽
M713	曾侯乙編鐘下二・七	遲則之徵
M713	曾侯乙編鐘下二・七	新鐘之徵曾
M713	曾侯乙編鐘下二・七	鄘音之變商
M713	曾侯乙編鐘下二・七	韋音之羽曾
M713	曾侯乙編鐘下二・七	無睪之徵
M713	曾侯乙編鐘下二・七	為大族之徵顧下角
M713	曾侯乙編鐘下二・七	割肄之羽角
M713	曾侯乙編鐘下二・七	為獸鐘之羽顧下角
M714	曾侯乙編鐘下二・八	割肄之徵
M714	曾侯乙編鐘下二・八	大族之羽
M714	曾侯乙編鐘下二・八	新鐘之變商
M714	曾侯乙編鐘下二・八	妥賓之羽曾
M714	曾侯乙編鐘下二・八	黃鐘之徵角
M714	曾侯乙編鐘下二・八	韋音之曾
M714	曾侯乙編鐘下二・八	割肄之徵角
M714	曾侯乙編鐘下二・八	坪皇之羽
M714	曾侯乙編鐘下二・八	贏孠之羽徵
M714	曾侯乙編鐘下二・八	文王之
M715	曾侯乙編鐘下二・九	文王之宮
M715	曾侯乙編鐘下二・九	坪皇之商
M715	曾侯乙編鐘下二・九	割肄之鐻
M715	曾侯乙編鐘下二・九	新鐘之商曾
M715	曾侯乙編鐘下二・九	濁獸鐘之羽
M715	曾侯乙編鐘下二・九	獸鐘之宮

M715	曾侯乙編鐘下二・九	新鐘之湆商
M715	曾侯乙編鐘下二・九	濁割肄之羽
M715	曾侯乙編鐘下二・九	文王之湆鐰
M715	曾侯乙編鐘下二・九	新鐘之商
M715	曾侯乙編鐘下二・九	割肄之宮曾
M715	曾侯乙編鐘下二・九	濁坪皇之徵
M716	曾侯乙編鐘下二・十	坪皇之宮
M716	曾侯乙編鐘下二・十	割肄之湆商
M716	曾侯乙編鐘下二・十	穆鐘之角
M716	曾侯乙編鐘下二・十	新鐘之宮曾
M716	曾侯乙編鐘下二・十	濁獸鐘之徵
M716	曾侯乙編鐘下二・十	獸鐘之羽
M716	曾侯乙編鐘下二・十	穆鐘之徵
M716	曾侯乙編鐘下二・十	割肄之羽曾
M716	曾侯乙編鐘下二・十	濁新鐘之宮
M716	曾侯乙編鐘下二・十	鄉音之湆羽
M716	曾侯乙編鐘下二・十	新鐘之徵頔
M716	曾侯乙編鐘下二・十	濁坪皇之下角
M716	曾侯乙編鐘下二・十	濁文王之商
M719	曾侯乙編鐘中一・三	坪皇之巽反
M719	曾侯乙編鐘中一・三	割肄之少商
M719	曾侯乙編鐘中一・三	獸鐘之壴反
M719	曾侯乙編鐘中一・三	濁新鐘之巽反
M719	曾侯乙編鐘中一・三	穆鐘之冬反
M719	曾侯乙編鐘中一・三	濁坪皇之歅
M720	曾侯乙編鐘中一・四	坪皇之冬反
M720	曾侯乙編鐘中一・四	割肄之壴
M720	曾侯乙編鐘中一・四	濁新之壴
M720	曾侯乙編鐘中一・四	獸鐘之喜
M720	曾侯乙編鐘中一・四	新鐘之徵頔
M720	曾侯乙編鐘中一・四	濁坪皇之歅
M720	曾侯乙編鐘中一・四	割肄之巽
M720	曾侯乙編鐘中一・四	新鐘之商頔
M720	曾侯乙編鐘中一・四	濁新鐘之冬
M721	曾侯乙編鐘中一・五	坪皇之少商
M721	曾侯乙編鐘中一・五	割肄之下角
M721	曾侯乙編鐘中一・五	濁穆鐘之冬
M721	曾侯乙編鐘中一・五	穆鐘之壴
M721	曾侯乙編鐘中一・五	濁文王之歅
M721	曾侯乙編鐘中一・五	濁新鐘之商
M721	曾侯乙編鐘中一・五	割肄之冬
M721	曾侯乙編鐘中一・五	新鐘之羽頔
M721	曾侯乙編鐘中一・五	濁獸鐘之巽
M722	曾侯乙編鐘中一・六	坪皇之巽
M722	曾侯乙編鐘中一・六	穆鐘之下角
M722	曾侯乙編鐘中一・六	割肄之商
M722	曾侯乙編鐘中一・六	濁獸鐘之冬
M722	曾侯乙編鐘中一・六	獸鐘之壴
M722	曾侯乙編鐘中一・六	新鐘之少徵頔
M722	曾侯乙編鐘中一・六	濁坪皇之歅

M722	曾侯乙編鐘中一・六	穆鐘之冬
M722	曾侯乙編鐘中一・六	濁文王之少商
M722	曾侯乙編鐘中一・六	濁新鐘之巽
M723	曾侯乙編鐘中一・七	獸鐘之下角
M723	曾侯乙編鐘中一・七	穆鐘之商
M723	曾侯乙編鐘中一・七	割肄之宮
M723	曾侯乙編鐘中一・七	濁獸鐘之冬
M723	曾侯乙編鐘中一・七	新鐘之羽
M723	曾侯乙編鐘中一・七	濁坪皇之商
M723	曾侯乙編鐘中一・七	濁文王之宮
M723	曾侯乙編鐘中一・七	獸鐘之徵
M723	曾侯乙編鐘中一・七	濁坪皇之少商
M723	曾侯乙編鐘中一・七	濁文王之巽
M724	曾侯乙編鐘中一・八	坪皇之冬
M724	曾侯乙編鐘中一・八	割肄之羽
M724	曾侯乙編鐘中一・八	新鐘之徵曾
M724	曾侯乙編鐘中一・八	濁新鐘之下角
M724	曾侯乙編鐘中一・八	文王之羽
M724	曾侯乙編鐘中一・八	新鐘之徵
M724	曾侯乙編鐘中一・八	濁坪皇之宮
M724	曾侯乙編鐘中一・八	新鐘之冬
M724	曾侯乙編鐘中一・八	濁坪皇之巽
M724	曾侯乙編鐘中一・八	濁割肄之商
M725	曾侯乙編鐘中一・九	割肄之徵
M725	曾侯乙編鐘中一・九	穆鐘之羽
M725	曾侯乙編鐘中一・九	新鐘之羽顧
M725	曾侯乙編鐘中一・九	濁獸鐘之宮
M725	曾侯乙編鐘中一・九	坪皇之喜
M725	曾侯乙編鐘中一・九	割肄之徵角
M725	曾侯乙編鐘中一・九	濁獸鐘之下角
M725	曾侯乙編鐘中一・九	文王之冬
M725	曾侯乙編鐘中一・九	新鐘之羽曾
M725	曾侯乙編鐘中一・九	濁穆鐘之商
M725	曾侯乙編鐘中一・九	濁割肄之宮
M726	曾侯乙編鐘中一・十	文王之宮
M726	曾侯乙編鐘中一・十	坪皇之商
M726	曾侯乙編鐘中一・十	割肄之角
M726	曾侯乙編鐘中一・十	新鐘之商曾
M726	曾侯乙編鐘中一・十	濁獸鐘之羽
M726	曾侯乙編鐘中一・十	文王之下角
M726	曾侯乙編鐘中一・十	新鐘之商
M726	曾侯乙編鐘中一・十	割肄之宮曾
M726	曾侯乙編鐘中一・十	濁坪皇之冬
M726	曾侯乙編鐘中一・十	獸鐘之宮
M726	曾侯乙編鐘中一・十	新鐘之商
M726	曾侯乙編鐘中一・十	濁割肄之羽
M727	曾侯乙編鐘中一・十一	坪皇之宮
M727	曾侯乙編鐘中一・十一	割肄之歆商
M727	曾侯乙編鐘中一・十一	穆鐘之角
M727	曾侯乙編鐘中一・十一	新鐘之宮曾

M727	曾侯乙編鐘中一·十一	濁獸鐘之徵
M727	曾侯乙編鐘中一·十一	獸鐘之羽
M727	曾侯乙編鐘中一·十一	穆鐘之徵
M727	曾侯乙編鐘中一·十一	割肄之羽曾
M727	曾侯乙編鐘中一·十一	濁新鐘之宮
M727	曾侯乙編鐘中一·十一	膷音之鼓
M727	曾侯乙編鐘中一·十一	新鐘之徵顀
M727	曾侯乙編鐘中一·十一	濁坪皇之下角
M727	曾侯乙編鐘中一·十一	濁文王之商
M728	曾侯乙編鐘中二·一	割肄之羽反
M728	曾侯乙編鐘中二·一	獸鐘之駃
M728	曾侯乙編鐘中二·一	割肄之巽
M729	曾侯乙編鐘中二·二	曾侯乙乍時，角反，徵反，割肄之駃，
M729	曾侯乙編鐘中二·二	濁獸鐘之喜
M729	曾侯乙編鐘中二·二	穆鐘之喜反
M729	曾侯乙編鐘中二·二	濁獸鐘之巽
M729	曾侯乙編鐘中二·二	割肄之冬反
M729	曾侯乙編鐘中二·二	濁新鐘之少商
M730	曾侯乙編鐘中二·三	曾侯乙乍時，少商，羽曾，坪皇之巽反，
M730	曾侯乙編鐘中二·三	割肄之少商
M730	曾侯乙編鐘中二·三	獸鐘之喜反
M730	曾侯乙編鐘中二·三	濁新鐘之巽反
M730	曾侯乙編鐘中二·三	穆鐘之冬反
M730	曾侯乙編鐘中二·三	濁坪皇之駃
M731	曾侯乙編鐘中二·四	坪皇之冬反
M731	曾侯乙編鐘中二·四	割肄之喜
M731	曾侯乙編鐘中二·四	濁新鐘之駃
M731	曾侯乙編鐘中二·四	獸鐘之駃
M731	曾侯乙編鐘中二·四	穆鐘之少商
M731	曾侯乙編鐘中二·四	濁文王之喜
M731	曾侯乙編鐘中二·四	割肄之巽
M731	曾侯乙編鐘中二·四	新鐘之商顀
M731	曾侯乙編鐘中二·四	濁新鐘之冬
M732	曾侯乙編鐘中二·五	坪皇之少商
M732	曾侯乙編鐘中二·五	割肄之下角
M732	曾侯乙編鐘中二·五	濁穆鐘之冬
M732	曾侯乙編鐘中二·五	穆鐘之喜
M732	曾侯乙編鐘中二·五	濁文王之駃
M732	曾侯乙編鐘中二·五	濁新鐘之商
M732	曾侯乙編鐘中二·五	割肄之冬
M732	曾侯乙編鐘中二·五	新鐘之羽顀
M732	曾侯乙編鐘中二·五	濁獸鐘之巽
M733	曾侯乙編鐘中二·六	坪皇之巽
M733	曾侯乙編鐘中二·六	穆鐘之下角
M733	曾侯乙編鐘中二·六	割肄之商
M733	曾侯乙編鐘中二·六	濁獸鐘之冬
M733	曾侯乙編鐘中二·六	獸鐘之喜
M733	曾侯乙編鐘中二·六	新鐘之少徵顀
M733	曾侯乙編鐘中二·六	濁坪皇之駃
M733	曾侯乙編鐘中二·六	穆鐘之冬

M733	曾侯乙編鐘中二・六	濁文王之少商
M733	曾侯乙編鐘中二・六	濁新鐘之巽
M734	曾侯乙編鐘中二・七	獸鐘之下角
M734	曾侯乙編鐘中二・七	穆鐘之商
M734	曾侯乙編鐘中二・七	割肄之宮
M734	曾侯乙編鐘中二・七	濁新鐘之冬
M734	曾侯乙編鐘中二・七	新鐘之羽
M734	曾侯乙編鐘中二・七	濁坪皇之商
M734	曾侯乙編鐘中二・七	濁文王之宮
M734	曾侯乙編鐘中二・七	獸鐘之徵
M734	曾侯乙編鐘中二・七	濁坪皇之少商
M734	曾侯乙編鐘中二・七	濁文王之巽
M735	曾侯乙編鐘中二・八	坪皇之冬
M735	曾侯乙編鐘中二・八	割肄之羽
M735	曾侯乙編鐘中二・八	新鐘之徵曾
M735	曾侯乙編鐘中二・八	濁新鐘之下角
M735	曾侯乙編鐘中二・八	文王之羽
M735	曾侯乙編鐘中二・八	新鐘之徵
M735	曾侯乙編鐘中二・八	濁坪皇之宮
M735	曾侯乙編鐘中二・八	新鐘之冬
M735	曾侯乙編鐘中二・八	濁坪皇之巽
M735	曾侯乙編鐘中二・八	濁割肄之商
M736	曾侯乙編鐘中二・九	割肄之徵
M736	曾侯乙編鐘中二・九	穆鐘之羽
M736	曾侯乙編鐘中二・九	新鐘之羽顧
M736	曾侯乙編鐘中二・九	濁獸鐘之宮
M736	曾侯乙編鐘中二・九	坪皇之喜
M736	曾侯乙編鐘中二・九	割肄之徵角
M736	曾侯乙編鐘中二・九	濁哭鐘之下角
M736	曾侯乙編鐘中二・九	文王之冬
M736	曾侯乙編鐘中二・九	新鐘之羽曾
M736	曾侯乙編鐘中二・九	濁穆鐘之商
M736	曾侯乙編鐘中二・九	濁割肄之冬
M737	曾侯乙編鐘中二・十	文王之宮
M737	曾侯乙編鐘中二・十	坪皇之商
M737	曾侯乙編鐘中二・十	割肄之角
M737	曾侯乙編鐘中二・十	新鐘之商曾
M737	曾侯乙編鐘中二・十	濁獸鐘之羽
M737	曾侯乙編鐘中二・十	新鐘之商
M737	曾侯乙編鐘中二・十	割肄之宮曾
M737	曾侯乙編鐘中二・十	濁坪皇之冬
M737	曾侯乙編鐘中二・十	獸鐘之宮
M737	曾侯乙編鐘中二・十	新鐘之商
M737	曾侯乙編鐘中二・十	濁割肄之羽
M738	曾侯乙編鐘中二・十一	嬴孠之宮
M738	曾侯乙編鐘中二・十一	嬴孠之才楚為新鐘
M738	曾侯乙編鐘中二・十一	夫族之宮
M738	曾侯乙編鐘中二・十一	穆音之宮
M738	曾侯乙編鐘中二・十一	穆音之才楚為穆鐘
M739	曾侯乙編鐘中二・十二	坪皇之宮

M739	曾侯乙編鐘中二・十二	割肄之歆商
M739	曾侯乙編鐘中二・十二	穆鐘之角
M739	曾侯乙編鐘中二・十二	新鐘之宮曾
M739	曾侯乙編鐘中二・十二	濁獸鐘之徵
M739	曾侯乙編鐘中二・十二	獸鐘之羽
M739	曾侯乙編鐘中二・十二	穆鐘之徵
M739	曾侯乙編鐘中二・十二	割肄之羽曾
M739	曾侯乙編鐘中二・十二	濁新鐘之宮
M739	曾侯乙編鐘中二・十二	鄘音之喜
M739	曾侯乙編鐘中二・十二	新鐘之徵顧
M739	曾侯乙編鐘中二・十二	濁坪皇之下角
M739	曾侯乙編鐘中二・十二	濁文王之商
M740	曾侯乙編鐘中三・一	割肄之少羽
M740	曾侯乙編鐘中三・一	坪皇之冬
M740	曾侯乙編鐘中三・一	獸鐘之羽角
M740	曾侯乙編鐘中三・一	割肄之少宮
M740	曾侯乙編鐘中三・一	割肄之才楚為呂鐘
M740	曾侯乙編鐘中三・一	亘鐘之宮
M740	曾侯乙編鐘中三・一	亘鐘之才晉為六墉
M741	曾侯乙編鐘中三・二	贏孠之宮
M741	曾侯乙編鐘中三・二	贏孠之才楚號為新鐘
M741	曾侯乙編鐘中三・二	大族之才周號為刺音
M741	曾侯乙編鐘中三・二	穆音之宮
M742	曾侯乙編鐘中三・三	割肄之角
M742	曾侯乙編鐘中三・三	韋音之宮
M742	曾侯乙編鐘中三・三	割肄之徵反
M742	曾侯乙編鐘中三・三	穆音之羽
M742	曾侯乙編鐘中三・三	新鐘之羽角
M742	曾侯乙編鐘中三・三	韋音之徵曾
M742	曾侯乙編鐘中三・三	屖則之羽曾
M743	曾侯乙編鐘中三・四	割肄之少商
M743	曾侯乙編鐘中三・四	妥賓之宮
M743	曾侯乙編鐘中三・四	妥賓之才[illegible](申)號為遲則
M743	曾侯乙編鐘中三・四	割肄之韽
M743	曾侯乙編鐘中三・四	穆音之冬反
M743	曾侯乙編鐘中三・四	坪皇之徵曾
M743	曾侯乙編鐘中三・四	韋音之變商
M744	曾侯乙編鐘中三・五	割肄之羽
M744	曾侯乙編鐘中三・五	妥賓之冬
M744	曾侯乙編鐘中三・五	黃鐘之羽角
M744	曾侯乙編鐘中三・五	無睪之徵曾
M744	曾侯乙編鐘中三・五	割肄之宮反
M744	曾侯乙編鐘中三・五	割肄之才楚號為呂鐘
M744	曾侯乙編鐘中三・五	鄘音之角
M744	曾侯乙編鐘中三・五	穆音之商
M744	曾侯乙編鐘中三・五	新鐘之變徵
M744	曾侯乙編鐘中三・五	韋音之變羽
M745	曾侯乙編鐘中三・六	割肄之宮角
M745	曾侯乙編鐘中三・六	韋音之宮
M745	曾侯乙編鐘中三・六	韋音之才楚號為文王

之

M745	曾侯乙編鐘中三・六	割肄之冬
M745	曾侯乙編鐘中三・六	大族之鼓
M745	曾侯乙編鐘中三・六	贏孠之變商
M745	曾侯乙編鐘中三・六	㱃鐘之徵角
M745	曾侯乙編鐘中三・六	韋音之徵曾
M745	曾侯乙編鐘中三・六	為坪皇之羽顧下角
M746	曾侯乙編鐘中三・七	割肄之商
M746	曾侯乙編鐘中三・七	妥賓之宮
M746	曾侯乙編鐘中三・七	妥賓之才楚號為坪皇
M746	曾侯乙編鐘中三・七	割肄之羽曾
M746	曾侯乙編鐘中三・七	為妥賓之徵顧下角
M746	曾侯乙編鐘中三・七	文王之變商
M746	曾侯乙編鐘中三・七	遅則之徵曾
M746	曾侯乙編鐘中三・七	符于索商之顧
M747	曾侯乙編鐘中三・八	割肄之宮
M747	曾侯乙編鐘中三・八	割肄之才楚號為呂鐘
M747	曾侯乙編鐘中三・八	匰鐘之才晉為六墉
M747	曾侯乙編鐘中三・八	割肄之徵曾
M747	曾侯乙編鐘中三・八	新鐘之羽
M747	曾侯乙編鐘中三・八	為穆音之羽顧下角
M747	曾侯乙編鐘中三・八	剌音之羽曾
M747	曾侯乙編鐘中三・八	符于索宮之顧
M748	曾侯乙編鐘中三・九	割肄之羽
M748	曾侯乙編鐘中三・九	遅則之徵
M748	曾侯乙編鐘中三・九	新鐘之徵
M748	曾侯乙編鐘中三・九	新鐘之徵曾
M748	曾侯乙編鐘中三・九	𨛭音之變商
M748	曾侯乙編鐘中三・九	韋音之羽曾
M748	曾侯乙編鐘中三・九	割肄之羽角
M748	曾侯乙編鐘中三・九	為獸鐘之羽顧下角
M748	曾侯乙編鐘中三・九	無睪之徵
M748	曾侯乙編鐘中三・九	為夫族之徵顧下角
M749	曾侯乙編鐘中三・十	割肄之徵
M749	曾侯乙編鐘中三・十	夫族之羽
M749	曾侯乙編鐘中三・十	新鐘之變商
M749	曾侯乙編鐘中三・十	遅則之羽曾
M749	曾侯乙編鐘中三・十	獸鐘之徵角
M749	曾侯乙編鐘中三・十	割肄之徵角
M749	曾侯乙編鐘中三・十	坪皇之羽
M749	曾侯乙編鐘中三・十	贏孠之羽曾
M749	曾侯乙編鐘中三・十	為獸鐘之徵顧下角
M758	曾侯乙編鐘上二・三	商、羽曾，𨛭音之宮，
M759	曾侯乙編鐘上二・四	商曾、羽角，韋音之宮，
M761	曾侯乙編鐘上二・六	商、羽曾，黃鐘之宮，
M765	曾侯乙編鐘上三・四	宮、徵曾，贏孠之宮，
M766	曾侯乙編鐘上三・五	宮曾、徵角，妥賓之宮，
M767	曾侯乙編鐘上三・六	宮角、徵，大族之宮，
M768	曾侯乙編鐘上三・七	宮、徵曾，無睪之宮，
M773	鄧子午鼎	鄧子午之飤鐈
M782	曹公子池戈	曹公子池之造戈

M790	宋公差戈	宋公差之徒造戈
M798	廿八年平安君鼎	一益七釿料釿四分釿之冢（蓋一）
M798	廿八年平安君鼎	六益料釿之冢（器一）卅三年單父上官宰喜所受
M799	卅二年平安君鼎	五益六釿料釿四分釿之冢（器一）
M806	滕侯昊戟一	滕侯昊之造戟
M807	滕侯昊戟二	滕侯昊之□
M808	滕侯_戟	滕侯_之造
M816	魯大左司徒元鼎	其萬年釁壽永寶用之

小計：共　1152 筆

㞷　0975

5803	𧊒嗣好盗壺	悳行盛㞷（旺）
7378	奠㞷庫戈	鄭㞷庫
7560	十六年奠令戈	十六年奠命趙司寇彭璋㞷庫
7563	卅一年奠令戈	卅一年奠命椰司寇尚它㞷庫工帀冶肴啟
7632	奠㞷庫矛	奠㞷庫矛刺
7663	卅二年奠令槍□矛	㞷庫工帀皮冶尹造
7664	元年奠命槍□矛	㞷庫工帀皮□冶尹貞造
7665	三年奠令槍□矛	㞷庫工帀皮□冶尹貞造
7667	卅四年奠令槍□矛	㞷庫工帀皮□□冶尹造
7668	二年奠令槍□矛	㞷庫工帀鈹□□冶尹學造□
7725	元年劍	元年㞷相邦王褱
7739	卅三年奠令□□劍	㞷庫工帀皮冶尹啟造

小計：共　12 筆

帀　0976

2141	大万乍母彝毀	大帀乍母彝
2826	師袁毀一	今余肇令女達（率）齊帀
2826	師袁毀一	今余肇令女達（率）齊帀
2827	師袁毀二	今余肇令女達（率）齊帀
5804	齊侯壺	__王之孫右帀之子武弔曰庚羼其吉金
6776	楚王酓忎盤	剛帀紹圣差陳共為之
7472	朝訶右庫戈	朝歌右庫侯工帀__
7493	十四年戈	四年州工帀明冶乘
7504	廿三年□陽令戈	工帀倉壘、冶□
7509	丞相觸戈	__年丞相觸造、咸□工帀葉工、武
7512	六年奠令韓熙戈	六年鄭令韓熙□、右庫工帀馬__冶狄
7522	卅三年大梁左庫戈	卅三年大梁左庫工帀丑冶刅
7523	四年戈	四年命韓__右庫工帀__冶__
7524	三年脩余令戈	三年逍余命韓__工帀____、冶__
7526	卅四年屯丘令戈	卅四年屯丘命爽左工帀脩冶□
7528	王二年奠令戈	王二年奠命韓□右庫工帀__慶
7529	十四年相邦冉戈	樂工帀□、工禺
7531	廿九年高都令陳愈戈	工帀華、冶無
7532	九年我□令癰戈	高望、九年戈丘命癰工帀__冶__

之
㞷
帀

币

7533	卅二年帶令戈	卅三年帶命初左庫工币臣冶山
7534	□__戈	□__命司馬伐右庫工币高反冶□
7535	三年汪陶令戈	下庫工币王喜冶□
7538	邢令戈	工币郢陼冶奐
7540	卅一年相邦冉戈	卅一年相邦冉齹工币、齹瞏德
7541	四年咎奴戈	四年咎奴__命壯罌工币賓疾冶問
7542	廿四年右馬令戈	廿四年申陰令右庫工币萇冶豎
7544	八年亲城大令戈	八年亲城大命韓定工币宋費冶褚
7548	元年__令戈	__命夜會上庫工币冶門旅其都
7549	十六年喜令戈	喜命韓鳳左庫工币司馬裕冶何
7550	十二年少令邯鄲戈	十二年尚命邯鄲□右庫工币□紹冶倉造
7551	十二年尚令邯鄲戈	十二年尚命邯鄲□右庫工币□紹冶倉造
7555	二年戈	宗子攻五吹我左工币__
7557	楚屈弔沱戈	王工币__王__
7558	十四年奠令戈	工币鑄章冶□
7559	十五年奠令戈	工币陳平冶贛
7560	十六年奠令戈	工币皇齍冶__
7561	十七年奠令戈	工币皇叕冶□
7562	廿一年奠令戈	廿一年奠命龖族司寇裕左庫工币吉□冶□
7563	卅一年奠令戈	卅一年奠命椰司寇尚它生庫工币冶肴啟
7567	廿九年相邦尚□戈	左庫工币齹番冶__義執齊
7568	四年奠令戈	武庫工币弗__冶尹__造
7569	五年奠令戈	右庫工币__高冶尹__造
7570	六年奠令戈	六年奠命__幽司寇向__左庫工币倉慶冶尹成贛
7571	八年奠令戈	八年奠命__幽司寇史墜右庫工币昜高冶尹__□
7572	十七年彘令戈	十七年彘命龖尚司寇奠__右庫工币□較冶□□
7652	五年鄭令韓□矛	左庫工币陽函冶尹侃
7653	十年邦司寇富無矛	上庫工币戎閒冶尹
7654	十二年邦司寇野矛	上庫工币司馬丘茲冶賢
7656	七年宅陽令矛	右庫工币夜瘥冶趣造
7657	九年鄭令向甸矛	武庫工币鑄章冶造
7658	五年春平侯矛	工币______冶執齊
7659	元年春平侯矛	邦右庫工币尚瘁冶□闢執齊
7660	十□年相邦春平侯矛	□左□工币□□□□□
7661	三年建躬君矛	邦左庫工币□□冶尹月執齊
7662	八年建躬君矛	邦左庫工币杌□冶尹□執齊
7663	卅二年奠令槍□矛	生庫工币皮冶尹造
7664	元年奠命槍□矛	生庫工币皮□冶尹貞造
7665	三年奠令槍□矛	生庫工币皮□冶尹貞造
7666	七年奠令□幽矛	左庫工币□□冶尹貞造
7667	卅四年奠令槍□矛	生庫工币皮□□冶尹造
7668	二年奠令槍□矛	生庫工币鈹□□冶尹學造□
7669	四年□雍令矛	左庫工币刑秦冶俞數____
7670	六年安陽令斷矛	右庫工币□共□工□□造戟
7679	右軍劍	右庫工币造
7691	衛司馬劍	衛司馬與之□工币
7719	廿九年高都令劍	廿九年高都命陳愈工币冶乘
7724	二年春平侯劍	邦左庫工币□□冶□□□
7725	元年劍	右庫工币杜生、冶參執齊
7726	八年相邦建躬君劍一	邦左庫工币□□

7727	八年相邦建躬君劍二	邦左庫工帀□□
7728	八年相邦建躬君劍三	邦左庫工帀□□
7730	十五年守相杜波劍一	邦右庫工帀韓工帀
7731	王立事劍一	□□命孟卯左庫工帀司馬部
7732	王立事劍二	□□命孟卯左庫工帀司馬部
7733	王立事劍三	□□命孟卯左庫工帀司馬部
7734	四年春平侯劍	四年□□春升平侯□左庫工帀丘□________
7737	十五年劍	邦左庫工帀代翟工帀長鑢冶執齊齊
7738	十七年相邦春平侯劍	邦左庫□工帀□戊未□冶執齊
7739	卅三年奠令□□劍	㞷庫工帀皮冶尹啟造
7740	四年春平相邦劍	右庫工帀睘輅__冶臣成執齊
7870	陳純釜	n2命左關帀r4
7884	五年司馬權	與下庫工帀孟
7884	五年司馬權	□工帀四
7893	鷹節一	馬乘帚伐__ 四年帀
7894	鷹節二	帀
7899	鄂君啟車節	大司馬卲陽敗晉帀於襄陽之歲
7900	鄂君啟舟節	大司馬卲陽敗晉帀於襄陵之歲
7952	鄭武庫銅器	鄭武庫工帀
M897	六年安平守劍	左庫工帀___
		小計：共　89 筆

帀 師

師　0977

0958	弔師父鼎	弔師父乍尊鼎其永寶用
1015	□大師虎鼎	□大師虎□乍□鼎
1024	大師人__乎鼎	大師人o6乎乍寶鼎
1088	師麻斿弔旅鼎	師麻斿乍旅鼎
1108	師賸父鼎	師賸父乍燹姬寶鼎
1109	師奞乍𩰫鼎	師奞其乍寶𩰫鼎
1152	私官鼎	卅六年工師瘨工疑
1158	小子__鼎	王商貝、才𣪘師次
1165	大師鐘白乍石鬳	大師鐘白侵自乍礑鬳
1206	旟鼎	師𣟭酷兄
1207	眉__鼎	o0孪師眉vw王為周nr
1213	師趛鼎一	師趛乍文考聖公
1214	師趛鼎二	師趛乍文考聖公
1222	寂鼎一	師雝父𢓊道至于㝬、寂從
1223	寂鼎二	師雝父𢓊道至于㝬、寂從
1226	師艅鼎	師艅從
1226	師艅鼎	易師艅金
1230	師器父鼎	師器父乍尊鼎
1230	師器父鼎	師器父其萬年
1231	楚王酓忓鼎一	剛工師盤野佐秦忓為之
1232	楚王酓忓鼎二	剛工師盤野佐秦忓為之
1239	__鼎一	以師氏眔有𤔲後或𢦏伐Ld
1240	__鼎二	以師氏眔有𤔲後或𢦏伐Ld
1241	蔡大師𦝼鼎	蔡大師𦝼媵鄦弔姬可母飤緐
1245	仲師父鼎一	中師父乍季妘姒(始)寶尊鼎

字	編號	器名	銘文
師	1246	仲師父鼎二	中師父乍季姒始(始)寶尊鼎
	1273	師湯父鼎	師湯父拜䭫首
	1275	師同鼎	Lz畀其井師同從
	1288	令鼎一	有嗣眔師氏小子鄉射
	1289	令鼎二	王射、有嗣眔師氏小子鄉射
	1298	師旂鼎	師旂眔僕不從王征于方
	1298	師旂鼎	其又內于師旂
	1305	師奎父鼎	嗣馬井白右師奎父
	1305	師奎父鼎	王乎內史駒冊命師奎父
	1305	師奎父鼎	師奎父其萬年子子孫孫永寶用
	1307	師望鼎	大師小子師望曰
	1307	師望鼎	師望其萬年子子孫孫永寶用
	1311	師晨鼎	王才周師彔宮
	1311	師晨鼎	嗣馬共右師晨入門、立中廷
	1311	師晨鼎	王乎乍冊尹冊令師晨疋師俗嗣邑人
	1315	善鼎	王各大師宮
	1315	善鼎	令女左疋纂侯、監䝵師戍
	1323	師訊鼎	王曰：師訊、女克韲乃身
	1323	師訊鼎	易女玄袞䪓屯、赤市朱黃、䜌旂、大師金膺
	1323	師訊鼎	休白大師肩䦈
	1323	師訊鼎	白大師不自乍
	1323	師訊鼎	白大師武臣保天子
	1324	禹鼎	肆自師彌怵匌匡
	1327	克鼎	克曰：穆穆朕文且師華父悤hv𠂤心
	1327	克鼎	巠念𠂤聖保且師華父
	1327	克鼎	用乍朕文且師華父寶䵼彝
	1332	毛公鼎	雩參有嗣、小子、師氏、虎臣雩朕褻事
	1504	奠師□父鬲	奠師__父乍__鬲
	1529	仲枏父鬲一	師湯父有嗣中枏父乍寶鬲
	1530	仲枏父鬲二	師湯父有嗣中枏父乍寶鬲
	1531	仲枏父鬲三	師湯父有嗣中枏父乍寶鬲
	1532	仲枏父鬲四	師湯父有嗣中枏父乍寶鬲
	1631	師__方甗	師h2乍旅甗尊
	1658	奠大師小子甗	奠大師小子侯父乍寶獻(甗)
	1666	遇乍旅甗	師雝父戍才古師
	1666	遇乍旅甗	遇從師雝父肩吏
	2186	師高乍寶毀	師高乍寶尊毀
	2214	師__其乍寶毀	師C4其乍寶毀
	2326	師奐父乍弔姞毀	師奐父乍弔姞寶尊毀
	2328	師奐父乍季姞毀	師奐父乍季姞寶尊毀
	2589	孫弔多父乍孟姜毀一	師趞父孫
	2590	孫弔多父乍孟姜毀二	師趞父孫
	2591	孫弔多父乍孟姜毀三	師趞父孫
	2629	牧師父毀一	牧師父弟弔脵父御于君
	2630	牧師父毀二	牧師父弟弔脵父御于君
	2631	牧師父毀三	牧師父弟弔脵父御于君
	2645	周客毀	克𠂤師眉薦王為周客
	2656	師害毀一	麇生智父師害uL中智
	2656	師害毀一	師害乍文考尊毀
	2657	師害毀二	麇生智父師害uL中智

2657	師害毁二	師害乍文考尊毁
2676	旅肄乍父乙毁	戊辰、弜師易肄𩁹、q1䰍貝
2685	仲柟父毁一	師湯父有嗣中柟父乍寶毁
2686	仲柟父毁二	師湯父有嗣中柟父乍寶毁
2725	師毛父毁	師毛父即立
2736	師遽毁	王延正師氏
2736	師遽毁	王乎師朕易師遽貝十朋
2744	五年師旋毁一	王曰：師旋
2745	五年師旋毁二	王曰：師旋
2762	免毁	令女足周師、嗣（司辭）歠
2765	救毁	王才師嗣（司辭）馬宮大室即立
2767	𧇭毁一	王才周師量宮
2767	𧇭毁一	王乎師晨召大師𧇭入門、立中廷
2767	𧇭毁一	王乎宰曶易大師𧇭虎裘
2768	楚毁	嗣莽啚官內師舟
2769	師𤔲毁	榮白內、右師𤔲即立中廷
2769	師𤔲毁	王守內史尹氏冊命師𤔲
2771	弭弔師求毁一	井弔內、右師求
2771	弭弔師求毁一	王乎尹氏冊命師求
2771	弭弔師求毁一	師求拜韻首
2772	弭弔師求毁二	井弔內、右師求
2772	弭弔師求毁二	王乎尹氏冊命師求
2772	弭弔師求毁二	師求拜韻首
2791	豆閉毁	王各于師戲大室
2791.	史密毁	王令師俗、史密曰：東征
2791.	史密毁	師俗率齊自、述人左
2792	師俞毁	才周師彔宮
2792	師俞毁	嗣馬共右師俞入門立中廷
2792	師俞毁	王乎乍冊內史冊令師俞
2793	元年師旋毁一	遲公入、右師旋即立中廷
2793	元年師旋毁一	王乎乍冊尹冊命師旋曰
2793	元年師旋毁一	官司豐還ナ又師氏
2794	元年師旋毁二	遲公入、右師旋即立中廷
2794	元年師旋毁二	王乎乍冊尹冊命師旋曰
2794	元年師旋毁二	官司豐還ナ又師氏
2795	元年師旋毁三	遲公入、右師旋即立中廷
2795	元年師旋毁三	王乎乍冊尹冊命師旋曰
2795	元年師旋毁三	官司豐還ナ又師氏
2796	諫毁	王才周師彔宮
2796	諫毁	王才周師彔宮
2797	輔師嫠毁	榮白入、右輔師嫠
2798	師𩒨毁一	王才周師司馬宮
2798	師𩒨毁一	嗣馬井白親右師𩒨入門立中廷
2798	師𩒨毁·	王乎內史吳冊令師𩒨曰
2798	師𩒨毁一	今余唯𦅫（緟）先工令女官司邑人師氏
2799	師𩒨毁二	王才周師司馬宮
2799	師𩒨毁二	嗣馬井白親右師𩒨入門立中廷
2799	師𩒨毁二	王乎內史吳冊令師𩒨曰
2799	師𩒨毁二	今余唯𦅫（緟）先王令女官司邑人師氏
2803	師酉毁一	右師酉立中廷

師

2803	師酉毁一	王乎史𦔻冊命師酉
2803	師酉毁一	師酉拜䭫首
2804	師酉毁二	右師酉立中廷
2804	師酉毁二	王乎史𦔻冊命師酉
2804	師酉毁二	師酉拜䭫首
2804	師酉毁二	右師酉立中廷
2804	師酉毁二	王乎史𦔻冊命師酉
2804	師酉毁二	師酉拜䭫首
2805	師酉毁三	右師酉立中廷
2805	師酉毁三	王乎史𦔻冊命師酉
2805	師酉毁三	師酉拜䭫首
2806	師酉毁四	右師酉立中廷
2806	師酉毁四	王乎史𦔻冊命師酉
2806	師酉毁四	師酉拜䭫首
2806.	師酉毁五	右師酉立中廷
2806.	師酉毁五	王乎史𦔻冊命師酉
2806.	師酉毁五	師酉拜䭫首
2812	大毁一	王呼吳師召大
2813	大毁二	王呼吳師召大
2815	師𩛥毁	師𩛥、乃且考又Jq（勞?)于我家
2817	師𩒨毁	𤔲工液白入右師𩒨
2817	師𩒨毁	王乎內史遺冊令師𩒨
2817	師𩒨毁	王若曰：師𩒨
2817	師𩒨毁	師𩒨其萬年子子孫孫永寶用
2826	師寰毁一	王若曰：師寰rt
2826	師寰毁一	師寰虔不家
2826	師寰毁一	其萬年子子孫孫永寶用𠷎（蓋)王若曰：師寰rt
2826	師寰毁一	師寰虔不家
2827	師寰毁二	王若曰：師寰rt__
2827	師寰毁二	師寰虔不家
2829	師虎毁	井白內、右師虎即立中廷北鄉
2830	三年師兌毁	𩛥白右師兌入門、立中廷
2830	三年師兌毁	王乎內史尹冊令師兌
2830	三年師兌毁	余既令女正師龢父
2830	三年師兌毁	師兌拜䭫首
2830	三年師兌毁	師兌其萬年子子孫孫永寶用
2831	元年師兌毁一	同中右師兌入門、立中廷
2831	元年師兌毁一	王乎內史尹冊令師兌
2831	元年師兌毁一	足師龢父
2831	元年師兌毁一	師兌其萬年子子孫孫永寶用
2832	元年師兌毁二	同中右師兌入門、立中廷
2832	元年師兌毁二	王乎內史尹冊令師兌
2832	元年師兌毁二	足師龢父
2832	元年師兌毁二	師兌其萬年子子孫孫永寶用
2835	訇毁	師笭側新□華尸、甾rx尸
2836	𢦚毁	𢦚達有𤔲師氏奔追御戎于𩵦林
2838	師𤼈毁一	宰琱生內、右師𤼈
2838	師𤼈毁一	王乎尹氏冊令師𤼈
2838	師𤼈毁一	王曰：師𤼈
2838	師𤼈毁一	師𤼈拜手䭫首

2838	師嫠殷一	師龢父□
2838	師嫠殷一	宰琱生內、右師嫠
2838	師嫠殷一	王乎尹氏冊令師嫠
2838	師嫠殷一	王若曰：師嫠
2838	師嫠殷一	師嫠拜手䭫首
2839	師嫠殷二	宰琱生內、右師嫠
2839	師嫠殷二	王乎尹氏冊令師嫠
2839	師嫠殷二	王曰：師嫠
2839	師嫠殷二	師嫠拜手䭫首
2839	師嫠殷二	師龢父□
2839	師嫠殷二	宰琱生內、右師嫠
2839	師嫠殷二	王乎尹氏冊令師嫠
2839	師嫠殷二	王若曰：師嫠
2839	師嫠殷二	師嫠拜手䭫首
2856	師訇殷	王若曰：師訇
2856	師訇殷	王曰：師訇、哀才
2857	牧殷	王才周、才師游父宮
2929	師麻孝弔旅匿(匡)	師麻s9弔乍旅匡
2982.	甲午匿	用__易命臣炳臣師戊
2984	伯公父盤	白大師小子白公父乍盤
2984	伯公父盤	白大師小子白公父乍盤
3017	白大師旅盨一	白大師乍旅盨
3018	白大師旅盨(器)二	白大師乍旅盨
3024	仲大師旅盨	中大師子為其旅永寶用
3056	師趛乍槜姬旅盨	師趛乍褫槜旅盨
3056	師趛乍槜姬旅盨	師趛乍槜姬旅盨
3083	瘨殷(盨)一	王才周師彔宮
3084	瘨殷(盨)二	王才周師彔宮
3086	善夫克旅盨	隹用獻于師尹、倗友、婚(聞)遘
3087	鬲从盨	才永師田宮
3088	師克旅盨一(蓋)	師克不顯文武、雁受大令、匍有四方
3089	師克旅盨二	師克不顯文武、雁受大令、匍有四方
3090	㝬盨(器)	雩邦人、正人、師氏人又辠又故
3090	㝬盨(器)	卑復虐逐氒君氒師
3111	大師盧豆	大師盧乍葉尊豆
4168.	師遽爵	師遽乍且乙[㒸]
4879	彔刻尊	女其以成周師氏戍于古自
4883	耳尊	pp師q3對揚侯休
4884	臤尊	臤从師雝父戍于古自之年
4888	盠駒尊一	王乎師豦召盠
4893	夨令尊	明公易亢師鬯、金、牛
4977	師遽方彝	師遽蔑曆友
4977	師遽方彝	王乎宰利易師遽瑂圭一、環章四
4977	師遽方彝	師遽拜稽首
4981	夨冊令方彝	明公易亢師鬯、金、牛
5312	師隻卣(蓋)	師隻乍尊彝
5455	觑乍丁師卣	觑稟用乍丁師彝
5490	戉稽卣	稽從師雝父戍于古自
5490	戉稽卣	對揚師雝父休
5490	戉稽卣	稽從師雝父戍于古自

	5490	戉稀卣	對揚師雝父休
	5498	彔茲卣	女其以成周師氏戍于古自
	5499	彔茲卣二	女其以成周師氏戍于古自
師	5506	小臣傳卣	令師田父殷成周年
	5506	小臣傳卣	師田父令小臣傳非余傳□朕考kz
	5506	小臣傳卣	師田父令□□余官
	5753	大師小子師望壺	大師{ 小子 }師望乍寶壺
	5777	孫弔師父行具	邛立宰孫弔師父乍行具
	5795	白克壺	白大師易白克僕卅夫
	5796	三年瘭壺一	乎師壽召瘭易彘俎
	5797	三年瘭壺二	乎師壽召瘭易彘俎
	5803	胤嗣好盗壺	率師征郾
	5804	齊侯壺	與台□彘師
	5826	國差罎	攻師何鑄西郭寶罎四秉
	6747	師寏父盤	師寏父乍季姬般(盤)
	6785	守宮盤	周師光守宮事
	6785	守宮盤	祼周師、不杯
	6785	守宮盤	守宮對揚周師釐
	6786	__弔多父盤	吏利于辟王卿事師尹倗友
	6793	矢人盤	豆人虞丂、彔貞、師氏、 右眚
	6868	大師子大孟姜匜	大師子大孟姜乍般匜
	6877	儹乍旅盨	女敢以乃師訟
	6877	儹乍旅盨	乃師或以女告
	6910	師永盂	易畀師永氒田
	6910	師永盂	眔師俗父田
	6910	師永盂	井白、榮白、尹氏、師俗父遣中
	6910	師永盂	周人嗣工眉、弜史、師氏
	6910	師永盂	邑人奎父、畢人師同
	7059	師臾鐘	師臾肁乍朕剌且虢季宄公幽弔
	7059	師臾鐘	師臾其萬年永寶用享
	7062	柞鐘	中大師右柞
	7062	柞鐘	柞拜手對揚中大師休
	7063	柞鐘二	中大師右柞
	7063	柞鐘二	柞拜手對揚中大師休
	7064	柞鐘三	中大師右柞
	7064	柞鐘三	柞拜手對揚中大師休
	7065	柞鐘四	中大師右柞
	7065	柞鐘四	柞拜手對揚中大師休
	7066	柞鐘五	中大師右柞
	7067	柞鐘六	柞拜手對揚中大師休
	7182	叔夷編鐘一	師于____
	7182	叔夷編鐘一	肅成朕師旟之政德
	7183	叔夷編鐘二	雩氒行師
	7183	叔夷編鐘二	女玐勞朕行師
	7186	叔夷編鐘五	敗氒靈師
	7214	叔夷鎛	師于____
	7214	叔夷鎛	肅成朕師旟之政德
	7214	叔夷鎛	雩氒行師
	7214	叔夷鎛	女玐勞朕行師
	7214	叔夷鎛	敗氒靈師

7219	冉鉦鉞(南疆征)	余台行訖師
7390	易自䢅戈	易師䢅戈
7497	郾侯脮乍師巾萃鍨鉘	郾侯脮乍師巾萃鍨鉘
7530	三年上郡守戈	漆工師、丞□、工成旦□
7546	王三年鄭令韓熙戈	王三年鄭命韓熙右庫工師吏史□冶□
7566	十三年相邦義戈	咸陽工師田公大人耆工□
7837	衛自盾鍚	衛師揚
7865	衛量	衛師親鑄
M282	師酴尊	師酴从王□功
M282	師酴尊	易師酴金
M299	白大師釐盨	白大師釐乍旅盨

小計：共 286 筆

出 0978

0988	白矩鼎	用言王出內事人
1227	衛鼎	乃用鄉出入吏人
1307	師望鼎	虔夙夜出內王命
1317	善夫山鼎	受冊佩目出
1319	頌鼎一	受令冊、佩以出
1320	頌鼎二	受令冊、佩以出
1321	頌鼎三	受令冊、佩以出
1327	克鼎	出內王令
1327	克鼎	王若曰：克、昔余既令女出內朕令
1330	曶鼎	不出、kq余
1332	毛公鼎	王曰：父厝、雩之庶出入事
1332	毛公鼎	出入尃(敷)命于外
2731	小臣宅𣪕	其萬年用鄉王出入
2774	臣諫𣪕	隹戎大出于軝
2844	頌𣪕一	佩目出
2845	頌𣪕二	佩目出
2845	頌𣪕二	佩目出
2846	頌𣪕三	佩目出
2847	頌𣪕四	佩目出
2848	頌𣪕五	佩目出
2849	頌𣪕六	佩目出
2850	頌𣪕七	佩目出
2851	頌𣪕八	佩目出
2854	蔡𣪕	嗣百工、出入姜氏令
3095	拍乍祀彝(蓋)	用祀永葉毋出
3128	魚鼎匕	出斿(游)水虫
3128	魚鼎匕	滑入滑出
3609	自出爵	[自出]
4447	臣辰冊冊𠂇乍冊父癸盉	出寶葊京年
4877	小子生尊	用鄉出內事人
4892	麥尊	出_侯于井
4975	麥方彝	用鬲(嗝)井侯出入遲令、孫孫子子其永寶
5438	𢽝乍旅彝卣	孫子用言出入
5489	戉箙啟卣	王出獸南山

5508	弔趩父卣一	女其用鄉乃辟軝侯逆遖出內事人
5799	頌壺一	受令冊佩以出
5800	頌壺二	受令冊佩以出
6791	兮甲盤	毋敢不出其貟、其積、其進人
6910	師永盂	公迺出氒命
6910	師永盂	氒眔公出氒命
7900	鄂君啟舟節	女載馬、牛、羊台出內關

小計：共 41 筆

南 0979

0902	弔_肇乍南宮鼎	弔sa肇乍南宮寶尊
1121	唯弔從王南征鼎	唯弔從王南征、唯歸
1121	唯弔從王南征鼎	唯弔從王南征、唯歸
1243	仲_父鼎	周白_及仲_父伐南淮夷
1251	中先鼎一	隹王令南宮伐反虎方之年
1251	中先鼎一	王令中先省南或（國）
1252	中先鼎二	隹王令南宮伐反虎方之年
1252	中先鼎二	王令中先省南或（國）
1299	噩侯鼎一	王南征伐角、ph
1300	南宮柳鼎	武公有南宮柳
1306	無叀鼎	嗣徒南中右無叀內門
1310	鬲攸從鼎	王令眚史南目即虢旅
1317	善夫山鼎	南宮乎入右善夫山入門
1324	禹鼎	亦唯噩侯馭方率南淮尸、東尸
1324	禹鼎	廣伐南或、東或
1325	五祀衛鼎	氒南彊眔散田
1328	盂鼎	令女盂井乃嗣且南公
1328	盂鼎	易乃且南公旂
1328	盂鼎	用乍南公寶鼎
1668	中甗	王令中先省南或貫行
2231	白乍南宮毁	白乍南宮□毁
2353	保侃母毁	保侃母易貝于南宮乍寶毁
2467	妣_母乍南旁毁	妣sG母乍南旁寶毁
2543	䟫馭毁	䟫御從王南征
2739	無㠱毁一	王征南尸（夷）
2740	無㠱毁二	王征南尸（夷）
2741	無㠱毁三	王征南尸（夷）
2742	無㠱毁四	王征南尸（夷）
2742.	無㠱毁五	王征南夷
2742.	無㠱毁五	王征南夷
2774.	南宮弔毁	南宮弔入門
2775	裘衛毁	南白入、右裘衛入門、立中廷、北鄉
2791.	史密毁	敆南尸膚、虎
2828	宜侯夨毁	王立于宜、入土（社）南鄉
2837	敔毁一	南淮尸遷及
2868	射南�二	射南自乍其匠
2869	射南匠一	射南自乍其匠
3055	虢仲旅盨	虢中以王南征

3055	虢仲旅盨	伐南淮夷
3081	翏生旅盨一	王征南淮夷
3082	翏生旅盨二	王征南淮夷
3082	翏生旅盨二	萬年釁壽永寶王征南淮夷
3085	駒父旅盨(蓋)	南中邦父命駒父即南者侯逵高父見南淮夷
4854	__車鍨乍公日辛尊	鍨從王女南
4859	戉箙啟尊	啟從王南征
4877	小子生尊	隹王南征才□
5489	戉箙啟卣	王出獸南山
5503	競卣	命戍南尸
5744	仲南父壺一	中南父乍尊壺
5745	仲南父壺二	中南父乍尊壺
5801	洹子孟姜壺一	于南宮子用璧二備
5802	洹子孟姜壺二	于南宮子用璧二備
6635	中觶	王易中馬自__侯四__、南宮兄
6791	兮甲盤	至于南淮夷
6792	史墻盤	隹寏南行
6793	矢人盤	自濡涉以南
6793	矢人盤	以南封于qx逵道
6793	矢人盤	降以南封于同道
6854	辭馬南弔匜	辭馬南弔乍𪫳姬賸它
7016	楚王鐘	楚王賸邛中孀南龢鐘
7116	南宮乎鐘	嗣土南宮乎乍大𬭚㺇鐘
7116	南宮乎鐘	先且南公
7116	南宮乎鐘	用乍朕皇且南公
7176	㝬鐘	南或𠬝子敢陷虐我土
7176	㝬鐘	南尸東尸具見
7219	冉鉦鋮(南疆征)	余處此南疆
7617	河南矛	河南
7744	工𠭯太子劍	至于南行
M361	井伯南𣪕	井南白乍鄭季姚好尊𣪕

小計：共　69 筆

南生

生 0980

0807	須丞生飤鼎	須丞生之飤貞(鼎)
0906	魯內小臣𢊁生鼎	魯內小臣𢊁生乍鼒
0949	江小仲鼎	江小中母生自乍甬鬲
0993	陳生隺鼎	陳生隺乍飤鼎
1044	賓__生乍成媿鼎	賓__生乍成媿賸鼎
1064	武生__弔羞鼎一	武生kJ弔乍其羞鼎
1065	武生__弔羞鼎二	武生kJ弔乍其羞鼎
1102	無大邑魯生鼎	無大邑魯生乍壽母朕(賸)貞(鼎)
1107	番仲吳生鼎	番中吳生乍尊鼎
1139	寓鼎	隹二月既生霸丁丑
1146	□者生鼎一	□者生□辰用吉金乍寶鼎
1147	□者生鼎二	□者生□辰用吉金乍寶鼎
1249	寓鼎	隹九月既生霸辛酉、才匽
1251	中先鼎一	中乎歸生鳳于王

生

1252	中先鼎二	中乎歸生鳳于王
1255	作冊大鼎一	隹四月既生霸己丑
1256	作冊大鼎二	隹四月既生霸己丑
1257	作冊大鼎三	隹四月既生霸己丑
1258	作冊大鼎四	隹四月既生霸己丑
1276	__季鼎	隹五月既生霸庚午
1277	七年趞曹鼎	隹七年十月既生霸
1278	十五年趞曹鼎	隹十又五年五月既生霸壬午
1281	史頌鼎一	灋友里君、百生
1282	史頌鼎二	灋友里君、百生
1284	尹姞鼎	隹六月既生霸乙卯
1305	師奎父鼎	隹六月既生霸庚寅
1312	此鼎一	隹十又七年十又二月既生霸乙卯
1313	此鼎二	隹十又七年十又二月既生霸乙卯
1314	此鼎三	隹十又七年十又二月既生霸乙卯
1315	善鼎	余其用各我宗子雩百生
1319	頌鼎一	王呼史虢生冊令頌
1320	頌鼎二	王呼史虢生冊令頌
1321	頌鼎三	王呼史虢生冊令頌
1321	頌鼎三	生母龏姒(始)寶尊鼎
1330	曶鼎	隹王四月既生霸、辰才丁酉
1479	召仲乍生妣奠鬲一	召中乍生妣尊鬲
1480	召仲乍生妣奠鬲二	召中乍生妣尊鬲
1526	琱生乍宄仲尊鬲	琱生乍文考宄中尊鬻
1526	琱生乍宄仲尊鬲	琱生其萬年子子孫孫用寶用享
1528	公姞鬲鼎	隹十二月既生霸
1533	尹姞寶鬲一	隹六月既生霸乙卯
1534	尹姞寶鬲二	隹六月既生霸乙卯
1622	西弗生甗甗	西弗生乍旅彝
2252	伊生乍公女毁	伊生乍公女尊彝
2442	虢虢遣生旅毁	虢(城)虢遣生乍旅毁
2513	再乍季日乙妻毁一	兜生蔑再曆
2514	再乍季日乙妻毁二	兜生蔑再曆
2519	周緐生媵毁	周緐生乍楷娟媾媵毁
2529.	__生毁	uw生乍寶尊毁、uw生其壽考萬年子孫永寶用
2542	辰才寅□□毁	隹七月既生霸辰才寅
2595	奠虢仲毁一	隹十又一月既生霸庚戌
2596	奠虢仲毁二	隹十又一月既生霸庚戌
2597	奠虢仲毁三	隹十又一月既生霸庚戌
2621	雁侯毁	雁侯乍生杙姜尊毁
2633.	食生走馬谷毁	唯食生走馬谷自乍吉金用尊毁
2652	__毁	隹八月既生霸
2653.	弔__孫父毁	彌生萬年無疆
2656	師害毁一	麋生曶父師害uL中曶
2657	師害毁二	麋生曶父師害uL中曶
2674	弔妊毁	用侃喜百生倗友眔子婦{ 子孫 }永寶用
2703	免乍旅毁	隹三月既生霸乙卯
2710	肄自乍寶器一	唯十又二月既生霸丁亥
2711	肄自乍寶器二	唯十又二月既生霸丁亥
2721	萬毁	唯六月既生霸辛己

2725	師毛父𣪘	隹六月既生霸戊戌
2727	綮姞乍尹弔𣪘	彌氒生霝冬
2732	曾仲大父蝣𣪘	唯五月既生霸庚申
2734	遹𣪘	隹六月既生霸
2736	師遽𣪘	隹王三祀四月既生霸辛酉
2744	五年師旋𣪘一	隹王五年九月既生霸壬午
2744	五年師旋𣪘一	盾生皇畫內、戈琱㦿
2745	五年師旋𣪘二	隹王五年九月既生霸壬午
2745	五年師旋𣪘二	盾生皇畫內、戈琱㦿
2752	史頌𣪘一	11穌𩰫友里君百生
2753	史頌𣪘二	11穌𩰫友里君百生
2754	史頌𣪘三	11穌𩰫友里君百生
2755	史頌𣪘四	11穌𩰫友里君百生
2756	史頌𣪘五	11穌𩰫友里君百生
2757	史頌𣪘六	11穌𩰫友里君百生
2758	史頌𣪘七	11穌𩰫友里君百生
2759	史頌𣪘八	11穌𩰫友里君百生
2759	史頌𣪘九	11穌𩰫友里君百生
2775	裘衛𣪘	隹廿又七年三月既生霸戊戌
2778	格白𣪘一	格白取良馬乘于倗生
2778	格白𣪘一	格白取良馬乘于倗生
2779	格白𣪘二	格白取良馬乘于倗生
2780	格白𣪘三	格白取良馬乘于倗生
2781	格白𣪘四	格白取良馬乘于倗生
2782	格白𣪘五	格白取良馬乘于倗生
2782.	格白𣪘六	格白取良馬乘于倗生
2793	元年師旋𣪘一	隹王元年四月既生霸
2794	元年師旋𣪘二	隹王元年四月既生霸
2795	元年師旋𣪘三	隹王元年四月既生霸
2797	輔師𠭰𣪘	隹王九月既生霸甲寅
2801	五年召白虎𣪘	琱生又吏
2801	五年召白虎𣪘	琱生則堇圭
2802	六年召白虎𣪘	白氏則報璧琱生
2812	大𣪘一	隹十又二年三月既生霸丁亥
2813	大𣪘二	隹十又二年三月既生霸丁亥
2818	此𣪘一	隹十又七年十又二月既生霸乙卯
2819	此𣪘二	隹十又七年十又二月既生霸乙卯
2820	此𣪘三	隹十又七年十又二月既生霸乙卯
2821	此𣪘四	隹十又七年十又二月既生霸乙卯
2822	此𣪘五	隹十又七年十又二月既生霸乙卯
2823	此𣪘六	隹十又七年十又二月既生霸乙卯
2824	此𣪘七	隹十又七年十又二月既生霸乙卯
2825	此𣪘八	隹十又七年十又二月既生霸乙卯
2828	宜侯夨𣪘	易才宜王人□又七生
2838	師𠭰𣪘一	宰琱生內、右師𠭰
2838	師𠭰𣪘一	宰琱生內、右師𠭰
2839	師𠭰𣪘二	宰琱生內、右師𠭰
2839	師𠭰𣪘二	宰琱生內、右師𠭰
2840	番生𣪘	番生不敢弗帥井皇且考不杯元德
2840	番生𣪘	番生敢對天子休

生

生

2842	卯毁	隹王十又一月既生霸丁亥
2844	頌毁一	王乎史虢生冊令頌
2845	頌毁二	王乎史虢生冊令頌
2845	頌毁二	王乎史虢生冊令頌
2846	頌毁三	王乎史虢生冊令頌
2847	頌毁四	王乎史虢生冊令頌
2848	頌毁五	王乎史虢生冊令頌
2849	頌毁六	王乎史虢生冊令頌
2850	頌毁七	王乎史虢生冊令頌
2851	頌毁八	王乎史虢生冊令頌
2857	牧毁	隹王七年又三月既生霸甲寅
3061	弭弔旅盨	隹五月既生霸庚午
3081	翏生旅盨一	適翏生從
3081	翏生旅盨一	用對剌翏生眔大妘
3082	翏生旅盨二	適翏生從
3082	翏生旅盨二	用對剌翏生眔大妘
3082	翏生旅盨二	適翏生從
3082	翏生旅盨二	用對剌翏生眔大妘
3083	瘐毁(盨)一	隹四年二月既生霸戊戌
3084	瘐毁(盨)二	隹四年二月既生霸戊戌
3109	周生豆一	周生乍尊豆用亯于宗室
3110	周生豆二	周生乍尊豆用亯于宗室
4447	臣辰冊冊夛乍冊父癸盉	智百生豚
4449	裘衛盉	隹三年三月既生霸壬寅
4871	鬭辇豐尊	隹六月既生霸乙卯
4873	臣辰冊岂冊乍父癸尊	□百生豚、邑、貝
4877	小子生尊	王令生辨事公宗
4877	小子生尊	小子生昜金、鬱鬯
4884	敃尊	隹十又三月既生霸丁卯
4912.	王生女觥	王生女.18
4974	__方彝	o3旣卿宁百生、揚
4977	師遽方彝	隹正月既生霸丁酉
5480	冊辇冊豐卣	隹六月既生霸乙卯
5480	冊辇冊豐卣	隹六月既生霸乙卯
5483	周乎卣	隹九月既生霸乙亥
5483	周乎卣	隹九月既生霸乙亥
5501	臣辰冊冊夛卣一	智百生豚
5502	臣辰冊冊夛卣二	易百生豚
5503	競卣	正月既生霸辛丑、才坏
5507	乍冊魆卣	雩四月既生霸庚午
5716	安白異生旅壺	安白異生乍旅壺
5733	異中乍倗生歙壺	異中乍倗生歙壺
5778	番匊生鑄賸壺	番匊生鑄賸壺
5795	白克壺	隹十又六年七月既生霸乙未
5799	頌壺一	王乎史虢生冊令頌
5800	頌壺二	王乎史虢生冊令頌
5805	中山王嚳方壺	隹逆生禍
5805	中山王嚳方壺	隹順生福
6722	彭生盤	彭生乍氒文考辛寶尊彝[冊光白尹]
6724	周棘生盤	周棘生□□□朕般

6785	守宮盤	隹正月既生霸乙未
6791	兮甲盤	其隹我者侯百生
6792	史墻盤	髮彔、黃耇彌生
6863	白君黃生匜	唯有白君堇生自乍它
7020	單伯鐘	單白斁生曰
7060	昊生鐘一	王若曰：斁生
7060	昊生鐘一	斁生用乍__公大𬭚鐘
7121	郘王子旃鐘	及我者□生
7124	沇兒鐘	龢逾百生
7135	逆鐘	仕王元年三月既生霸庚申
7186	叔夷編鐘五	霝生弔尸
7212	秦公鎛	萬生是敕
7213	𬭚鎛	用求丂命彌生
7214	叔夷鎛	霝生弔尸
7552	__生戈	郾侯庫乍戎__蚔生不祗□無□□□自洹來
7655	中央勇矛	中央勇生安空五年之後曰毌
7655	中央勇矛	中央勇□生安空三年之後曰毌
7725	元年劍	右庫工帀杜生、冶參執齊
7942	生鈎	生
M236	單昊生豆	單昊生乍羞豆、用亯
M252	免簠	隹三月既生霸乙卯

小計：共 185 筆

丰 0981

0770	康侯丰鼎	康侯丰乍寶尊
5064	丁丰卣	丁[丰]
6014	丰乙觚	[丰]乙

小計：共 3 筆

産 0982

1274	哀成弔鼎	余鄭邦之産
7687	蔡侯産劍一	蔡侯産乍t5t6
7688	蔡侯産劍二	蔡侯産乍t5t6
7689	蔡侯産劍	蔡侯産之用劍

小計：共 4 筆

華 0983

0982	己華父鼎	己華父乍寶鼎
1080	華仲義父鼎一	其子子孫孫永寶用[華]
1081	華仲義父鼎二	其子子孫孫永寶用[華]
1082	華仲義父鼎三	其子子孫孫永寶用[華]
1083	華仲義父鼎四	其子子孫孫永寶用[華]
1084	華仲義父鼎五	其子子孫孫永寶用[華]
1235	不昝方鼎一	華鄦(祼)

華束

1236	不晉方鼎甲二	華鄹(裸)
1286	大夫始鼎	王才華宮□
1327	克鼎	克曰:穆穆朕文且師華父悤hv氒心
1327	克鼎	巠念氒聖保且師華父
1327	克鼎	用乍朕文且師華父寶將彝
1389	仲姞羞鬲一	中姞乍羞鬲[華]
1390	仲姞羞鬲二	中姞乍羞鬲[華]
1391	仲姞羞鬲三	中姞乍羞鬲[華]
1392	仲姞羞鬲四	中姞乍羞鬲[華]
1393	仲姞羞鬲五	中姞乍羞鬲[華]
1394	仲姞羞鬲六	中姞乍羞鬲[華]
1395	仲姞羞鬲七	中姞乍羞鬲[華]
1396	仲姞羞鬲八	中姞乍羞鬲[華]
1397	仲姞羞鬲九	中姞乍羞鬲[華]
2644	命設	王才華、王易命鹿
2733	何設	王才華宮
2835	訇設	師笭側新□華尸、甾rx尸
3012	仲義父旅盨一	其永寶用[華]
3013	仲義父旅盨二	其永寶用[華]
3037	華季嗌乍寶設(盨)	華季嗌乍寶設
4711	登乍從尊	登乍從彝[華]
5726	華母薦壺	華母自乍薦壺
6909	遞盂	寮女寮:奚、㸒、華
7157	邾公華鐘一	鼄(邾)公華擇氒吉金
7531	廿九年高都令陳愈戈	工帀華、冶無
		小計:共 32 筆

束 0984

J0341	束父辛鼎	[束]父辛
0923	戚箙束乍父丁鼎	束乍父丁寶鼎[戚箙]
1330	曶鼎	用匹馬束絲限誥曰
1330	曶鼎	效□則卑復氒絲束
2527	束仲竟父設	束中竟父乍��設
2653	尌設	易尌弓矢束束、馬匹、貝五朋
2721	苘設	吳姬賓帛束
2801	五年召白虎設	報寶氏帛束、璜
2812	大設一	帛束
2812	大設一	賓睽訊章、帛束
2813	大設二	帛束
2813	大設二	賓睽訊章、帛束
2852	不嬰設一	易女弓一、矢束
2853	不嬰設二	易女弓一、矢束
3675	束泉爵一	[束泉]
3676	束泉爵二	[束泉]
3677	束泉爵三	[束泉]
3678	束泉爵四	[束泉]
3679	束泉爵五	[束泉]
3680	束泉爵六	[束泉]

3681	柬泉爵七	[柬泉]
3682	柬泉爵八	[柬泉]
4323.	子柬泉爵	[子柬泉]
4636	子柬泉尊一	[子柬泉]
4637	子柬泉尊二	[子柬泉]
5470	__盂乍父丁卣	兮公室盂鬯柬貝十朋
5968	__觚	[禾柬]
6113	柬泉爵一	[柬泉]
6114	柬泉爵二	[柬泉]
6115	柬泉爵三	[柬泉]
6174	子柬爵一	[子柬泉]
6175	子柬爵二	[子柬泉]
6668	柬盤	[柬]
6785	守宮盤	易守宮絲柬、蘆幕五、蘆冟二
7303	柬戈	[柬]
		小計：共 35 筆

朿 0985

1193	新邑鼎	□自新邑于朿
4076	朿冊父丁爵	[朿冊]父丁
5789	命瓜君厚子壺一	朿朿𠭯𠭯
5790	命瓜君厚子壺二	朿朿𠭯𠭯
		小計：共 4 筆

剌 0986

0763	剌乍父庚鼎	剌乍父庚尊彝
1017	剌𣪘鼎	剌𣪘乍寶尊
1178	宗婦䣄嬰鼎一	王子剌公之宗婦䣄嬰為宗彝𧃠彝
1179	宗婦䣄嬰鼎二	王子剌公之宗婦䣄嬰為宗彝𧃠彝
1180	宗婦䣄嬰鼎三	王子剌公之宗婦䣄嬰為宗彝𧃠彝
1181	宗婦䣄嬰鼎四	王子剌公之宗婦䣄嬰為宗彝𧃠彝
1182	宗婦䣄嬰鼎五	王子剌公之宗婦䣄嬰為宗彝𧃠彝
1183	宗婦䣄嬰鼎六	王子剌公之宗婦䣄嬰為宗彝𧃠彝
1250	曾子斿鼎	惠于剌曲、tys8
1272	剌鼎	啻卲王、剌御
1272	剌鼎	王易剌貝卅朋
1272	剌鼎	剌對揚王休
1300	南宮柳鼎	用乍朕剌考尊鼎
1301	大鼎一	用乍朕剌考己白盂鼎
1302	大鼎二	用乍朕剌考己白盂鼎
1303	大鼎三	用乍朕剌考己白盂鼎
1305	師奎父鼎	用追考于剌仲
1306	無叀鼎	用享于朕剌考
1316	刻方鼎	刻曰：烏虖、王唯念刻辟剌考甲公
1316	刻方鼎	其子子孫孫永寶茲剌
1318	晉姜鼎	每揚氒光剌

柬
朿
剌

	1323	師訊鼎	用乎刺且牙己
	1331	中山王譽鼎	刺（列）城譽（數）十
	2579	白喜乍文考刺公段	白喜父乍朕文考刺公尊段
刺	2614	宗婦部嬰段一	王子刺公之宗婦部嬰為宗彝將彝
	2615	宗婦部嬰段二	王子刺公之宗婦部嬰為宗彝將彝
	2616	宗婦部嬰段三	王子刺公之宗婦部嬰為宗彝將彝
	2617	宗婦部嬰段四	王子刺公之宗婦部嬰為宗彝將彝
	2618	宗婦部嬰段五	王子刺公之宗婦部嬰為宗彝將彝
	2619	宗婦部嬰段六	王子刺公之宗婦部嬰為宗彝將彝
	2620	宗婦部嬰段七	王子刺公之宗婦部嬰為宗彝將彝
	2641	伯椃虘段一	伯椃虘肇乍皇考刺公尊段
	2642	伯椃虘段二	伯椃虘肇乍皇考刺公尊段
	2644.	伯椃虘段	白椃虘肇乍皇考刺公尊段
	2658.	大段	用乍朕皇考刺段
	2802	六年召白虎段	用乍朕刺且召公嘗段
	2810	揚段一	余用乍朕刺考𢉩白寶段
	2811	揚段二	余用乍朕刺考𢉩白寶段
	2812	大段一	用乍朕皇考刺白尊段
	2813	大段二	用乍朕皇考刺白尊段
	2829	師虎段	用乍朕刺考日庚尊段
	2833	秦公段	刺刺趄趄
	2834	㝬段	用康惠朕皇文刺且考
	2836	彧段	對揚文母福刺
	2843	沈子它段	迺妹克衣告刺成功
	2855	班段一	亡克競乎刺
	2855.	班段二	亡克競乎刺
	2856	師訇段	用乍朕刺且乙白咸益姬寶段
	3081	翏生旅盨一	用對刺翏生眔大妘
	3082	翏生旅盨二	用對刺翏生眔大妘
	3082	翏生旅盨二	用對刺翏生眔大妘
	4890	盠方尊	刺刺朕身
	4974	方彝	用䢅文考刺
	4979	盠方彝一	刺刺朕身
	4980	盠方彝二	刺刺朕身
	5426	亞旛刺乍兄日辛卣	刺乍兄日辛尊彝〔亞旛〕
	5770	宗婦部嬰壺一	王子刺公之宗婦部嬰為宗彝將彝
	5771	宗婦部嬰壺二	王子刺公之宗婦部嬰為宗彝將彝
	5793	幾父壺一	用乍朕刺考尊壺
	5794	幾父壺二	用乍朕刺考尊壺
	5803	胤嗣好盗壺	以追庸先王之工刺（烈）
	6771	宗婦部嬰盤	王子刺公之宗婦部嬰為宗彝將彝
	6792	史墻盤	天子圝鑽文武長刺
	6792	史墻盤	敚史刺且迺來見武王
	6792	史墻盤	刺且文考弋竇（休）
	6809	姞母匜	姞刺母乍匜
	6925	晉邦盦	我刺考□□□□□□□□彊武
	7020	單伯鐘	不顯皇且刺考
	7040	克鐘一	王才周康刺宮
	7041	克鐘二	王才周康刺宮
	7042	克鐘三	王才周康刺宮

7059	師臾鐘	師臾肈乍朕剌且虢季宄公幽弔
7070	者沕鐘二	女亦虔秉不經悳台克剌__光之于聿
7075	者沕鐘七	用受剌__光之于聿
7080	者沕鐘十二	用__剌__
7092	𨩅羌鐘一	武文咸剌
7093	𨩅羌鐘二	武文咸剌
7094	𨩅羌鐘三	武文咸剌
7096	𨩅羌鐘五	武文咸剌
7163	㾓鐘六	敄史剌
7174	秦公鐘	剌剌卲文公、靜公、憲公
7177	秦公及王姬編鐘一	剌剌卲文公、靜公、憲公
7204	克鎛	王才周康剌宮
7209	秦公及王姬鎛	剌剌卲文公、靜公、憲公
7210	秦公及王姬鎛二	剌剌卲文公、靜公、憲公
7211	秦公及王姬鎛三	剌剌卲文公、靜公、憲公
7212	秦公鎛	虩(虔)夙夕剌剌趄趄
M707	曾侯乙編鐘下一・三	剌音之羽曾
M708	曾侯乙編鐘下二・一	為剌音變商
M709	曾侯乙編鐘下二・二	其才周為剌音
M710	曾侯乙編鐘下二・三	為剌音變徵
M712	曾侯乙編鐘下二・五	剌音之羽曾
M738	曾侯乙編鐘中二・十一	其才周為剌音
M741	曾侯乙編鐘中三・二	大族之才周號為剌音
M742	曾侯乙編鐘中三・三	為剌音鼓
M747	曾侯乙編鐘中三・八	剌音之羽曾
		小計：共　96 筆

𣝔 0987

1332	毛公鼎	母(毋)敢𤔲𣝔
1332	毛公鼎	𩁹𣝔迺敄鰥寡
6793	矢人盤	𣝔、州京、𢒼從𣶒
		小計：共　3 筆

𠧪 0988

1210	寈__鼎	乍冊友史易𠧪貝
2676	旅𦘔乍父乙𣪘	戊辰、弜師易𦘔𠭯、q1𠧪貝
		小計：共　2 筆

圓 0988+

0104	圓鼎	[圓]
7879	麗山鍾	麗山圓容十二斗三升
		小計：共　2 筆

剌 𣝔 𠧪 圓

回 0989 丁山謂亘回一字

4075	__亘父丁爵	父丁［em亘（回）］
		小計：共 1 筆

圖 0990

1306	無叀鼎	遂于圖室
1317	善夫山鼎	王才周、各圖室
2828	宜侯夨段	王省珷（武）王、成王伐商圖
2828	宜侯夨段	征省東或圖
5183	子廟圖卣一	［子廟圖］
5184	子廟圖卣二	［子廟圖］
6793	夨人盤	寽受圖
7564	五年相邦呂不韋戈	詔吏圖丞__工寅
7565	八年相邦呂不韋戈	詔事圖丞__工寅
7975	中山王墓兆域圖	有事者（諸）官圖之
		小計：共 10 筆

國 0991

0530	國子鼎	大國、ム官、國子
1178	宗婦鄁嬰鼎一	保辥鄁國
1179	宗婦鄁嬰鼎二	保辥鄁國
1180	宗婦鄁嬰鼎三	保辥鄁國
1181	宗婦鄁嬰鼎四	保辥鄁國
1182	宗婦鄁嬰鼎五	保辥鄁國
1183	宗婦鄁嬰鼎六	保辥鄁國
1251	中先鼎一	王令中先省南或（國）
1252	中先鼎二	王令中先省南或（國）
1332	毛公鼎	康能四國
1332	毛公鼎	迺唯是喪我國
2614	宗婦鄁嬰段一	保辥鄁國
2615	宗婦鄁嬰段二	保辥鄁國
2616	宗婦鄁嬰段三	保辥鄁國
2617	宗婦鄁嬰段四	保辥鄁國
2618	宗婦鄁嬰段五	保辥鄁國
2619	宗婦鄁嬰段六	保辥鄁國
2620	宗婦鄁嬰段七	保辥鄁國
2791.	史密段	廣伐東或（國）
4876	保尊	乙卯、王令保及殷東或（國）五侯
4879	彔䧹尊	𠭯、淮夷敢伐內國
5498	彔䧹卣	𠭯、淮尸敢伐內國
5499	彔䧹卣二	𠭯、淮尸敢伐內國
5770	宗婦鄁嬰壺一	保辥鄁國
5771	宗婦鄁嬰壺二	保辥鄁國
5826	國差𦉜	國差立事歲
6771	宗婦鄁嬰盤	保辥鄁國

6925	晉邦盦	保辥王國
7125	蔡侯𨟭紐鐘一	建我邦國
7126	蔡侯𨟭紐鐘二	建我邦國
7132	蔡侯𨟭紐鐘八	建我邦國
7133	蔡侯𨟭紐鐘九	建我邦國
7134	蔡侯𨟭甬鐘	建我邦國
7175	王孫遺者鐘	余敷旬于國
7205	蔡侯𨟭編鎛一	建我邦國
7206	蔡侯𨟭編鎛二	建我邦國
7207	蔡侯𨟭編鎛三	建我邦國
7208	蔡侯𨟭編鎛四	建我邦國
7212	秦公鎛	竈又下國
7822	距末一	國差賞末
		小計：共　40 筆

囿　0992

2833	秦公𣪘	竈(造)囿(佑)四方
		小計：共　1 筆

團　0993

0905	解子乍𤔲宄團宮鼎	解子乍𤔲宄團鼎
4878	召尊	用乍團宮旅彝
5496	召卣	用乍團宮旅彝
		小計：共　3 筆

圃　0993　參考團字

2544	亞𦣞乍父乙𣪘	[亞]辛已、𦣞lub倉、才小圃
4971	_乍父癸方彝(蓋)	癸亥王才圃雚京
7718	脽公劍	脽公圃自乍元鐱
		小計：共　3 筆

因　0994

1264	𤔲鼎	因付𤔲且僕二家
3100	陳侯因𪽊錞	陳侯因𪽊曰
3100	陳侯因𪽊錞	其唯因𪽊揚皇考
5805	中山王𠱂方壺	因載所美
7412	陳戈	陳侯因𪽊造
7434	陳侯因咨戈一	陳侯因咨造
7435	陳侯因咨戈二	陳侯因咨造
7772	陳侯因𩏂	陳侯因造
M867	陳侯因咨戟	陳侯因咨造、昜右

國 囿 團 圃 因

小計：共 9 筆

固 0995

5803	㝬嗣奸畲壺	齎夫孫固

小計：共 1 筆

圍 0996

5804	齊侯壺（庚壺）	齊三軍圍釐

小計：共 1 筆

圝 0997

6792	史墻盤	武王則令周公舍圝于周卑處
7334	吳寓戈	吳寓（圝）

小計：共 2 筆

寓 0997

1325	五祀衛鼎	迺舍寓于氒邑
7334	吳寓戈	吳寓（圝）

小計：共 2 筆

囝 0998

0107	囝鼎	[囝]
2090	囝乍父辛毁	囝乍父辛彝
3135	囝爵	[囝]
3900	囝父辛爵	[囝]父辛

小計：共 4 筆

員 0999

1187	員乍父甲鼎	王令員執犬、休善
1285	㺇方鼎一	王𠭯姜事內史友員易㺇玄衣、朱褻裣
4391	員乍盉	員乍盉
4622	員乍旅尊	[員]乍旅
4749	員父尊	員父乍寶尊彝
4843	舟員父壬尊	員乍父壬寶尊彝
5202	員乍夾卣	員乍夾
5465	員卣	員從史旟（旅）伐會
5465	員卣	員先內邑
5465	員卣	員孚金、用乍旅彝
5641	員乍旅壺	員乍旅壺

6583	員乍旅彝觶一	[員]乍旅彝
6584	員乍旅彝觶二	[員]乍旅彝
		小計：共 13 筆

貝

1000

0294	丏貝鼎	[丏貝]
0847	用貝乍母辛鼎	貝用乍母辛彝[ab]
0961	乙未鼎	乙未王賞貝始□□□在寢
0969	從鼎	白姜易從貝{ 三十朋 }
0981	德鼎	王易德貝{ 廿朋 }
0984	鼄姛乍父乙鼎一	鼄始商易貝于司
0985	鼄姛乍父乙鼎二	鼄始商易貝于司
0986	中乍且癸鼎	侯易中貝三朋
0991	交鼎	王易貝、用乍寶彝
0997	__父鼎一	休王易L3父貝
0998	__父鼎二	休王易L3父貝
0999	__父鼎三	休王易L3父貝
1011	彥乍父丁鼎	丁卯、尹商彥貝三朋
1029	羉乍且乙鼎	己亥、王易羉貝
1032	卑乍父丁鼎	乙__□□__貝□用乍父丁彝、才六月
1037	乍冊峀鼎	康侯才歽自易乍冊峀貝
1046	圉方鼎	休朕公君匽侯易圉貝
1058	復鼎	侯賞復貝三朋
1089	女孌方鼎	癸日、商孌貝二朋
1092	小臣建鼎	休于小臣Lq貝五朋
1101	亞受乍父丁方鼎	戊寅王Jbsx馬彡、易貝
1117	豐乍父丁鼎	乙未、王商宗庚豐貝二朋
1135	獻侯乍丁侯鼎	賞獻侯顯貝
1136	獻侯乍丁侯鼎二	賞獻侯顯貝
1137	匽侯旨鼎一	王賞旨貝廿朋
1158	小子__鼎	王商貝、才嘼師次
1172	征人乍父丁鼎	天君賞氒征人斤貝
1184	德方鼎	王易德貝廿朋
1191	堇乍大子癸鼎	庚申、大保賞堇貝
1192	亞□伐__乍父乙鼎	王賞戍kx貝二朋
1193	新邑鼎	王易貝十朋
1207	眉__鼎	易貝五朋
1208	乙亥乍父丁方鼎	唯各、商貝
1209	要方鼎	娥商又正要嬰貝
1210	寏__鼎	乍冊友史易圓貝
1219	戍嗣子鼎	丙午、王賞戍學貝廿朋
1234	旅鼎	公易旅貝十朋
1235	不栺方鼎一	不栺易貝十朋
1236	不栺方鼎甲二	不栺易貝十朋
1239	__鼎一	nt孚貝
1240	__鼎二	nt孚貝
1242	曩方鼎	公賞曩貝百朋
1248	庚羸鼎	易爵、璋、貝十朋

貝

1249	寏鼎	侯易寏貝、金
1260	我方鼎	mp貝五朋
1261	我方鼎二	mp貝五朋
1263	呂方鼎	王易呂鬯三卣、貝卅朋
1272	剌鼎	王易剌貝卅朋
1330	曶鼎	余無卣貝寇足□
1485	白矩鬲	匽侯易白矩貝
1503	御鬲	王pa商御貝
1657	圉甗	王易圉貝
1661	乍冊般甗	王賞乍冊般貝
1668	中甗	氒貫粦言曰：賓□貝
2353	保侃母𣪘	保侃母易貝于南宮乍寶𣪘
2363	保㚤母旅𣪘	保㚤母易貝于庚姜
2364	徝𣪘	王易德貝廿朋
2373	始休𣪘	始休易（賜）氒瀕吏貝
2403	遽白還𣪘	用貝十朋又四朋
2409	𡚬父丁𣪘	辛未吏□易𡚬貝十朋
2446	亞古乍父己𣪘	己亥王易貝、才闌
2452	女𩰫𣪘	商𩰫貝朋
2508	攸𣪘	侯賞攸貝三朋
2515	小子𣪘乍父丁𣪘	乙未卿旋易小子𣪘貝二百
2525	𡨦孜𣪘	賞𡨦孜□貝二朋
2526	弔徝𣪘	貝十朋、羊百
2544	亞𠬝乍父乙𣪘	王pa商𠬝祉貝
2546	聖𣪘	易貝二朋
2567.	戊寅𣪘	隹王八月、才貝、戊寅
2568	_𤔲乍父辛𣪘	易𤔲貝五朋
2570	榮𣪘	王爵貝百朋
2586	史𩑋𣪘一	迺易史𩑋貝十朋
2587	史𩑋𣪘二	迺易史𩑋貝十朋
2599	宰甫𣪘	光宰甫貝五朋
2606	易_乍父丁𣪘一	hz弔休于小臣貝三朋、臣三家
2607	易_乍父丁𣪘二	hz弔休于小臣貝三朋
2626	奢乍父乙𣪘	公姛（始）易奢貝、才𦵯京
2645	周客𣪘	易貝五朋
2653	𣪕𣪘	易𣪕弓矢束、馬匹、貝五朋
2654	𡘿乍文父丁𣪘	癸巳、□賁小子□貝十朋
2655	小臣靜𣪘	王易貝五十朋
2665	_弔𣪘	嗌貝十朋
2676	旅肄乍父乙𣪘	戊辰、弜師易肄𦘔、ql𠀠貝
2693	𦘔𣪘	易鼎二、易貝五朋
2704	穆公𣪘	王乎宰□易穆公貝廿朋
2711.	乍冊般𣪘	成王商乍冊_貝十朋
2724	𩫖白𣪘𣪘	易𩫖（鄘）白𣪘貝十朋
2736	師遽𣪘	王乎師朕易師遽貝十朋
2760	小臣謎𣪘一	白懋父承王令易自達征自五齵貝
2760	小臣謎𣪘一	小臣謎蔑曆、眔易貝
2761	小臣謎𣪘二	白懋父承王令易自達征自五齵貝
2761	小臣謎𣪘二	小臣謎蔑曆、眔易貝
2802	六年召白虎𣪘	曰：公、氒稟貝

2814	鳥冊矢令毁一	姜商令貝十朋、臣十家、鬲百人
2814.	矢令毁二	姜商令貝十朋、臣十家、鬲百人
2837	敔毁一	__貝五十朋
2841	荒白毁	見、獻貴{ 帛貝 }
2853.	__弔毁	賜(賜)貝五朋
3712	卩貝爵	[卩貝]
3712.	貝車爵	[貝車]
4183	貝隹易爵一	貝隹易、[天黽]父乙
4184	貝隹易爵二	貝隹易、[天黽]父乙
4198	朢乍父甲爵	公易朢貝、用乍父甲寶彝
4202.	____爵	乙未王賓(賞貝合文)婀母申才寢
4203	御正良爵	尹大保賞御正良貝
4204	盂爵	王令盂寧鄧白、賓貝
4239	天黿皇乍父癸角	甲寅、子易皇貝
4240	亞耒乍父辛角	丁未𢦏商征貝
4241	箙亞__乍父癸角	丙申王易箙亞Jb奚貝、才𨾴
4242	腐冊宰椃乍父丁角	易貝五朋
4343	亞吴小臣邑斝	癸己王易小臣邑貝十朋
4438	亞㠱侯吴盉	匽侯亞貝
4447	臣辰冊冊𢀛乍冊父癸盉	眔賞卣鬯貝
4837	鬲乍父甲尊	鬲易貝于王、用乍父甲寶尊彝
4840	弔龜方尊	弔龜易貝于王始用乍寶尊彝
4842	敔乍文父辛尊	子光□敔貝
4846	禁尊	禁易貝十朋
4847	小子夫尊	𢦏賓小子夫貝二朋
4848	舟岦𡥈乍父乙尊	公易𡥈貝
4850	犅劫尊	易犅劫貝朋
4853	復尊	匽侯賞復冂衣、臣妾、貝
4854	__車㚖乍公日辛尊	攸貝__pm
4856	季受尊	受貝二朋
4861	㪤士卿尊	王易㪤士卿貝朋
4862	蚗能匋尊	能匋易貝于氒㫚公矢ns五朋
4863	𡚬乍父乙尊	賞𡚬貝
4864	乍冊睘尊	公易乍冊睘鬯、貝
4866	小臣艅尊	王易小臣艅夔貝
4867	鼜㝨尊	尸白賓用貝、布
4868	趞乍姞尊	易趞采曰、hw易貝五朋
4870	㚖商尊	帝后賞商庚姬貝卅朋
4871	𨷨牽豐尊	大矩易豐金、貝
4873	臣辰冊㞢冊乍父癸尊	□百生豚、鬯、貝
4875	㫃折尊	易金、易貝
4879	彔㦰尊	易貝十朋
4885	效尊	王易公貝五十朋
4885	效尊	公易厥涉子效王休貝廿朋
4891	何尊	何易貝卅朋
4967	弔龜方彝	弔龜易貝于王始
4971	__乍父癸方彝(蓋)	王賞hy貝
4976	折方彝	易金、易貝、揚王休
5439	小臣豐乍父乙卣	商小臣者貝
5445	腐寓卣	辛卯子易寓貝

貝

5453	_卣	丙寅王易_貝朋
5460	戠御乍父己卣	戠、辛巳、王易馭(御)八貝一具
5460	戠御乍父己卣	戠、辛巳、王易馭(御)八貝一具
5462	宗白乍父乙卣一	隹王八月、宗白易貝于姜
5463	宗白乍父乙卣二	隹王八月、宗白易貝于姜
5470	_盂乍父丁卣	兮公室盂鬯束貝十朋
5471	䝳小子省乍父己卣	甲寅子商小子省貝五朋
5471	䝳小子省乍父己卣	甲寅子商小子省貝五朋
5474	劉卣	公易乍冊劉鬯、貝
5474	劉卣	公易乍冊劉鬯、貝
5476	趞乍姞寶卣	易貝五朋
5479	䝳商乍文辟日丁卣	帝司賞庚姬貝卅朋
5480	冊睪冊豐卣	大矩易豐金、貝
5480	冊睪冊豐卣	大矩易豐金、貝
5484	乍冊睘卣	尸白賓睘貝布
5484	乍冊睘卣	尸白賓睘貝布
5490	戉𣪕卣	蔑曆、易貝卅寽
5490	戉𣪕卣	易貝卅寽
5491	亞㠱二祀𠨘其卣	qp賓貝五朋
5492	亞㠱四祀𠨘其卣	𠨘其易貝
5494	䝳𦎫乍母辛卣	子光商𦎫貝二朋
5494	䝳𦎫乍母辛卣	子曰：貝、唯蔑女曆
5498	彔𢦚卣	易貝十朋
5499	彔𢦚卣二	易貝十朋
5501	臣辰冊冊夕卣一	眔賞卣鬯貝
5502	臣辰冊冊夕卣二	眔賞卣鬯貝
5504	庚嬴卣一	易貝十朋
5505	庚嬴卣二	易貝十朋
5511	效卣一	王易公貝五十朋
5511	效卣一	公易氒涉子效王休貝廿朋
5547	聿貝甲罍	[聿貝]甲
5730	保𠂹母壺	王始易保𠂹母貝
5785	史懋壺	王乎伊白易懋貝
6203	羊貝車觚	[羊貝車]
6277	貝隹乍父乙觚	貝鳥易用乍父乙尊彝[天黽]
6628	鳥冊何般貝宁父乙觶	[何般貝宁]用乍父乙寶尊彝[鳥]
6631	小臣單觶一	周公易小臣單貝{ 十朋 }
6775	_仲乍父丁盤	弔皇父易中貝
6784	三十四祀盤(祼盤)	鮮蔑鄹、王䄄鄹玉三品、貝廿朋
6999	昆疕王鐘	昆疕王用貝乍龢鐘
M030	剛劫卣	易岡劫貝朋
M126	圛卣	王易圛貝
M171	小臣靜卣	王易貝五朋

小計：共　186 筆

賢　1001

2635	賢𣪘一	公弔初見于衛、賢從
2635	賢𣪘一	賢百畮、𩚁

2636	賢毀二	公弔初見于衛、賢從
2636	賢毀二	賢百畮、餗
2637	賢毀三	公弔初見于衛、賢從
2637	賢毀三	賢百畮、餗
2638	賢毀四	公弔初見于衛、賢從
2638	賢毀四	賢百畮、餗
5784	林氏壺	歲賢鮮于
5803	胤嗣妤盗壺	或得賢佐司馬賈而冢任之邦
5805	中山王嚳方壺	舉賢使能
5805	中山王嚳方壺	使得賢在良佐賈
5805	中山王嚳方壺	進賢散(措)能
5805	中山王嚳方壺	夫古之聖王務才得賢
5805	中山王嚳方壺	故訡禮敬則賢人至
5805	中山王嚳方壺	㾓愛深則賢人親
7654	十二年邦司寇野矛	上庫工帀司馬丘玆冶賢
		小計：共 17 筆

賀 1002

5805	中山王嚳方壺	者侯皆賀
		小計：共 1 筆

賚 1003

1323	師訊鼎	王曰：師訊、女克賚乃身
		小計：共 1 筆

貪 1004

7125	蔡侯𩵦䜌鈕鐘一	不愆不貪
7126	蔡侯𩵦䜌鈕鐘二	不愆不貪
7131	蔡侯𩵦䜌鈕鐘七	不愆不貪
7132	蔡侯𩵦䜌鈕鐘八	不愆不貪
7133	蔡侯𩵦䜌鈕鐘九	不愆不貪
7134	蔡侯𩵦甬鐘	不愆不貪
7205	蔡侯𩵦䜌鎛鐘一	不愆不貪
7206	蔡侯𩵦䜌鎛鐘二	不愆不貪
7207	蔡侯𩵦䜌鎛鐘三	不愆不貪
7208	蔡侯𩵦䜌鎛鐘四	不愆不貪
7386	陳貪箙戈一	陳貪散盛
7387	陳貪箙戈二	陳貪散盛
7761	郘大叔斧一	郘大叔以新金為貪車之斧十
7762	郘大叔斧二	郘大叔____貪車之斧
7763	郘大叔斧三	郘大叔____貪車之斧
M553	越王者旨於賜鐘	夙莫不貪
		小計：共 16 筆

媵 1005

媵

0851	尹弔乍__姞鼎	尹弔乍sy姞媵鼎
0909	衮__父鼎	衮kw父乍狩㚸朕（媵）鼎
0987	朋仲鼎	倗中乍畢媿媵鼎
1044	寶__生乍成媿鼎	寶__生乍成媿媵鼎
1060	輔白𤿈父鼎	輔白𤿈父乍豐孟妘媵鼎
1066	穌吉妊鼎	穌吉妊乍虢改魚母媵
1096	弗奴父鼎	弗奴父乍孟姒（姒）府媵鼎
1108	師媵父鼎	師媵父乍燹姬寶鼎
1134	𨻰侯鼎	𨻰侯乍朕媯四母媵鼎
1445	樊君鬲	樊君乍弔qywJ媵器寶J2
1462	榮有嗣爯鬲鬲	用朕（媵）嬴女𩰫母
1471	魯白愈父鬲一	魯白愈乍鼄姬仁朕（媵）羞鬲
1472	魯白愈父鬲二	魯白愈父乍鼄姬仁滕（媵）羞鬲
1473	魯白愈父鬲三	魯白愈父乍鼄姬仁滕（媵）羞鬲
1474	魯白愈父鬲四	魯白愈父乍鼄姬仁滕（媵）羞鬲
1475	魯白愈父鬲五	魯白愈父乍鼄姬仁滕（媵）羞鬲
1476	鼄白乍朕鬲	鼄白乍媵（媵）鬲
1611	龏妊甗	龏妊媵獻[dz]（單）
2412	媵虎乍𠦪皇考𣪘一	滕（媵）虎敢肇乍𠦪皇考公命中寶尊彝
2413	媵虎乍𠦪皇考𣪘二	滕（媵滕）虎敢肇乍𠦪皇考公命中寶尊彝
2414	媵虎乍𠦪皇考𣪘三	滕（媵）虎敢肇乍𠦪皇考公命中寶尊彝
2634	㝬叔𣪘	㝬弔㝬姬乍白媿媵𣪘
2934	曾子遷彝匿	曾子遷魯為孟姬䣄鑄媵匿
2973	楚屈子匿	楚屈子赤角媵中孏人匿
2975	鄦子妝匿	用媵（媵）孟姜秦嬴
2982	長子□臣乍媵匿	乍其子孟之母媵（媵）匿
2982	長子□臣乍媵匿	乍其子孟之母媵（媵）匿
4821	蔡侯𨞧乍大孟姬尊	蔡侯𨞧乍大孟姬媵尊
4887	蔡侯𨞧尊	用詐（乍）大孟姬媵彝__
5729	陳侯乍媯穌朕壺	陳侯乍媯穌（蘇）媵壺
5756	中白乍朕壺一	中白乍亲姬䜌人媵壺
5757	中白乍朕壺二	中白乍亲姬䜌人媵壺
5758	匹君壺	匹君絲旅者其成公鑄子孟改媵盥壺
5778	番匊生鑄媵壺	番匊生鑄媵壺
5778	番匊生鑄媵壺	用媵𠦪元子孟改茾
5804	齊侯壺	台鑄其滕（媵）壺
5823	蔡侯𨞧乍大孟姬盥缶	蔡侯𨞧乍大孟姬媵盥缶
6714	穌甫人槃	穌甫人乍嫚改襄媵般（盤）
6717	魯白厚父乍仲姬俞盤一	魯白厚父乍孟姬俞媵盤
6718	魯白厚父乍仲姬俞盤二	魯白厚父乍中姬俞媵盤
6752	取膚子商盤	用媵之麗奴
6754	楚季茍盤	楚季茍乍嬭尊媵盥般
6757	干氏弔子盤	干氏弔子乍中姬客母媵般
6770	𪒠白盤	𪒠白滕（媵）嬴尹母
6779	齊侯盤	齊侯乍媵寡v1孟姜盥般
6780	黃大子白克盤	黃大子白□乍中19□媵盤
6788	蔡侯𨞧盤	用詐大孟姬媵彝盤
6803	自乍吳姬媵匜	自乍吳姬媵它（匜）

6812	蔡侯乍姬單匜	蔡侯乍姬單賸匜
6825	穌甫人匜	穌甫人乍孋改襄賸匜
6829	黃仲匜	黃中自乍賸它
6853	取膚__商它	用賸之麗奴子孫永寶用
6854	辭馬南弔匜	辭馬南弔乍婦姬賸它
6867	弔男父乍為霍姬匜	弔男父乍為霍姬賸旅它
6872	魯大嗣徒子仲白匜	魯大嗣徒子中白其庶女屬孟姬賸它
6873	齊侯乍孟姜盥匜	齊侯乍賸寡v1孟姜盥盤
6874	鄭大內史弔上匜	奠大內史弔上乍弔娟賸匜
7016	楚王鐘	楚王賸邛中嬭南龢鐘
M466	無男鼎	無男乍成姜趙母賸尊鼎
M602	蔡覺匜	蔡弔季之孫覺賸孟臣有止嬭盥盤
M792	宋公樂簠	乍其妹句敵(敔)夫人季子賸匡
		小計：共 61 筆

賸 賸

䑞 1005

1010	榮有嗣爯鼎	用䑞爾櫳母
1102	無大邑魯生鼎	無大邑魯生乍壽母朕(䑞)貞(鼎)
1111	□魯宰鼎	□魯宰鑄䢅其□䑞寶鼎
1128	__白氏鼎	白氏姒(始)氏乍wJrmp8䑞鼎
1241	蔡大師䑞鼎	蔡大師䑞䑞鄦弔姬可母飤緐
1443	宋䪘父乍寶子䑞鬲	宋䪘父乍豐子䑞鬲
1468	白家父乍孟姜鬲	白家父乍孟姜䑞鬲
1472	魯白愈父鬲二	魯白愈父乍鼄姬仁䑞(賸)羞鬲
1473	魯白愈父鬲三	魯白愈父乍鼄姬仁䑞(賸)羞鬲
1474	魯白愈父鬲四	魯白愈父乍鼄姬仁䑞(賸)羞鬲
1475	魯白愈父鬲五	魯白愈父乍鼄姬仁䑞(賸)羞鬲
1486	宰䮷父鬲	魯宰䮷父乍姬䑞䑞鬲
1498	鼄友父鬲	鼄友父䑞其子𡚬媄(曹)寶鬲
1510	內公鑄弔姬鬲一	內公乍鑄京氏婦弔姬䑞
2401	敶侯乍王嬀朕設	敶(陳)侯乍王嬀䑞設
2413	䑞虎乍䢅皇考設二	䑞(賸䑞)虎敢肇乍䢅皇考公命中寶尊彝
2461	白家父乍孟姜設	白家父乍{ 公孟 }姜䑞設
2497	䣄侯乍王姞設一	䣄侯乍王姞䑞設
2498	䣄侯乍王姞設二	䣄侯乍王姞䑞設
2499	䣄侯乍王姞設三	䣄侯乍王姞䑞設
2500	䣄侯乍王姞設四	䣄侯乍王姞䑞設
2504	旛䑞設	䑞rJ乍旛敽䑞設
2519	周䋣生䑞設	周䋣生乍楇娟嫫䑞設
2522	孟䢒父設	孟䢒父乍幻白姬䑞設八
2523	孟䢒父設	孟䢒父乍幻白姬䑞設八
2528	魯白大父乍䑞設	魯白大父乍季姬rk䑞設
2531	魯白大父乍孟□姜設	魯白大父乍孟姬姜䑞設
2532	魯白大父乍仲姬俞設	魯白大父乍中姬俞䑞設
2534	魯大宰遼父設一	魯大宰原父乍季姬牙䑞設
2534.	魯大宰遼父設二	魯大宰原父乍季姬牙䑞設
2556	復公子白舍設一	㲋新乍我姑鄧(鄧)孟嬀䑞設
2557	復公子白舍設二	㲋新乍我姑鄧(鄧)孟嬀䑞設

字	編號	器名	銘文
	2558	復公子白舍毁三	毆新乍我姑龏(鄧)孟媿媵毁
	2604	黃君毁	黃君乍季嬴vz媵毁
	2935	鑄侯乍弔姬寺男媵匠	鑄侯乍弔姬寺男媵匠
	2939	季良父乍宗媧媵匠一	季良父乍宗媧媵匠
	2940	季良父乍宗媧媵匠二	季良父乍宗媧媵匠
	2941	季良父乍宗媧媵匠三	季良父乍宗媧媵匠
	2947	季宮父乍媵匠	季宮父乍中姊媸姬媵匠
	2961	敶侯乍媵匠一	陳侯乍王中嬀𡟰媵匠
	2962	敶侯乍媵匠二	陳侯乍王中嬀𡟰媵匠
	2963	陳侯匠	陳侯乍王中嬀𡟰媵匠
	2965	曾侯乍弔姬媵器𩰫彝	曾侯乍弔姬邛嫞媵器𩰫彝
	2975	鄦子妝匠	用媵(媵)孟姜秦嬴
	2982	長子□臣乍媵匠	乍其子孟之母媵(媵)匠
	2982	長子□臣乍媵匠	乍其子孟之母媵(媵)匠
	6726	筍侯乍弔姬盤	筍侯乍弔姬媵盤
	6833	□弔穀匜	□子弔穀自乍媵匜
	6925	晉邦盦	媵盦四酉
			小計：共　49 筆
賞	1006	1016賞字重見	
	0961	乙未鼎	乙未王賞貝始□□□在寢
	1058	復鼎	侯賞復貝三朋
	1124	玔乍父庚鼎一	車弔賞揚馬
	1125	玔乍父庚鼎二	車弔賞揚馬
	1135	獻侯乍丁侯鼎	賞獻侯贎貝
	1136	獻侯乍丁侯鼎二	賞獻侯贎貝
	1137	匽侯旨鼎一	王賞旨貝廿朋
	1172	征人乍父丁鼎	天君賞氒征人斤貝
	1191	堇乍大子癸鼎	庚申、大保賞堇貝
	1192	亞□伐＿乍父乙鼎	王賞戍kx貝二朋
	1219	戍嗣子鼎	丙午、王賞戍學貝廿朋
	1228	歔𪉯方鼎	榪中賞氒歔𪉯遂毛兩
	1242	𡎖方鼎	公賞𡎖貝百朋
	1255	作冊大鼎一	公賞乍冊大白馬
	1256	作冊大鼎二	公賞乍冊大白馬
	1257	作冊大鼎三	公賞乍冊大白馬
	1258	作冊大鼎四	公賞乍冊大白馬
	1271	史獸鼎	尹賞史獸kb
	1329	小字盂鼎	征王令賞盂□□□□□□弓一、矢百、畫絨一、
	1330	曶鼎	䛐則卑我賞馬
	1330	曶鼎	㫚(曶)曰：ts唯朕□□賞
	1330	曶鼎	東宮迺曰：賞㫚(曶)禾十秭
	1330	曶鼎	□乃來歲弗賞
	1661	乍冊般甗	王賞乍冊般貝
	2508	攸毁	侯賞攸貝三朋
	2525	寐敄毁	賞寐敄□貝二朋
	2627	伊毁	伊＿賞辛吏秦金
	2661	競毁一	白屖父蔑御史競曆、賞金

2662	競毀二	白屖父蔑御史競曆、賞金
4202.	___爵	乙未王賚(賞貝合文)姛母申才寢
4203	御正良爵	尹大保賞御正良貝
4447	臣辰冊冊多乍冊父癸盉	眾賞卣鬯貝
4853	復尊	匽侯賞復冂衣、臣妾、貝
4863	橐乍父乙尊	賞橐貝
4870	兟商尊	帝后賞商庚姬貝卅朋
4893	夨令尊	用乍父丁寶尊彝、敢追明公賞于父丁[雋冊]
4971	_乍父癸方彝(蓋)	王賞hy貝
4981	雋冊令方彝	敢追明公賞于父丁
5424	束乍父辛卣	公賞束、用乍父辛于彝
5479	兟商乍文辟日丁卣	帝司賞庚姬貝卅朋
5481	叔卣一	賞叔鬱鬯、白金、hx牛
5482	叔卣二	賞叔鬱鬯、白金、hx牛
5493	召乍_宮旅卣	賞畢土方五十里
5501	臣辰冊冊多卣一	眾賞卣鬯貝
5502	臣辰冊冊多卣二	眾賞卣鬯貝
5503	競卣	賞競章
5805	中山王嚳方壺	使其老筴(策)賞中父
5810	喪鈃	圃史賞自乍鈃
6278	敃娸用_日義觚	亞婦賞于娸
6977	旨賞鐘	者賞□□_之鐘
7092	驫羌鐘一	賞于韓宗
7093	驫羌鐘二	賞于韓宗
7094	驫羌鐘三	賞于韓宗
7095	驫羌鐘四	賞于韓宗
7096	驫羌鐘五	賞于韓宗
7510	□公戈	王賞戴公遄之造、輈
7822	距末一	國差賞末
		小計：共 57 筆

賜 1007 0579賜字重見

1174	易乍旅鼎	寏白于成周休賜小臣金
1266	䢵公平侯�一	用賜釁壽
1267	䢵公平侯鼎二	用賜釁壽
1324	禹鼎	賜(賜)共朕辟之命
1331	中山王嚳鼎	氏(是)以賜之氒命
2373	始休毀	始休易(賜)氒瀕吏貝
2774.	南宮弔毀	天子嗣(司)賜(賜)女絲旂、用狩
2774.	南宮弔毀	賜(賜)女乘馬戈琱、彤矢
2774.	南宮弔毀	又賜(賜)女邦_百人
2810	揚毀一	賜女赤θ市、絲旂
2811	揚毀二	賜女赤θ市、絲旂
2853.	_弔毀	賜(賜)貝五朋
2986	曾白霥旅匿一	天賜之福
2987	曾白霥旅匿二	天賜之福
5760	蓮花壺蓋	用賜(賜)釁壽
5804	齊侯壺	___曰獻余台賜女

賞
賜

7519	越王者旨於賜戈一	戉王者旨於賜、□t7t8□t9ua
7634	越王者旨於賜矛	越王者旨於賜
7675	從金劍	從金賜鐘

小計：共 19 筆

贏 1008

0710	贏氏乍寶鼎	贏氏乍寶鼎
5504	庚贏卣一	王格于庚贏宮
5504	庚贏卣一	王蔑庚贏曆
5504	庚贏卣一	庚贏對揚王休
5505	庚贏卣二	王格于庚贏宮
5505	庚贏卣二	王蔑庚贏曆
5505	庚贏卣二	庚贏對揚王休

小計：共 7 筆

賈 1009 舊釋貯者皆當釋為賈

0098	貯鼎	[賈]
1112	十一年庫嗇夫肖不茲鼎	庫嗇夫肖不茲賈人夫＿所為空二斗
1317	善夫山鼎	用乍寶、司賈
1319	頌鼎一	王曰：頌、令女官嗣成周賈廿家、監嗣新寤
1319	頌鼎一	賈用宮御
1320	頌鼎二	王曰：頌、令女官嗣成周賈廿家、監嗣新寤
1320	頌鼎二	賈用宮御
1321	頌鼎三	王曰：頌、令女官嗣成周、賈廿家、監嗣新寤
1321	頌鼎三	賈用宮御
1325	五祀衛鼎	女寀賈田不
1325	五祀衛鼎	余審賈田五田
1331	中山王礜鼎	有氒忠臣賈
1331	中山王礜鼎	隹虞（ 吾 ）老賈
1331	中山王礜鼎	含（ 今 ）虞（ 吾 ）老賈
1331	中山王礜鼎	虞（ 吾 ）老賈奔走不聽命
1668	中甗	氒賈粦言曰：賓□貝
2778	格白段一	氒賈卅田
2778	格白段一	氒賈卅田
2779	格白段二	氒賈卅田
2780	格白段三	氒賈卅田
2781	格白段四	氒賈卅田
2782	格白段五	氒賈卅田
2782.	格白段六	氒賈卅田
2843	沈子它段	休沈子肇斁tc賈嗇乍絲段
2844	頌段一	令女官嗣（ 司 ）成周賈
2844	頌段一	監嗣（ 司 ）新寤（ 造 ）賈用宮御
2845	頌段二	令女官嗣（ 司 ）成周賈
2845	頌段二	監嗣（ 司 ）新寤（ 造 ）賈用宮御
2845	頌段二	令女官嗣（ 司 ）成周賈

2845	頌殷二	監嗣(司)新寤(造)賈用宮御
2846	頌殷三	令女官嗣(司)成周賈
2846	頌殷三	監嗣(司)新寤(造)賈用宮御
2847	頌殷四	令女官嗣(司)成周賈
2847	頌殷四	監嗣(司)新寤(造)賈用宮御
2848	頌殷五	令女官嗣(司)成周賈
2848	頌殷五	監嗣(司)新寤(造)賈用宮御
2849	頌殷六	令女官嗣(司)成周賈
2849	頌殷六	監嗣(司)新寤(造)賈用宮御
2850	頌殷七	令女官嗣(司)成周賈
2850	頌殷七	監嗣(司)新寤(造)賈用宮御
2851	頌殷八	令女官嗣(司)成周賈
2851	頌殷八	監嗣(司)新寤(造)賈用宮御
2930	尹氏賈良旅匠(匡)	尹氏賈良乍旅匡
3352	賈爵	[賈]
4449	裘衛盉	厗賈(價)其舍田十田
5799	頌壺一	令女官嗣成周賈廿家
5799	頌壺一	監嗣新造賈用宮御
5800	頌壺二	令女官嗣成周賈廿家
5800	頌壺二	監嗣新造賈用宮御
5803	胤嗣好蚉壺	或得賢佐司馬賈而家任之邦
5803	胤嗣好蚉壺	佳司馬賈訢詻戰怒
5805	中山王譽方壺	中山王譽命相邦賈羼郾吉金
5805	中山王譽方壺	使得賢在良佐賈
5805	中山王譽方壺	賈渴(竭)志盡忠
5805	中山王譽方壺	賈曰:為人臣而返(反)臣其宗
5805	中山王譽方壺	賈願從在{大夫}
6791	兮甲盤	其賈毋敢不即次、即市
6791	兮甲盤	厗賈毋不即市
6791	兮甲盤	毋敢或入繺宄賈、則亦井
6855	貯子匜	賈子己父乍寶匜
6945	賈鐃	[賈]
6999	昆疕王鐘	昆疕王賈乍龢鐘
7754	賈斧	[賈]
7838	賈盔一	[賈]
7839	賈盔二	[賈]
7975	中山王墓兆域圖	王命賈為逃乏
M160	□貯殷	□□賈罘子鼓羁鑄旅殷

小計:共 67 筆

貳 1010

2801	五年召白虎殷	女則宕其貳
2801	五年召白虎殷	公宕其貳
5805	中山王譽方壺	不貳其心
7649	帝降矛	帝降棘余子之貳金

小計:共 4 筆

賓	1011		
	1025	虘鐘五	好賓虘眔蔡姬
賓	1194	郬王糅鼎	𩵋賓客
	1216	貿鼎	弔氏事貿安㠱白賓貿馬車乘
	1225	薦大史申鼎	台御賓客
	1281	史頌鼎一	穌賓章、馬四匹、吉金
	1282	史頌鼎二	穌賓章、馬四匹、吉金
	1329	小字盂鼎	□□□□賓
	1329	小字盂鼎	征邦賓尊其旅服、東鄉
	1329	小字盂鼎	□咸、賓即立、贊賓
	1329	小字盂鼎	王乎蕎(贊)□于甘□□□迖賓□□
	1329	小字盂鼎	征□□□□□邦賓、不畀
	1329	小字盂鼎	贊邦賓
	1329	小字盂鼎	王各廟、贊王邦賓
	1668	中甗	孚賈犇言曰：賓□貝
	2333	妹弔昏段	義弔聞(昏)肈乍彝用鄉賓
	2359	欶乍孚段	其萬年用鄉賓
	2478	白賓父段(器)一	白賓父乍寶段
	2479	白賓父段二	白賓父乍寶段
	2524	仲幾文段	用孚賓、乍丁寶段
	2658.	大段	賓睽口
	2707	小臣守段一	賓馬兩、金十鈞
	2708	小臣守段二	賓馬兩、金十鈞
	2709	小臣守段三	賓馬兩、金十鈞
	2721	㒼段	自黃賓㒼章(璋)一、馬兩
	2721	㒼段	吳姬賓帛束
	2752	史頌段一	穌賓章、馬四匹、吉金
	2753	史頌段二	穌賓章、馬四匹、吉金
	2754	史頌段三	穌賓章、馬四匹、吉金
	2755	史頌段四	穌賓章、馬四匹、吉金
	2756	史頌段五	穌賓章、馬四匹、吉金
	2757	史頌段六	穌賓章、馬四匹、吉金
	2758	史頌段七	穌賓章、馬四匹、吉金
	2759	史頌段八	穌賓章、馬四匹、吉金
	2759	史頌段九	穌賓章、馬四匹、吉金
	2812	大段一	睽賓豕章
	2812	大段一	大賓豕訊章、馬兩
	2812	大段一	賓睽訊章、帛束
	2813	大段二	睽賓豕章
	2813	大段二	大賓、賓豕訊章、馬兩
	2813	大段二	賓睽訊章、帛束
	2983	弭仲寶匿	言王賓
	3019	弔賓父盨	弔賓父乍寶盨
	3110.	弔賓父豆?	弔賓父乍寶盨
	4204	盂爵	王令盂寧鄧白、賓貝
	4433	甲盉	其萬年用鄉賓
	4867	鋈睘尊	尸白賓用貝、布
	4876	保尊	蔑曆于保、易賓
	5484	乍冊睘卣	尸白賓睘貝布

5484	乍冊睘卣	尸白賓睘貝布
5491	亞獏二祀切其卣	qp賓貝五朋
5495	保卣	蔑曆于保、易賓
5495	保卣	蔑曆于保、易賓
5570	____罍	____賓大其sJ
5739	鄭楙弔賓父醴壺	鄭楙弔賓父乍醴壺
5783	曾白陭壺	用鄉賓客
6069	賓女觚	[賓女]
6978	鄭井弔鐘	鄭井弔乍霝龢鐘用妥賓
6979	鄭井弔鐘二	鄭井弔乍霝龢鐘用妥賓
7001	嘉賓鐘	用樂嘉賓父兄
7003	舍武編鐘	用樂嘉賓父兄
7027	邾公釛鐘	用樂我嘉賓、及我正卿
7082	齊鞄氏鐘	用樂嘉賓
7083	鮮鐘	用樂嘉賓
7107	曾侯乙甬鐘	妥賓之冬、黃鐘、羽
7121	邻王子旃鐘	以樂嘉賓
7124	沇兒鐘	以樂嘉賓
7175	王孫遺者鐘	用樂嘉賓父兄
7217	姑馮勾鑃	台樂賓客
7541	四年咎奴戈	四年咎奴__命壯罌工币賓疾冶問
M545	配兒勾鑃	目宴賓客
M553	越王者旨於睗鐘	□而賓客
M612	鄦子鐘	用樂嘉賓大夫及我倗友
M706	曾侯乙編鐘下一・二	妥賓之宮
M706	曾侯乙編鐘下一・二	妥賓之才楚號為坪皇
M706	曾侯乙編鐘下一・二	為妥賓之徵顛下角
M708	曾侯乙編鐘下二・一	妥賓之羽
M709	曾侯乙編鐘下二・二	妥賓之宮曾
M711	曾侯乙編鐘下二・四	妥賓之宮
M711	曾侯乙編鐘下二・四	妥賓之才楚號為坪皇
M711	曾侯乙編鐘下二・四	為妥賓之徵顛下角
M712	曾侯乙編鐘下二・五	妥賓之商曾
M714	曾侯乙編鐘下二・八	妥賓之羽曾
M743	曾侯乙編鐘中三・四	妥賓之宮
M743	曾侯乙編鐘中三・四	妥賓之才[illegible](申)號為遲則
M744	曾侯乙編鐘中三・五	妥賓之冬
M746	曾侯乙編鐘中三・七	妥賓之宮
M746	曾侯乙編鐘中三・七	妥賓之才楚號為坪皇
M746	曾侯乙編鐘中三・七	為妥賓之徵顛下角
M766	曾侯乙編鐘上三・五	宮曾、徵角，妥賓之宮，

小計：共 89 筆

貿 1012

1216	貿鼎	弔氏事貿安㠱白賓貿馬車乘
1216	貿鼎	公貿用揚休鱻

小計：共 2 筆

贖 1013

1330	曶鼎	我既贖女五□□父
1330	曶鼎	用贎祉贖絲五夫、用百寽
1330	曶鼎	王人迺贖用□
7871	子禾子釜一	贖以半鈞
7871	子禾子釜一	贖以□犀
		小計：共　5 筆

費 1014 弗字重見

1096	弗奴父鼎	弗（費）奴父乍孟姒（始）苻賸鼎
7544	八年亲城大令戈	八年亲城大命韓定工帀宋費冶褚
		小計：共　2 筆

責 1015

1059	旂乍父戊鼎	文考遺寶責
1150	小臣缶方鼎	王易小臣缶湡責五年
1318	晉姜鼎	易鹵責千兩
2833	秦公段	鼏宅禹責（蹟）
6791	兮甲盤	王令甲征辭成周四方責
		小計：共　5 筆

賫 1016 參商字條下 1006賞字重見

2584	卬正衛段	懋父賫卬（御）正衛馬匹自王
2654	虢乍文父丁段	癸巳、□賫小子□貝十朋
4202.	___爵	乙未王賫（賞貝合文）婀母申才寢
4847	小子夫尊	𡚬賫小子夫貝二朋
5506	小臣傳卣	白𩰫父賫小臣傳□□白休
5507	乍冊䰠卣	賫乍冊䰠馬
		小計：共　6 筆

買 1017

0968	走馬吳買乍雛鼎	sz父之走馬吳買乍雛貞（鼎）用
1668	中甗	白買父以自氒人戍漢中州
2673	□弔買段	ky弔買自乍尊段
2673	□弔買段	買其子子孫孫永寶用亯
2976	盨公匠	盨（許）公買羼氒吉金
3689	車買爵一	[車買]
3690	車買爵二	[車買]
4445	長陵盉	買
4545	買車尊	[買車]
5096	買車卣	買車

5350	買王眾尊彝卣	買王眾尊彝
6077	買車觚	[買車]
7431	右買之用戈	右買之用戈
		小計：共 13 筆

1018

1332	毛公鼎	埶小大楚賦
		小計：共 1 筆

1019

1331	中山王𰯌鼎	氏(是)以寡人匡(委)賃(任)之邦
5803	𡹣嗣𢦏𡊂壺	或得賢佐司馬賈而家賃(任)之邦
5805	中山王𰯌方壺	而專賃(任)之邦
5805	中山王𰯌方壺	受賃(任)佐邦
7890	王命傳賃節一	賃一擔
7895	王命傳節一	王命傳賃一擔飤之
7896	王命傳節二	王命傳賃一擔飤之
7897	王命傳節三	王命傳賃一擔飤之
7898	王命傳節四	王命傳賃一擔飤之
		小計：共 9 筆

1020

1330	曶鼎	我既賣(贖)女五□□父
1330	曶鼎	我既賣(贖)茲五夫
1330	曶鼎	賣(贖)茲五夫
		小計：共 3 筆

1021

2698	陳肪毀	肪曰：余陳中裔孫
		小計：共 1 筆

1022

2677	居_敔鑄____	城昏余一斧
2677	居_敔鑄____	才鴋昏余一斧
2677	居_敔鑄____	p2昏余一斧_舍余一斧
2677.	居_敔毀二	城昏余一斧
2677.	居_敔毀二	才鴋昏余一斧
2677.	居_敔毀二	p2昏余一斧_舍余一斧
		小計：共 6 筆

1023

1216	貿鼎	弔氏事貧安曩白賓貿馬車乘

小計：共 1 筆

貟 1024

2826	師寰𣪕一	淮尸繇（舊）我貟晦臣
2826	師寰𣪕一	淮尸繇（舊）我貟晦臣
2827	師寰𣪕二	淮尸繇（舊）我貟晦臣
6791	兮甲盤	淮夷舊我貟晦人
6791	兮甲盤	毋敢不出其貟、其積、其進人

小計：共 5 筆

賁 1025

2006	賁乍父辛𣪕	[賁]乍父辛
2486	□□且辛𣪕	其萬年孫孫子子永寶用[賁]
3855	賁父戊爵	[賁]父戊
3917	賁父辛爵一	[賁]父辛
3918	賁父辛爵二	[賁]父辛
3919	賁父辛爵三	[賁]父辛
4778	賁乍父辛尊	賁乍父辛寶尊彝
4914	賁引觥	[賁引]乍尊彝
5167	賁父辛卣	[賁]父辛
5384	賁乍父辛卣	賁乍父辛寶尊彝
6258	賁引乍尊彝觚	賁引乍尊彝
6489	賁父辛觶	[賁]父辛

小計：共 12 筆

䙳 1026

1329	小盂鼎	盂告、䙳白即立

小計：共 1 筆

廥 1027 金文編此字實不从庚，第一字當釋商，第二字當釋適，姑仍立此以存異說

7899	鄂君啟舟節	為鄂君啟之廥商（廥?）鑄金節
7900	鄂君啟舟節	為鄂君啟之廥商（廥?）鑄金節
7900	鄂君啟舟節	適po（鄖）、適芸（邡）陽、逾漢

小計：共 3 筆

䇖 1027+

M602	蔡䇖匜	蔡叔季之孫䇖賸孟臣有止𡢁盥盤

小計：共 1 筆

朋 1028

0969	從鼎	白姜易從貝{ 三十朋 }

0981	德鼎	王易德貝{ 廿朋 }
0986	中乍且癸鼎	侯易中貝三朋
1011	彥乍父丁鼎	丁卯、尹商彥貝三朋
1058	復鼎	侯賞復貝三朋
1089	女鸞方鼎	癸日、商鸞貝二朋
1092	小臣建鼎	休于小臣Lq貝五朋
1117	豊乍父丁鼎	乙未、王商宗庚豊貝二朋
1137	匽侯旨鼎一	王賞旨貝廿朋
1184	德方鼎	王易德貝廿朋
1192	亞□伐__乍父乙鼎	王賞戍kx貝二朋
1193	新邑鼎	王易貝十朋
1207	眉__鼎	易貝五朋
1209	뭿方鼎	才穆、朋二百
1219	戍嗣子鼎	丙午、王賞戍學貝廿朋
1234	旅鼎	公易旅貝十朋
1235	不栺方鼎一	不栺易貝十朋
1236	不栺方鼎甲二	不栺易貝十朋
1242	塱方鼎	公賞塱貝百朋
1248	庚贏鼎	易爵、璋、貝十朋
1260	我方鼎	mp貝五朋
1261	我方鼎二	mp貝五朋
1263	呂方鼎	王易呂鬯三卣、貝卅朋
1272	剌鼎	王易剌貝卅朋
2364	徆毁	王易德貝廿朋
2403	遽白還毁	用貝十朋又四朋
2409	㚸父丁毁	辛未吏□易㚸貝十朋
2452	女鸞毁	商鸞貝朋
2508	攸毁	侯賞攸貝三朋
2525	寧敄毁	賞寧敄□貝二朋
2526	弔徆毁	貝十朋、羊百
2546	뭿毁	易貝二朋
2568	__引乍父辛毁	易引貝五朋
2570	榮毁	王爵貝百朋
2586	史頣毁一	迺易史頣貝十朋
2587	史頣毁二	迺易史頣貝十朋
2599	宰甶毁	光宰甶貝五朋
2606	易__乍父丁毁一	hz弔休于小臣貝三朋、臣三家
2607	易__乍父丁毁二	hz弔休于小臣貝三朋
2645	周客毁	易貝五朋
2653	歔毁	易歔冎矢束、馬匹、貝五朋
2654	뭿乍文父丁毁	癸巳、□賫小子□貝十朋
2655	小臣靜毁	王易貝五十朋
2665	__弔毁	嗌貝十朋
2693	뭿毁	易鼎二、易貝五朋
2704	穆公毁	王乎宰□易穆公貝廿朋
2711.	乍冊般毁	成王商乍冊__貝十朋
2724	𩫖白𠭯毁	易𩫖(鄘)白𠭯貝十朋
2736	師遽毁	王乎師朕易師遽貝十朋
2814	鳥冊矢令毁一	姜商令貝十朋、臣十家、鬲百人
2814.	矢令毁二	姜商令貝十朋、臣十家、鬲百人

朋邑

2837	敔殷一	__貝五十朋
2853.	__毌殷	賜(賜)貝五朋
4242	膺冊宰梳乍父丁角	易貝五朋
4343	亞吴小臣邑斝	癸巳王易小臣邑貝十朋
4449	裘衛盉	才八十朋
4449	裘衛盉	才廿朋
4846	蔡尊	蔡易貝十朋
4847	小子夫尊	妍賞小子夫貝二朋
4850	犅劫尊	易犅劫貝朋
4856	季受尊	受貝二朋
4861	嗽士卿尊	王易嗽士卿貝朋
4862	熋能匋尊	能匋易貝于厡咎公矢ns五朋
4868	趞乍姞尊	易趞采曰、hw易貝五朋
4870	熋商尊	帝后賞商庚姬貝卅朋
4879	彔或尊	易貝十朋
4885	效尊	王易公貝五十朋
4885	效尊	公易厥涉子效王休貝廿朋
4891	何尊	何易貝卅朋
5453	__卣	丙寅王易__貝朋
5470	__盂乍父丁卣	兮公宔盂鬯束貝十朋
5471	熋小子省乍父己卣	甲寅子商小子省貝五朋
5471	熋小子省乍父己卣	甲寅子商小子省貝五朋
5476	趞乍姞賓卣	易貝五朋
5479	熋商乍文辟日丁卣	帝司賞庚姬貝卅朋
5491	亞獏二祀切其卣	qp賓貝五朋
5494	熋䜌乍母辛卣	子光商䜌貝二朋
5498	彔或卣	易貝十朋
5499	彔或卣二	易貝十朋
5504	庚贏卣一	易貝十朋
5505	庚贏卣二	易貝十朋
5511	效卣一	王易公貝五十朋
5511	效卣一	公易厥涉子效王休貝廿朋
6631	小臣單觶一	周公易小臣單貝{十朋}
6784	三十四祀盤(裸盤)	鮮蔑鄹、王覲鄹玉三品、貝廿朋
6785	守宮盤	馬匹、毳布三、專__三、銮朋
6960	亞䣄母朋鐃一	[亞䣄母朋]
6961	亞䣄母朋鐃二	[亞䣄母朋]
6962	亞䣄母朋鐃三	[亞䣄母朋]
6967	亞䣄朋女鐘一	[亞䣄母朋]
7001	嘉賓鐘	大夫朋友
7003	舍武編鐘	大夫朋友
M030	剛劫卣	易岡劫貝朋
M171	小臣靜卣	王易貝五朋

小計：共　94 筆

邑　1029

1102	無大邑魯生鼎	無大邑魯生乍壽母朕(媵)貞(鼎)
1103	臣卿乍父乙鼎	公違省自東、才新邑

1193	新邑鼎	癸卯王來鄭新邑
1193	新邑鼎	□自新邑于柬
1310	鬲攸從鼎	其且射、分田邑
1311	師晨鼎	王乎乍冊尹冊令師晨足師俗嗣邑人
1312	此鼎一	旅邑人、善夫
1313	此鼎二	旅邑人、善夫
1314	此鼎三	旅邑人、善夫
1325	五祀衛鼎	白邑父、定白、㝩白、白俗父曰、厲曰：余執
1325	五祀衛鼎	井白、白邑父、定白、㝩白、白俗父迺顜
1325	五祀衛鼎	迺令參有嗣嗣土邑人趙
1325	五祀衛鼎	迺舍寓于氒邑
1330	曶鼎	日、弋尚卑處氒邑、田氒田
2510	臣卿乍父乙毁	公違省自東、才新邑
2611	𤰔渣嗣土㚤毁	王朿伐商邑
2765	㪇毁	四日、用大𠬪于五邑
2766	三兒毁	余邑𠂤□□之孫
2766	三兒毁	余□□□豸□□亡一人句三邑□□□塱□□皇
2798	師㝨毁一	今余唯𪅉（ 緟 ）先王令女官司邑人師氏
2799	師㝨毁二	今余唯𪅉（ 緟 ）先王令女官司邑人師氏
2802	六年召白虎毁	余𠂤邑訊有嗣
2803	師酉毁一	嗣乃且啻官邑人、虎臣
2804	師酉毁二	嗣乃且啻官邑人、虎臣
2804	師酉毁二	嗣乃且啻官邑人、虎臣
2805	師酉毁三	嗣乃且啻官邑人、虎臣
2806	師酉毁四	嗣乃且啻官邑人、虎臣
2806.	師酉毁五	嗣乃且啻官邑人、虎臣
2807	䣄毁一	王曰：䣄、昔先王既命女乍邑
2807	䣄毁一	𦅫五邑祝
2808	䣄毁二	王曰：䣄、昔先王既命女乍邑
2808	䣄毁二	𦅫五邑祝
2809	䣄毁三	王曰：䣄、昔先王既命女乍邑
2809	䣄毁三	𦅫五邑祝
2818	此毁一	旅邑人善夫
2819	此毁二	旅邑人善夫
2820	此毁三	旅邑人善夫
2821	此毁四	旅邑人善夫
2822	此毁五	旅邑人善夫
2823	此毁六	旅邑人善夫
2824	此毁七	旅邑人善夫
2825	此毁八	旅邑人善夫
2828	宜侯夨毁	氒宅邑卅又五
2831	元年師兌毁一	司ナ（ 左 ）右走馬、五邑走馬
2832	元年師兌毁二	司ナ（ 左 ）右走馬、五邑走馬
2835	㝬毁	嗣邑人
3087	鬲从盨	其邑__、u0、__
3087	鬲从盨	其邑复__言二邑。畀鬲比复氒小宮tu鬲比田
3087	鬲从盨	u5（ 其 ）邑彶眔句商兒眔讎戈
3087	鬲从盨	其邑兟
3087	鬲从盨	甲三邑
3087	鬲从盨	瀘二邑

邑 邦

	3087	鬲从盨	凡復友復友鬲比田十又三邑
	3220	邑爵	[邑]
	3221	邑爵	[邑]
	4343	亞吴小臣邑斝	癸己王易小臣邑貝十朋
	4449	裘衛盉	裘衛乃彘告于白邑父
	4449	裘衛盉	白邑父、榮白、定白、琼白
	4449	裘衛盉	單白迺令參有司;𤔲土㪔邑
	4449	裘衛盉	𤔲馬單旅、司工邑人服眔受田燹趞
	4861	𠭯士卿尊	丁巳、王才新邑初wa
	4891	何尊	隹珷王既克大邑商
	5465	員卣	員先内邑
	5779	安邑下官鍾	安邑下官重
	5801	洹子孟姜壺一	齊侯既濟洹子孟姜喪其人民都邑
	5802	洹子孟姜壺二	齊侯既濟洹子孟姜喪其人民都邑
	5804	齊侯壺	商之台邑𤔲衣裘車馬
	6600	邑觶	邑乍寶尊彝
	6793	矢人盤	用矢㯱散邑
	6793	矢人盤	履井邑田
	6793	矢人盤	自根木道左至于井邑封
	6852	__邑戈白匜	隹__邑戈白自乍寶匜
	6910	師永盂	邑人奎父、畢人師同
	7062	柞鐘	𤔲五邑佃人事
	7063	柞鐘二	𤔲五邑佃人事
	7064	柞鐘三	𤔲五邑佃人事
	7065	柞鐘四	𤔲五邑佃人事
	7067	柞鐘六	𤔲五邑佃人事
	7213	𩒨鎛	侯氏易之邑二百又九十又九邑
	7369	陳□戈	陳__邑
	7620	辛邑陕矛	辛邑陕
	7878	安邑下闕鍾	安邑下闕□重□□□嗇夫嘉句□....
			小計：共　82 筆
邦	1030		
	1169	平安邦鼎	廿八年坪安邦台客哉{ 四分 }齍
	1253	平安君鼎	坪安邦司客
	1274	哀成弔鼎	余鄭邦之產
	1286	大夫始鼎	王才邦宮
	1286	大夫始鼎	王才邦
	1318	晉姜鼎	晉姜日：余佳司朕先姑君晉邦
	1324	禹鼎	命禹oo朕且考政于井邦
	1325	五祀衛鼎	衛目邦君君厲告于井白
	1325	五祀衛鼎	𤔲馬頞人邦
	1325	五祀衛鼎	邦君厲眔付裘衛田
	1327	克鼎	保辥周邦
	1328	盂鼎	在珷王嗣玟乍邦
	1328	盂鼎	易女邦𤔲四白
	1329	小字盂鼎	征邦賓尊其旅服、東鄉

1329	小字盂鼎	征□□□□□□邦賓、不[illegible]
1329	小字盂鼎	贊邦賓
1329	小字盂鼎	王各廟、贊王邦賓
1331	中山王嚳鼎	猶粯(眯迷)惑烏(於)子之而亡其邦
1331	中山王嚳鼎	天降休命于朕邦
1331	中山王嚳鼎	于𡉈(在)氒邦
1331	中山王嚳鼎	氏(是)以寡人匧(委)賃(任)之邦
1331	中山王嚳鼎	以憂勞邦家
1331	中山王嚳鼎	以征不宜(義)之邦
1331	中山王嚳鼎	克敵大邦
1331	中山王嚳鼎	母(毋)忘介(爾)邦
1331	中山王嚳鼎	吝(鄰)邦難新(親)
1331	中山王嚳鼎	母替氒邦
1332	毛公鼎	邦畠(將)害吉
1332	毛公鼎	命女辥我邦我家內外
1332	毛公鼎	𩀳我邦小大猷
1332	毛公鼎	弘(宏)我邦我家
1405	白邦父乍齍鼎	白邦父乍齍鬲
1654	子邦父旅甗	子邦父乍旅甗
1668	中甗	余令女史小大邦
1668	中甗	復逌__邦
2682	陳侯午𣪕	保又齊邦
2710	𦃃自乍寶器一	王吏榮蔑曆令桂邦
2710	𦃃自乍寶器一	用保乃邦
2711	𦃃自乍寶器二	王吏榮蔑曆令桂邦
2711	𦃃自乍寶器二	用保乃邦
2763	弔向父禹𣪕	用𪆬(緟)圝奠保我邦我家
2774.	南宮弔𣪕	又昜(賜)女邦__百人
2788	靜𣪕	卿燹茲自、邦周射于大沱
2791	豆閉𣪕	𤔲𡨦俞邦君
2816	彔白𢦚𣪕	又Jq(勞?)于周邦
2826	師㝨𣪕一	即𣂇氒邦嘼
2826	師㝨𣪕一	即𣂇氒邦嘼
2827	師㝨𣪕二	即𣂇氒邦嘼
2835	訇𣪕	則乃且奠周邦
2841	𦬊白𣪕	異自它邦
2841	𦬊白𣪕	我亦弗曠亯邦
2841	𦬊白𣪕	弗望小__邦
2855	班𣪕一	王令毛公以邦冢君、土(徒)馭、戜人
2855.	班𣪕二	王令毛公以邦冢君土
2856	師訇𣪕	鄉女彶屯䘏周邦
2856	師訇𣪕	令女叀𩀳我邦小大猷
2856	師訇𣪕	邦佑潢辥
2964.	弔邦父𠥃	弔邦父乍𡇂(匿)
2965	曾侯乍弔姬賸器𤰇彝	弔姬霝乍黃邦
3085	駒父旅盨(蓋)	南中邦父命駒父即南者侯達高父見南淮夷
3085	駒父旅盨(蓋)	我乃至于淮{小大}邦亡敢不__具逆王命
3088	師克旅盨一(蓋)	則隹乃先且考又Jr于周邦
3089	師克旅盨二	則繇隹乃先且考又Jr于周邦
3090	𡚬盨(器)	雩邦人、正人、師氏人又辠又故

邦

3090	塱盨(器)	弔邦父、弔姞萬年子子孫孫永寶用
3097	陳侯午錞錞一	保又齊邦永世毋忘
3098	陳侯午錞錞二	保又齊邦永世毋忘
3099	十年陳侯午𦎫(器)	陳侯午朝群邦者侯于齊
3099	十年陳侯午𦎫(器)	保有齊邦永世毋忘
3100	陳侯因𬮤錞	台登台嘗、保有齊邦
4890	盠方尊	萬年保我萬邦
4979	盠方彝一	萬年保我萬邦
4980	盠方彝二	萬年保我萬邦
5468	子寡子卣	𦎫不弔Li乃邦
5468	子寡子卣	𦎫不弔Li乃邦
5714	同白邦父壺	同白邦父乍弔姜萬人壺
5772	陳璋方壺	大壯孔陳璋內伐匽亳邦之隻
5803	胤嗣好盗壺	或得賢佐司馬賈而冢任之邦
5803	胤嗣好盗壺	大啟邦沔(宇)
5803	胤嗣好盗壺	隹邦之榦
5805	中山王譻方壺	中山王譻命相邦賈羼郾吉金
5805	中山王譻方壺	而專賃(任)之邦
5805	中山王譻方壺	受賃(任)佐邦
5805	中山王譻方壺	故邦亡身死
5826	國差𦉜	齊邦鼏靜安寧
6724	周棘生盤	金用□邦
6792	史墻盤	迨受萬邦
6792	史墻盤	用肇徹周邦
6793	矢人盤	嗣土qhJz、嗣馬單邦
6793	矢人盤	邦人嗣工駷君
6925	晉邦𥁰	□有晉邦
6925	晉邦𥁰	召𩰫□□□□□□____晉邦
6925	晉邦𥁰	__燮萬邦
6925	晉邦𥁰	宗婦楚邦
6925	晉邦𥁰	晉邦隹翰
7122	梁其鐘一	汈其身邦君大正
7123	梁其鐘二	汈其身邦君大正
7125	蔡侯𩁹紐鐘一	定均庶邦
7125	蔡侯𩁹紐鐘一	建我邦國
7126	蔡侯𩁹紐鐘二	定均庶邦
7126	蔡侯𩁹紐鐘二	建我邦國
7132	蔡侯𩁹紐鐘八	定均庶邦
7132	蔡侯𩁹紐鐘八	建我邦國
7133	蔡侯𩁹紐鐘九	定均庶邦
7133	蔡侯𩁹紐鐘九	建我邦國
7134	蔡侯𩁹甬鐘	定均庶邦
7134	蔡侯𩁹甬鐘	建我邦國
7157	邾公華鐘一	鼄(邾)邦是保
7163	𤼈鐘六	匌受萬邦
7176	㝬鐘	廿又六邦
7205	蔡侯𩁹編鎛一	定均庶邦
7205	蔡侯𩁹編鎛一	建我邦國
7206	蔡侯𩁹編鎛二	定均庶邦
7206	蔡侯𩁹編鎛二	建我邦國

7207	蔡侯䨻編鎛三	定均庶邦
7207	蔡侯䨻編鎛三	建我邦國
7208	蔡侯䨻編鎛四	定均庶邦
7208	蔡侯䨻編鎛四	建我邦國
7212	秦公鎛	柔燮百邦
7212	秦公鎛	氒名曰＿邦
7213	𥃝鎛	勞于齊邦
7381	齊戈	齊□邦
7402	邦之新郜戈	邦之新造
7508	十四年屬邦戈	屬邦工□丞□□□
7518	四年呂不韋戈	四年相邦呂不韋
7529	十四年相邦冉戈	十四年秦相邦冉造
7540	卅一年相邦冉戈	卅一年相邦冉𤔲工市、𤔲瓌德
7543	四年相邦樛游戈	四年相邦樛游之造
7564	五年相邦呂不韋戈	詔事、詔事、屬邦
7564	五年相邦呂不韋戈	五年相邦呂不韋造
7565	八年相邦呂不韋戈	八年相邦呂不韋造
7566	十三年相邦義戈	十三年相邦義之造
7567	廿九年相邦尚□戈	廿九年相邦尚＿邦
7653	十年邦司寇富無矛	十年邦司寇富無
7654	十二年邦司寇野矛	十二年邦司寇野□
7658	五年春平侯矛	五年相邦□平侯邦司寇＿
7659	元年春平侯矛	元年相邦□平侯
7659	元年春平侯矛	邦右庫工市尚痓冶□闢執齊
7660	十□年相邦春平侯矛	十□年相邦春平侯
7661	三年建躳君矛	三年相邦建躳君
7661	三年建躳君矛	邦左庫工市□□冶尹月執齊
7662	八年建躳君矛	八年相邦建躳君
7662	八年建躳君矛	邦左庫工市杋□冶尹□執齊
7724	二年春平侯劍	二年相邦春平侯
7724	二年春平侯劍	邦左庫工市□□冶□□□
7725	元年劍	元年𡈼相邦王襄
7726	八年相邦建躳君劍一	八年相邦建躳君
7726	八年相邦建躳君劍一	邦左庫工市□□
7727	八年相邦建躳君劍二	八年相邦建躳君
7727	八年相邦建躳君劍二	邦左庫工市□□
7728	八年相邦建躳君劍三	八年相邦建躳君
7728	八年相邦建躳君劍三	邦左庫工市□□
7729	守相杜波劍	守相杜波邦右庫徙
7730	十五年守相杜波劍一	邦右庫工市韓工市
7737	十五年劍	十五年相邦春平侯
7737	十五年劍	邦左庫工市代翟工市長鑄冶執齊齊
7738	十七年相邦春平侯劍	十七年相邦春平侯
7738	十七年相邦春平侯劍	邦左庫□工市□戊未□冶執齊
7740	四年春平相邦劍	四年春平相邦都及
7742	十三年劍	邦右韓□
M798	廿八年平安君鼎	廿八年平安邦鑄客載四分齍
M798	廿八年平安君鼎	廿八年平安邦鑄客載四分齍
M799	卅二年平安君鼎	平安邦鑄客𢊁四分齍（蓋一）
M799	卅二年平安君鼎	卅二年平安邦鑄客𢊁四分齍

邦 都 鄙 豐 鄭

	M883	中山侯鉞	天子建邦
			小計：共 165 筆
都	1031		
	5801	洹子孟姜壺一	齊侯既濟洹子孟姜喪其人民都邑
	5802	洹子孟姜壺二	齊侯既濟洹子孟姜喪其人民都邑
	6637	泱都杯	泱都
	7176	㝬鐘	撲伐氒都
	7183	叔夷編鐘二	余易女釐都____
	7191	叔夷編鐘十	余易女釐都__
	7213	𬬻鎛	都啚
	7214	叔夷鎛	余易女釐都____
	7329	中都戈	中都
	7402	邦之新郜戈	邦之新造(都?)
	7531	廿九年高都令陳愈戈	廿九年高都命陳愈
	7548	元年__令戈	__命夜會上庫工帀冶門旅其都
	7681	高都侯劍	高都侯散之徒
	7719	廿九年高都令劍	廿九年高都命陳愈工帀冶乘
	7740	四年春平相邦劍	四年春平相邦都及
			小計：共 15 筆
鄙	1032	0889啚字重見	
	1049	靜弔乍旅鼎	靜弔乍鄙兄旅貞(鼎)
	7213	𬬻鎛	與鄩之民人、都啚(鄙)
	7900	鄂君啟舟節	適䣝、適兆昜、內澮、適鄙、
			小計：共 3 筆
酆	1033	0767豐字重見	
	2731	小臣宅𣪘	同公才豐(酆)
			小計：共 1 筆
鄭	1034		
	0956	鄭司媿乍旅鼎	鄭司媿乍旅鼎其永寶用
	1001	鄭子石鼎	鄭子石乍鼎
	1020	鄭𨺅原父鼎	鄭𨺅邍(原)父鑄鼎
	1193	新邑鼎	癸卯王來鄭新邑
	1262	𡧊鼎	趞中令𡧊𦤎嗣鄭田
	1274	哀成弔鼎	余鄭邦之產
	1309	寰鼎	用乍朕皇考鄭白姬尊鼎
	1425	鄭弔蒦父羞鬲	鄭弔蒦父乍羞鬲
	1427	鄭興白乍弔𡡉薦鬲一	鄭興白乍弔𡡉薦鬲
	1428	鄭興伯乍弔𡡉薦鬲二	鄭興白乍弔𡡉薦鬲

1460	奠羌白乍季姜鬲	鄭羌白乍季姜尊鬲
2297	奠饔原父戶寶毁	鄭饔原父寶彝
5500	免卣	隹六月初吉、王才鄭、丁亥
5682	鄭右__盛季壺	鄭右wc盛季壺
5739	鄭楙弔賓父醴壺	鄭楙弔賓父乍醴壺
5796	三年痶壺一	王才鄭、鄉醴
5797	三年痶壺二	王才鄭、鄉醴
6910	師永盂	公迺命鄭嗣徒圅父
6978	鄭井弔鐘	鄭井弔乍靈龢鐘用妥賓
6979	鄭井弔鐘二	鄭井弔乍靈龢鐘用妥賓
7375	鄭左庫戈	鄭左庫
7376	奠右庫戈	鄭右庫
7377	奠武庫戈	鄭武庫
7378	奠生庫戈	鄭生庫
7512	六年奠令韓熙戈	六年鄭令韓熙囗、右庫工帀馬__冶狄
7553	廿年奠令戈	廿年鄭命韓恙司寇吳裕
7677	富鄭劍	富奠（ 鄭 ）之劃鐱
7930	衵用乍寶缶一	鄭帯大衵用乍寶缶
7952	鄭武庫銅器	鄭武庫工帀
7953	三年錯銀鳩杖首	三年才鄭
M457	鄭虢仲悆鼎	鄭虢中悆肈用乍皇且文考寶鼎
		小計：共　31 筆

鄆　1035

7310	鄆戈	[鄆]
		小計：共　1 筆

邗　1035+

7502	非__戈	非sJ帶邗遒陽、廿四
7538	邗令戈	四年邗命輅庶長
		小計：共　2 筆

邵　1036

5805	中山王譽方壺	以內絕邵公之業
		小計：共　1 筆

郱　1037　0820井字重見

2774	臣諫毁	井（ 郱 ）侯搏戎
		小計：共　1 筆

邢　1037

邢
鄲
無
郾

	4446	麥盉	用從邢侯征吏
	4748	邢季㲋旅尊	邢季㲋乍旅彝
			小計：共 2 筆
鄲	1038		
	1070	鄲孝子鼎	王四月、鄲孝子台（以）庚寅之日
	7550	十二年少令邯鄲戈	十二年尚命邯鄲□右庫工帀□紹台倉造
	7551	十二年尚令邯鄲戈	十二年尚命邯鄲□右庫工帀□紹台倉造
			小計：共 3 筆
鄦	1039	0966無字重見	
	0900	季鄦乍宮白方鼎	季盨（鄦）乍宮白寶尊盨
	1241	蔡大師䐓鼎	蔡大師䐓媵鄦弔姬可母飤緐
	1414	盨姬乍姜虎旅鬲	盨（鄦）姬乍姜虎旅鬲
	2739	無㠱毁一	王易無（鄦）㠱馬四匹
	2975	鄦子妝匿	鄦子妝羼其吉金
	2976	盨公匿	盨（鄦、許）公買羼乎吉金
	4835	鄦仲尊	鄦中_乍乎文考寶尊彝、日辛
	5451	鄦仲奔乍文考日辛卣	鄦中奔乍乎文考寶尊彝、日辛
	M466	鄦男鼎	鄦男乍成姜超母賸尊鼎
	M612	鄦子鐘	鄦子_目羼其吉金
			小計：共 6 筆
郾	1040		
	1331	中山王譽鼎	昔者郾君子徻觀（叡）貪夫䛆（悟）
	2659	郾侯庫毁	郾侯庫畏夜惄人哉
	5803	胤嗣好盗壺	逢郾亡道易上
	5803	胤嗣好盗壺	率師征郾
	5805	中山王譽方壺	中山王譽命相邦賈羼郾吉金
	5805	中山王譽方壺	詆郾之訛
	5805	中山王譽方壺	僪（適）曹（遭）郾君子徻
	5805	中山王譽方壺	以請（靖）郾疆
	5805	中山王譽方壺	郾故君子徻
	7440	郾王職乍王萃戈一	郾王職乍王萃
	7441	郾王職乍王萃戈二	郾王職乍王萃
	7442	郾王職乍王萃戈三	郾王職乍王萃
	7478	郾王職乍御司馬	郾王職乍御司馬
	7479	郾王職乍_萃鋸一	郾王職乍_萃鋸
	7480	郾王職乍_萃鋸二	郾王職乍_御萃鋸
	7481	郾王職乍釱鋸	郾王職作釱鋸
	7482	郾王職乍巨_鋸	郾王職乍巨釱鋸
	7484	郾侯職乍巾萃句	郾侯職乍巾萃鋸
	7485	郾王詈乍巨_鋸一	郾王詈乍巨釱鋸
	7486	郾王詈乍五_鋸二	郾王職乍巨釱鋸

7487	郾王詈乍巨_鋸三	郾王職作巨攸鋸
7488	郾王詈乍五_鋸四	郾王職乍巨攸鋸
7489	郾王喜乍五_鋸一	郾王喜乍巨攸鋸
7490	郾王喜乍五_鋸二	郾王喜乍巨攸鋸
7497	郾侯脮乍師巾萃鍨鉘	郾侯脮乍師巾萃鍨鉘
7498	郾王詈戈	郾王詈乍行議鍨
7536	郾王詈戈一	郾王詈作行議鍨
7552	_生戈	郾侯庫乍戎_蚔生不祗□無□□□自洹來
7623	郾右軍矛	郾右軍
7630	郾王戎人矛	郾王戎人
7633	郾侯庫乍軍矛	郾侯庫乍左軍
7635	郾王喜矛	郾王喜□□攸矛
7636	郾王戎人矛一	郾王戎人乍百巨率矛
7637	郾王戎人矛二	郾王戎人乍巨攸矛
7638	郾王職矛一	郾王職□□□□□□□
7639	郾王職矛二	郾王職巨攸矛
7640	郾王職矛三	郾王職乍攸矛
7641	郾王職矛四	郾王職乍□矛
7642	郾王詈矛一	郾王詈乍巨攸矛
7643	郾王詈矛二	郾王詈□□萃矛
7644	郾王喜矛	郾王喜乍□□□□
7645	郾王職矛一	郾王職□□□
7646	郾王職矛二	郾王職乍攸矛
7647	郾王職矛三	郾王職□□□
7648	郾王職矛四	郾王□□□□
7692	郾王喜劍一	郾王喜乍畢旅鈦
7693	郾王喜劍二	郾王喜乍畢旅鈦
7694	郾王喜劍三	郾王喜乍畢旅鈦
7695	郾王喜劍四	郾王喜乍畢旅鈦
7710	郾王職劍	郾王職乍武畢旅劍
7713	郾王職劍	郾王職乍武畢so劍、右攻
7835	匽侯盾錫	郾侯
7985	郾王殘器	郾王□□□□
M873	郾侯載戟	右軍戟、郾侯庫(載)乍
M875	郾王職戟一	郾王戠乍御萃鋸
M876	郾王職戟二	郾王戠乍攸鋸
M877	郾王戎人戟	郾王戎人乍攸鋸
		小計：共 57 筆

郹 1041

6917	郹子行飤盆	郹子行自乍飤盆
		小計：共 1 筆

鄧 1042

1041	且方鼎	鄧父中㝬□□且
1063	鄧公乘鼎	鄧公乘自乍飤𩰫
1128	_白氏鼎	唯鄧八月初吉

鄧 鄭 鄭 郢 鄂

	2188	鄧公𣪘	豋(鄧)公牧乍䜌𣪘
	2384	鄧公𣪘一	豋(鄧)公乍䧹嫚𡚬朕𣪘
	2385	鄧公𣪘二	豋(鄧)公乍䧹嫚𡚬朕𣪘
	2516	鄧公䜌𣪘	鄧公午□自乍䜌𣪘
	2556	復公子白舍𣪘一	𣪕新乍我姑豋(鄧)孟媿媵𣪘
	2557	復公子白舍𣪘二	𣪕新乍我姑豋(鄧)孟媿媵𣪘
	2558	復公子白舍𣪘三	𣪕新乍我姑豋(鄧)孟媿媵𣪘
	2592	鄧公𣪘	隹豋(鄧)九月初吉
	2592	鄧公𣪘	不故屯夫人始乍鄧公
	4204	孟爵	王令孟寧鄧白、賓貝
	4333.	登乍尊彝罍	登(鄧)乍尊彝
	5732	鄧孟乍監曼壺	鄧孟乍監曼尊壺
	M773	鄧子午鼎	鄧子午之飤鐈
			小計：共 16 筆
鄭	1043		
	7899	鄂君啟車節	適居鄵(鄭巢)
			小計：共 1 筆
鄭	1043+		
	M361	井伯南𣪘	井南白乍鄭季姚好尊𣪘
			小計：共 1 筆
郢	1044		
	6887	挪陵君王子申鑑	郢__膚 所造
	7221	__郢鐸	__郢率鐸
	7474	郢侯戈	郢侯之造戈五百
	7538	邗令戈	工帀郢尌冶奠
	7867	郢大膚之□筩	郢大膚之敦筩
	7899	鄂君啟車節	王居於茂郢之遊宮
	7899	鄂君啟車節	適高丘、適下蔡、適居巢、適郢
	7900	鄂君啟舟節	王居於茂郢之遊宮
	7900	鄂君啟舟節	上江、適木關、適郢
			小計：共 9 筆
鄂	1045	0165號𨟶字重見	
	7899	鄂君啟車節	為鄂君啟之膚商鑄金節
	7899	鄂君啟車節	自鄂往、適陽丘、適方城
	7900	鄂君啟舟節	為鄂君啟之膚商鑄金節
	7900	鄂君啟舟節	自鄂市、逾油、上漢
			小計：共 4 筆

邾 1046

6841	魯白愈父匜	魯白愉父乍鼄(邾)姬仁朕顉它
7026	邾叔鐘	邾叔止白□羼氒吉金用乍其龢鐘
7027	邾公鈁鐘	陸韓之孫邾公鈁乍氒禾鐘
7061	能原鐘	隹余□尸(夷)□□邾曰之
7084	邾公牼鐘一	鼄(邾)公牼羼氒吉金
7085	邾公牼鐘二	鼄(邾)公牼羼氒吉金
7086	邾公牼鐘三	鼄(邾)公牼羼氒吉金
7087	邾公牼鐘四	鼄(邾)公牼羼氒吉金
7157	邾公華鐘一	鼄(邾)公華羼氒吉金
7157	邾公華鐘一	鼄(邾)邦是保
7203	能原鎛	隹余□尸(夷)□□邾曰之
7491	邾大嗣馬之造戈	邾大嗣馬之造戈

小計：共 12 筆

鄘 1047 0879章字重見

2724	章白䑣殷	易章(鄘)白䑣貝十朋
2764	艾殷	易臣三品：州人、重人、章(鄘)人

小計：共 2 筆

邡 1048

7899	鄂君啟車節	適邡(方)城

小計：共 1 筆

鄁 1049

J0726	鄁史碩父鼎	(拓本未見)
2683	白家父殷	隹白家父鄁

小計：共 2 筆

邛 鄶 郐 邿 郰

字	編號	器名	銘文
邛	1050		
	2965	曾侯乍弔姬賸器醽彝	曾侯乍弔姬邛嬭賸器醽彝
	5731	邛君婦龢壺	邛君婦龢乍其壺
	5777	孫弔師父行具	邛立宰孫弔師父乍行具
	6777	邛仲之孫白戔盤	邛中之孫白戔自乍顧盤
	6924	江仲之孫白戔餅盞	邛中之孫白戔自乍餅盞
	6924	江仲之孫白戔餅盞	邛中之孫白戔自乍餅盞
	7016	楚王鐘	楚王賸邛中嬭南龢鐘
	7499	邛季之孫戈	邛季之孫□方或之元
			小計：共 8 筆
鄶	1051	會字重見	
郐	1052		
	1194	郐王鼎	郐王鼎用其良金
	1211	庚兒鼎一	郐王之子庚兒自乍飤緐
	1212	庚兒鼎二	郐王之子庚兒自乍飤緐
	3122	__君之孫盧(者旨酱盤)	n8君之孫郐命尹者旨酱
	6630	郐王__義之耑	郐王t2父之耑
	6634	郐王義楚祭耑	仔郐王義楚羼余吉金
	6725	郐王義楚盤	郐(徐)王義楚羼其吉金自乍朕盤
	6754.	徐令尹者旨酱爐盤	n8君之孫郐令尹者旨酱羼其吉金
	6908	郐宜同歙盂	郐王季糧之孫宜桐乍鑄歙盂
	7121	郐王子旃鐘	郐王子旃羼其吉金
	7124	沇兒鐘	郐(徐)王庚之子沇兒
	7218	郐諧尹征城	郐諧尹者故__自乍征城
	7219	冉鉦鋮(南疆征)	□□□郐__其□□__
	7219	冉鉦鋮(南疆征)	余台伐郐
	7506	郐王之子戈	郐王之子__之元用__
			小計：共 15 筆
邿	1053	0500寺字重見	
	1000	邿造鼎	邿造遣乍寶鼎
	1132	邿白祀乍善鼎	邿白祀乍善鼎
	1133	邿白乍孟妊善鼎	邿白肈乍孟妊善寶鼎
	2439	寺季故公毀一	寺(邿)季故公乍寶毀
	2440	寺季故公毀二	寺(邿)季故公乍寶毀
	2605	邿__毀	邿17乍寶毀
	2605	邿__毀	(蓋)邿17乍寶毀
			小計：共 7 筆
郰	1054	0464取字重見	
	6853	取膚__商匜	取(郰)膚s6商鑄它

小計：共 1 筆

1055 1894不字重見

5583	不白夏子罍一	不（邳）白夏子自乍尊罍（罍、櫺）
5584	不白夏子罍二	不（邳）白夏子自乍尊罍（罍、櫺）

小計：共 2 筆

1056

5759	趙孟壺一	禺邗王于黃池
5759	趙孟壺一	邗王之惕金
7500	邗王是埜戈	邗王是野乍為元用

小計：共 3 筆

1057 1659炎字重見

2814	鳥冊夨令毁一	隹王于伐楚白、才炎（郯）

小計：共 1 筆

1058

1525	𨻰子奠白尊鬲	𨻰（鄫）子子奠白乍尊

小計：共 1 筆

1059

1326	多友鼎	甲申之辰博于𨜒

小計：共 1 筆

1060

1432	郳始□母鑄差鬲	郳始ir母鑄其羞鬲
7380	郳右𫲞戈	郳右𫲞

小計：共 2 筆

1061 2039𢦏字重見

1195	𢦏弔朕鼎一	𢦏（截）弔朕自乍餴鼎
1196	𢦏弔朕鼎二	𢦏（截）弔朕自乍餴鼎
1197	𢦏弔朕鼎三	𢦏（截）弔朕自乍餴鼎
3100	陳侯因資錞	𩏂截大慕克成
5762	呂行壺	唯還、呂行截、孚__
5804	齊侯壺	庚截其兵

小計：共 6 筆

郚 1061+

1116 晉司徒白郚父鼎 晉嗣徒白郚父乍周姬寶尊鼎

小計：共 1 筆

鄭 1062 2171堂字重見

1285 或方鼎一 才䍙(堂、鄭)自

小計：共 1 筆

郙 1063

J3878 郙王劍 郙王口自乍承鋥

小計：共 1 筆

鄴 1064

2807 𦉢𨼞𣪘一 右祝鄴
2807 𦉢𨼞𣪘一 王乎內史冊命鄴
2807 𦉢𨼞𣪘一 王曰：鄴、昔先王既命女乍邑
2807 𦉢𨼞𣪘一 鄴用乍朕皇考𩁹白尊𣪘
2807 𦉢𨼞𣪘一 鄴其釁壽萬年無彊
2808 𦉢𨼞𣪘二 右祝鄴
2808 𦉢𨼞𣪘二 王乎內史冊命鄴
2808 𦉢𨼞𣪘二 王曰：鄴、昔先王既命女乍邑
2808 𦉢𨼞𣪘二 鄴用乍朕皇考𩁹白尊𣪘
2808 𦉢𨼞𣪘二 鄴其釁壽萬年無彊
2809 𦉢𨼞𣪘三 右祝鄴
2809 𦉢𨼞𣪘三 王乎內史冊命鄴
2809 𦉢𨼞𣪘三 王曰：鄴、昔先王既命女乍邑
2809 𦉢𨼞𣪘三 鄴用乍朕皇考𩁹白尊𣪘
2809 𦉢𨼞𣪘三 鄴其釁壽萬年無彊
4891 何尊 隹王初鄴宅于成周
小計：共 16 筆

邙 1065

7900 鄂君啟舟節 適汪、逾夏、內邙、逾江

小計：共 1 筆

邾 1066

1200 散白車父鼎一 𢼸白車父乍邾姞尊鼎
1201 𢼸白車父鼎二 𢼸白車父 乍邾姞尊鼎

1202	楙白車父鼎三	楙白車父乍邢姞尊鼎
1203	楙白車父鼎四	楙白車父乍邢姞尊鼎
		小計：共　4 筆

郘 1067

7900	鄂君啟舟節	適繁、適兆昜、內澮、適郘
		小計：共　1 筆

郴 1068

7461	沊郴並果戈	沊郴並果之造戈[Gu]
		小計：共　1 筆

郳 1069

1125.1	郳季宿車鼎	郳季宿車自乍行鼎子子孫孫永寶萬年無疆用
6746.1	郳季宿車盤	郳季宿車自乍行盤子子孫孫永寶用之
6849.1	郳季宿車匜	郳季宿車自乍行匜子子孫孫永寶用之
6919.1	郳季宿車盆	郳季宿車自乍行盆子子孫孫永寶用之
		小計：共　4 筆

郜 1070

1178	宗婦郜嬰鼎一	王子剌公之宗婦郜嬰為宗彝將彝
1178	宗婦郜嬰鼎一	保醉郜國
1179	宗婦郜嬰鼎二	王子剌公之宗婦郜嬰為宗彝將彝
1179	宗婦郜嬰鼎二	保醉郜國
1180	宗婦郜嬰鼎三	王子剌公之宗婦郜嬰為宗彝將彝
1180	宗婦郜嬰鼎三	保醉郜國
1181	宗婦郜嬰鼎四	王子剌公之宗婦郜嬰為宗彝將彝
1181	宗婦郜嬰鼎四	保醉郜國
1182	宗婦郜嬰鼎五	王子剌公之宗婦郜嬰為宗彝將彝
1182	宗婦郜嬰鼎五	保醉郜國
1183	宗婦郜嬰鼎六	王子剌公之宗婦郜嬰為宗彝將彝
1183	宗婦郜嬰鼎六	保醉郜國
2614	宗婦郜嬰段一	王子剌公之宗婦郜嬰為宗彝將彝
2614	宗婦郜嬰段一	保醉郜國
2615	宗婦郜嬰段二	王子剌公之宗婦郜嬰為宗彝將彝
2615	宗婦郜嬰段二	保醉郜國
2616	宗婦郜嬰段三	王子剌公之宗婦郜嬰為宗彝將彝
2616	宗婦郜嬰段三	保醉郜國
2617	宗婦郜嬰段四	王子剌公之宗婦郜嬰為宗彝將彝
2617	宗婦郜嬰段四	保醉郜國
2618	宗婦郜嬰段五	王子剌公之宗婦郜嬰為宗彝將彝
2618	宗婦郜嬰段五	保醉郜國
2619	宗婦郜嬰段六	王子剌公之宗婦郜嬰為宗彝將彝

部 鄀 郪 鄅 鄇

2619	宗婦鄁嫛殷六	保辥鄁國
2620	宗婦鄁嫛殷七	王子剌公之宗婦鄁嫛為宗彝䵼彝
2620	宗婦鄁嫛殷七	保辥鄁國
5770	宗婦鄁嫛壺一	王子剌公之宗婦鄁嫛為宗彝䵼彝
5770	宗婦鄁嫛壺一	保辥鄁國
5771	宗婦鄁嫛壺二	王子剌公之宗婦鄁嫛為宗彝䵼彝
5771	宗婦鄁嫛壺二	保辥鄁國
6771	宗婦鄁嫛盤	王子剌公之宗婦鄁嫛為宗彝䵼彝
6771	宗婦鄁嫛盤	保辥鄁國

小計：共 32 筆

鄀 1071

1259	鄀公䛛鼎	下鄀雝公諴乍尊鼎
1266	鄀公平侯鼒一	隹鄀八月初吉癸未
1266	鄀公平侯鼒一	鄀公平侯自乍尊鼒
1267	鄀公平侯鼒二	隹鄀八月初吉癸未
1267	鄀公平侯鼒二	鄀公平侯自乍尊鼒
2706	鄀公敄人殷	隹鄀正二月初吉乙丑
2706	鄀公敄人殷	上鄀公敄人乍尊殷
2966	蛪公諴旅匿	蛪（鄀）公諴（諴）乍旅匿
2974	上鄀府匿	上鄀府羼其吉金
7005	鄀公鐘	隹鄀正四月□□
7005	鄀公鐘	鄀公敄□□□
7680	鄀侯劍	鄀侯之造
7880	鄀權	鄀_之□
M379	夆伯鬲	夆白乍鄀孟姬尊鬲

小計：共 14 筆

郪 1072

0000	新郪戈	（銘文未見，據金文編補）

小計：共 1 筆

鄅 1073

1220	鄅公鼎	鄅公湯用其吉金
2583	鄅公殷	鄅公白韭用吉金

小計：共 2 筆

鄇 1074

J1775	鄇伯受匿	（銘文未見，據金文編補）

小計：共 1 筆

1075

7309	郳戈	[郳]
		小計：共 1 筆

1076

2986	曾白霥旅匿一	印燮繁湯
2987	曾白霥旅匿二	印燮繁湯
		小計：共 2 筆

1077 專字重見

1078

7107	曾侯乙甬鐘	鄘音之角
M706	曾侯乙編鐘下一・二	為鄘音羽
M708	曾侯乙編鐘下二・一	鄘鐘之變宮
M710	曾侯乙編鐘下二・三	鄘音之宮
M710	曾侯乙編鐘下二・三	鄘音之才楚為獸鐘
M710	曾侯乙編鐘下二・三	其才周為鄘音
M711	曾侯乙編鐘下二・四	為鄘音羽
M713	曾侯乙編鐘下二・七	鄘音之變商
M713	曾侯乙編鐘下二・七	為鄘音羽曾
M716	曾侯乙編鐘下二・十	鄘音之滄羽
M727	曾侯乙編鐘中一・十一	鄘音之鼓
M739	曾侯乙編鐘中二・十二	鄘音之喜
M744	曾侯乙編鐘中三・五	鄘音之角
M745	曾侯乙編鐘中三・六	鄘鐘之徵角
M746	曾侯乙編鐘中三・七	為鄘音羽
M748	曾侯乙編鐘中三・九	鄘音之變商
M748	曾侯乙編鐘中三・九	為鄘音羽曾
M758	曾侯乙編鐘上二・三	商、羽曾，鄘音之宮，
		小計：共 18 筆

1079

1225	䣄大史申鼎	郘安之孫䣄(筥)大吏申
		小計：共 1 筆

1080

1030	鄁子員鼎	鄁子夷為其行器
M708	曾侯乙編鐘下二・一	曾侯乙乍時，鄁鏄、徵角，
M708	曾侯乙編鐘下二・一	割肄鄁隣

小計：共 3 筆

鄘 邛 1080+
邛
壁 1484 邛叔鬲 邛弔𥂴乍其尊鬲

小計：共 1 筆

壁 1081

2778	格白段一	𢆶書史戠武立盟成壁
2779	格白段二	𢆶書史戠武立盟成壁
2780	格白段三	𢆶書史戠武立盟成壁
2781	格白段四	𢆶書史戠武立盟成壁
2782	格白段五	𢆶書史戠武立盟成壁
2782.	格白段六	𢆶書史戠武立盟成壁

小計：共 6 筆

第六卷總計：共 4706 筆

青銅器銘文檢索卷七

1082

0904	旅日戊乍長鼎	日戊[旅]
0914	汝乍氒姑日辛鼎	汝乍氒姑日辛尊彝
0953	婦闖乍文姑日癸鼎	婦闖乍文姑日癸尊彝
1007	史喜鼎	氒日隹乙
1017	剌𩰫鼎	其用盟𤔲宄媯日辛
1070	鄲孝子鼎	王四月、鄲孝子台(以)庚寅之日
1089	女𩱦方鼎	癸日、商𩱦貝二朋
1164	旂乍文父日乙鼎	旂用乍文父日乙寶尊彝[𠙵]
1193	新邑鼎	_旬又四日丁卯
1231	楚王酓忓鼎一	正月吉日
1232	楚王酓忓鼎二	正月吉日
1281	史頌鼎一	日遟天子覭令
1282	史頌鼎二	日遟天子覭令
1285	㦚方鼎一	于文妣日戊
1286	大夫始鼎	用乍文考日己寶鼎
1291	善夫克鼎一	克其日用𤔲朕辟魯休
1292	善夫克鼎二	克其日用𤔲朕辟魯休
1293	善夫克鼎三	克其日用𤔲朕辟魯休
1294	善夫克鼎四	克其日用𤔲朕辟魯休
1295	善夫克鼎五	克其日用𤔲朕辟魯休
1296	善夫克鼎六	克其日用𤔲朕辟魯休
1297	善夫克鼎七	克其日用𤔲朕辟魯休
1316	㦚方鼎	㦚曰：烏虖、朕文考甲公、文母日庚
1316	㦚方鼎	用乍文母日庚寶尊𤔲彝
1330	曶鼎	用五田、用眔一夫曰嗌
1332	毛公鼎	王曰：父厝、□余唯肇巠先王命
1668	中甗	日傳□王□休
2180	弔弔仲子日乙毁	[弔弔]中子日乙
2262	𤔲乍寶毁	𤔲乍寶毁用日喜
2298	戈厚乍兄日辛毁	[戈]厚乍兄日辛寶彝
2327	弔窺乍日壬毁	弔窺乍日壬寶尊彝[舟]
2452	女𩱦毁	母𩱦堇于王、癸日
2485	隩仲孝毁	隩中孝乍父日乙尊毁
2513	冉乍季日乙妻毁一	用乍季日乙妻
2514	冉乍季日乙妻毁二	用乍季日乙妻
2564	𦎫且日庚乃孫毁一	且日庚乃孫乍寶毁
2565	且日庚乃孫毁二	且日庚乃孫乍寶毁
2577	害客毁	害客乍朕文考日辛寶尊毁
2580	𢍰乍北子毁	用ue氒且父日乙
2646	仲辛父毁	中辛父乍朕皇且日丁
2646	仲辛父毁	皇考日癸尊毁
2654	𠙵乍文父丁毁	才十月彡(肜)日[𠙵]
2662.	宴毁一	宴用乍朕文考日己寶毁
2662.	宴毁二	宴用乍朕文考日己寶毁
2663	宴毁一	用乍朕文考日己寶毁
2664	宴毁二	用乍朕文考日己寶毁

日

2670	㮚侯𣪕	方其日受宦
2676	旅肄乍父乙𣪕	才十月一、隹王廿祀劦日
2698	陳肪𣪕	隹王五月元日丁亥
2752	史頌𣪕一	日遅天子覭令
2753	史頌𣪕二	日遅天子覭令
2754	史頌𣪕三	日遅天子覭令
2755	史頌𣪕四	日遅天子覭令
2756	史頌𣪕五	日遅天子覭令
2757	史頌𣪕六	日遅天子覭令
2758	史頌𣪕七	日遅天子覭令
2759	史頌𣪕八	日遅天子覭令
2759	史頌𣪕九	日遅天子覭令
2765	𣪕𣪕	四日、用大𦍒于五邑
2769	師䧹𣪕	攸勒、䜌旂五日、用吏
2785	王臣𣪕	䜌旂五日
2786	縣妃𣪕	其自今日孫孫子子毋敢望白休
2792	師俞𣪕	日易魯休
2797	輔師𣪕𣪕	䜌旂五日、用事
2829	師虎𣪕	用乍朕剌考日庚尊𣪕
2835	𠭯𣪕	王才射日宮
2836	㺇𣪕	用乍文母日庚寶尊𣪕
2841	𦬕白𣪕	歸夆其萬年日用亯于宗室
2856	師𠭯𣪕	今日天疾畏降喪
3086	善夫克旅盨	克其日易休無疆
3095	拍乍祀彝(蓋)	隹正月吉日乙丑
3997	日辛爵	日辛[共]
4238	索諆角	索諆乍有羔日辛𩰫彝
4342	䜌婦闔斝	婦闔乍文姑日癸尊彝[䜌]
4343	亞㠱小臣邑斝	隹王六祀肜日、才四月[亞㠱]
4774	鱻乍文父日丁尊	鱻乍文父日丁[䜌]
4779	詠乍夙尊彝日戊尊	詠乍J4尊彝、日戊
4783	亞共尊一	[亞𠂤乙日辛甲共受]
4784	亞共尊二	[亞𠂤日乙受日辛日甲共]
4815	白丫辥乍日癸尊	[白丫]辥乍日癸公寶尊彝
4817	𠭯尊	𠭯乍文考日庚寶尊器
4819	述乍兄日乙尊	述乍兄日乙寶尊彝[邜]
4820	__何乍兄日壬尊	qn乍兄日壬寶尊彝[dk]
4827	兀乍高㫚日乙__尊	兀乍高㫚日乙__尊[臣辰𠬪龖]
4835	鄦仲尊	鄦中__乍𠦪文考寶尊彝、日辛
4845	服方尊	乍文考日辛寶尊彝
4854	__車䜌乍公日辛尊	用乍公日辛寶彝[st]
4857	乍文考日己尊	乍文考日己寶尊宗彝
4862	䜌能匋尊	能匋用乍文父日乙寶尊彝[䜌]
4866	小臣艅尊	隹王十祀又五肜日
4867	𩰫睘尊	用乍朕文考日癸旅寶[𩰫]
4870	䜌商尊	用乍文辟日丁寶尊彝[䜌]
4882	匡乍文考日丁尊	用乍文考日丁寶彝
4883	耳尊	耳日受休
4892	麥尊	于若昱日才璧雝
4892	麥尊	之日、王目侯内于寢

4924	𡚸婦闢乍文姑日癸觥	[𡚸]婦闢乍文姑日癸尊彝
4927	乍文考日己觥	乍文考日己寶尊宗彝
4973	乍文考日工夫方彝	乍文考日己寶尊宗彝
5416	闢卣	闢乍皇陽日辛尊彝
5425	何乍兄日壬卣	qn乍兄日壬寶尊彝[dk]
5426	亞㫃剌乍兄日辛卣	剌乍兄日辛尊彝[亞㫃]
5435	婦闢㚔乍文姑日癸卣一	婦闢乍文姑日癸尊彝[𡚸]
5436	婦闢㚔乍文姑日癸卣二	婦闢乍文姑日癸尊彝[𡚸]
5451	無仲奔乍文考日辛卣	無中奔乍𠂤文考寶尊彝、日辛
5475	六祀𠨘其卣	才六月隹王六祀昱日[亞獏]
5477	單光壴乍父癸旅卣	文考日癸乃＿子壴乍父癸旅宗尊彝
5479	𡚸商乍文辟日丁卣	商用乍文辟日丁寶尊彝[𡚸]
5490	戉𥝵卣	用乍文考日乙寶尊彝
5490	戉𥝵卣	用乍文考日乙寶尊彝
5491	亞獏二祀𠨘其卣	才正月遘于匕丙彡日大乙爽
5492	亞獏四祀𠨘其卣	遘乙昱日丙午、才䨻
5492	亞獏四祀𠨘其卣	才四月隹王四祀昱日
5506	小臣傳卣	用乍朕考日甲寶
5507	乍冊𩵦卣	用乍日己旅尊彝
5563	再乍日父丁罍	[再]乍日父丁尊彝
5564	單陵乍父日乙方罍	陵乍父日乙寶䍸(罍)[dz]
5575	𡚸婦闢乍文姑日癸罍	婦闢文姑日癸尊彝[𡚸]
5582	對罍	對乍文考日癸寶尊䍸(罍)
5708	＿何乍兄日壬壺	qn乍兄日壬寶尊彝[dk]
5766	周𠦪壺一	周𠦪乍公日己尊壺
5767	周𠦪壺二	周𠦪乍公日己尊壺
5789	命瓜君厚子壺一	隹十年四月吉日
5790	命瓜君厚子壺二	隹十月四吉日
5803	嗣嗣好䖒壺	日夕不忘
5825	䜌書缶	正月季春元日己丑
6276	𢦏趞乍日癸觚	趞乍日癸寶尊彝[𢦏]
6278	𢼄𢧁用＿日義觚	用乍pd日乙尊彝[𢼄]
6580	何兄日壬觶	[何]兄日壬
6619	子徒乍兄日辛觶	子徒乍兄日辛彝
6634	�王義楚祭耑	隹正月吉日丁酉
6776	楚王酓忎盤	正月吉日
6787	走馬休盤	用乍朕文考日丁尊般
6792	史墻盤	其日蔑曆
6888	吳王光鑑一	隹王五月既字白期吉日初庚
6889	吳王光鑑二	隹王五月既字白期吉日初庚
6908	郳宜同歙盂	隹正月初吉日己酉
7121	郳王子旃鐘	隹正月初吉元日癸亥
7160	𤼈鐘三	𤼈其萬年永寶日鼓
7161	𤼈鐘四	𤼈其萬年永寶日鼓
7162	𤼈鐘五	𤼈其萬年永寶日鼓
7169	𤼈鐘十二	萬年日鼓
7170	𤼈鐘十三	萬年日鼓
7171	𤼈鐘十四	萬年日鼓
7218	郳䛐尹征城	唯正月月初吉、日才庚
7556	大兄日乙戈	大兄日乙

	7556	大兄日乙戈	兄日戊
	7556	大兄日乙戈	兄日壬
	7556	大兄日乙戈	兄日癸
	7556	大兄日乙戈	兄日癸
	7556	大兄日乙戈	兄日丙
	7573	大且日己戈	大且日己
	7573	大且日己戈	且日丁
	7573	大且日己戈	且日乙
	7573	大且日己戈	且日庚
	7573	大且日己戈	且日丁
	7573	大且日己戈	且日己
	7573	大且日己戈	且日己
	7575	且日乙戈	且日乙
	7575	且日乙戈	大父日癸
	7575	且日乙戈	大父日癸
	7575	且日乙戈	中父日癸
	7575	且日乙戈	父日癸
	7575	且日乙戈	父日辛
	7575	且日乙戈	父日乙
	7618	日矛	[日、弁]
	7735	少虡劍一	吉日壬午
	7736	少虡劍二	吉日壬午
	7867.	龍_	亯月己酉之日
	7899	鄂君啟車節	夏尿之月、乙亥之日
	7900	鄂君啟舟節	夏尿之月、乙亥之日
	M191	繁卣	雩旬又一日辛亥
	M361	井伯南𣪕	日用亯考
	M553	越王者旨於賜鐘	隹正月王春吉日丁亥
			小計：共 174 筆
時	1083		
	1421	時白鬲一	時白乍□中□羞鬲
	1422	時白鬲二	時白乍□中□羞鬲
	1423	時白鬲三	時白乍□中□羞鬲
	5805	中山王嚳方壺	明_之于壺而時觀焉
			小計：共 4 筆
早	1084		
	1331	中山王嚳鼎	早棄群臣
	2837	敔𣪕一	易田于敜五十田、于早五十田
			小計：共 2 筆
昧	1085		
	1329	小字盂鼎	隹八月□□□□□□昧喪

2762	免𣪘	王才周、昧爽
2774.	南宮弔𣪘	昧、各大室
2855.	班𣪘二	彝𢘅(昧)天令
		小計：共 4 筆

晉 1086

0838	亞吳鼎	[亞吳]宮晉旅𣳚(𢾊?)侯宜
1116	晉司徒白𨛭父鼎	晉𤔲徒白𨛭父乍周姬寶尊鼎
1318	晉姜鼎	晉姜曰：余隹司朕先姑君晉邦
1318	晉姜鼎	晉姜用旂綽綰眉壽
2377	晉人吏寓乍寶𣪘	晉人吏寓乍寶𣪘
2547	格白乍晉姬𣪘	格白乍晉姬寶𣪘
2766	三兒𣪘	晉孫气兒曰
6925	晉邦𥂴	晉公曰：我皇且唐公
6925	晉邦𥂴	□有晉邦
6925	晉邦𥂴	召𩒨□□□□□□____晉邦
6925	晉邦𥂴	晉邦隹翰
6990	𨟭篙鐘	晉人救戎於楚競
7092	𠫑羌鐘一	令于晉公
7093	𠫑羌鐘二	令于晉公
7094	𠫑羌鐘三	令于晉公
7095	𠫑羌鐘四	令于晉公
7096	𠫑羌鐘五	令于晉公
7899	鄂君啟車節	大司馬卲陽敗晉帀於襄陽之歲
7900	鄂君啟舟節	大司馬卲陽敗晉帀於襄陵之歲
7919	晉公車器一	晉公之車
7920	晉公車器二	晉公之車
7933	大府鎬	立府為王一僧晉鎬集脰
M709	曾侯乙編鐘下二・二	其反才晉為槃鐘
M712	曾侯乙編鐘下二・五	宣鐘之才晉號為六墉
M738	曾侯乙編鐘中二・十一	其反才晉為槃鐘
M740	曾侯乙編鐘中三・一	亘鐘之才晉為六墉
M741	曾侯乙編鐘中三・二	丌才晉號為槃鐘
M747	曾侯乙編鐘中三・八	亘鐘之才晉為六墉
		小計：共 28 筆

昃 1087

5834	昃觚	[昃]
7467	滕侯昃戈	滕侯昃之造戟
		小計：共 2 筆

昏 1088

1332	毛公鼎	無唯正聞(昏)
2333	妹弔昏𣪘	義弔聞(昏)肇乍彝用鄉賓

昏
昌
昱
昔
昆

小計：共　2 筆

昌 1089

1028	央__鼎	央__姬昌乍孟田用____鼎
4887	蔡侯𨺅尊	子孫蕃昌
6788	蔡侯𨺅盤	子孫蕃昌
7831	廿四年銅梃	廿四年__昌__左執齊
7953	三年錯銀鳩杖首	丞尚五司永昌__

小計：共　5 筆

昱 1090

1329	小字盂鼎	雩若昱乙酉
4242	𢊁冊宰桃乍父丁角	才六月隹王廿祀昱又五
4892	麥尊	于若昱日才璧雝
5475	六祀𠨘其卣	才六月隹王六祀昱日[亞貘]
5492	亞貘四祀𠨘其卣	遘乙昱日丙午、才𩁹
5492	亞貘四祀𠨘其卣	才四月隹王四祀昱日

小計：共　6 筆

昔 1091

0792	史昔其乍𩰫鼎	史昔其乍旅鼎
1194	郘王𦜩鼎	用𥂴pk腊(昔)
1315	善鼎	王曰：善、昔先王既令女左足𤼈侯
1327	克鼎	王若曰：克、昔余既令女出內朕令
1330	曶鼎	昔饉歲匡眔氒臣廿夫
1331	中山王𧊒鼎	昔者郾君子徻觀(叡)𢍰夫𢡛(悟)
1331	中山王𧊒鼎	昔者、𡩛(吾)先考成王
1331	中山王𧊒鼎	昔者、𡩛(吾)先祖趄王
1331	中山王𧊒鼎	昔者、吳人并雩(越)
2807	𨙶𣪘一	王曰：𨙶、昔先王既命女乍邑
2808	𨙶𣪘二	王曰：𨙶、昔先王既命女乍邑
2809	𨙶𣪘三	王曰：𨙶、昔先王既命女乍邑
2838	師𠭯𣪘一	才昔先王小學女
2839	師𠭯𣪘二	才昔先王小學女
2842	卯𣪘	昔乃且亦既令乃父死(司)𦍒人
2854	蔡𣪘	昔先王既令女乍宰、𤔲王家
2857	牧𣪘	牧、昔先王既令女乍𤔲土
3088	師克旅盨一(蓋)	昔余既令女
3089	師克旅盨二	昔余既令女
4891	何尊	昔才爾考公氏
5803	𡢁嗣好䖝壺	昔者先王絲愛百每
7471	鳥篆戈	__乍昔__氒__從

小計：共　22 筆

1092

6999	昆疕王鐘	昆疕王用貝乍龢鐘
		小計：共 1 筆

1093

6792	史墻盤	昊照亡斁
6911	昊盆	[昊]
M236	單昊生豆	單昊生乍羞豆、用亯
		小計：共 3 筆

1094

1062	䢼鼎	䢼白乍寶鼎
1122	䢼白乍石鼒	隹䢼白鬳自乍寶□鼒
1481	咏仲無龍寶鼎一	䢼[咏]中無龍乍寶鼎，其子子孫永寶用亯
1482	咏仲無龍寶鼎二	䢼[咏]中無龍乍寶鼎，其子子孫永寶用亯
3124	䢼仲無龍匕	䢼[咏]中無龍公
5548	䢼白章罍	䢼白[章]𩰫
6741	䢼盤	□䢼□□乍寶盤
6751	䢼白章盤	䢼白章自乍寶監
6849	䢼白匜	䢼白vh乍寶匜
7930	䢼用乍寶缶一	鄭帚大䢼用乍寶缶
7931	䢼□乍寶缶二	大䢼用乍寶缶
		小計：共 11 筆

1095

2937	仲義昗乍縣妃𤔲一	中義昗乍縣妃𤔲
2938	仲義昗乍縣妃𤔲二	中義昗乍縣妃𤔲
		小計：共 2 筆

1096

4154	白詌乍寶彝爵	白詌乍寶彝
		小計：共 1 筆

1097

1277	七年趞曹鼎	旦、王各大室
1309	寰鼎	旦、王各大室、即立
1311	師晨鼎	旦、王各大室、即立
1312	此鼎一	旦、王各大室、即立
1313	此鼎二	旦、王各大室、即立

旦 軌

1314	此鼎三	旦、王各大室、即立
1319	頌鼎一	旦、王各大室、即立
1320	頌鼎二	旦、王各大室、即立
1321	頌鼎三	旦、王各大室、即立
1327	克鼎	旦
2725	師毛父毁	旦、王各于大室
2767	虘毁一	旦、王各大室、即立
2787	望毁	旦、王各大室即立
2787	望毁	旦、王十大室即立
2792	師俞毁	旦、王各大室即立
2796	諫毁	旦、王各大室即立
2796	諫毁	旦、王各大室即立
2800	伊毁	旦、王各穆大室即立
2810	揚毁一	旦、各大室即立
2811	揚毁二	旦、各大室即立
2817	師穎毁	旦、王各大室
2818	此毁一	旦、王各大室既立
2819	此毁二	旦、王各大室既立
2820	此毁三	旦、王各大室既立
2821	此毁四	旦、王各大室既立
2822	此毁五	旦、王各大室既立
2823	此毁六	旦、王各大室既立
2824	此毁七	旦、王各大室既立
2825	此毁八	旦、王各大室既立
2835	訇毁	旦、王各
2844	頌毁一	旦、王各大室即立
2845	頌毁二	旦、王各大室即立
2845	頌毁二	旦、王各大室即立
2846	頌毁三	旦、王各大室即立
2847	頌毁四	旦、王各大室即立
2848	頌毁五	旦、王各大室即立
2849	頌毁六	旦、王各大室即立
2850	頌毁七	旦、王各大室即立
2851	頌毁八	旦、王各大室即立
2854	蔡毁	旦、王各廟、即立
4978	吳方彝	旦、王各廟
5799	頌壺一	旦、王各大室即立
5800	頌壺二	旦、王各大室即立
6787	走馬休盤	旦、王各大室即立
6789	寰盤	旦、王各大室即立
7530	三年上郡守戈	漆工師、丞□、工成旦□
7975	中山王墓兆域圖	執旦宮方百乇

小計：共 47 筆

軌 1098

7092	𫼁羌鐘一	賞于軌（韓）宗
7093	𫼁羌鐘二	賞于軌（韓）宗
7094	𫼁羌鐘三	賞于軌（韓）宗

7095	𠧷羌鐘四	賞于軐(韓)宗
		小計：共　4 筆

1099

1144	__獸鼎	朝夕鄉㕘多倗友
1328	盂鼎	敏朝夕入諫(諫)、享奔走、畏天畏
2841	芇白段	用好宗朝(廟)
2535	仲殷父段一	用朝夕亯孝宗室
2536	仲殷父段二	用朝夕亯孝宗室
2537	仲殷父段三	用朝夕亯孝宗室
2537	仲殷父段四	用朝夕亯孝宗室
2538	仲殷父段五	用朝夕亯孝宗室
2539	仲殷父段六	用朝夕亯孝宗室
2540	仲殷父段六	用朝夕亯孝宗室
2541	仲殷父段七	用朝夕亯孝宗室
2541.	仲殷父段七	用朝夕亯孝宗室
2541.	仲殷父段八	用朝夕亯孝宗室
2586	史㔺段一	其于之朝夕監
2587	史㔺段二	其于之朝夕監
2643	史族段	其朝夕用亯于文考
2643	史族段	其朝夕用亯于文考
2671	利段	隹甲子朝
2783	趞段	王各于大朝
3086	善夫克旅盨	克其用朝夕亯于皇且考
3099	十年陳侯午𩞁(器)	陳侯午朝群邦者侯于齊
3100	陳侯因𬯎錞	朝問者侯
4893	矢令尊	明公朝至于成周
4981	𣪘冊令方彝	明公朝至于成周、徣令
7472	朝訶右庫戈	朝歌右庫侯工帀__
		小計：共　25 筆

1100

3248	㫃爵一	[㫃]
3249	㫃爵二	[㫃]
3736	㫃且丁爵	且丁[㫃]
		小計：共　3 筆

1101

0712	白旂乍寶鼎	白旂乍寶鼎
0784	旂父鼎	旂父乍寶𩰫彝
1059	旂乍父戊鼎	旂用乍父戊寶尊彝
1126	弔夜鼎	用旂𦞃壽無疆
1164	旂乍文父日乙鼎	公易旂僕
1164	旂乍文父日乙鼎	旂用乍文父日乙寶尊彝[㢸]

	1230	師器父鼎	用旂釁壽黃句(耇)吉康
	1241	蔡大師䵼鼎	用旂釁壽萬年無彊
	1268	梁其鼎一	用旂多福
旂	1269	梁其鼎二	用旂多福
	1276	＿季鼎	王易赤θ市、玄衣黹屯、䜌旂
	1290	利鼎	易女赤θ市、䜌旂、用事
	1298	師旂鼎	師旂眔僕不從王征于方
	1298	師旂鼎	其又內于師旂
	1298	師旂鼎	旂對氒賨(貿?)于尊彝
	1305	師奎父鼎	易戠市冋黃、玄衣黹屯、戈琱㦰、旂
	1306	無叀鼎	易女玄衣黹屯、戈琱㦰緱必彤沙、攸勒䜌旂
	1309	寰鼎	易寰玄衣、黹屯、赤市、朱黃、䜌旂、攸勒、
	1312	此鼎一	易女玄衣黹屯、赤市朱黃、䜌旂
	1315	善鼎	易女乃且旂、用事
	1317	善夫山鼎	易女玄衣黹屯、赤市朱黃、䜌旂
	1317	善夫山鼎	用旂丐釁壽綽綰
	1318	晉姜鼎	晉姜用旂綽綰釁壽
	1319	頌鼎一	易女玄衣黹屯、赤市朱黃、䜌旂攸勒、用事
	1319	頌鼎一	旂丐康勵屯右、通彔永令
	1320	頌鼎二	易女玄衣黹屯、赤市朱黃、䜌旂攸勒、用事
	1320	頌鼎二	旂丐康勵屯右、通彔永令
	1321	頌鼎三	易女玄衣黹屯、赤市朱黃、䜌旂攸勒、用事
	1321	頌鼎三	旂丐康勵屯右、通彔永令
	1323	師訊鼎	易女玄袞齟屯、赤市朱黃、䜌旂、大師金雁
	1328	盂鼎	易乃且南公旂
	1332	毛公鼎	馬四匹、攸勒、金巤、金雁(膺)、朱旂二鈴
	2375	旂殷	旂乍寶殷
	2598	燮乍宮仲念器	王令燮uk市旂
	2710	肄自乍寶器一	平易䜌旂
	2711	肄自乍寶器二	平易䜌旂
	2728	恆殷一	易女䜌旂、用吏
	2729	恆殷二	易女䜌旂、用吏
	2733	何殷	王易何赤市、朱亢、䜌旂
	2765	殺殷	易投玄衣、黹屯、旂
	2768	楚殷	赤θ市、䜌䜌旂
	2769	師耤殷	攸勒、䜌旂五日、用吏
	2770	截殷	易女戠衣、赤θ市、䜌旂
	2773	即殷	玄衣、黹屯、䜌旅(旂)
	2774.	南宮乎殷	天子嗣(司)睗(賜)女䜌旂、用狩
	2775.	害殷一	旂
	2775.	害殷二	幺衣黹屯、旂、攸革
	2776	走殷	易女赤θ市、䜌旂、用吏
	2783	趩殷	易女赤市、幽亢、䜌旂、用事
	2784	申殷	䜌旂用事
	2785	王臣殷	䜌旂五日
	2791	豆閉殷	王曰：閉、易女戠衣、θ市、䜌旂
	2792	師俞殷	易赤市、朱黃、旂
	2797	輔師嫠殷	䜌旂五日、用事
	2800	伊殷	䜌旂攸勒、用吏
	2807	鄠殷一	易女赤市冋黃、䜌旂、用吏

2808	鄐𣪘二	易女赤市冋黃、䜌旂、用吏
2809	鄐𣪘三	易女赤市冋黃、䜌旂、用吏
2810	揚𣪘一	賜女赤θ市、䜌旂
2811	揚𣪘二	賜女赤θ市、䜌旂
2817	師穎𣪘	易女赤市朱黃、䜌旂攸勒、用事
2840	番生𣪘	朱旂旜、金芫二鈴
2844	頌𣪘一	䜌旂鋚勒、用吏
2845	頌𣪘二	䜌旂鋚勒、用吏
2845	頌𣪘二	䜌旂鋚勒、用吏
2846	頌𣪘三	䜌旂鋚勒、用吏
2847	頌𣪘四	䜌旂鋚勒、用吏
2848	頌𣪘五	䜌旂鋚勒、用吏
2849	頌𣪘六	䜌旂鋚勒、用吏
2850	頌𣪘七	䜌旂鋚勒、用吏
2851	頌𣪘八	䜌旂鋚勒、用吏
2857	牧𣪘	旂、余馬四匹
2984	伯公父盨	用旂釁壽
2984	伯公父盨	用旂釁壽
3088	師克旅盨一(蓋)	虎冟、熏裏、畫轉、畫輯、金甬、朱旂
3089	師克旅盨二	虎冟、熏裏、畫轉、畫輯、金甬、朱旂
4449	裘衛盉	王爯旂于豐
4886	趩尊	易趩戠衣、載市冋黃、旂
4892	麥尊	侯乘于赤旂舟從
5789	命瓜君厚子壺一	旂無彊
5790	命瓜君厚子壺二	旂無彊
5798	曶壺	攸勒、䜌旂、用事
5799	頌壺一	䜌旂、攸勒、用事
5800	頌壺二	䜌旂、攸勒、用事
6663	白公父金勺一	用旂釁壽
6787	走馬休盤	戈琱戟、彤沙厚必、䜌旂
6789	寰盤	赤市朱黃、䜌旂攸勒
7026	邾弔鐘	□用旂釁壽無彊
7027	邾公釛鐘	旂年釁壽
7187	叔夷編鐘六	用旂釁壽
7214	叔夷鎛	用旂釁壽
7220	喬君鉦	用旂釁壽
M423.	趞鼎	䜌旂、攸勒、用事
		小計：共 93 筆

旝 1102

5803	𠭯嗣好盗壺	其逾(旝會)林
		小計：共 1 筆

旃 1103

2671	利𣪘	用乍旃公寶尊彝
2840	番生𣪘	朱旂旃、金芫二鈴

小計：共 2 筆

旂 旃 游 斿

旃 1103+

3257	旃爵	[旃]

小計：共 1 筆

游 1104

0917	游鼎	游乍朕文考寶尊彝
0965	曾侯仲子斿父鼎	曾侯中子游父自乍䵼彝
2857	牧殷	王才周、才師游父宮
3128	魚鼎匕	出斿(游)水虫
7108	𥬘弔之仲子平編鐘一	筥弔之中子平自乍鑄游鐘
7108	𥬘弔之仲子平編鐘一	中平善弘孄叡考鑄其游鐘
7109	𥬘弔之仲子平編鐘二	筥弔之中子平自乍鑄游鐘
7109	𥬘弔之仲子平編鐘二	中平善弘孄叡考鑄其游鐘
7110	𥬘弔之仲子平編鐘三	筥弔之中子平自乍鑄游鐘
7110	𥬘弔之仲子平編鐘三	中平善弘孄叡考鑄其游鐘
7111	𥬘弔之仲子平編鐘四	筥弔之中子平自乍鑄游鐘
7111	𥬘弔之仲子平編鐘四	中平善弘孄叡考鑄其游鐘
7543	四年相邦樛游戈	四年相邦樛游之造

小計：共 13 筆

斿 1104

0293	_斿鼎	n1斿
0427.	斿父辛鼎	[斿]父辛
0460	亞受斿方鼎	[亞受斿]
0861	亞受丁斿若癸鼎	[亞受丁斿若癸止乙自乙]
0862	亞受丁斿若癸鼎二	[亞受丁斿若癸止乙自乙]
0934	中斿父鼎	中斿父乍寶尊彝貞(鼎)[七五八]
1088	師麻斿弔旅鼎	師麻斿乍旅鼎
1250	曾子斿鼎	曾子斿羼其吉金
1670	斿殷	[斿]
2281	亞受丁斿若癸殷	[亞若癸自乙受丁斿乙]
3115	曾仲斿父甫	曾中斿父自乍寶簠
3115.	曾仲斿父甫二	曾中斿父自乍寶甫(莆)
3128	魚鼎匕	出斿(游)水虫
3157	斿爵	[斿]
3159	斿爵	[斿]
3864	斿父己爵	[斿]父己
4360.	樂斿盉	樂斿
4452	斿尊	[斿]
4790	亞受丁斿若癸尊二	[亞受斿乙止若自癸乙]
4964	亞受丁斿若癸方彝	[亞受丁斿若癸]
5075	竹斿卣	[竹斿]

5718	曾仲斿父壺	曾中斿父用吉金
5718	曾仲斿父壺	曾中斿父用吉金
5840	斿觚	[斿]
5841	斿觚	[斿]
5842	斿觚	[斿]
5843	斿■斿觚	[斿■斿]
6234	亞斿父己觚	[亞斿]父己
6279	亞受丁若癸觚一	亞受斿若癸丁乙止自乙
6280	亞受丁若癸觚二	亞受斿若癸丁乙止自乙
6636	甘斿杯	甘斿
7257	斿𠬝戈	[斿𠬝]
7278	斿戈	[斿]
7631	廿二年左斿矛	廿二年左斿
7987	受斿容器	受斿若丁乙自乙

小計：共 35 筆

遊 1104

1331	中山王譽鼎	而去之遊
2953	白其父慶旅祜	唯白其父慶乍遊祜
4887	蔡侯𩀁尊	威義遊遊
5805	中山王譽方壺	氏以遊夕歙飤
6788	蔡侯𩀁盤	戭義遊遊
7899	鄂君啟車節	王居於茂郢之遊宮
7900	鄂君啟舟節	王居於茂郢之遊宮

小計：共 7 筆

旋 1105

0308	婦旋鼎	[婦旋]
4446	麥盉	用旋(奔)走夙夕、鬲御吏
5493	召乍__宮旅卣	旋(奔?)走事皇辟君，休王自穀穀
7850	旋盔	[旋]

小計：共 4 筆

旄 1106

2736	師遽毁	用乍文考旄弔尊毁

小計：共 1 筆

旞 1107 逐字重見

旅 1108

0019	旅鼎一	[旅]
0019.	旅方鼎二	[旅]

旋

0464	乍旅彝鼎	乍旅彝
0469	白旅鼎	白旅鼎
0473	乍旅鼎一	乍旅鼎
0474	乍旅鼎二	乍旅鼎
0475	乍旅鼎三	乍旅鼎
0476	乍旅鼎四	乍旅鼎
0477	乍旅鼎五	乍旅鼎
0478	乍旅鼎	乍旅鼎
0479	乍旅寶鼎	乍旅寶
0490	□乍旅鼎	□乍旅
0621	白乍旅鼎	白乍旅鼎
0622	右乍旅鼎	右乍旅鼎
0623	樂乍旅鼎一	樂乍旅鼎
0624	樂乍旅鼎二	樂乍旅鼎
0625	□乍旅鼎	□乍旅鼎
0626	弔乍旅鼎	弔乍旅鼎
0627	__乍旅鼎	__乍旅鼎
0635	中乍旅鼎	中乍旅鼎
0638	雁__乍旅鼎	雁ux乍旅
0639	戠禾乍旅鼎	[戠]禾乍旅
0649	白乍旅彝鼎	白乍旅彝
0655	弔尹乍旅方鼎	弔尹乍旅
0687	孔乍父癸旅鼎	孔乍父癸旅
0690	雁公乍旅彝鼎一	雁公乍旅彝
0691	雁公乍旅彝鼎二	雁公乍旅彝
0693	__白乍旅鼎	kn白乍旅鼎
0695	仲乍旅寶鼎	中乍旅寶鼎
0699	考姒乍旅鼎	考姒(始)乍旅鼎
0702	㮚仲乍旅鼎	㮚中乍旅彝
0703	訴敔乍旅鼎	訴敔乍旅鼎
0705	䆁姜乍旅鼎	䆁姜乍旅鼎
0709	弔攸乍旅鼎	弔攸乍旅鼎
0724	䍜乍從旅鼎	[䍜]乍從旅彝
0733	史耆鼎	史耆乍旅鼎
0745	𢍰鼎	𢍰乍旅尊鼎
0751	期父方鼎	期(其)父乍旅鼎
0768	堇白乍旅鼎	堇白乍旅尊彝
0776	遣弔乍旅鼎	遣弔乍旅鼎用
0781	弔旃鼎	弔旃(旅)乍寶尊鼎
0792	史昔其乍旅鼎	史昔其乍旅鼎
0803	斐攴鼎	排攴乍保旅鼎
0804	井季㚔乍旅鼎	井季㚔乍旅鼎
0812	虫智乍旅鼎	虫智乍寶旅鼎
0826	白䭾乍旅鼎	白䭾乍旅尊鼎
0904	旅日戊乍長鼎	日戊[旅]
0928	穌衛妃乍旅鼎一	穌衛改乍旅鼎其永用
0929	穌衛妃乍旅鼎二	穌衛改乍旅鼎其永用
0930	穌衛妃乍旅鼎三	穌衛改乍旅鼎其永用
0931	穌衛妃乍旅鼎四	穌衛改乍旅鼎其永用
0935	季念乍旅鼎	季念乍旅鼎其永寶用

0947	釐茲乍旅鼎	釐茲乍旅鼎孫子永寶
0956	鄭同媿乍旅鼎	鄭同媿乍旅鼎其永寶用
0970	蔡侯鼎	蔡侯乍旅貞（鼎）
0979	__君鼎	pi君婦媿霝乍旅尊鼎
0980	__君鼎	pi君婦媿霝乍旅__其子孫用
1008	虎嗣君鼎	自乍旅彝
1009	鯀侯鼄鼎	商、用乍旅鼎
1022	白宓父旅鼎	白宓父乍旅鼎
1033	榮子旅乍父戊鼎	榮子旅乍父戊寶尊彝
1039	兼咯父旅鼎	兼咯父乍旅鼎
1049	靜弔乍旅鼎	靜弔乍鄁兄旅貞（鼎）
1078	犀白魚父旅鼎一	犀白魚父乍旅鼎
1079	犀白魚父旅鼎二	犀白魚父乍旅鼎
1088	師麻斿弔旅鼎	師麻斿乍旅鼎
1141	善夫旅白鼎	善夫旅白乍毛中姬尊鼎
1155	戜者乍旅鼎	戜者乍旅鼎
1174	易乍旅鼎	易用乍寶旅鼎
1175	白鮮乍旅鼎一	白鮮乍旅鼎
1176	白鮮乍旅鼎二	白鮮乍旅鼎
1177	白鮮乍旅鼎三	白鮮乍旅鼎
1217	毛公鼄方鼎	毛公旅鼎亦隹段
1234	旅鼎	公易旅貝十朋
1234	旅鼎	旅用乍父尊彝
1239	__鼎一	濂公令nt眔史旅曰
1240	__鼎二	濂公令nt眔史旅曰
1308	白晨鼎	冟表、里幽、攸勒、旅五旅
1308	白晨鼎	{彤弓}、{彤矢}、旅弓、旅矢
1310	鬲攸從鼎	王令眚史南目即虢旅
1312	此鼎一	旅邑人、善夫
1313	此鼎二	旅邑人、善夫
1313	此鼎二	易女玄衣黹屯、赤市、朱黃、䜌旅
1314	此鼎三	旅邑人、善夫
1314	此鼎三	易女玄衣黹屯、赤市、朱黃、䜌旅
1329	小字盂鼎	征邦賓尊其旅服、東鄉
1329	小字盂鼎	盂目多旅佩
1329	小字盂鼎	狖西旅
1414	盄姬乍姜虎旅鬲	盄姬乍姜虎旅鬲
1570	且丁旅甗	且丁[旅]
1588	䝨乍旅甗	䝨乍旅
1602	仲乍鼄彝甗	中乍旅彝
1605	白乍旅甗	白乍旅甗
1606	中乍旅甗	中乍旅甗
1606.	__乍旅甗	h7乍旅甗
1614	白真乍鼄甗	白真乍旅獻
1615	解子乍鼄甗	解子乍旅獻（甗）
1616	矢白乍旅甗	矢白乍旅彝
1619	敪乍母庚鼄甗	敪乍母庚旅彝
1621	夆白甗	夆白命乍旅彝
1622	圅弗生鼄甗	圅弗生乍旅彝
1623	寡史娸鼄甗	寡史娸乍旅彝

旅

1624	田寮白甗	[田]寮白釆乍旅
1625	白□簹甗	白__乍寶旅獻
1631	師__方甗	師h2乍旅甗尊
1640	__仲寽父方甗	Jt中寽父乍旅甗
1645	孚公狱甗	孚公狱乍旅甗永寶用
1647	井乍寶甗	釁乍旅甗子孫孫永寶用、豊井
1650	榮子旅乍且乙甗	榮子旅乍且乙寶彝子孫永寶
1651	仲伐父甗	中伐父乍姬尚母旅獻(甗)其永用
1652	弔碩父旅甗	弔碩父乍旅獻(甗)
1654	子邦父旅甗	子邦父乍旅甗
1655	奠氏白高父旅甗	奠氏白□父乍旅獻(甗)
1659	白鮮旅甗	白鮮乍旅獻(甗)
1660	曾子仲訁旅甗	自乍旅甗
1666	遹乍旅甗	用乍旅甗
1667	陳公子弔遼父甗	陳公子子弔(叔)原父乍旅獻(甗)
1914	乍旅彝毁一	乍旅彝
1915	乍旅彝毁二	乍旅彝
1927	弜乍旅毁	[弜]乍旅
1943	乍旅毁一	乍旅毁
1944	乍旅毁二	乍旅毁
1945	乍旅毁一	乍旅毁
1946	乍旅毁二	乍旅毁
1948	守旅毁	[守旅]毁
2023	沓乍旅彝毁	沓乍旅彝
2024	宵乍旅彝毁	宵乍旅彝(器、蓋)
2026	白乍旅彝毁一	白乍旅彝
2027	白乍旅彝毁二	白乍旅彝
2028	白乍旅彝毁三	白乍旅彝
2032	構仲乍旅毁	構中乍旅
2039	白乍旅毁一	白乍旅殷
2040	白乍旅毁二	白乍旅殷
2049	旂乍寶毁	旅乍寶毁
2059	�乍旅毁	閟乍旅毁
2062	乍旅毁	乍旅毁尊
2063	乍旅毁	乍旅毁[聿]
2066	戈乍旅彝毁一	[戈]乍旅彝
2067	戈乍旅彝毁二	[戈]乍旅彝
2068	中乍旅毁	仲乍旅毁
2088	畢□父旅毁	畢□□遣父旅毁
2097	雁公乍旅彝毁一	雁公乍旅彝
2098	雁公乍旅彝毁二	雁公乍旅彝
2107	戈凡乍旅彝毁	凡乍旅彝[戈ab]
2114	吳乍白旅彝	吳乍白旅
2119	白劉乍旅毁	白劉乍旅毁
2124	季㚸乍旅毁	季㚸乍旅毁
2125	滎白乍旅毁	滎白乍旅毁
2129	果乍放旅毁	果乍放旅毁
2139	孔白乍旅毁	孔自乍旅毁
2142	白㦰乍旅毁	白㦰乍旅毁
2161	乍父丁寶旅毁	乍父丁寶旅彝

2162	畣乍父丁旅毀	畣乍父丁旅彝
2165	乍父戊旅毀	乍父戊旅彝[中]
2167	榖乍母庚旅毀	榖乍父庚旅彝
2191	段金𨷹乍旅毀一	段金𨷹乍旅毀
2192	段金𨷹乍旅毀二	段金𨷹乍旅毀
2204	仲自父乍旅毀	中自父乍旅毀
2211	城虢仲乍旅毀	城虢中乍旅毀
2212	榮子旅乍寶毀	榮子旅乍寶毀
2245	廣乍父己毀	廣乍父己寶尊[旅]
2247	叀乍父戊寶旅毀	叀乍父戊寶旅彝
2250	八五一／堇白乍旅毀	堇白乍旅尊彝[八五一]
2275	强白乍旅用鼎毀一	强白乍旅用鼎毀
2276	强白乍旅用鼎毀二	强白乍旅用鼎毀
2301	□乍父癸寶毀	□乍父癸寶尊彝[旅]
2305	弔𨟭父乍𪈬姬旅毀一	弔𨟭(咢)父乍𪈬姬旅毀
2306	弔𨟭父乍𪈬姬旅毀二	弔𨟭(咢)父乍𪈬姬旅毀
2310	旅乍寶毀	旅乍寶毀其萬年用
2325	同自乍旅毀	同自乍旅毀其萬年用
2332	白_乍𡛷氏旅毀	白p1乍𡛷氏旅用追考(孝)
2344	季𠘱乍旅毀	季𠘱乍旅毀隹子孫乍寶
2351	仲自父乍好旅毀一	中自父乍好旅毀其用萬年
2352	仲自父乍好旅毀二	中自父乍好旅毀其用萬年
2363	保攸母旅毀	用乍旅彝
2374	白庶父毀	白庶父乍旅毀
2397	_乍父辛毀	用旅盨
2420.	改敆毀一	旅
2420.	改敆毀二	旅
2442	𨛜虢遣生旅毀	𨛜(城)虢遣生乍旅毀
2509	旅仲毀	旅中乍pv寶毀
2593	弔𨟭父乍旅毀一	弔𨟭父乍𪈬姬旅毀
2594	弔𨟭父乍旅毀二	弔𨟭父乍𪈬姬旅毀
2594.	弔𨟭父乍旅毀三	弔𨟭父乍𪈬姬旅毀
2601	向𩰫乍旅毀一	向𩰫乍旅毀
2602	向𩰫乍旅毀二	向𩰫乍旅毀
2676	旅𦘔乍父乙毀	遘于{ 匕戊 }武乙爽、豕一[旅]
2703	免乍旅毀	用乍旅𩰫彝
2722	𨩜弔乍豐姞旅毀	𨩜弔乍豐姞憝旅毀
2773	即毀	玄衣、㡀屯、䜌旅(旂)
2774	臣諫毀	祉令臣諫𠬝□□亞旅處于軝
2818	此毀一	旅邑人善夫
2818	此毀一	赤市朱黃、䜌旅
2819	此毀二	旅邑人善夫
2819	此毀二	赤市朱黃、䜌旅
2820	此毀三	旅邑人善夫
2820	此毀三	赤市朱黃、䜌旅
2821	此毀四	旅邑人善夫
2821	此毀四	赤市朱黃、䜌旅
2822	此毀五	旅邑人善夫
2822	此毀五	赤市朱黃、䜌旅
2823	此毀六	旅邑人善夫

旅

2823	此毁六	赤市朱黃、䜌旅
2824	此毁七	旅邑人善夫
2824	此毁七	赤市朱黃、䜌旅
2825	此毁八	旅邑人善夫
2825	此毁八	赤市朱黃、䜌旅
2828	宜侯夨毁	彤弓一、彤矢百、旅弓十、旅矢千
2835	訇毁	䜌旅攸勒、用吏
2871	仲其父乍旅匳一	中其父乍旅匳
2872	仲其父乍旅匳二	中其父乍旅匳
2875	衛子弔旡父旅𠤳	衛子弔旡父乍旅𠤳
2877	函交仲旅𠤳	函交中乍旅𠤳、寶用
2887	虢弔旅𠤳一	虢弔乍旅𠤳
2888	虢弔旅𠤳二	虢弔乍旅𠤳
2898	白旅魚父旅𠤳	白旅魚父乍旅𠤳
2899	尹氏弔緐旅匡	吳王御士尹氏弔緐乍旅匡
2900	史𦤎簠	史𦤎乍旅𠤳
2904	善夫吉父旅𠤳	善夫吉父乍旅𠤳
2913	旅虎𠤳一	𩰫__旅虎鑄其寶𠤳
2914	旅虎𠤳二	𩰫__旅虎鑄其寶𠤳
2915	旅虎𠤳三	𩰫__旅虎鑄其寶𠤳
2916	竊𡚬旅𠤳	竊𡚬(始)乍旅匡
2920	脺子仲安旅𠤳	薛子中安乍旅𠤳
2927	商丘弔旅𠤳一	商丘弔乍其旅𠤳
2928	商丘弔旅𠤳一二	商丘弔乍其旅𠤳
2929	師麻孝弔旅𠤳(匡)	師麻s9弔乍旅匡
2930	尹氏賈良旅𠤳(匡)	尹氏賈良乍旅匡
2954	史免旅𠤳	史免乍旅𠤳
2966	蛞公諴旅𠤳	蛞(䣄)公諴(誠)乍旅𠤳
2968	奠白大嗣工召弔山父旅𠤳一	奠白大嗣工召弔山父乍旅𠤳
2969	奠白大嗣工召弔山父旅𠤳二	奠白大嗣工召弔山父乍旅𠤳
2986	曾白霥旅𠤳一	余用自乍旅𠤳
2987	曾白霥旅𠤳二	余用自乍旅𠤳
2988	攸鬲旅鑐	攸鬲乍旅盨(鑐)
2989	白筍父旅盨	白筍父乍旅盨
2993	中白乍嫡姬旅盨一	中白乍嫡姬旅盨用
2994	中白乍嫡姬旅盨二	中白乍嫡姬旅盨用
2999	史𩰫旅盨一	史𩰫乍旅盨(櫃)
3000	史𩰫旅盨二	史𩰫乍旅盨
3001	白鮮旅毁(盨)一	白鮮乍旅毁
3002	白鮮旅毁(盨)二	白鮮乍旅毁
3003	白鮮旅毁(盨)三	白鮮乍旅毁
3004	白鮮旅毁(盨)	白鮮乍旅毁
3005	弔謀父旅盨毁一	弔謀父乍旅盨(鑐)毁
3005.	弔謀父旅盨毁二	弔謀父乍旅盨毁
3006	白多父旅盨一	白多父乍旅盨(須)
3007	白多父旅盨二	白多父乍旅盨(須)
3008	白多父旅盨三	白多父乍旅盨(須)
3009	白多父旅盨四	白多父乍旅盨(須)
3010	立為旅須	立為旅盨(須)
3011	弔姞旅鑐	弔姞乍旅盨(鑐)

3012	仲義父旅盨一	中義父乍旅盨
3013	仲義父旅盨二	中義父乍旅盨
3014	弭弔旅盨	弭弔乍旅盨(鎖)
3015	仲彤盨一	中彡(彤)乍旅盨
3016	仲彤盨二	中彡(彤)乍旅盨
3017	白大師旅盨一	白大師乍旅盨
3018	白大師旅盨(器)二	白大師乍旅盨
3020	割弔旅盨	割弔乍旅盨(須)
3022	白車父旅盨(器)一	白車父乍旅盨
3023	白車父旅盨(器)二	白車父乍旅盨
3024	仲大師旅盨	中大師子為其旅永寶用
3025	白公父旅盨(蓋)	白公父乍旅盨
3027	仲鑠旅盨	中鑠□作鑄旅盨(頟)
3029	周雒旅盨	周雒乍旅須
3030	奠義白旅盨(器)	奠義白乍旅盨(彭)
3031	奠義羌父旅盨一	奠義羌父乍旅盨
3032	奠義羌父旅盨二	奠義羌父乍旅盨
3033	昜弔旅盨	昜弔乍旅須
3034	白孝_旅盨	白孝kd鑄旅盨(須)
3034	白孝_旅盨	永其萬年子子孫孫寶用白孝kd鑄旅盨(須)
3035	魯嗣徒旅𣪘(盨)	魯嗣徒白吳敢肇乍旅𣪘
3036	奠井弔康旅盨	奠井弔康乍旅盨(頯)
3036.	奠井弔康旅盨二	奠井弔康乍旅盨
3038	鬲弔興父旅盨	鬲弔興父乍旅盨(須)
3041	諫季獻旅須	諫季獻乍旅盨(須)
3042	頊燹旅盨	頊變(燹)乍旅盨
3043	遣弔吉父旅須一	遣弔吉父乍虢王姞旅盨(須)
3044	遣弔吉父旅須二	遣弔吉父乍虢王姞旅盨(須)
3045	遣弔吉父旅須三	遣弔吉父乍虢王姞旅盨(須)
3047	改乍乙公旅盨(蓋)	改乍朕文考乙公旅盨
3049	單子白旅盨	單子白乍弔姜旅盨
3050	凫弔乍旅盨	凫弔乍中姬旅盨
3051	兮白吉父旅盨(蓋)	兮白吉父乍旅尊盨
3054	滕侯穌乍旅𣪘	滕侯穌乍氒文考滕中旅𣪘
3055	虢仲旅盨	才成周乍旅盨
3056	師趛乍櫨姬旅盨	師趛乍虓櫨旅盨
3056	師趛乍櫨姬旅盨	師趛乍櫨姬旅盨
3061	弭弔旅盨	弭弔乍弔班旅盨
3075	白汈其旅盨一	白汈其乍旅盨
3076	白汈其旅盨二	白汈其乍旅盨
3081	翏生旅盨一	乍旅盨
3082	翏生旅盨二	乍旅盨
3082	翏生旅盨二	乍旅盨
3085	駒父旅盨(蓋)	四月、還至于蔡、乍旅盨
3086	善夫克旅盨	用乍旅盨
3088	師克旅盨一(蓋)	用乍旅盨
3089	師克旅盨二	用乍旅盨
3110.	元祀豆	隹旅其典祀
3110.	孟_旁豆	孟uG旁乍父旅克豆
3158	旅爵	[旅]

	3160	旅爵	[旅]
	3349	_爵	_旅
	3830	旅父丁爵	[旅]父丁
旅	4025.	旅父丁爵	[旅]父丁
	4037	孟爵	孟乍旅
	4160	□公乍肇彝爵	□公乍旅彝
	4161	_隻乍肇彝爵	_隻乍旅彝
	4171	𤔲乍且辛旅彝爵	𤔲乍且辛旅彝
	4419	仲自父乍旅盉	中自父乍旅盉
	4424	白𩰫乍旅盉	白𩰫乍母rd旅盉
	4434	師子旅盉	師子下湛乍旅盉
	4435	_君盉	pl君婦媿霝乍旅□
	4449	裘衛盉	嗣馬單旅、司工邑人服眔受田燹趙
	4501	旅尊一	[旅]
	4502	旅尊二	[旅]
	4541	乍肇尊	乍旅
	4621	明尊	[明]乍旅
	4622	員乍旅尊	[員]乍旅
	4624	乍旅彝尊	乍旅彝
	4652	乍父乙旅尊	乍父乙旅
	4673	萁乍旅彝尊	萁乍旅彝
	4675	窜乍旅彝尊	窜乍旅彝
	4676	_乍旅彝尊	nm乍旅彝
	4677	𢾊乍旅彝尊	𢾊乍旅彝
	4678	白乍旅彝尊一	白乍旅彝
	4679	白乍旅彝尊二	白乍旅彝
	4689	戈乍旅彝尊一	戈乍旅彝
	4690	戈乍旅彝尊二	戈乍旅彝
	4694	𣪕古乍旅方尊	𣪕古乍旅
	4700	競乍父乙旅尊	競乍父乙旅
	4702	牢乍父辛尊	牢乍父辛旅
	4703	永乍旅父丁尊	永乍旅父丁
	4715	事白尊	吏白乍旅彝
	4721	吏乍小旅彝尊	吏乍小旅彝
	4728	沓乍父丁旅尊	沓乍父丁旅彝
	4748	邢季㚸旅尊	邢季㚸乍旅彝
	4750	雁公旅尊	雁公乍旅彝
	4752	段金𨤢旅尊	段金𨤢乍旅彝
	4757	陵乍父乙旅尊	陵乍父乙旅彝
	4789	亞受丁斿若癸尊一	[亞受旅丁乙止若自癸乙]
	4792	史伏乍父乙旅尊	史伏乍父乙寶旅彝
	4811	盩嗣土幽乍且辛旅尊	盩司土幽乍且辛旅彝
	4814	偖乍父癸尊	偖乍父癸寶尊彝用旅
	4832	畂㵒白逘尊一	[畂]㵒白逘乍𡉚彝考寶旅尊
	4833	畂㵒白逘尊二	[畂]㵒白逘乍𡉚彝考寶旅尊
	4836	_𦋡乍父乙尊	𦋡䍙吏□用乍父乙旅尊彝[冊ap]
	4851	黃尊	黃肇乍文考宋白旅尊彝
	4859	戉箙𢼄尊	乍且丁旅寶彝
	4860	魯侯尊	用乍旅彝
	4867	鍪睘尊	用乍朕文考日癸旅寶[鍪]

4878	召尊	用乍團宮旅彝
4898	伞旅觥	[伞旅]
4956	白豐乍旅方彝一	白豐乍旅彝
4957	白豐乍旅方彝二	白豐乍旅彝
5093	旅彝卣	旅彝
5125	旅父乙卣	[旅]父乙
5161	旅父辛卣	[旅]父辛
5193	乍旅彝卣一	乍旅彝
5194	乍旅彝卣二	乍旅彝
5195	乍車彝卣	乍旅彝
5196	乍旅彝卣	乍旅彝
5198	酉乍旅卣	酉乍旅
5253	弔乍旅卣	弔乍旅彝
5255	𠭯卣一	𠭯乍旅彝
5259	戈乍旅彝卣	[戈]乍旅彝
5260	𠬝乍旅彝卣	乍旅彝[𠬝]
5283	�乍旅彝卣	駓乍旅彝
5293	競乍父乙旅卣	競乍父乙旅
5296	烏乍旅父丁卣(蓋)	[烏]乍旅父丁
5316	漁季卣	漁季乍寶旅彝
5322	䘑乍父戊旅卣	[䘑]乍父戊旅彝
5329	汪白卣	汪白乍寶旅彝
5340	井季㚔旅卣	井季㚔乍旅彝
5343	__䰠父乍旅卣	䰠父乍旅彝[eb]
5352	榮子旅卣	榮子旅乍旅彝
5354	仲自父乍旅彝卣	中自父乍旅彝
5357	乍父丁寶旅彝卣	乍父丁寶旅彝
5379	叀乍父戊旅卣一	叀乍父戊寶旅彝
5415	白乍文公旅卣	白乍文公寶尊旅彝
5415	白乍文公旅卣	白乍文公寶尊旅彝
5420	咢侯弟曆季旅卣	咢侯弟眉季乍旅彝
5422	盩嗣土幽旅卣	盩司土幽乍且辛旅彝
5427	偖乍父癸卣	偖乍父癸寶尊彝、用旅
5429	仲乍好旅卣一	中乍好旅彝
5430	仲乍好旅卣二	中乍好旅彝
5438	敽乍旅彝卣	敽乍旅彝
5446	眲濬白逘旅卣一	[眲]濬白逘乍𡨦考寶旅尊
5465	員卣	員從史旟(旅)伐會
5465	員卣	員孚金、用乍旅彝
5477	單光壴乍父癸簋卣	文考日癸乃__子壴乍父癸旅宗尊彝
5483	周乎卣	周乎鑄旅寶彝
5483	周乎卣	周乎鑄旅寶彝
5489	戊箙啟卣	乍且丁寶旅尊彝
5493	召乍__宮旅卣	用乍𣏟宮旅彝
5496	召卣	用乍團宮旅彝
5507	乍冊䰧卣	用乍日己旅尊彝
5601	旅壺	[旅]
5639	乍旅彝壺	乍旅彝
5640	乍旅壺一	乍旅壺
5641	員乍旅壺	員乍旅壺

旅

旅

5649	亞乍旅彝壺	亞_乍旅彝
5671	榪侯旅壺	榪侯乍旅彝
5673	白彧乍旅彝壺	白彧乍旅彝
5679	白濼父旅壺	白濼父乍旅壺
5702	_侯壺	_侯乍旅壺永寶用
5709	白魚父旅壺	白魚父乍旅壺永寶用
5716	安白異生旅壺	安白異生乍旅壺
5734	商乍旅壺	商(尚)自乍旅壺
5758	匹君壺	匹君兹旅者其成公鑄子孟改賸盥壺
5809	弘乍旅鈃	樂大嗣徒子棘之子引乍旅鈃
5812	仲義父鑐一	中義父乍旅鑐
5813	仲義父鑐二	中義父乍旅鑐
5844	旅觚	[旅]
5945	旅觚一	[旅]
5946	旅觚二	[旅]
6159	旅父辛觚	[旅]父辛
6207	旅父乙觚	[旅]父乙
6284	旅觶	[旅]
6392	乍旅觶	乍旅
6394	旅彝觶	旅彝
6583	員乍旅彝觶一	[員]乍旅彝
6584	員乍旅彝觶二	[員]乍旅彝
6585	刅乍旅彝觶	[刅]乍旅彝
6635	中觶	王大省公族于庚農旅
6664	旅盤	[旅]
6713	亞異侯乍父丁盤	乍父丁寶旅彝[亞異侯]
6721	曾中盤	曾中自乍旅盤
6729	奠登弔旅盤	奠登弔乍旅盨
6793	矢人盤	旅誓日
6793	矢人盤	鮮、且、Jm、旅則誓
6805	甹弔乍旅匜	甹弔乍旅它
6827	甫人父乍旅匜一	甫人父乍旅匜、萬人(年)用
6828	甫人父乍旅匜二	甫人父乍旅匜、萬人(年)用
6842	王婦異孟姜旅匜	王婦異孟姜乍旅它
6846	白正父旅它	白正父乍旅它
6867	弔男父乍為霍姬匜	弔男父乍為霍姬賸旅它
6877	㒒乍旅盉	㒒用乍旅盉
6892	虢弔乍旅盂一	虢弔乍旅盂
6893	虢叔乍旅盂二	虢弔乍旅盂
6895	匽侯旅盂一	匽侯乍旅盂
6896	匽侯旅盂二	匽侯乍旅盂
6902	白公父旅盂	白公父乍旅盂
6920	曾大保旅盆	自乍旅盆
6993	弔旅魚父鐘	朕皇考弔旅魚父
7150	虢叔旅鐘一	虢弔旅日
7150	虢叔旅鐘一	旅敢肈帥井皇考威儀
7150	虢叔旅鐘一	迺天子多易旅休
7150	虢叔旅鐘一	旅對天子魯休揚
7150	虢叔旅鐘一	降旅多福
7150	虢叔旅鐘一	旅其萬年子子孫孫永寶用亯

	7151	虢叔旅鐘二	虢弔旅曰
	7151	虢叔旅鐘二	旅敢肇帥井皇考威儀
	7151	虢叔旅鐘二	迺天子多易旅休
	7151	虢叔旅鐘二	旅對天子魯休揚
	7151	虢叔旅鐘二	降旅多福
	7151	虢叔旅鐘二	旅其萬年子子孫孫永寶用亯
	7152	虢叔旅鐘三	虢弔旅曰
	7152	虢叔旅鐘三	旅敢肇帥井皇考威儀
	7152	虢叔旅鐘三	迺天子多易旅休
	7152	虢叔旅鐘三	旅對天子魯休揚
	7152	虢叔旅鐘三	降旅多福
	7152	虢叔旅鐘三	旅其萬年子子孫孫永寶用亯
	7153	虢叔旅鐘四	虢弔旅曰
	7153	虢叔旅鐘四	旅敢肇帥井皇考威儀
	7153	虢叔旅鐘四	迺天子多易旅休
	7153	虢叔旅鐘四	旅對天子魯休揚
	7153	虢叔旅鐘四	降旅多福
	7153	虢叔旅鐘四	旅其萬年子子孫孫永寶用亯
	7154	虢叔旅鐘五	虢弔旅曰
	7154	虢叔旅鐘五	旅敢肇帥井
	7155	虢叔旅鐘六	迺天子多易旅休
	7155	虢叔旅鐘六	旅對天子魯休揚
	7156	虢叔旅鐘七	降旅多福
	7156	虢叔旅鐘七	旅其萬年子子孫孫永寶用亯
	7548	元年_令戈	_命夜會上庫工帀冶門旅其都
	7692	郾王喜劍一	郾王喜乍畢旅鈦
	7693	郾王喜劍二	郾王喜乍畢旅鈦
	7694	郾王喜劍三	郾王喜乍畢旅鈦
	7695	郾王喜劍四	郾王喜乍畢旅鈦
	7710	郾王職劍	郾王職乍武畢旅劍
	7928	仲乍旅鑵	中乍旅鑵
	7980	旅圓筩器	[旅]
	M160	□貯毀	□□賈罙子鼓罶鑄旅毀
	M252	免簠	用乍旅𥰡彝
	M299	白大師釐盨	白大師釐乍旅盨
	M340	魯伯悆盨	肇乍其皇孝皇母旅盨毀
	M342	魯中齊甗	魯中齊乍旅甗
	M487	魯司徒伯吳毀	魯司徒白吳敢肇乍旅毀
	M582	陳公孫㝨父𤓰	陳公孫訊父乍旅𤓰
	M616	番休伯者君盤	自乍旅盤
			小計：共 492 筆
旜	1108	同旅	
	0781	弔旜鼎	弔旜(旅)乍寶尊鼎
			小計：共 1 筆
旟	1108		

旟
族
旂

1206	旟鼎	王姜易旟田三于待劃
5465	員卣	員從史旟(旅)伐會
		小計：共 2 筆

族 1109

1332	毛公鼎	命女飘嗣公族
1332	毛公鼎	以乃族干(扞)吾王身
2643	史族毀	吏族乍寶毀
2643	史族毀	吏族乍寶毀
2791.	史密毀	齊自、族土(徒)、述人
2791.	史密毀	率族人、釐白、僰、眉
2803	師酉毀一	公族琱釐入
2804	師酉毀二	公族琱釐入
2804	師酉毀二	公族琱釐入
2805	師酉毀三	公族琱釐入
2806	師酉毀四	公族琱釐入
2806.	師酉毀五	公族琱釐入
2840	番生毀	王令飘嗣(司)公族卿吏、大史寮
2855	班毀一	趞令日：以乃族从父征
2855.	班毀二	以乃族從父征
2857	牧毀	公族絚入右牧立中廷
4860	魯侯尊	佳王令明公遣三族伐東或、才vq
5773	陳喜壺	為左大族
6635	中觶	王大省公族于庚農旅
7513	宋公差戈	宋公差之所造不陽族戈
7514	宋公差戈	宋公差之所造柳族戈
7545	秦子戈	秦子乍造公族元用左右市御用逸宜
7562	廿一年奠令戈	廿一年奠命鮀族司寇裕左庫工币吉□冶□
7651	秦子矛	秦子乍□公族元用
M706	曾侯乙編鐘下一・二	大族之珈鐳
M709	曾侯乙編鐘下二・二	大族之宮
M711	曾侯乙編鐘下二・四	大族之珈鐳
M712	曾侯乙編鐘下二・五	大族之商
M713	曾侯乙編鐘下二・七	為大族之徵顀下角
M714	曾侯乙編鐘下二・八	大族之羽
M714	曾侯乙編鐘下二・八	為大族羽角
M738	曾侯乙編鐘中二・十一	夫族之宮
M741	曾侯乙編鐘中三・二	大族之才周號為剌音
M745	曾侯乙編鐘中三・六	大族之鼓
M748	曾侯乙編鐘中三・九	為夫族之徵顀下角
M749	曾侯乙編鐘中三・十	夫族之羽
M749	曾侯乙編鐘中三・十	為夫族羽角
M767	曾侯乙編鐘上三・六	宮角、徵，大族之宮，
		小計：共 38 筆

旂 1110

2778	格白𣪘一	還谷旂mh
2778	格白𣪘一	還谷旂mh
2779	格白𣪘二	還谷旂mh
2780	格白𣪘三	還谷旂mh
2781	格白𣪘四	還谷旂mh
2782	格白𣪘五	還谷旂mh
2782.	格白𣪘六	還谷旂mh
		小計：共 7 筆

旃 1111

4978	吳方彝	𤔲旃眔叔金
		小計：共 1 筆

旋 1112

1331	中山王譽鼎	旋（事）{小子}（少）女（如）長
1331	中山王譽鼎	旋（事）愚女（如）智
2515	小子𩰫乍父丁𣪘	乙未卿旋易小子𩰫貝二百
2656	師害𣪘一	休𠬝成旋
2657	師害𣪘二	休𠬝成旋
2744	五年師旋𣪘一	王曰：師旋
2744	五年師旋𣪘一	旋敢易王休
2745	五年師旋𣪘二	王曰：師旋
2745	五年師旋𣪘二	旋敢易王休
2793	元年師旋𣪘一	遲公入、右師旋即立中廷
2793	元年師旋𣪘一	王乎乍冊尹冊命師旋曰
2793	元年師旋𣪘一	旋拜䭫首
2794	元年師旋𣪘二	遲公入、右師旋即立中廷
2794	元年師旋𣪘二	王乎乍冊尹冊命師旋曰
2794	元年師旋𣪘二	旋拜䭫首
2795	元年師旋𣪘三	遲公入、右師旋即立中廷
2795	元年師旋𣪘三	王乎乍冊尹冊命師旋曰
2795	元年師旋𣪘三	旋拜䭫首
2826	師寰𣪘一	夙夜卹𠬝穡旋（事）
2826	師寰𣪘一	夙夜卹𠬝穡旋（事）
2827	師寰𣪘二	夙夜卹𠬝穡旋（事）
		小計：共 21 筆

旜 1113

2797	輔師𠭰𣪘	易女韋市素黃、䜌旜
		小計：共 1 筆

旃 1114

4917	旃觥	乍父乙寶尊彝[旃]
7121	邻王子旃鐘	邻王子旃羼其吉金
7183	叔夷編鐘二	軍徒旃
7214	叔夷鎛	戮龢三軍徒旃
		小計：共 4 筆

旃 1115

1188	旃弔樊乍易姚鼎	旃弔樊乍易姚寶鼎
		小計：共 1 筆

旛 1116

2773	即毁	馘旛用事
2954	史免匿	用盛旛粱
2972	弔家父匿	用盛旛粱
2984	伯公父匿	用盛糕旛糯粱
2983	弭仲寶匿	用成秫旛(稻)糕粱
		小計：共 1 筆

旛 1117

2569	鼎卓林父毁	用亯用孝、旛饗壽
2613	白梡乍宄寶毁	唯用旛衆萬年
2628	畢鮮毁	用旛饗壽魯休
2667	尌仲毁	用亯用孝、旛匄饗壽
2686	仲枏父毁二	用旛
2712	敔姜毁	旛匄康䟫屯右
2725.	縈星毁	用旛康匄屯右通彔魯令
2727	蔡姞乍尹弔毁	用旛匄饗壽
2746	追毁一	用旛匄饗壽永令
2747	追毁二	用旛匄饗壽永令
2748	追毁三	用旛匄饗壽永令
2749	追毁四	用旛匄饗壽永令
2750	追毁五	用旛匄饗壽永令
2751	追毁六	用旛匄饗壽永令
2766	三兒毁	用旛萬年饗壽
2841	苂白毁	用旛屯彔永命魯壽子孫
2844	頌毁一	用追孝旛匄康䟫屯右
2845	頌毁二	用追孝旛匄康䟫屯右
2845	頌毁二	用追孝旛匄康䟫屯右
2846	頌毁三	用追孝旛匄康䟫屯右
2847	頌毁四	用追孝旛匄康䟫屯右
2848	頌毁五	用追孝旛匄康䟫屯右
2849	頌毁六	用追孝旛匄康䟫屯右
2850	頌毁七	用追孝旛匄康䟫屯右
2851	頌毁八	用追孝旛匄康䟫屯右

2958	陳公子匠	用旛釁壽
2961	陳侯乍媵匠一	用旛釁壽無彊
2962	陳侯乍媵匠二	用旛釁壽無彊
2963	陳侯匠	用旛釁壽無彊
2967	陳侯乍孟姜朕匠	用旛釁壽
2972	弔家父乍仲姬匠	用旛釁考無彊
2976	盤公匠	目旛釁壽
3063	遡乍姜淠盨	用旛釁壽屯魯
3063	遡乍姜淠盨	用旛釁壽屯魯
3096	齊侯乍孟姜善辜	用旛釁壽、萬年無彊
3121.	大宰歸父鑪	以旛釁壽
5583	不白夏子罍一	用旛釁壽無彊
5584	不白夏子罍二	用旛釁壽無彊
5752	陳侯壺	用旛釁壽無彊
5768	虞嗣寇白吹壺一	用旛釁壽
5769	虞嗣寇白吹壺二	用旛釁壽
5786	𡚬季良父壺	用旛匄釁壽
5787	汈其壺一	用旛多福釁壽
5788	汈其壺二	用旛多福釁壽
5799	頌壺一	旛匄康𩁹屯右
5800	頌壺二	旛匄康𩁹屯右
5810	喪鈃	用旛釁壽
6750	白侯父盤	用旛釁壽萬年用之
6768	齊大宰歸父盤一	台旛釁壽
6769	齊大宰歸父盤二	台旛釁壽
6777	邛仲之孫白戔盤	用旛釁壽萬年無彊
6780	黃大子白克盤	用旛釁壽萬年無彊
6782	者尚余卑盤	用旛釁壽萬年
6871	陳子匜	用旛釁壽萬年無彊
7037	遲父鐘	乃用旛匄多福
7059	師臾鐘	用旛屯魯永令
7060	昊生鐘一	用旛康𩁹屯魯、用受
7175	王孫遺者鐘	用旛釁壽
7213	𨍭鎛	用旛侯氏永命萬年
7215	其次勾鑃一	用旛萬壽
7216	其次勾鑃二	用旛萬壽
		小計：共 61 筆

旛 1118

3087	鬲从盨	大史旛曰
		小計：共 1 筆

星 1119

2725.	桒星毁	桒星父乍匋中姞寶毁
		小計：共 1 筆

參 1120

0747	梁上官鼎	梁上官廚參分
0747	梁上官鼎	宜詢(信)tb宰廚參分
0748	上樂床三分鼎	上樂床廚參分
1325	五祀衛鼎	迺令參有嗣嗣土邑人趙
1327	克鼎	易女叔市參同、苹恩
1330	曶鼎	歡日于王參門
1331	中山王譽鼎	親達(率)參(三)軍之眾
1331	中山王譽鼎	及參(三)世亡不若(赦)
1332	毛公鼎	雩參有嗣、小子、師氏、虎臣雩朕褻事
2801	五年召白虎毁	公宕其參
2837	敔毁一	內伐湞、昂、參泉、裕敏、陰陽洛
3128	魚鼎匕	參之蚰蚘命
4398	箙參父乙盉	[箙參]父乙
4449	裘衛盉	單白迺令參有司;嗣土敚邑
4890	盠方尊	王行參有嗣
4979	盠方彝一	王行參有嗣
4980	盠方彝二	王行參有嗣
7112	者減鐘一	若參壽
7113	者減鐘二	若參壽
7176	㝬鐘	參壽隹利
7725	元年劍	右庫工帀杜生、冶參執齊
7863	戲參量	戲參

小計：共 22 筆

月 1121

1032	㝵乍父丁鼎	乙_□□_貝□用乍父丁彝、才六月
1032	㝵乍父丁鼎	遘于□癸□□月[㝵]
1056	曾白從寵鼎	隹王十月既吉
1070	鄲孝子鼎	王四月、鄲孝子台(以)庚寅之日
1072	痃乍其鬳鼎	隹正月初痃乍其鬳鬲貞貞(鼎)
1121	唯弔從王南征鼎	隹八月才闌应
1121	唯弔從王南征鼎	隹八月才皕应
1128	_白氏鼎	唯鄧八月初吉
1134	陳侯鼎	隹正月初吉丁亥
1139	寓鼎	隹二月既生霸丁丑
1161	白吉父鼎	隹十又二月初吉
1164	旅乍文父日乙鼎	唯八月初吉辰才乙卯
1165	大師鐘白乍石鼮	隹正月初吉己亥
1166	玆太子鼎	隹九月之初吉丁亥
1174	昜乍旅鼎	唯十月事于曾
1175	白鮮乍旅鼎一	隹正月初吉庚午
1176	白鮮乍旅鼎二	隹正月初吉庚午
1177	白鮮乍旅鼎三	隹正月初吉庚午
1184	德方鼎	隹三月王才成周
1187	員乍父甲鼎	唯正月既望癸酉
1195	戈弔朕鼎一	隹八月初吉庚申

1196	𢦏弔朕鼎二	佳八月初吉庚申
1197	𢦏弔朕鼎三	佳八月初吉庚申
1200	散白車父鼎一	佳王四年八月初吉丁亥
1201	𢿤白車父鼎二	唯王四月八月初吉丁亥
1202	𢿤白車父鼎三	唯王四年八月初吉丁亥
1203	𢿤白車父鼎四	唯王四年八月初吉丁亥
1205	公朱左𠂤鼎	公朱左𠂤十一年十一月
1205.	邋鼎	唯七月初吉甲戌
1206	旟鼎	唯八月初吉
1210	甯_鼎	才二月
1211	庚兒鼎一	佳正月初吉丁亥
1212	庚兒鼎二	佳正月初吉丁亥
1213	師趛鼎一	佳九月初吉庚寅
1214	師趛鼎二	佳九月初吉庚寅
1215	麥鼎	佳十又一月
1216	貿鼎	佳十又二月初吉壬午
1218	寡兒鼎	佳正八月初吉壬申
1219	戍嗣子鼎	佳王窩闌大室、才九月
1220	鄭公鼎	佳王八月既望
1221	井鼎	佳七月、王才葊京
1222	寂鼎一	佳十又一月
1223	寂鼎二	佳十又一月
1224	王子吳鼎	佳正月初吉丁亥
1225	䣄大史申鼎	佳正月初吉辛亥
1228	歆𡴡方鼎	佳二月初吉庚寅
1231	楚王酓忓鼎一	正月吉日
1232	楚王酓忓鼎二	正月吉日
1234	旅鼎	才十又一月庚申
1235	不栺方鼎一	佳八月既望戊辰
1236	不栺方鼎甲二	佳八月既望戊辰
1241	蔡大師𦣞鼎	佳正月初吉丁亥
1243	仲_父鼎	唯王五月初吉丁亥
1244	瘨鼎	佳三年四月庚午
1248	庚嬴鼎	佳廿又二年四月既望己酉
1249	害鼎	佳九月既生霸辛酉、才匽
1255	作冊大鼎一	佳四月既生霸己丑
1256	作冊大鼎二	佳四月既生霸己丑
1257	作冊大鼎三	佳四月既生霸己丑
1258	作冊大鼎四	佳四月既生霸己丑
1259	鄀公䧢鼎	佳十又四月
1260	我方鼎	佳十月又一月丁亥
1261	我方鼎二	佳十月又一月丁亥
1262	守鼎	佳王九月既望乙巳
1263	呂方鼎	唯五月既死霸辰才壬戌
1264	蚉鼎	佳三月初吉
1265	𧦝弔鼎	佳王正月初吉乙丑
1266	鄀公平侯鼑一	佳鄀八月初吉癸未
1267	鄀公平侯鼑二	佳鄀八月初吉癸未
1268	梁其鼎一	佳五月初吉壬申
1269	梁其鼎二	佳五月初吉壬申

月

月

1270	小臣夌鼎	正月、王才成周
1271	史獸鼎	十又一月癸未
1272	剌鼎	唯五月、王才囗
1273	師湯父鼎	隹十又二月初吉丙午
1274	哀成弔鼎	正月庚午、嘉日
1276	二季鼎	隹五月既生霸庚午
1277	七年趞曹鼎	隹七年十月既生霸
1278	十五年趞曹鼎	隹十又五年五月既生霸壬午
1279	中方鼎	隹十又三月庚寅
1280	康鼎	唯三月初吉甲戌
1281	史頌鼎一	隹三年五月丁子（巳）
1282	史頌鼎二	隹三年五月丁子（巳）
1283	微䜌鼎	隹王廿又三年九月
1284	尹姞鼎	隹六月既生霸乙卯
1285	㦰方鼎一	隹九月既望乙丑、才盩自
1286	大夫始鼎	隹三月初吉甲寅、王才龢宮
1290	利鼎	唯王九月丁亥
1291	善夫克鼎一	隹王廿又三年九月
1292	善夫克鼎二	隹王廿又三年九月
1293	善夫克鼎三	隹王廿又三年九月
1294	善夫克鼎四	隹王廿又三年九月
1295	善夫克鼎五	隹王廿又三年九月
1296	善夫克鼎六	隹王廿又三年九月
1297	善夫克鼎七	隹王廿又三年九月
1298	師旂鼎	唯三月丁卯
1300	南宮柳鼎	隹王五月初吉甲寅
1301	大鼎一	隹十又五年三月既霸丁亥
1302	大鼎二	隹十又五年三月既霸丁亥
1303	大鼎三	隹十又五年三月既霸丁亥
1304	王子午鼎	隹正月初吉丁亥
1305	師奎父鼎	隹六月既生霸庚寅
1306	無叀鼎	隹九月既望甲戌
1308	白晨鼎	隹王八月辰才丙午
1309	寰鼎	隹廿又八年五月既望庚寅
1310	鬲攸從鼎	隹卅又一年三月初吉壬辰
1311	師晨鼎	隹三年三月初吉甲戌
1312	此鼎一	隹十又七年十又二月既生霸乙卯
1313	此鼎二	隹十又七年十又二月既生霸乙卯
1314	此鼎三	隹十又七年十又二月既生霸乙卯
1315	善鼎	唯十又一月初吉辰才丁亥
1317	善夫山鼎	隹卅又七年正月初吉庚戌
1318	晉姜鼎	隹王九月乙亥
1319	頌鼎一	隹三年五月既死霸甲戌
1320	頌鼎二	隹三年五月既死霸甲戌
1321	頌鼎三	隹三年五月既死霸甲戌
1322	九年裘衛鼎	隹九年正月既死霸庚辰
1323	師訊鼎	唯王八祀正月辰才丁卯
1325	五祀衛鼎	隹正月初吉庚戌
1326	多友鼎	隹十、月用厰𢦚放興
1328	盂鼎	隹九月、王才宗周、令盂

月

1329	小字盂鼎	隹八月□□□□□昧喪
1330	曶鼎	隹王元年六月既望乙亥
1330	曶鼎	隹王四月既生霸、辰才丁酉
1504	奠師□父鬲	隹五月初吉丁酉
1527	釐先父鬲	隹十又二月初吉
1528	公姞鬲鼎	隹十二月既生霸
1529	仲柟父鬲一	隹六月初吉
1530	仲柟父鬲二	隹六月初吉
1531	仲枏父鬲三	隹六月初吉
1532	仲枏父鬲四	隹六月初吉
1533	尹姞寶鬲一	隹六月既生霸乙卯
1534	尹姞寶鬲二	隹六月既生霸乙卯
1659	白鮮旅甗	隹正月初吉庚寅
1665	王孫壽飤甗	隹正月初吉丁亥
1666	遹乍旅甗	隹六月既死霸丙寅
1667	陳公子弔遠父甗	隹九月初吉丁亥
2392	__白段	隹九月初吉叡龍白自乍其寶段
2450	禾乍皇母孟姬段	隹正月己亥
2480	是要段	隹十月是要乍文考寶段
2481	是要段	隹十月是要乍文考寶段
2512	乙自乍歆𨥶	十月丁亥、乙自乍飤𨥶
2542	辰才寅□□段	隹七月既生霸辰才寅
2547	格白乍晉姬段	隹三月初吉
2548	仲惠父餗段一	隹王正月 中叀父乍餗段
2549	仲惠父餗段二	隹王正月中叀父乍餗段
2559	白中父段	隹五月辰才壬寅
2567.	戊寅段	隹王八月、才貝、戊寅
2568	__矸乍父辛段	隹八月甲申、公中才宗周
2570	榮段	隹正月甲申榮各
2584	邘正衛段	五月初吉甲申
2588	毛关段	隹大月初吉丙申
2592	鄧公段	隹鄬(鄧)九月初吉
2595	奠虢仲段一	隹十又一月既生霸庚戌
2596	奠虢仲段二	隹十又一月既生霸庚戌
2597	奠虢仲段三	隹十又一月既生霸庚戌
2598	燮乍宮仲念器	隹八月初吉庚午
2601	向𩰫乍旅段一	隹王五月甲寅
2602	向𩰫乍旅段二	隹王五月甲寅
2603	白吉父段	唯十又二月
2608	官差父段	隹王正月既死霸乙卯
2612	不壽段	隹九月初吉戊辰
2621	雁侯段	隹正月初吉丁亥
2626	奢乍父乙段	隹十月初吉辛巳
2627	伊段	六月初吉癸卯
2032	陳逆段	冰月丁亥
2633	相侯段	隹五月乙亥
2635	賢段一	唯九月初吉庚午
2636	賢段二	唯九月初吉庚午
2637	賢段三	唯九月初吉庚午
2638	賢段四	唯九月初吉庚午

月

2639	遹毁	唯七月初吉甲戌
2643	史族毁	隹三月既望乙亥
2643	史族毁	隹三月既望
2644	命毁	隹十又一月初吉甲申
2652	_毁	隹八月既生霸
2653	䝨毁	隹八月初吉丁亥
2654	䙹乍文父丁毁	才十月彡(肜)日[䙹]
2655	小臣静毁	隹十又三月
2661	競毁一	隹六月既死霸壬申
2662	競毁二	隹六月既死霸壬申
2662.	宴毁一	隹正月初吉庚寅
2662.	宴毁二	隹正月初吉庚寅
2663	宴毁一	隹正月初吉庚寅
2664	宴毁二	隹正月初吉庚寅
2665	_弔毁	隹王三月初吉癸卯
2666	鑄弔皮父毁	隹一月初吉
2668	散季毁	隹王四年八月初吉丁亥
2676	旅肄乍父乙毁	才十月一、隹王廿祀劦日
2681	鄦侯毁	隹五年正月丙午
2684	_寵乎毁	隹正二月既死霸壬戌
2685	仲枏父毁一	隹六月初吉
2686	仲枏父毁二	隹六月初吉
2687	敔毁	隹四月初吉丁亥
2688	大毁	唯六月初吉丁巳
2690.	相侯毁	隹五月乙亥
2693	𪓐毁	隹正月初吉
2695	㣇兑毁	隹正月初吉甲午
2698	陳肪毁	隹王五月元日丁亥
2703	免乍旅毁	隹三月既生霸乙卯
2705	君夫毁	唯正月初吉乙亥
2706	䢵公教人毁	隹䢵正二月初吉乙丑
2707	小臣守毁一	隹五月既死霸辛未
2708	小臣守毁二	隹五月既死霸辛未
2709	小臣守毁三	隹五月既死霸辛未
2710	肄自乍寶器一	唯十又二月既生霸丁亥
2711	肄自乍寶器二	唯十又二月既生霸丁亥
2711.	乍冊般毁	隹正月初吉戊辰
2721	㒼毁	唯六月既生霸辛己
2722	鋞弔乍豐姞旅毁	唯王五月辰才丙戌
2723	沓毁	隹四月初吉丁卯
2725	師毛父毁	隹六月既生霸戊戌
2725.	桼星毁	隹一月既望丁亥
2726	曶毁	隹元年三月丙寅
2730	獻毁	隹九月既望庚寅
2731	小臣宅毁	隹五月壬辰
2732	曾仲大父蛕蚑毁	唯五月既生霸庚申
2733	何毁	隹三月初吉庚午
2734	遹毁	隹六月既生霸
2736	師遽毁	隹王三祀四月既生霸辛酉
2737	段毁	唯王十又四祀十又一月丁卯

2738	衛殷	隹八月初吉丁亥
2739	無曩殷一	隹十又三年正月初吉壬寅
2740	無曩殷二	隹十又三年正月初吉壬寅
2741	無曩殷三	隹十又三年正月初吉壬寅
2742	無曩殷四	隹十又三年正月初吉壬寅
2742.	無曩殷五	隹十又三年正月初吉壬寅
2742.	無曩殷五	隹十又三年正月初吉壬寅
2743	虢殷	唯王正月辰才甲午
2744	五年師旋殷一	隹王五年九月既生霸壬午
2745	五年師旋殷二	隹王五年九月既生霸壬午
2752	史頌殷一	隹三年五月丁已
2753	史頌殷二	隹三年五月丁已
2754	史頌殷三	隹三年五月丁已
2755	史頌殷四	隹三年五月丁已
2756	史頌殷五	隹三年五月丁已
2757	史頌殷六	隹三年五月丁已
2758	史頌殷七	隹三年五月丁已
2759	史頌殷八	隹三年五月丁已
2759	史頌殷九	隹三年五月丁已
2760	小臣謎殷一	唯十又一月
2761	小臣謎殷二	唯十又一月
2762	免殷	隹十又二月初吉
2764	艾殷	隹三月、王令榮眔內吏曰
2765	殺殷	隹二月初吉
2766	三兒殷	隹王二年□月初吉丁巳
2767	虘殷一	正月既望甲午
2768	楚殷	仕正月初吉丁亥
2769	師耤殷	隹八月初吉戊寅
2770	截殷	隹正月乙巳
2771	弭弔師求殷一	隹五月初吉甲戌
2772	弭弔師求殷二	隹五月初吉甲戌
2773	即殷	隹王三月初吉庚申
2774.	南宮弔殷	隹三月初吉□卯
2775	裘衛殷	隹廿又七年三月既生霸戊戌
2775.	害殷一	隹四月初吉
2775.	害殷二	隹四月初吉
2776	走殷	隹王十又二年三月既望庚寅
2778	格白殷一	隹正月初吉癸巳
2778	格白殷一	隹正月初吉癸巳
2779	格白殷二	隹正月初吉癸巳
2780	格白殷三	隹正月初吉癸巳
2781	格白殷四	隹正月初吉癸巳
2782	格白殷五	隹正月初吉癸巳
2782.	格白殷六	殷隹正月初吉癸巳
2783	趞殷	唯二月、王才宗周、戊寅
2784	申殷	隹正月初吉丁卯
2785	王臣殷	隹二年三月初吉庚寅
2786	縣妃殷	隹十又二月既望辰才壬午
2787	望殷	隹王十又三年六月初吉戊戌
2787	望殷	隹王十又三年六月初吉戊戌

月

2788	靜毀	隹六月初吉
2788	靜毀	雩八月初吉庚寅
2789	同毀一	隹十又二月初吉丁丑
2790	同毀二	隹十又二月初吉丁丑
2791	豆閉毀	唯王二月既眚霸
2791.	史密毀	隹十又二月
2792	師俞毀	唯三年三月初吉甲戌
2793	元年師旋毀一	隹王元年四月既生霸
2794	元年師旋毀二	隹王元年四月既生霸
2795	元年師旋毀三	隹王元年四月既生霸
2796	諫毀	隹五年三月初吉庚寅
2796	諫毀	隹五年三月初吉庚寅
2797	輔師嫠毀	隹王九月既生霸甲寅
2798	師瘨毀一	隹二月初吉戊寅
2799	師瘨毀二	隹二月初吉戊寅
2800	伊毀	隹王廿又七年正月既望丁亥
2801	五年召白虎毀	隹五正月己丑
2802	六年召白虎毀	隹六年四月甲子
2803	師酉毀一	隹王元年正月
2804	師酉毀二	隹王元年正月
2804	師酉毀二	酉其萬年子子孫孫永寶用（蓋）隹王元年正月
2805	師酉毀三	隹王元年正月
2806	師酉毀四	隹王元年正月
2806.	師酉毀五	隹王元年正月
2807	郙毀一	隹二年正月初吉
2808	郙毀二	隹二年正月初吉
2809	郙毀三	隹二年正月初吉
2810	揚毀一	隹王九月既眚霸庚寅
2811	揚毀二	隹王九月既眚霸庚寅
2812	大毀一	隹十又二年三月既生霸丁亥
2813	大毀二	隹十又二年三月既生霸丁亥
2814	鳥冊夨令毀一	隹九月既死霸丁丑
2814.	夨令毀二	隹九月既死霸丁丑
2815	師毀毀	隹王元年正月初吉丁亥
2816	彔白刻毀	隹王正月辰才庚寅
2817	師顈毀	隹王元年九月既朢丁亥
2818	此毀一	隹十又七年十又二月既生霸乙卯
2819	此毀二	隹十又七年十又二月既生霸乙卯
2820	此毀三	隹十又七年十又二月既生霸乙卯
2821	此毀四	隹十又七年十又二月既生霸乙卯
2822	此毀五	隹十又七年十又二月既生霸乙卯
2823	此毀六	隹十又七年十又二月既生霸乙卯
2824	此毀七	隹十又七年十又二月既生霸乙卯
2825	此毀八	隹十又七年十又二月既生霸乙卯
2828	宜侯夨毀	隹四月辰才丁未
2829	師虎毀	隹六年六月既望甲戌
2830	三年師兌毀	隹三年二月初吉丁亥
2831	元年師兌毀一	隹元年五月初吉甲寅
2832	元年師兌毀二	隹元年五月初吉甲寅
2836	刻毀	隹六月初吉乙酉、才堂（盉）𠂤

2837	敔𣪘一	隹王十月、王才成周
2837	敔𣪘一	隹王十又一月
2838	師𣪘𣪘一	隹十又一年九月初吉丁亥
2838	師𣪘𣪘一	隹十又一年九月初吉丁亥
2839	師𣪘𣪘二	隹十又一年九月初吉丁亥
2839	師𣪘𣪘二	隹十又一年九月初吉丁亥
2841	茾白𣪘	隹王九年九月甲寅
2841	茾白𣪘	二月、眉敖至
2842	卯𣪘	隹王十又一月既生霸丁亥
2844	頌𣪘一	隹三年五月既死霸甲戌
2845	頌𣪘二	隹三年五月既死霸甲戌
2845	頌𣪘二	隹三年五月既死霸甲戌
2846	頌𣪘三	隹三年五月既死霸甲戌
2847	頌𣪘四	隹三年五月既死霸甲戌
2848	頌𣪘五	隹三年五月既死霸甲戌
2849	頌𣪘六	隹三年五月既死霸甲戌
2850	頌𣪘七	隹三年五月既死霸甲戌
2851	頌𣪘八	隹三年五月既死霸甲戌
2852	不𡢁𣪘一	唯九月初吉戊申
2853	不𡢁𣪘二	唯九月初吉戊申
2853.	__弔𣪘	隹王三月初吉辛卯
2853.	尹𣪘	隹二月
2855	班𣪘一	隹八月初吉才宗周甲戌
2855.	班𣪘二	隹八月初吉
2856	師訇𣪘	隹元年二月既望庚寅
2857	牧𣪘	隹王七年又三月既生霸甲寅
2934	曾子遽彝匠	隹九月初吉庚申
2942	楚子__臥匠一	隹八月初吉庚申
2943	楚子__臥匠二	隹八月初吉庚申
2944	楚子__臥匠三	隹八月初吉庚申
2946	曾子□匠	隹正月初吉丁亥
2961	陳侯乍媵匠一	隹正月初吉丁亥
2962	陳侯乍媵匠二	隹正月初吉丁亥
2963	陳侯匠	隹正月初吉丁亥
2967	陳侯乍孟姜朕匠	隹正月初吉丁亥
2970	考弔脂父尊匠一	隹正月初吉丁亥
2971	考弔脂父尊匠二	隹正月初吉丁亥
2973	楚屈子匠	隹正月初吉丁亥
2974	上鄀府匠	隹正六月初吉丁亥
2975	鄦子妝匠	隹正月初吉丁亥
2976	盤公匠	隹王正月初吉丁亥
2977	□孫弔左𨽻匠	隹正月初吉丁亥
2978	樂子敬𨟻匠	隹正月初吉丁亥
2979	弔朕自乍薦匠	隹十月初吉庚午
2979.	弔朕自乍薦匠二	十月初吉庚午
2980	鼄大宰𨽻匠一	隹正月初吉
2981	鼄大宰𨽻匠二	隹正月初吉
2982	長子□臣乍媵匠	隹正月初吉丁亥
2982	長子□臣乍媵匠	隹正月初吉丁亥
2982.	甲午匠	隹甲午八月丙寅

月

2985	陳逆匿一	隹王正月初吉丁亥
2985.	陳逆匿二	隹王正月初吉丁亥
2985.	陳逆匿三	隹王正月初吉丁亥
2985.	陳逆匿四	隹王正月初吉丁亥
2985.	陳逆匿五	隹王正月初吉丁亥
2985.	陳逆匿六	隹王正月初吉丁亥
2985.	陳逆匿七	隹王正月初吉丁亥
2985.	陳逆匿八	隹王正月初吉丁亥
2985.	陳逆匿九	隹王正月初吉丁亥
2985.	陳逆匿十	隹王正月初吉丁亥
2986	曾白霥旅匿一	隹王九月初吉庚午
2987	曾白霥旅匿二	隹王九月初吉庚午
3056	師趛乍檇姬旅盨	隹王正月既望
3056	師趛乍檇姬旅盨	隹王正月既望
3061	弭弔旅盨	隹五月既生霸庚午
3068	白寬父盨一	隹卅又三年八月既死辛卯
3069	白寬父盨二	隹卅又三年八月既死辛卯
3077	弔專父乍奠季盨一	六月初吉丁亥
3078	弔專父乍奠季盨二	六月初吉丁亥
3079	弔專父乍奠季盨三	六月初吉丁亥
3080	弔專父乍奠季盨四	六月初吉丁亥
3083	瘨毁(盨)一	隹四年二月既生霸戊戌
3084	瘨毁(盨)二	隹四年二月既生霸戊戌
3085	駒父旅盨(蓋)	唯王十又八年正月
3085	駒父旅盨(蓋)	四月、還至于蔡、乍旅盨
3086	善夫克旅盨	隹十又八年十又二月初吉庚寅
3087	鬲从盨	隹王廿又五年七月既□□□
3095	拍乍祀彝(蓋)	隹正月吉日乙丑
3100	陳侯因資錞	隹正六月癸未
3121.	大宰歸父鑪	隹王八月丁亥
4203	御正良爵	隹四月既望丁亥
4242	麿冊宰椃乍父丁角	才六月隹王廿祀昱又五
4343	亞吴小臣邑斝	隹王六祀肜日、才四月[亞吴]
4344	嘉仲父斝	隹元年正月初吉丁亥
4447	臣辰冊冊㚤乍冊父癸盉	才五月既望辛酉
4448	長甶盉	隹三月初吉丁亥
4449	裘衛盉	隹三年三月既生霸壬寅
4868	趞乍姑尊	隹十又三月辛卯、王才序
4869	次尊	隹二月初吉丁卯
4870	獎商尊	隹五月辰才丁亥
4871	䵼幸豐尊	隹六月既生霸乙卯
4873	臣辰冊㝏冊乍父癸尊	才五月既□□□酉
4875	忻折尊	隹五月王才序、戊子
4876	保尊	才二月既望
4878	召尊	隹九月才炎自、甲午
4880	免尊	隹六月初吉
4882	匡乍文考日丁尊	隹四月初吉甲午
4883	耳尊	隹六月初吉辰才辛卯
4884	䟫尊	隹十又三月既生霸丁卯
4885	效尊	隹四月初吉甲午

4886	趞尊	隹三月初吉乙卯
4887	蔡侯𨛭尊	元年正月初吉辛亥
4888	盠駒尊一	隹王十又三月、辰才甲申
4890	盠方尊	唯八月初吉
4891	何尊	才四月丙戌
4892	麥尊	于若二月
4893	矢令尊	隹八月、辰才甲申
4893	矢令尊	隹十月月吉癸未
4928	折觥	隹五月王才庈、戊子
4975	麥方彝	才八月乙亥、辟井侯光氒正吏
4976	折方彝	隹五月王才庈、戊子
4977	師遽方彝	隹正月既生霸丁酉
4978	吳方彝	隹二月初吉丁亥
4979	盠方彝一	唯八月初吉
4980	盠方彝二	唯八月初吉
4981	𣪕冊令方彝	隹八月、辰才甲申
4981	𣪕冊令方彝	隹十月月吉癸未
5462	㝨白乍父乙卣一	隹王八月、㝨白易貝于姜
5463	㝨白乍父乙卣二	隹王八月、㝨白易貝于姜
5473	同乍父戊卣	隹十又一月
5475	六祀𢆶卯其卣	才六月隹王六祀翌日[亞獏]
5476	趞乍姞寶卣	隹十又三月辛卯
5478	次卣	隹二月初吉丁卯
5479	奘商乍文辟日丁卣	隹五月辰才丁亥
5480	冊牵冊豐卣	隹六月既生霸乙卯
5480	冊牵冊豐卣	隹六月既生霸乙卯
5483	周乎卣	隹九月既生霸乙亥
5483	周乎卣	隹九月既生霸乙亥
5485	貉子卣一	唯正月丁丑
5486	貉子卣二	唯正月丁丑
5487	靜卣	隹四月初吉丙寅
5488	靜卣二	隹四月初吉丙寅
5491	亞獏二祀𢆶卯其卣	才正月遘于匕丙彡日大乙爽
5492	亞獏四祀𢆶卯其卣	才四月隹王四祀翌日
5493	召乍_宮旅卣	隹十又二月初吉丁卯
5494	奘𡚸乍母辛卣	才十月二
5495	保卣	才二月既望
5495	保卣	才二月既望
5496	召卣	唯九月才炎𠂤、甲午
5497	農卣	隹正月甲午、王才S2应
5500	免卣	隹六月初吉、王才鄭、丁亥
5501	臣辰冊冊夕卣一	才五月既望辛酉
5502	臣辰冊冊夕卣二	才五月既望辛酉
5503	競卣	正月既生霸辛丑、才坏
5504	庚贏卣一	隹王十月既望辰才己丑
5505	庚贏卣二	隹王十月既望辰才己丑
5506	小臣傳卣	隹五月既望甲子
5507	乍冊䰧卣	十二月既望乙亥
5507	乍冊䰧卣	雩四月既生霸庚午
5509	𤔲卣	隹十又二月

月

月

5511	效卣一	隹四月初吉甲午
5518	女罍	[月女]
5583	不白夏子罍一	隹正月初吉丁亥
5584	不白夏子罍二	隹正月初吉丁亥
5597	次甗	隹二月初吉丁卯
5726	華母薦壺	隹正月初吉庚午
5727	廿九年東周左自歓壺	廿九年十二月
5762	吕行壺	唯三月、白懋父北征
5773	陳喜壺	陳喜再立事歲pf月己酉
5775	蔡公子壺	隹正月初吉庚午
5777	孫弔師父行具	隹王正月初吉甲戌
5778	番匊生鑄賸壺	隹廿又六年十月初吉己卯
5779	安邑下官鍾	七年九月
5780	公孫窹壺	公孫窹立事歲飯ho月
5785	史懋壺	隹八月既死霸戊寅
5787	沕其壺一	隹五月初吉壬申
5788	沕其壺二	隹五月初吉壬申
5789	命瓜君厚子壺一	隹十年四月吉日
5790	命瓜君厚子壺二	隹十月四吉日
5791	十三年瘐壺一	隹十又三年九月初吉戊寅
5792	十三年瘐壺一	九月初吉戊寅
5793	幾父壺一	隹五月初吉庚午
5794	幾父壺二	隹五月初吉庚午
5795	白克壺	隹十又六年七月既生霸乙未
5796	三年瘐壺一	隹三年九月丁子
5797	三年瘐壺二	隹三年九月丁子
5798	曶壺	隹正月初吉丁亥
5799	頌壺一	隹三年五月既死霸甲戌
5800	頌壺二	隹三年五月既死霸甲戌
5804	齊侯壺	隹王正月初吉丁亥
5816.	伯亞臣罏	隹正月初吉丁亥
5824	孟縢姬賸缶	隹正月初吉丁亥
5825	䜌書缶	正月季春元日己丑
6532	冊冊月觶	[冊月]
6633	斱乍文考觶	隹四月
6634	郐王義楚祭耑	隹正月吉日丁酉
6758	殷穀盤一	隹正月初吉
6759	殷穀盤二	隹正月初吉
6766	黃韋艅父盤	隹元月初吉庚申
6768	齊大宰歸父盤一	隹王八月丁亥
6769	齊大宰歸父盤二	隹王八月丁亥
6770	𪓐白盤	隹正月初吉庚午
6773	湯弔盤	隹正月初吉壬午
6776	楚王酓志盤	正月吉日
6777	邛仲之孫白戔盤	隹王月初吉丁亥
6778	免盤	隹五月初吉
6780	黃大子白克盤	隹王正月初吉丁亥
6781	夆弔盤	隹王正月初吉丁亥
6782	者尚余卑盤	隹王正月初吉丁亥
6784	三十四祀盤(祼盤)	隹王卅又四祀唯五月既望戊午

6785	守宮盤	隹正月既生霸乙未
6787	走馬休盤	隹廿年正月既望甲戌
6788	蔡侯𨙶盤	元年正月初吉辛亥
6789	寰盤	隹廿又八年五月既望庚寅
6790	虢季子白盤	隹十又二年正月初吉丁亥
6791	兮甲盤	隹五年三月既死霸庚寅
6793	矢人盤	唯王九月辰才乙卯
6855	貯子匜	隹王二月
6865	楚嬴匜	隹王正月初吉庚午
6869	浮公之孫公父宅匜	唯王正月初吉庚午
6870	箕公孫㝬父匜	隹正月初吉庚午
6871	𨾊子匜	隹正月初吉丁亥
6874	鄭大內史弔上匜	隹十又二月初吉乙巳
6876	夆弔乍季妃盥盤(匜)	隹王正月初吉丁亥
6877	𠑇乍旅盉	隹三月既死霸甲申
6888	吳王光鑑一	隹王五月既字白期吉日初庚
6889	吳王光鑑二	隹王五月既字白期吉日初庚
6905	要君𩊧盂	隹正月初吉
6908	郐宜同歙盂	隹正月初吉日己酉
6909	𨑒盂	隹正月初吉
6921	鄧子仲盆	隹八月初吉丁亥
6923	庚午𥃝	隹正九月初吉庚午
6924	江仲之孫白戔𩊧𥃝	隹八月初吉庚午
6925	晉邦𥃝	隹王正月初吉丁亥
7004	楚王領鐘	隹王正月初吉丁亥
7005	都公鐘	隹都正四月□□
7016	楚王鐘	隹正月初吉丁亥
7021	虘鐘一	隹正月初吉丁亥
7022	虘鐘二	隹正月初吉丁亥
7023	虘鐘三	隹正月初吉丁亥
7028	臧孫鐘	隹王正月初吉丁亥
7029	臧孫鐘二	隹王正月初吉丁亥
7030	臧孫鐘三	隹王正月初吉丁亥
7031	臧孫鐘四	隹王正月初吉丁亥
7032	臧孫鐘五	隹王正月初吉丁亥
7033	臧孫鐘六	隹王正月初吉丁亥
7034	臧孫鐘七	隹王正月初吉丁亥
7035	臧孫鐘八	隹王正月初吉丁亥
7036	臧孫鐘九	隹王正月初吉丁亥
7038	應侯見工鐘一	隹正二月初吉
7040	克鐘一	隹十又六年九月初吉庚寅
7041	克鐘二	隹十又六年九月初吉庚寅
7042	克鐘三	隹十又六年九月初吉庚寅
7045	□□自乍鐘一	隹王正月初吉庚申
7051	子璋鐘一	隹正七月初吉丁亥
7052	子璋鐘二	隹正七月初吉丁亥
7053	子璋鐘三	隹正七月初吉丁亥
7054	子璋鐘四	隹正七月初吉丁亥
7055	子璋鐘五	隹正七月初吉丁亥
7056	子璋鐘六	隹正七月初吉丁亥

月

7057	子璋鐘八	隹正七月初吉丁亥
7058	邾公孫班鐘	隹王正月
7062	柞鐘	隹王三年四月初吉甲寅
7063	柞鐘二	隹王三年四月初吉甲寅
7064	柞鐘三	隹王三年四月初吉甲寅
7065	柞鐘四	隹王三年四月初吉甲寅
7066	柞鐘五	隹王三年四月初吉甲寅
7082	齊鞄氏鐘	隹正月初吉丁亥
7084	邾公牼鐘一	隹王正月初吉
7085	邾公牼鐘二	隹王正月初吉
7086	邾公牼鐘三	隹王正月初吉
7087	邾公牼鐘四	隹王正月初吉
7108	𪓐弔之仲子平編鐘一	隹正月初吉庚午
7109	𪓐弔之仲子平編鐘二	隹正月初吉庚午
7110	𪓐弔之仲子平編鐘三	隹正月初吉庚午
7111	𪓐弔之仲子平編鐘四	隹正月初吉庚午
7112	者減鐘一	隹正月初吉丁亥
7113	者減鐘二	隹正月初吉丁亥
7114	者減鐘三	隹正月初吉丁亥
7115	者減鐘四	隹正月初吉丁亥
7117	郘歔兒鐘一	隹正九月初吉丁亥
7118	郘儔兒鐘二	隹正九月初吉丁亥
7121	郘王子旃鐘	隹正月初吉元日癸亥
7124	沇兒鐘	隹正月初吉丁亥
7125	蔡侯𦉨紐鐘一	隹正五月初吉孟庚
7126	蔡侯𦉨紐鐘二	隹正五月初吉孟庚
7132	蔡侯𦉨紐鐘八	隹正五月初吉孟庚
7133	蔡侯𦉨紐鐘九	隹正五月初吉孟庚
7134	蔡侯𦉨甬鐘	隹正五月初吉孟庚
7135	逆鐘	仕王元年三月既生霸庚申
7136	郘鐘一	余不敢為喬隹王正月初吉丁亥
7137	郘鐘二	隹王正月初吉丁亥
7138	郘鐘三	隹王正月初吉丁亥
7139	郘鐘四	隹王正月初吉丁亥
7140	郘鐘五	隹王正月初吉丁亥
7141	郘鐘六	隹王正月初吉丁亥
7142	郘鐘七	隹王正月初吉丁亥
7143	郘鐘八	隹王正月初吉丁亥
7144	郘鐘九	隹王正月初吉丁亥
7145	郘鐘十	隹王正月初吉丁亥
7146	郘鐘十一	隹王正月初吉丁亥
7147	郘鐘十二	隹王正月初吉丁亥
7148	郘鐘十三	隹王正月初吉丁亥
7149	郘鐘十四	隹王正月初吉丁亥
7157	邾公華鐘一	隹王正月初吉乙亥
7175	王孫遺者鐘	隹正月初吉丁亥
7182	叔夷編鐘一	隹王五月辰才戊寅
7202	楚公逆鎛	隹八月甲申
7204	克鎛	隹十又六年九月初吉庚寅
7205	蔡侯𦉨編鎛一	隹正五月初吉孟庚

7206	蔡侯𬭚鎛二	隹正五月初吉孟庚
7207	蔡侯𬭚鎛三	隹正五月初吉孟庚
7208	蔡侯𬭚鎛四	隹正五月初吉孟庚
7213	𬭚鎛	隹王五月初吉丁亥
7214	叔夷鎛	隹王五月辰才戊寅
7217	姑馮勾鑃	隹王正月初吉丁亥
7218	郐𬭚尹征城	唯正月月初吉、日才庚
7219	冉鉦鍼(南疆征)	隹正月初吉丁亥
7661	三年建躬君矛	邦左庫工帀□□冶尹月執齊
7867.	龍__	亯月己酉之日
7867.	龍__	秋七月
7868	商鞅方升	冬十二月乙酉
7870	陳純釜	__月戊寅
7871	子禾子釜一	稷月丙午
7874	蔡太史鉚	隹王正月初吉壬午
7899	鄂君啟車節	夏尿之月、乙亥之日
7900	鄂君啟舟節	夏尿之月、乙亥之日
M171	小臣靜卣	隹十又三月
M191	繁卣	隹九月初吉癸丑
M252	免簠	隹三月既生霸乙卯
M361	井伯南段	隹八月初吉壬午
M423.	趞鼎	隹十又九年四月既望辛卯
M508	虞侯政壺	隹王二月初吉壬戌
M553	越王者旨於賜鐘	隹正月王春吉日丁亥
M602	蔡簋匜	隹正月初吉丁亥
		小計:共 646 筆

1122

J734	十一年㦰鼎	乙巳朔
M900	梁十九年鼎	徂省朔旁(方)
		小計:共 2 筆

1123 肯同

1003	楚王酓肯鉈鼎	楚王酓肯(朏)鑄鉈(匜)鼎
1005	楚王酓肯喬鼎	楚王酓朏吏鑄喬鼎
1115	楚王酓肯喬鼎	楚王酓朏乍鑄喬鼎
1330	曶鼎	□朏、曰𢍰、曰:用絲(茲)四夫
1322	九年裘衛鼎	朏帛、金一反
1322	九年裘衛鼎	其𢐗衛臣朏朏
2908	楚王酓肯匠一	楚王酓肯(朏)乍鑄金匠
2909	楚王酓肯匠二	楚王酓肯(朏)乍鑄金匠
2010	楚王酓肯匠三	楚王酓肯(朏)乍鑄金匠
4978	吳方彝	宰朏右乍冊吳入門
		小計:共 10 筆

1123 同朏

1003	楚王酓肯鉈鼎	楚王酓肯(朏)鑄鉈(匜)鼎

肯
霸

2908	楚王酓肯匿一	楚王酓肯(朏)乍鑄金匿
2909	楚王酓肯匿二	楚王酓肯(朏)乍鑄金匿
2910	楚王酓肯匿三	楚王酓肯(朏)乍鑄金匿
6723	楚王酓肯盤	楚王酓肯乍為鑄盤
		小計：共 5 筆

霸 1124

0794	霸姞鼎	霸姞乍寶尊彝
1139	寓鼎	隹二月既生霸丁丑
1249	寏鼎	隹九月既生霸辛酉、才匽
1255	作冊大鼎一	隹四月既生霸己丑
1256	作冊大鼎二	隹四月既生霸己丑
1257	作冊大鼎三	隹四月既生霸己丑
1258	作冊大鼎四	隹四月既生霸己丑
1259	郜公讎鼎	既死霸壬午
1263	呂方鼎	唯五月既死霸辰才壬戌
1276	_季鼎	隹五月既生霸庚午
1277	七年趞曹鼎	隹七年十月既生霸
1278	十五年趞曹鼎	隹十又五年五月既生霸壬午
1284	尹姞鼎	隹六月既生霸乙卯
1301	大鼎一	隹十又五年三月既霸丁亥
1302	大鼎二	隹十又五年三月既霸丁亥
1303	大鼎三	隹十又五年三月既霸丁亥
1305	師奎父鼎	隹六月既生霸庚寅
1312	此鼎一	隹十又七年十又二月既生霸乙卯
1313	此鼎二	隹十又七年十又二月既生霸乙卯
1314	此鼎三	隹十又七年十又二月既生霸乙卯
1319	頌鼎一	隹三年五月既死霸甲戌
1320	頌鼎二	隹三年五月既死霸甲戌
1321	頌鼎三	隹三年五月既死霸甲戌
1322	九年裘衛鼎	隹九年正月既死霸庚辰
1330	曶鼎	隹王四月既生霸、辰才丁酉
1528	公姞鬲鼎	隹十二月既生霸
1533	尹姞賓鬲一	隹六月既生霸乙卯
1534	尹姞賓鬲二	隹六月既生霸乙卯
1666	遹乍旅甗	隹六月既死霸丙寅
2184	霸姞乍寶𣪘	霸姞乍寶尊彝
2542	辰才寅□□𣪘	隹七月既生霸辰才寅
2595	奠虢仲𣪘一	隹十又一月既生霸庚戌
2596	奠虢仲𣪘二	隹十又一月既生霸庚戌
2597	奠虢仲𣪘三	隹十又一月既生霸庚戌
2608	官差父𣪘	隹王正月既死霸乙卯
2652	_𣪘	隹八月既生霸
2661	競𣪘一	隹六月既死霸壬申
2662	競𣪘二	隹六月既死霸壬申
2684	_寵乎𣪘	隹正二月既死霸壬戌
2703	免乍旅𣪘	隹三月既生霸乙卯
2707	小臣守𣪘一	隹五月既死霸辛未
2708	小臣守𣪘二	隹五月既死霸辛未

2709	小臣守𣪘三	隹五月既死霸辛未
2710	𦅫自乍寶器一	唯十又二月既生霸丁亥
2711	𦅫自乍寶器二	唯十又二月既生霸丁亥
2721	𦍒𣪘	唯六月既生霸辛己
2725	師毛父𣪘	隹六月既生霸戊戌
2732	曾仲大父蛕𧊒𣪘	唯五月既生霸庚申
2734	通𣪘	隹六月既生霸
2736	師遽𣪘	隹王三祀四月既生霸辛酉
2744	五年師旋𣪘一	隹王五年九月既生霸壬午
2745	五年師旋𣪘二	隹王五年九月既生霸壬午
2775	裘衛𣪘	隹廿又七年三月既生霸戊戌
2791	豆閉𣪘	唯王二月既眚霸
2793	元年師旋𣪘一	隹王元年四月既生霸
2794	元年師旋𣪘二	隹王元年四月既生霸
2795	元年師旋𣪘三	隹王元年四月既生霸
2797	輔師𠭰𣪘	隹王九月既生霸甲寅
2810	揚𣪘一	隹王九月既眚霸庚寅
2811	揚𣪘二	隹王九月既眚霸庚寅
2812	大𣪘一	隹十又二年三月既生霸丁亥
2813	大𣪘二	隹十又二年三月既生霸丁亥
2814	烏冊夨令𣪘一	隹九月既死霸丁丑
2814.	夨令𣪘二	隹九月既死霸丁丑
2818	此𣪘一	隹十又七年十又二月既生霸乙卯
2819	此𣪘二	隹十又七年十又二月既生霸乙卯
2820	此𣪘三	隹十又七年十又二月既生霸乙卯
2821	此𣪘四	隹十又七年十又二月既生霸乙卯
2822	此𣪘五	隹十又七年十又二月既生霸乙卯
2823	此𣪘六	隹十又七年十又二月既生霸乙卯
2824	此𣪘七	隹十又七年十又二月既生霸乙卯
2825	此𣪘八	隹十又七年十又二月既生霸乙卯
2842	卯𣪘	隹王十又一月既生霸丁亥
2844	頌𣪘一	隹三年五月既死霸甲戌
2845	頌𣪘二	隹三年五月既死霸甲戌
2845	頌𣪘二	隹三年五月既死霸甲戌
2846	頌𣪘三	隹三年五月既死霸甲戌
2847	頌𣪘四	隹三年五月既死霸甲戌
2848	頌𣪘五	隹三年五月既死霸甲戌
2849	頌𣪘六	隹三年五月既死霸甲戌
2850	頌𣪘七	隹三年五月既死霸甲戌
2851	頌𣪘八	隹三年五月既死霸甲戌
2857	牧𣪘	隹王七年又三月既生霸甲寅
3061	弭弔旅盨	隹五月既生霸庚午
3083	㾓𣪘（盨）一	隹四年二月既生霸戊戌
3084	㾓𣪘（盨）二	隹四年二月既生霸戊戌
4449	裘衛盉	隹三年三月既生霸壬寅
4871	𤔲𡴓豐尊	隹六月既生霸乙卯
4884	臤尊	隹十又三月既生霸丁卯
4977	師遽方彝	隹正月既生霸丁酉
5480	冊𡴓冊豐卣	隹六月既生霸乙卯
5480	冊𡴓冊豐卣	隹六月既生霸乙卯

霸

霸期

5483	周乎卣	隹九月既生霸乙亥
5483	周乎卣	隹九月既生霸乙亥
5503	競卣	正月既生霸辛丑、才坏
5507	乍冊魖卣	雩四月既生霸庚午
5785	史懋壺	隹八月既死霸戊寅
5795	白克壺	隹十又六年七月既生霸乙未
5799	頌壺一	隹三年五月既死霸甲戌
5800	頌壺二	隹三年五月既死霸甲戌
6785	守宮盤	隹正月既生霸乙未
6791	兮甲盤	隹五年三月既死霸庚寅
6877	備乍旅盉	隹三月既死霸甲申
7135	逆鐘	仕王元年三月既生霸庚申
M252	免簋	隹三月既生霸乙卯

小計：共 105 筆

期 1125

1052	褱自乍礦駝	其釁壽無期、永保用之
1063	鄧公乘鼎	其釁壽無期
1218	鄦兒鼎	釁壽無期
1224	王子吳鼎	其釁壽無諆（期）
1304	王子午鼎	萬年無諆（期）
1665	王孫壽𠂤甗	其釁壽無疆、萬年無諆（期）
2512	乙自乍歙𨥨	其釁壽無朞（箕期）
2907	王子申匿	其釁壽期、永保用
2957	子季匿	萬壽無期
2978	樂子敬豧𠂤匿	其釁壽萬年無諆（期）
2982	長子囗臣乍媵匿	其釁壽萬年無期
2982	長子囗臣乍媵匿	其釁壽萬年無期
3096	齊侯乍孟姜善𦎫	它它熙熙、男女無期
5743	齊良壺	其釁壽無期
5776	異公壺	世熙受福無期
5801	洹子孟姜壺一	曰：朞（期）則爾朞（期）
5802	洹子孟姜壺二	朞（期）則爾朞（期）
6779	齊侯盤	男女無期
6781	夆弔盤	壽老無期
6873	齊侯乍孟姜盥匜	男女無期
6875	慶弔匜	男女無期
6876	夆弔乍季妃盥盤(匜)	壽老無期
6888	吳王光鑑一	隹王五月既字白期吉日初庚
6889	吳王光鑑二	隹王五月既字白期吉日初庚
6906	王子申盞盂	其釁壽無期
7124	沇兒鐘	釁壽無期
7125	蔡侯𨰻𨍭鐘一	元鳴無期
7126	蔡侯𨰻𨍭鐘二	元鳴無期
7131	蔡侯𨰻𨍭鐘七	元鳴無期
7132	蔡侯𨰻𨍭鐘八	元鳴無期
7133	蔡侯𨰻𨍭鐘九	元鳴無期
7134	蔡侯𨰻甬鐘	元鳴無期

7205	蔡侯𩵦𪔂鎛一	元鳴無期
7206	蔡侯𩵦𪔂鎛二	元鳴無期
7207	蔡侯𩵦𪔂鎛三	元鳴無期
7208	蔡侯𩵦𪔂鎛四	元鳴無期
7304	期戈	[期]
		小計：共 37 筆

朡 1126

7466	郾侯朡殘戈	□侯朡乍萃鍨鉘
7497	郾侯朡乍師巾萃鍨鉘	郾侯朡乍師巾萃鍨鉘
		小計：共 2 筆

有 1127

1010	榮有嗣爯鼎	榮有司爯乍𪔂鼎
1167	__父鼎一	有女多兄
1168	__父鼎二	有女多兄
1239	__鼎一	以師氏眔有嗣後或𢦏伐Ld
1240	__鼎二	以師氏眔有嗣後或𢦏伐Ld
1288	令鼎一	有嗣眔師氏小子卿射
1289	令鼎二	王射、有嗣眔師氏小子卿射
1300	南宮柳鼎	武公有南宮柳
1322	九年裘衛鼎	舍顏有嗣壽商圖、裘盠冟
1325	五祀衛鼎	廼令參有嗣嗣土邑人趙
1325	五祀衛鼎	厲有嗣𪔂季、慶癸、燹□、荊人敢、井人偈屖
1328	盂鼎	受天有大令
1328	盂鼎	匍有四方
1328	盂鼎	有髭柴蒸祀
1328	盂鼎	□有四方
1331	中山王𰯼鼎	有㡀忠臣貯
1331	中山王𰯼鼎	天其有型
1331	中山王𰯼鼎	佳（ 雖 ）有死辠
1331	中山王𰯼鼎	克有工（ 功 ）
1331	中山王𰯼鼎	詒死辠之有若（ 赦 ）
1332	毛公鼎	配我有周
1332	毛公鼎	臨保我有周
1332	毛公鼎	雩參有嗣、小子、師氏、虎臣雩朕褻事
1462	榮有嗣爯鬲	榮又（ 有 ）嗣爯乍𪔂鬲
1529	仲枏父鬲一	師湯父有嗣中枏父乍寶鬲
1530	仲枏父鬲二	師湯父有嗣中枏父乍寶鬲
1531	仲枏父鬲三	師湯父有嗣中枏父乍寶鬲
1532	仲枏父鬲四	師湯父有嗣中枏父乍寶鬲
2685	仲枏父設一	師湯父有嗣中枏父乍寶設
2686	仲枏父設二	師湯父有嗣中枏父乍寶設
2762	免設	井弔有免即令
2764	艾設	無冬令玗（ 于 ）有周
2802	六年召白虎設	余目邑訊有嗣

有	2802	六年召白虎段	今余既訊有嗣曰侯令
	2815	師骰殷	女有隹小子
	2834	㝬殷	王曰：有余隹{ 小子 }
	2836	㦰殷	㦰達有嗣師氏奔追御戎于賦林
	2857	牧段	令女辟百寮有同吏
	3088	師克旅盨一(蓋)	師克不顯文武、雁受大令、匍有四方
	3089	師克旅盨二	師克不顯文武、雁受大令、匍有四方
	3099	十年陳侯午𩁹(器)	保有齊邦永世毋忘
	3100	陳侯因𰯌𩁹	台登台嘗、保有齊邦
	4238	索諆角	索諆乍有羔日辛𬂨彝
	4449	裘衛盉	單白迺令參有司;嗣土𢼸邑
	4890	盠方尊	王行參有嗣
	4891	何尊	烏虖、爾有唯小子亡識
	4891	何尊	有Jr于天
	4979	盠方彝一	王行參有嗣
	4980	盠方彝二	王行參有嗣
	5510	乍冊嗌卣	子子引有孫
	5803	㝬嗣好𧶼壺	母有不敬
	5805	中山王譽方壺	天不㚖(斁)其有愿
	5805	中山王譽方壺	寧有㥁(懅)惕
	5805	中山王譽方壺	休有成工
	5805	中山王譽方壺	天子不忘其有勛
	6792	史墻盤	匍有上下
	6793	矢人盤	矢人有嗣履田
	6793	矢人盤	豐父、㕍人有嗣荆丂
	6793	矢人盤	襄之有嗣
	6793	矢人盤	凡散有嗣十夫
	6793	矢人盤	有爽、實余有散氏心賊
	6863	白君黃生匜	唯有白君董生自乍它
	6925	晉邦𥂴	□有晉邦
	7069	者沪鐘一	隹戉(越)十有九年
	7069	者沪鐘一	今余其念Jh乃有
	7070	者沪鐘二	隹戉十有九年
	7072	者沪鐘四	隹戉十有九年、王曰
	7073	者沪鐘五	隹戉十有九年
	7074	者沪鐘六	今余其念Jh乃有
	7076	者沪鐘八	勿有不義
	7077	者沪鐘九	今余其念Jh乃有
	7079	者沪鐘十一	勿有不義
	7080	者沪鐘十二	勿有不義
	7125	蔡侯𩔢𬁋鐘一	有虔不易
	7125	蔡侯𩔢𬁋鐘一	休有成慶
	7126	蔡侯𩔢𬁋鐘二	有虔不易
	7126	蔡侯𩔢𬁋鐘二	休有成慶
	7132	蔡侯𩔢𬁋鐘八	有虔不易
	7132	蔡侯𩔢𬁋鐘八	休有成慶
	7133	蔡侯𩔢𬁋鐘九	有虔不易
	7133	蔡侯𩔢𬁋鐘九	休有成慶
	7134	蔡侯𩔢甬鐘	有虔不易
	7134	蔡侯𩔢甬鐘	休有成慶

7135	逆鐘	母有不聞智
7163	癲鐘六	匍有四方
7174	秦公鐘	匍有四方、其康寶
7178	秦公及王姬編鐘二	匍有四方、其康寶
7186	叔夷編鐘五	咸有九州
7205	蔡侯□編鎛一	有虔不易
7205	蔡侯□編鎛一	休有成慶
7206	蔡侯□編鎛二	有虔不易
7206	蔡侯□編鎛二	休有成慶
7207	蔡侯□編鎛三	有虔不易
7207	蔡侯□編鎛三	休有成慶
7208	蔡侯□編鎛四	有虔不易
7208	蔡侯□編鎛四	休有成慶
7209	秦公及王姬鎛	匍有四方、其康寶
7210	秦公及王姬鎛二	匍有四方、其康寶
7211	秦公及王姬鎛三	匍有四方、其康寶
7214	叔夷鎛	咸有九州
7403	郜君戈	艾君鳳寶有
7975	中山王墓兆域圖	有事者官□之
M602	蔡□匜	蔡弔季之孫□賸孟臣有止𡚸盥盤
M792	宋公䜌簠	有殷天乙唐孫宋公䜌

小計：共 104 筆

明 1128

0174	亞明鼎	[亞明]
0605	明我乍鼎	明我乍貞(鼎)
0636	易兒鼎	兼明易兒
1284	尹姞鼎	休天君弗望穆公聖粦明
1307	師望鼎	穆穆克盟(明)氒心
1318	晉姜鼎	巠雝明德
1323	師訊鼎	用井乃聖且考隣明
1327	克鼎	天子明哲
1329	小字盂鼎	明、王各周廟
1329	小字盂鼎	劃□□□□□于明白
1331	中山王譽鼎	以明其悳(德)
1332	毛公鼎	女母(毋)弗帥用先王乍明井(型)
1413	戒乍葬官鬲	戒乍葬官明尊彝
1533	尹姞寶甗一	休天君弗望穆公聖粦明𢦚吏(事)先王
1534	尹姞寶甗二	休天君弗望穆公聖粦明𢦚吏(事)先王
2763	弔向父禹𣪕	共明德、秉威義
2833	秦公𣪕	穆穆帥秉明德
2856	師訇𣪕	敬明乃心
2857	牧𣪕	王曰：牧、女母敢弗帥用先王乍明井
2857	牧𣪕	母敢不明不中不井
3062	乘父𣪕(盨)	乘父士杉其肇乍其皇考白明父寶𣪕
3090	㝬盨(器)	敬明乃心
4444.	卅五年盉	治明鑄
4621	明尊	[明]乍旅

明

4845	服方尊	服肇夙夕明亯
4860	魯侯尊	隹王令明公遣三族伐東或、才vq
4864	乍冊翾尊	隹明保殷成周年
4892	麥尊	遅明令
4893	矢令尊	王令周公子明保尹三事四方
4893	矢令尊	明公朝至于成周
4893	矢令尊	甲申、明公用牲于京宮
4893	矢令尊	明公歸自王
4893	矢令尊	明公易亢師鬯、金、牛
4893	矢令尊	乍冊令、敢揚明公尹氒宧
4893	矢令尊	用乍父丁寶尊彝、敢追明公賞于父丁[鳥冊]
4981	鳥冊令方彝	王令周公子明保尹三事四方
4981	鳥冊令方彝	明公朝至于成周、徣令
4981	鳥冊令方彝	甲申、明公用牲于京宮
4981	鳥冊令方彝	明公歸自王
4981	鳥冊令方彝	明公易亢師鬯、金、牛
4981	鳥冊令方彝	乍冊令、敢揚明公尹氒宧
4981	鳥冊令方彝	敢追明公賞于父丁
5474	翾卣	隹明保殷成周年
5474	翾卣	[fL]隹明保殷成周年
5803	胤嗣好盗壺	胤嗣好盗敢明揚告
5805	中山王譽方壺	以明辟光
5805	中山王譽方壺	明_之于壺而時觀焉
6792	史墻盤	子_粦明
7092	𠫑羌鐘一	用明則之于銘
7093	𠫑羌鐘二	用明則之于銘
7094	𠫑羌鐘三	用明則之于銘
7095	𠫑羌鐘四	用明則之于銘
7096	𠫑羌鐘五	用明則之于銘
7122	梁其鐘一	汈其肇帥井皇且考秉明德
7123	梁其鐘二	汈其肇帥井皇且考秉明德
7124	沇兒鐘	惠于明祀
7150	虢叔旅鐘一	穆穆秉元明德
7151	虢叔旅鐘二	穆穆秉元明德
7152	虢叔旅鐘三	穆穆秉元明德
7153	虢叔旅鐘四	穆穆秉元明德
7154	虢叔旅鐘五	穆穆秉元明德
7158	瘐鐘一	克明氒心足尹
7158	瘐鐘一	秉明德、圝夙夕、左尹氏
7160	瘐鐘三	克明氒心足尹
7160	瘐鐘三	秉明德、圝夙夕、左尹氏
7161	瘐鐘四	克明氒心足尹
7161	瘐鐘四	秉明德、圝夙夕、左尹氏
7162	瘐鐘五	克明氒心足尹
7162	瘐鐘五	秉明德、圝夙夕、左尹氏
7174	秦公鐘	克明又(氒)心
7174	秦公鐘	翼受明德
7177	秦公及王姬編鐘一	克明又(氒)心
7177	秦公及王姬編鐘一	翼受明德
7209	秦公及王姬鎛	克明又(氒)心

7209	秦公及王姬鎛	翼受明德
7210	秦公及王姬鎛二	克明又(𠦪)心
7210	秦公及王姬鎛二	翼受明德
7211	秦公及王姬鎛三	克明又(𠦪)心
7211	秦公及王姬鎛三	翼受明德
7212	秦公鎛	穆穆帥秉明德
7212	秦公鎛	睿専明刑
7493	十四年戈	四年州工帀明冶乘
7726	八年相邦建躬君劍一	冶尹明執齊
7727	八年相邦建躬君劍二	冶尹明執齊
7868	商鞅方升	皆明壹之
		小計：共 85 筆

囧 1129

0952	戈囧𩰫陶父辛鼎	戈囧𩰫陶乍父辛寶尊彝
4268.	囧斝	[囧]
7755	林囧兮斧	[林囧兮]
		小計：共 3 筆

𦺇 1129+

1121	唯弔從王南征鼎	隹八月才𦺇𠂤
6084	𦺇戈觚	[𦺇戈]
		小計：共 2 筆

盟 1130

0752	__乍且丁鼎	kL乍且丁盟彝
1017	剌𣪕鼎	其用盟𩰫宄嬀日辛
1304	王子午鼎	敬𠦪盟祀
1307	師望鼎	穆穆克盟(明)𠦪心
2764	艾𣪕	卲朕福盟(盟)
4201	盟舟惠爵	盟舟𩰫__乍𠦪且乙寶宗彝
4202	魯侯爵	用尊v9盟
4887	蔡侯𩰫尊	祗盟嘗啇
5560	𠬪乍父丁方罍	[𠬪]乍父丁妻盟
6788	蔡侯𩰫盤	祗盟嘗啇
6925	晉邦盦	虔龏盟祀
7027	邾公釛鐘	用敬卹盟(盟)祀
7121	郘王子旟鐘	以𩰫盟祀
7157	邾公華鐘一	台卹其祭祀盟祀
7184	叔夷編鐘三	中専盟(盟)刑
7185	叔夷編鐘四	盟(盟)卹
7214	叔夷鎛	中専盟(盟)刑
7214	叔夷鎛	雍卹余于盟(盟)卹

小計：共 18 筆

夕 1131

夕

1026	奄瑆鼎	用夙夕傦公各
1067	雁公方鼎一	用夙夕𩱧享
1068	雁公方鼎二	用夙夕𩱧享
1069	雁公方鼎三	用夙夕𩱧享
1119	暦方鼎	其用夙夕𩱧亯
1144	_獸鼎	朝夕郷氒多倗友
1323	師𩛥鼎	小子夙夕尃古先且剌德
1328	盂鼎	敏朝夕入諫（諫）、享奔走、畏天畏
1328	盂鼎	夙夕召我一人𤔲四方
1332	毛公鼎	虔夙夕
1332	毛公鼎	𠭯夙夕
2535	仲殷父毁一	用朝夕亯孝宗室
2536	仲殷父毁二	用朝夕亯孝宗室
2537	仲殷父毁三	用朝夕亯孝宗室
2537	仲殷父毁四	用朝夕亯孝宗室
2538	仲殷父毁五	用朝夕亯孝宗室
2539	仲殷父毁六	用朝夕亯孝宗室
2540	仲殷父毁六	用朝夕亯孝宗室
2541	仲殷父毁七	用朝夕亯孝宗室
2541.	仲毁父毁七	用朝夕亯孝宗室
2541.	仲毁父毁八	用朝夕亯孝宗室
2586	史𦣞毁一	其于之朝夕監
2587	史𦣞毁二	其于之朝夕監
2643	史族毁	其朝夕用亯于文考
2643	史族毁	其朝夕用亯于文考
2704	穆公毁	夕郷醴于□室
2713	㾓毁一	不敢弗帥用夙夕
2714	㾓毁二	不敢弗帥用夙夕
2715	㾓毁三	不敢弗帥用夙夕
2716	㾓毁四	不敢弗帥用夙夕
2717	㾓毁五	不敢弗帥用夙夕
2718	㾓毁六	不敢弗帥用夙夕
2719	㾓毁七	不敢弗帥用夙夕
2720	㾓毁八	不敢弗帥用夙夕
2728	恆毁一	夙夕勿灋（廢）朕令
2729	恆毁二	夙夕勿灋（廢）朕令
2746	追毁一	追虔夙夕卹氒死事
2747	追毁二	追虔夙夕卹氒死事
2748	追毁三	追虔夙夕卹氒死事
2749	追毁四	追虔夙夕卹氒死事
2750	追毁五	追虔夙夕卹氒死事
2751	追毁六	追虔夙夕卹氒死事
2793	元年師旋毁一	敬夙夕用吏（事）
2794	元年師旋毁二	敬夙夕用吏（事）
2795	元年師旋毁三	敬夙夕用吏（事）
2841	茾白毁	亯夙夕

2854	𤔲𣪕	敬夙夕、勿灋朕令
2857	牧𣪕	敬夙夕勿灋朕令
3086	善夫克旅盨	克其用朝夕亯于皇且考
3088	師克旅盨一（蓋）	敬夙夕、勿灋（廢）朕令
3089	師克旅盨二	敬夙夕、勿灋（廢）朕令
3090	㠱盨（器）	敬夙夕
4446	麥盉	用奔走夙夕、𩁹御吏
4845	服方尊	服肇夙夕明亯
4892	麥尊	巳夕、侯易者𩰫臣二百家
5477	單光壴乍父癸肇卣	其日父癸夙夕鄉爾百婚遘［單光］
5574	女姬罍	女姬乍𠂤姑夕母（姼?）寶尊彝
5803	𠫑嗣好蚉壺	日夕不忘
5805	中山王礐方壺	氏以遊夕歈飤
7122	梁其鐘一	虔夙夕、辟天子
7123	梁其鐘二	虔夙夕、辟天子
7158	𤼈鐘一	秉明德、䜌夙夕、左尹氏
7159	𤼈鐘二	夙夕聖𧷎
7160	𤼈鐘三	秉明德、䜌夙夕、左尹氏
7161	𤼈鐘四	秉明德、䜌夙夕、左尹氏
7162	𤼈鐘五	秉明德、䜌夙夕、左尹氏
7164	𤼈鐘七	今𤼈夙夕虔茍（敬）卹𠂤死事
7174	秦公鐘	余夙夕虔敬朕祀
7177	秦公及王姬編鐘一	余夙夕虔敬朕祀
7209	秦公及王姬鎛	余夙夕虔敬朕祀
7210	秦公及王姬鎛二	余夙夕虔敬朕祀
7211	秦公及王姬鎛三	余夙夕虔敬朕祀
7212	秦公鎛	虩（虔）殂夕剌剌𧽊𧽊
		小計：共　73 筆

夕
夜

夜　1132

0866	__夜君鼎	sd夜君戊之__鼎
1126	弔夜鼎	弔夜鑄其𩟁鼎
1226	師𣏟鼎	王夜功
1285	㦰方鼎一	其用夙夜享孝于𠂤文且乙公
1307	師望鼎	虔夙夜出內王命
1308	白晨鼎	用夙夜事
1316	㦰方鼎	用穆穆夙夜尊享孝妥福
1327	克鼎	敬夙夜用事
1331	中山王礐鼎	夙夜不解
2559	白中父𣪕	白中父夙夜吏走考
2576	白倨□寶𣪕	用夙夜亯于宗室
2593	弔䵼父乍旅𣪕一	其夙夜用亯孝于皇君
2594	弔䵼父乍旅𣪕二	其夙夜用亯孝于皇君
2594.	弔䵼父乍旅𣪕三	其夙夜用亯孝于皇君
2659	郾侯庫𣪕	郾侯庫畏夜𢘅人哉
2674	弔𡛷𣪕	夙夜亯于宗室
2684	__寵乎𣪕	用聖夙夜
2689	白康𣪕一	用夙夜無怠

2690	白康段二	用夙夜無怠
2722	𡨦弔乍豐姞旅段	豐姞憖用宿夜亯孝于𢾊公
2803	師酉段一	敬夙夜
2804	師酉段二	敬夙夜
2804	師酉段二	敬夙夜
2805	師酉段三	敬夙夜
2806	師酉段四	敬夙夜
2806.	師酉段五	敬夙夜
2815	師𩛥段	敬乃夙夜用吏
2826	師𡍰段一	夙夜卹氒穡旋（事）
2826	師𡍰段一	夙夜卹氒穡旋（事）
2827	師𡍰段二	夙夜卹氒穡旋（事）
2829	師虎段	敬夙夜
2834	㝬段	余亡康晝夜
2836	𢦚段	用夙夜尊亯孝于氒文母
2838	師𩛥段一	夙夜勿灋（廢）朕令
2838	師𩛥段一	敬夙夜、勿灋（廢）朕命
2839	師𩛥段二	夙夜勿灋（廢）朕令
2839	師𩛥段二	敬夙夜、勿灋（廢）朕命
2840	番生段	虔夙夜尃求不朁德
4865	氒方尊	其用夙夜亯于氒大宗
4885	效尊	烏虖、效不敢不萬年夙夜奔走
5489	戉箙𣪘卣	用夙夜事[戚箙]
5511	效卣一	效不敢不萬年夙夜奔走揚公休
5805	中山王𰯼方壺	夙夜篚（匪）解
6792	史牆盤	史牆夙夜不㒸
7135	逆鐘	敬乃夙夜
7182	叔夷編鐘一	夙夜宦執而政事
7202	楚公逆鎛	楚公逆自乍夜雨靁（雷）鎛
7214	叔夷鎛	夙夜宦執而政事
7548	元年__令戈	__命夜會上庫工帀冶門旅其都
7656	七年宅陽令矛	右庫工帀夜瘔冶𧻚造

小計：共 50 筆

𠭯 1133

2833	秦公段	嚴恭𠭯天命
7212	秦公鎛	嚴龏𠭯天命

小計：共 2 筆

外 1134

0818	外弔鼎	外弔乍寶尊彝
1332	毛公鼎	命女辥我邦我家內外
1332	毛公鼎	于外尃（敷）命尃（敷）政
1332	毛公鼎	出入尃（敷）命于外
1332	毛公鼎	母（毋）又敢𢦔尃命于外
2788	靜段	用乍文母外姞尊段

2798	師痕毁一	用乍朕文考外季尊毁
2799	師痕毁二	用乍朕文考外季尊毁
2815	師毁毁	東栽内外
2854	蔡毁	死嗣王家外內
5805	中山王嚳方壺	外之則將使上勤於天子之廟
6887	拙陵君王子申鑑	攸無彊（盤外）
6887	拙陵君王子申鑑	__襄、冢三朱二夆朱四□（盤外底）
7028	臧孫鐘	攻敔中冬戚之外孫
7029	臧孫鐘二	攻敔中冬戚之外孫
7030	臧孫鐘三	攻敔中冬戚之外孫
7031	臧孫鐘四	攻敔中冬戚之外孫
7032	臧孫鐘五	攻敔中冬戚之外孫
7033	臧孫鐘六	攻敔中冬戚之外孫
7034	臧孫鐘七	攻敔中冬戚之外孫
7035	臧孫鐘八	攻敔中冬戚之外孫
7036	臧孫鐘九	攻敔中冬戚之外孫
7046	□□自乍鐘二	百歲之外
7184	叔夷編鐘三	䌛命于外內之吏
7187	叔夷編鐘六	外內剴辟
7194	叔夷編鐘十三	外內其皇祖皇妣皇母皇
7214	叔夷鎛	䌛命于外內之吏
7214	叔夷鎛	外內剴辟
7219	冉鉦鋮（南疆征）	萬桊之外子子孫孫□堋作台□□
7222	□外卒鐸	□外卒鐸
7871	子禾子釜一	又外Lv又

小計：共 31 筆

夙 1135

1026	奄望鼎	用夙夕偕公各
1067	雁公方鼎一	用夙夕𩱦享
1068	雁公方鼎二	用夙夕𩱦享
1069	雁公方鼎三	用夙夕𩱦享
1119	曆方鼎	其用夙夕𩱦亯
1285	㦰方鼎一	其用夙夜享孝于厥文且乙公
1307	師望鼎	虔夙夜出內王命
1308	白晨鼎	用夙夜事
1316	㦰方鼎	用穆穆夙夜尊享孝妥福
1323	師訊鼎	小子夙夕專古先且剌德
1325	五祀衛鼎	厲叔子夙
1327	克鼎	敬夙夜用事
1328	盂鼎	夙夕召我一人𤇾四方
1331	中山王嚳鼎	夙夜不解
1332	毛公鼎	虔夙夕
1332	毛公鼎	圈夙夕
2559	白中父毁	白中父夙夜吏走考
2576	白俔□竇毁	用夙夜亯于宗室
2581	曹伯狄毁	曹白狄乍夙姒公尊毁
2593	弔䨻父乍旅毁一	其夙夜用亯孝于皇君

	2594	弔[illegible]父乍旅𣪘二	其夙夜用亯孝于皇君
	2594.	弔[illegible]父乍旅𣪘三	其夙夜用亯孝于皇君
	2671	利𣪘	聞夙又商
夙	2674	弔妣𣪘	夙夜亯于宗室
	2684	＿寵乎𣪘	用聖夙夜
	2689	白康𣪘一	用夙夜無怠
	2690	白康𣪘二	用夙夜無怠
	2713	瘨𣪘一	不敢弗帥用夙夕
	2714	瘨𣪘二	不敢弗帥用夙夕
	2715	瘨𣪘三	不敢弗帥用夙夕
	2716	瘨𣪘四	不敢弗帥用夙夕
	2717	瘨𣪘五	不敢弗帥用夙夕
	2718	瘨𣪘六	不敢弗帥用夙夕
	2719	瘨𣪘七	不敢弗帥用夙夕
	2720	瘨𣪘八	不敢弗帥用夙夕
	2728	恆𣪘一	夙夕勿灋（廢）朕令
	2729	恆𣪘二	夙夕勿灋（廢）朕令
	2746	追𣪘一	追虔夙夕卹氒死事
	2747	追𣪘二	追虔夙夕卹氒死事
	2748	追𣪘三	追虔夙夕卹氒死事
	2749	追𣪘四	追虔夙夕卹氒死事
	2750	追𣪘五	追虔夙夕卹氒死事
	2751	追𣪘六	追虔夙夕卹氒死事
	2793	元年師旋𣪘一	敬夙夕用吏（事）
	2794	元年師旋𣪘二	敬夙夕用吏（事）
	2795	元年師旋𣪘三	敬夙夕用吏（事）
	2803	師酉𣪘一	敬夙夜
	2804	師酉𣪘二	敬夙夜
	2804	師酉𣪘二	敬夙夜
	2805	師酉𣪘三	敬夙夜
	2806	師酉𣪘四	敬夙夜
	2806.	師酉𣪘五	敬夙夜
	2815	師𣪕𣪘	敬乃夙夜用吏
	2826	師㝨𣪘一	夙夜卹氒穡旋（事）
	2826	師㝨𣪘一	夙夜卹氒穡旋（事）
	2827	師㝨𣪘二	夙夜卹氒穡旋（事）
	2829	師虎𣪘	敬夙夜
	2836	㺇𣪘	用夙夜尊亯孝于氒文母
	2838	師𤼈𣪘一	夙夜勿灋（廢）朕令
	2838	師𤼈𣪘一	敬夙夜、勿灋（廢）朕命
	2839	師𤼈𣪘二	夙夜勿灋（廢）朕令
	2839	師𤼈𣪘二	敬夙夜、勿灋（廢）朕命
	2840	番生𣪘	虔夙夜尃求不朁德
	2841	荓白𣪘	亯夙夕
	2854	蔡𣪘	敬夙夕、勿灋朕令
	2857	牧𣪘	敬夙夕勿灋朕令
	3088	師克旅盨一（蓋）	敬夙夕、勿灋（廢）朕令
	3089	師克旅盨二	敬夙夕、勿灋（廢）朕令
	3090	塱盨（器）	敬夙夕
	4446	麥盉	用奔走夙夕、䜌御吏

4845	服方尊	服肇夙夕明亯
4865	𠂤方尊	其用夙夜亯于𠂤大宗
4881	䍙方尊	用夙_宗
4885	效尊	烏虖、效不敢不萬年夙夜奔走
5477	單光壴乍父癸簋卣	其日父癸夙夕鄉爾百婚遘[單光]
5489	戉箙啟卣	用夙夜事[戚箙]
5511	效卣一	效不敢不萬年夙夜奔走揚公休
5805	中山王嚳方壺	夙夜篚(匪)解
6273	_乍且己觚	[夙]乍且己尊彝[ar]
6792	史墻盤	史牆夙夜不彖
7122	梁其鐘一	虔夙夕、辟天子
7123	梁其鐘二	虔夙夕、辟天子
7135	逆鐘	敬乃夙夜
7158	瘐鐘一	秉明德、䜌夙夕、左尹氏
7159	瘐鐘二	夙夕聖䞣
7160	瘐鐘三	秉明德、䜌夙夕、左尹氏
7161	瘐鐘四	秉明德、䜌夙夕、左尹氏
7162	瘐鐘五	秉明德、䜌夙夕、左尹氏
7164	瘐鐘七	今瘐夙夕虔茍(敬)卹𠂤死事
7174	秦公鐘	余夙夕虔敬朕祀
7177	秦公及王姬編鐘一	余夙夕虔敬朕祀
7182	叔夷編鐘一	夙夜宦執而政事
7209	秦公及王姬鎛	余夙夕虔敬朕祀
7210	秦公及王姬鎛二	余夙夕虔敬朕祀
7211	秦公及王姬鎛三	余夙夕虔敬朕祀
7214	叔夷鎛	夙夜宦執而政事
7212	秦公鎛	虩(虔)夙夕剌剌趄趄
7335	雹𡖊戈	雹夙
M553	越王者旨於睗鐘	夙莫不貣

小計：共 99 筆

夙
𡖊
多

多 1136

1144	_䵼鼎	朝夕鄉𠂤多倗友
1159	辛鼎一	用昏𠂤剌多友
1159	辛鼎一	剌多友釐辛
1160	辛鼎二	用昏𠂤剌多友
1160	辛鼎二	剌多友釐辛
1167	_父鼎一	有女多兄
1168	_父鼎二	有女多兄
1215	麥鼎	用鄉多者(諸)友
1227	衛鼎	眔多倗友
1265	㝬弔鼎	多宗永令
1268	梁其鼎一	用旂多福
1269	梁其鼎二	用旂多福
1307	師望鼎	多蔑曆易休
1326	多友鼎	武公命多友逵公車羞追于京𠂤
1326	多友鼎	多友西追
1326	多友鼎	多友右折首執訊

多

1326	多友鼎	多友或又折首執訊
1326	多友鼎	多友乃獻孚、聝、訊于公
1326	多友鼎	迺命向父招多友
1326	多友鼎	公親曰多友曰
1326	多友鼎	多禽、女靜京自
1326	多友鼎	多友敢對揚公休
1327	克鼎	多易寶休
1329	小字盂鼎	三ナ(左)三右多君入服酉
1329	小字盂鼎	盂目多旅佩
1668	中甗	虎小多口
2546	聖毁	辛巳、王畬(歆)多亞聖䢅京
2566	寧毁一	用妥多福
2567	寧毁二	用妥多福
2589	孫弔多父乍孟姜毁一	孫弔多父乍孟姜尊毁
2590	孫弔多父乍孟姜毁二	孫弔多父乍孟姜尊毁
2591	孫弔多父乍孟姜毁三	孫弔多父乍孟姜尊毁
2644	命毁	命其永以多友毁飤
2651	內白多父毁	內白多父乍寶毁
2662.	宴毁一	多易宴
2662.	宴毁二	多易宴
2663	宴毁一	多易宴
2664	宴毁二	多易宴
2695	𣪕兒毁	用祈釁壽萬年無彊多寶
2713	瘨毁一	大神妥多福
2714	瘨毁二	大神妥多福
2715	瘨毁三	大神妥多福
2716	瘨毁四	大神妥多福
2717	瘨毁五	大神妥多福
2718	瘨毁六	大神妥多福
2719	瘨毁七	大神妥多福
2720	瘨毁八	大神妥多福
2727	蔡姞乍尹弔毁	尹弔用妥多福于皇考德尹惠姬
2746	追毁一	天子多易追休
2747	追毁二	天子多易追休
2748	追毁三	天子多易追休
2749	追毁四	天子多易追休
2750	追毁五	天子多易追休
2751	追毁六	天子多易追休
2763	弔向父禹毁	降余多福緐釐
2801	五年召白虎毁	余老止公僕庸土田多諫
2833	秦公毁	目受屯魯多釐
2834	㝬毁	阤阤降余多福
2834	㝬毁	㝬其萬年𣪕實朕多禦
2843	沈子它毁	乃沈子其顋褱多公能福
2843	沈子它毁	用褣多公
2843	沈子它毁	它用褱䢅我多弟子我孫
2852	不娶毁一	女多折首執訊
2852	不娶毁一	女多禽、折首執訊
2852	不娶毁一	用匄多福
2853	不娶毁二	女多折首執訊

2853	不嬰毁二	女多禽、折首執訊
2853	不嬰毁二	用匄多福
2855	班毁一	子子孫多世其永寶
2855.	班毁二	子子孫多世其永寶
2857	牧毁	包迺多亂
2857	牧毁	亦多虐庶民
2920.	白多父匿	白多父乍戌姬多母寶䵼器
2984	伯公父盤	多福無彊
2984	伯公父盤	多福無彊
3006	白多父旅盨一	白多父乍旅盨（須）
3007	白多父旅盨二	白多父乍旅盨（須）
3008	白多父旅盨三	白多父乍旅盨（須）
3009	白多父旅盨四	白多父乍旅盨（須）
3039	白多父盨	白多父乍戌姬多母寶䵼器
3075	白汈其旅盨一	用享用孝、用匄釁壽多福
3076	白汈其旅盨二	用享用孝、用匄釁壽多福
3085	駒父旅盨（蓋）	駒父其萬年永用多休
3086	善夫克旅盨	降克多福
3111	大師盧豆	用祈多福
4874	萬諆尊	用__侃多友
4874	萬諆尊	用乍念于多友
4878	召尊	用u8不杯・召多用追炎不杯白懋父友
4892	麥尊	妥多友、享奔走令
5472	乍毓且丁卣	歸福于我多高処山易𢦏
5472	乍毓且丁卣	歸福于我多高oe山易𢦏
5496	召卣	用u8不杯召多
5507	乍冊䖒卣	辨于多正
5510	乍冊嗌卣	用乍大禦于氒且考父母多申
5678	觴仲多醴壺	觴中多乍醴壺
5715	白多父行壺	____白多父非壺
5784	㚸氏壺	多寡不訏
5787	汈其壺一	用旛多福釁壽
5788	汈其壺二	用旛多福釁壽
5798	曶壺	永令多福
5804	齊侯壺	□日不可多天□□□□□受女
6786	__弔多父盤	pL弔多父乍朕皇考季氏寶般
6786	__弔多父盤	其吏__多父釁壽丂
6786	__弔多父盤	多父其孝子
6792	史墻盤	緐猶（髮）多釐
6993	弔旅魚父鐘	䨻䨻𩁹𩁹、降多福無
7019	邾太宰鐘	用□釁壽多福
7037	遅父鐘	乃用旛匄多福
7049	井人鐘三	降余厚多福無彊
7050	井人鐘四	降余後多福無彊
7060	昊生鐘一	用祈多福
7088	士父鐘一	降余魯多福亡彊
7089	士父鐘二	降余魯多福亡彊
7090	士父鐘三	降余魯多福亡彊
7091	士父鐘四	降余魯多福亡彊
7150	虢叔旅鐘一	迺天子多易旅休

7150	虢叔旅鐘一	降旅多福
7151	虢叔旅鐘二	迺天子多易旅休
7151	虢叔旅鐘二	降旅多福
7152	虢叔旅鐘三	迺天子多易旅休
7152	虢叔旅鐘三	降旅多福
7153	虢叔旅鐘四	迺天子多易旅休
7153	虢叔旅鐘四	降旅多福
7155	虢叔旅鐘六	迺天子多易旅休
7156	虢叔旅鐘七	降旅多福
7158	瘐鐘一	嚴祐塈妥厚多福
7159	瘐鐘二	韓妥厚多福
7160	瘐鐘三	嚴祐塈妥厚多福
7161	瘐鐘四	嚴祐塈妥厚多福
7162	瘐鐘五	嚴祐塈妥厚多福
7165	瘐鐘八	韓妥厚多福
7174	秦公鐘	以受多福
7174	秦公鐘	屯魯多釐
7176	㝬鐘	降余多福
7177	秦公及王姬編鐘一	以受多福
7178	秦公及王姬編鐘二	屯魯多釐
7209	秦公及王姬鎛	以受多福
7209	秦公及王姬鎛	屯魯多釐
7210	秦公及王姬鎛二	以受多福
7210	秦公及王姬鎛二	屯魯多釐
7211	秦公及王姬鎛三	以受多福
7211	秦公及王姬鎛三	屯魯多釐
7212	秦公鎛	以受多福
7212	秦公鎛	以受屯魯多釐
M340	魯伯悆盨	用祈多福
		小計：共 145 筆

鬖 1137

5766	周鬖壺一	周鬖乍公日己尊壺
5767	周鬖壺二	周鬖乍公日己尊壺
		小計：共 2 筆

毌 1137+

0346.	句毌父乙鼎	[句毌]父乙
0359	句毌父乙鼎	[句毌]父乙
1191	堇乍大子癸鼎	用乍大子癸寶尊鬞[句毌句]
1900	乙戈毌設一	乙[戈毌]
1901	乙戈毌設二	乙[戈毌]
1947	白八毌設	白八[毌]
1960	八毌父癸設	[八毌]父癸
2154	𣪘毌父乙設	[秉䀠毌]父乙
2731	小臣宅設	白易小臣宅畫干毌戈九

2744	五年師旋毁一	儕女十毌五、昜登
2745	五年師旋毁二	儕女十毌五、昜登
3245	毌爵	[毌]
3246	毌爵	[毌]
3648	毌得爵一	[毌得]
3649	毌得爵二	[毌得]
3693	毌徙爵	[毌徙]
3794.	句毌父乙爵	[句毌]父乙
4067	秉毌父乙爵	[秉毌]父乙
4085	毌偁父己爵	父己[毌偁]
4102	毌偁父癸爵	[毌偁]父癸
4112	戈乳亞毌爵	戈乳[亞毌]
4115	亽句毌且辛爵	[亽句毌]且辛
4333	毌乍父戊斝	毌乍父戊
4371	句毌父乙盉	[句毌]父乙
4663	_父庚毌尊	[er]父庚[毌]
5132	句毌父乙卣一	[句毌]父乙
5133	句毌父乙卣二	[句毌]父乙
5179	秉毌丁卣	[秉毌]丁
5277	_六六六父戊卣	[句毌六六六]父戊
5534	中得方罍	[毌得]
5549	毌偁父乙方罍	[毌偁]父乙
5596	句毌父戊瓿	[句毌]父戊
5917	句毌觚	[句毌]
6197	句毌父乙觚	[句毌]父乙
6522	秉毌戊觶	[秉毌戊]

小計：共 35 筆

毌
句毌
圅

圅 1138

1095	函皇父鼎	圅(函)皇父乍琱妘尊ps鼎
1247	圅皇父鼎	圅皇父乍琱娟般、盉尊器、鼎、毁具
1332	毛公鼎	俗(欲)女弗目乃辟圅于艱
2312	剨圅乍且癸毁	剨圅乍且戊寶尊彝狄(戰)
2678	函皇父毁一	圅皇父乍琱娟
2679	函皇父毁二	圅皇父乍琱娟
2680	函皇父毁三	圅皇父乍琱娟
2680.	圅皇父毁四	圅皇父乍琱娟
2852	不嬰毁一	女休、弗目我車圅(陷)于艱
2853	不嬰毁二	女休、弗以我車圅于囏
2856	師訇毁	欲女弗以乃辟圅于艱
2877	圅交仲旅匜	圅交中乍旅匜、寶用
5046	圅卣	[圅]
6783	圅皇父盤	圅皇父乍琱娟般盉、尊器
6839	圅皇父乍周娟匜	圅皇父乍周妘它

小計：共 15 筆

函 1138

1095	函皇父鼎	圅(函)皇父乍琱妘尊ps鼎
7652	五年鄭令韓□矛	左庫工帀陽函冶尹侃
		小計：共 2 筆

甬 1139

0883	曾侯乙鼎	曾侯乙詐(乍)時甬(用)冬(終)
0949	江小仲鼎	江小中母生自乍甬鬲
1331	中山王礜鼎	寡人幼童未甬(通)智
1332	毛公鼎	畫縛畫輯、金甬、錯衡、金踵、金豙、勅㦸、
2816	彔白㦰毁	虎冟朱裏、金甬、畫聞(輴)
2830	三年師兌毁	金甬
2873	曾侯乙匿	曾侯乙乍寺甬冬
3088	師克旅盨一(蓋)	虎冟、熏裏、畫轉、畫輴、金甬、朱旂
3089	師克旅盨二	虎冟、熏裏、畫轉、畫輴、金甬、朱旂
3090	㬪盨(器)	畫轉、金甬
4978	吳方彝	桒軗、畫轉、金甬
5781	曾姬無卹壺一	甬(用)乍宗彝尊壺
5781	曾姬無卹壺一	後嗣甬(用)之
5782	曾姬無卹壺二	甬(用)乍宗彝尊壺
5782	曾姬無卹壺二	後嗣甬(用)之
5804	齊侯壺	公曰甬甬
5804	齊侯壺	公曰甬甬
6887	掫陵君王子申鑑	永甬(用)之官
7760	甬川斧	甬川
		小計：共 19 筆

柬 1140

1323	師訊鼎	whwi(柬龒)白大師武，
6914	郩料盆一	郩料柬所寺
6915	郩料盆二	郩料柬所寺
		小計：共 3 筆

龒 1140+

1323	師訊鼎	whwi(柬龒)白大師武，
		小計：共 1 筆

卣 1141

1263	呂方鼎	王易呂鬯三卣、貝卅朋
1308	白晨鼎	易女秬鬯一卣、玄袞衣、幽夫(黼)
1328	盂鼎	易女鬯一卣、冂衣、市、舄、車馬

1330	曶鼎	余無卣貝寇足□
1332	毛公鼎	易女䰞鬯一卣、鄭(祼)圭鬲(瓚？)寶
2816	彔白𢦚殷	余易女䰞鬯一卣
2830	三年師兌殷	易女䰞鬯一卣
2856	師𩛥殷	易女䰞鬯一卣、圭鬲
2857	牧殷	易女䰞鬯一卣、金車、𠦪較、畫輯
3088	師克旅盨一(蓋)	易䰞鬯一卣、赤市五黃、赤舄
3089	師克旅盨二	易䰞鬯一卣、赤市五黃、赤舄
3090	𨾊盨(器)	易女䰞__鬯一卣
4447	臣辰冊冊多乍冊父癸盉	眔賞卣鬯貝
4978	吳方彝	易秬(𩰫)鬯一卣
5044	𦉼卣	[卣]
5501	臣辰冊冊多卣一	眔賞卣鬯貝
5502	臣辰冊冊多卣二	眔賞卣鬯貝
5798	曶壺	易女𩰫鬯一卣玄袞衣

小計：共 18 筆

齊 1142

1163	齊陳__鼎蓋	齊陳ka不敢逸康
1360	㚸齊婦鬲	[㚸]齊婦
1404	䢅姬乍𡖊齊鬲	䢅姬乍𡖊齊鬲
1478	齊不趄鬲	齊不趄乍㡯白尊鬲
2417	齊嬀姬寶殷	齊嬀姬乍寶殷
2468	齊癸姜尊殷	齊巫姜乍尊殷
2669	__妊小殷	白芳父吏____尹人于齊自
2672	伯芳父殷	白芳父吏____尹人于齊自
2682	陳侯午殷	保又齊邦
2744	五年師旋殷一	令女羞追于齊
2745	五年師旋殷二	令女羞追于齊
2791.	史密殷	齊自、族土(徒)、述人
2791.	史密殷	師俗率齊自、述人左
2826	師寰殷一	今余肇令女逹(率)齊帀
2826	師寰殷一	今余肇令女逹(率)齊帀
2827	師寰殷二	今余肇令女逹(率)齊帀
2955	齊陳__𠤳一	齊陳ka不敢般康
2956	齊陳曼𠤳二	齊陳ka不敢逸般康
2985	陳逆𠤳一	余寅吏齊侯
2985.	陳逆𠤳二	余寅吏齊侯
2985.	陳逆𠤳三	余寅吏齊侯
2985.	陳逆𠤳四	余寅吏齊侯
2985.	陳逆𠤳五	余寅吏齊侯
2985.	陳逆𠤳六	余寅吏齊侯
2985.	陳逆𠤳七	余寅吏齊侯
2985.	陳逆𠤳八	余寅吏齊侯
2985.	陳逆𠤳九	余寅吏齊侯
2985.	陳逆𠤳十	余寅吏齊侯
3092	齊侯乍飤𩫖一	齊侯乍飤𩫖
3093	齊侯乍飤𩫖二	齊侯乍飤𩫖

齊

3096	齊侯乍孟姜善䵼	齊侯乍朕𡨦𦼇孟膳䵼
3097	陳侯午錞鐓一	保又齊邦永世毋忘
3098	陳侯午錞鐓二	保又齊邦永世毋忘
3099	十年陳侯午䵼（器）	陳侯午朝群邦者侯于齊
3099	十年陳侯午䵼（器）	保有齊邦永世毋忘
3100	陳侯因𬶍錞	台登台嘗、保有齊邦
3121.	大宰歸父𨥍	齊大宰歸父vf為忌盧盤
3722.	齊女□爵三	齊女__
3748	齊且辛爵	[齊]且辛
3986	齊娸爵一	[齊娸]
3987	齊娸爵二	[齊娸]
4887	蔡侯𬳿尊	齊嘉整謕（肅）
5366	齊乍父乙尊彝卣	齊乍父乙尊彝
5743	齊良壺	齊良乍壺盂
5801	洹子孟姜壺一	齊侯〔女〕靁喪其□
5801	洹子孟姜壺一	齊侯命大子乘__來句宗白
5801	洹子孟姜壺一	齊侯拜嘉命
5801	洹子孟姜壺一	齊侯既濟洹子孟姜喪其人民都邑
5802	洹子孟姜壺二	齊侯女雷眔䚄陵_
5802	洹子孟姜壺二	齊侯命大子乘dw來句宗白聽命于天子
5802	洹子孟姜壺二	齊侯拜嘉命
5802	洹子孟姜壺二	齊侯既濟洹子孟姜喪其人民都邑
5804	齊侯壺	齊三軍圍釐
5826	國差𦉜	齊邦鼏靜安寧
6629	齊史疑乍且辛觶	齊史疑乍且辛寶彝
6746	齊侯乍孟姬盤	齊侯乍皇氏孟姬寶般（盤）
6765	齊弔姬盤	齊弔姬乍孟庚寶般
6767	齊縈姬之嬉盤	齊縈姬之嬉（姪）乍寶般
6768	齊大宰歸父盤一	齊大宰歸父vf為忌顈盤
6769	齊大宰歸父盤二	齊大宰歸父vf為忌顈盤
6779	齊侯盤	齊侯乍賸寡v1孟姜盥般
6788	蔡侯𬳿盤	齊嘉整謕（肅）
6866	齊侯乍虢孟姬匜	齊侯乍虢孟姬良女寶它
6873	齊侯乍孟姜盥匜	齊侯乍賸寡v1孟姜盥𬃖
6907	齊侯乍朕子仲姜盂	齊侯乍朕子中姜寶盂
7037	遲父鐘	遲父乍姬齊姜龢㗊鐘
7037	遲父鐘	侯父眔齊萬年眉壽
7075	者汈鐘七	齊休祝成
7078	者汈鐘十	齊休祝成
7082	齊鞄氏鐘	齊鞄氏孫大羼其吉金
7092	𠨘羌鐘一	逨征秦迮齊
7093	𠨘羌鐘二	逨征秦迮齊
7094	𠨘羌鐘三	逨征秦迮齊
7095	𠨘羌鐘四	逨征秦迮齊
7096	𠨘羌鐘五	逨征秦迮齊
7186	叔夷編鐘五	是辟于齊侯之所
7188	叔夷編鐘七	齊侯左右
7189	叔夷編鐘八	齊侯左右
7213	𬬎鎛	齊群鞄（鮑）弔之孫
7213	𬬎鎛	勞于齊邦

7214	叔夷鎛	是辟于齊侯之所
7214	叔夷鎛	齊侯左右
7381	齊戈	齊□邦
7501	齊成右戈	齊成右造車戟、冶絧
7567	廿九年相邦尚□戈	左庫工帀鄬番冶__義執齊
7658	五年春平侯矛	工帀_____冶執齊
7659	元年春平侯矛	邦右庫工帀肖瘁冶□闢執齊
7661	三年建躳君矛	邦左庫工帀□□冶尹月執齊
7662	八年建躳君矛	邦左庫工帀杋□冶尹□執齊
7725	元年劍	右庫工帀杜生、冶參執齊
7726	八年相邦建躳君劍一	冶尹明執齊
7727	八年相邦建躳君劍二	冶尹明執齊
7728	八年相邦建躳君劍三	冶尹__執齊
7729	守相杜波劍	冶巡執齊大攻尹公孫桴
7730	十五年守相杜波劍一	冶巡執齊大攻尹公孫桴_
7731	王立事劍一	冶得執齊
7732	王立事劍二	冶得執齊
7733	王立事劍三	冶得執齊
7737	十五年劍	邦左庫工帀代翟工帀長鑄冶執齊齊
7738	十七年相邦春平侯劍	邦左庫□工帀□戊未□冶執齊
7740	四年春平相邦劍	右庫工帀睘輅__冶臣成執齊
7742	十三年劍	冶□執齊
7831	廿四年銅梃	廿四年__昌__左執齊
7868	商鞅方升	齊率卿大夫眾來聘
7891	齊馬節	齊節大夫傳五乘
7933	大府鎬	秦客王子齊之歲
M341	魯中齊鼎	魯中齊肇乍皇考鬻鼎
M342	魯中齊甗	魯中齊乍旅甗
M343	魯司徒中齊盨	魯司徒中齊肇乍皇考白走公餗盨段
M344	魯司徒中齊盤	魯司徒中齊肇乍般
M345	魯司徒中齊匜	魯司徒中齊肇乍皇考白走父寶匜
M709	曾侯乙編鐘下二・二	其才齊為呂音
M738	曾侯乙編鐘中二・十一	其才齊為呂音
M741	曾侯乙編鐘中三・二	丌才齊號為呂音
M897	六年安平守劍	冶余執齊

小計：共 115 筆

齊

柬 1143

1255	作冊大鼎一	公柬鑄武王成王異鼎
1256	作冊大鼎二	公柬鑄武王成王異鼎
1257	作冊大鼎三	公柬鑄武王成王異鼎
1258	作冊大鼎四	公柬鑄武王成王異鼎
1302	新邑鼎	癸卯王來(柬?)奠(鄭)新邑
1410	柬且辛父甲鬲	[柬]且辛父甲征
2611	㽙渣嗣土𩂣段	王柬伐商邑
5376	亞柬無憂乍父丁卣	[亞柬]無憂乍父丁彝
5424	柬乍父辛卣	公賞柬、用乍父辛于彝
5433	奘亞柬竅𢾊乍父癸卣	[亞柬]竅𢾊乍父癸寶尊彝[奘]

5984.	夘東觚	[夘東]
6764	般仲東盤	隹般中東乍其盤
7833	_干首	[夘東]
		小計：共 13 筆

棗 1144

6914	嗣料盆一	嗣料棗_寺
6915	嗣料盆二	嗣料棗_寺
7591	宜乘之棗戟	宜此之棗戟
		小計：共 3 筆

棘 1145

0737	蔡子鼎	蔡子棘之貞(鼎)
6724	周棘生盤	周棘生□□□朕般
7649	帝降矛	帝降棘余子之貳金
		小計：共 3 筆

鼎 1146

0031	鼎鼎	[鼎]
0031.	鼎鼎	[鼎]
0303	乙戰鼎	乙[鼎]
0451	猲盞方鼎	猲盞鼎
0463	貞乍鼎	貞乍鼎
0469	白旅鼎	白旅鼎
0470	白乍鼎	白乍鼎
0473	乍旅鼎一	乍旅鼎
0474	乍旅鼎二	乍旅鼎
0475	乍旅鼎三	乍旅鼎
0476	乍旅鼎四	乍旅鼎
0477	乍旅鼎五	乍旅鼎
0478	乍肇鼎	乍旅鼎
0480	乍寶鼎一	乍寶鼎
0481	乍寶鼎二	乍寶鼎
0482	乍寶鼎三	乍寶鼎
0483	乍寶鼎四	乍寶鼎
0484	乍寶鼎五	乍寶鼎
0485	乍寶鼎六	乍寶鼎
0486	乍寶鼎七	乍寶鼎
0487	乍寶鼎八	乍寶鼎
0514	父乙鼒鼎一	父乙鼒(鼎)
0515	父乙鼒鼎二	父乙鼒(鼎)
0602	大祝禽方鼎一	大祝禽鼎
0603	大祝禽方鼎二	大祝禽鼎
0605	明我乍鼎	明我乍貞(鼎)
0608	弔乍尊鼎	弔乍尊鼎

0609	老乍寶鼎	老乍寶鼎
0610	中乍寶鼎	中乍寶鼎
0611	亶乍寶鼎	亶乍寶鼎
0612	皎乍寶鼎	皎乍寶鼎
0613	__乍寶鼎	ks乍寶鼎
0614	白乍寶鼎	白乍寶鼎
0615	梠乍寶鼎	梠乍寶鼎
0617	車乍寶鼎	車乍寶鼎
0618	__乍寶鼎	t,J乍寶鼎
0619	戈乍寶鼎	乍寶鼎[戈]
0621	白乍旅鼎	白乍旅鼎
0622	右乍寶鼎	右乍旅鼎
0623	樂乍旅鼎一	樂乍旅鼎
0624	樂乍旅鼎二	樂乍旅鼎
0625	□乍旅鼎	□乍旅鼎
0626	弔乍旅鼎	弔乍旅鼎
0627	__乍寶鼎	__乍旅鼎
0628	為之行鼎	為之行鼎
0635	中乍旅鼎	中乍旅鼎
0650	__乍寶鼎	ss乍寶鼎
0662	父乍寶鼎	父乍寶鼎
0663	__乍母鼎	__乍母鼎
0667	哀子鼎	□子哀乍是鼎
0692	閼白乍寶鼎	閼白乍寶鼎
0693	__白乍旅鼎	kn白乍旅鼎
0695	仲乍旅寶鼎	中乍旅寶鼎
0699	考姒乍旅鼎	考姒(始)乍旅鼎
0700	姚乍__餗鼎	姚乍n7餗鼎
0701	散姬方鼎	散姬乍尊鼎
0703	訴啟乍旅鼎	訴啟乍旅鼎
0705	寷姜乍旅鼎	寷姜乍旅鼎
0706	籚乍寶鼎	籚乍寶齍鼎
0707	㪤乍寶鼎	㪤乍寶鼎[皇]
0709	弔攸乍旅鼎	弔攸乍旅鼎
0710	贏氏乍寶鼎	贏氏乍寶鼎
0711	𢓊__乍寶鼎	𢓊__乍寶鼎
0712	白旂乍寶鼎	白旂乍寶鼎
0719	無臭之餗鼎一	無臭之餗鼎
0720	無臭之餗鼎二	無臭之餗鼎
0727	三斗鼎	__里三斗料鼎
0729	集脰大子鼎一	大子鼎、集脰
0730	集脰大子鼎二	集脰大子鼎
0733	史客鼎	史客乍旅鼎
0734	戜鼎	戜乍氒尊貞(鼎)
0737	禁子鼎	禁子__之貞(鼎)
0739	伯□鼎	白□乍寶鼎
0740	伯父方鼎	白父乍寶鼎
0745	弊鼎	弊乍旅尊鼎
0751	期父方鼎	期(其)父乍旅鼎
0757	歸乍父丁鼎	歸乍父丁寶鼎

鼎

0762	具乍父庚鼎	具乍父庚寶鼎
0765	冉乍父癸鼎	冉乍父癸寶鼎
0771	矢王方鼎蓋	矢王乍寶尊鼎
0775	陵弔乍衣鼎	陵弔乍衣寶鼎
0776	遣弔乍旅鼎	遣弔乍旅鼎用
0777	孟淠父鼎	孟淠父乍寶鼎
0778	仲義父鼎一	中義父乍尊鼎
0779	仲義父鼎二	中義父乍尊鼎
0780	仲義父鼎三	中義父乍尊鼎
0781	弔旃鼎	弔旃(旅)乍寶尊鼎
0786	史盄父鼎	史盄父乍寶鼎
0787	考乍友父鼎	考乍友父尊鼎
0788	犾父鼎	犾父乍＿台鼎
0791	事戎鼎	吏戎乍寶尊鼎
0792	史昔其乍籧鼎	史昔其乍旅鼎
0793	㜏嫞德乍小鼎	㜏嫞德乍小鼎
0798	緐還鼎	緐還乍寶用鼎
0803	斐攸鼎	排攸乍保旅鼎
0804	井季㚤乍旅鼎	井季㚤乍旅鼎
0805	取它人善鼎	取它人之善貞(鼎)
0806	沖子行鼎	沖子ja之行貞(鼎)
0807	須丞生飤鼎	須丞生之飤貞(鼎)
0812	虫習乍旅鼎	虫習乍寶旅鼎
0813	白遟父乍雜鼎	白遟父乍雜貞(鼎)
0817	王子臺鼎	王子臺自酢(乍)飤貞(鼎)
0821	史逹方鼎一	史逹乍寶方鼎
0822	史逹方鼎二	史逹乍寶方鼎
0825	強乍井姬鼎	強乍井姬用鼎
0826	白指乍籧鼎	白指乍旅尊鼎
0827	宋公繎鼎	宋公繎之餗貞(鼎)
0828	鐵史鼎	鐵史乍考尊鼎
0829	尹小弔乍鑾鼎	尹小弔乍鑾鼎
0832	蔡侯𩕄鼎	蔡侯𩕄之飤貞(鼎)
0833	中敀鼎	中敀貞鼎六斗
0842	鼎乍父己鼎	鼎其用乍父己寶鼎
0850	王乍垂姬鼎	王乍＿姬寶尊鼎
0851	尹弔乍＿姞鼎	尹弔乍sy姞賸鼎
0859	ㄙ卩小子句鼎	ㄙ卩小子句乍寶鼎
0865	邵王之諻餗鼎	邵王之諻之餗貞(鼎)
0866	＿夜君鼎	sd夜君戊之＿鼎
0870	蛸所＿鼎	蛸所＿貞貞(鼎)安瓶
0884	右官鼎	右官公＿官＿鎖(鼎)
0885	井姬㝐鼎	強白乍井姬㝐鼎
0886.	喬夫人餗鼎	喬夫人鑄其餗鼎
0895	滁父乍姜懿母鼎一	滁父乍姜懿母餗貞(鼎)
0896	滁父乍姜懿母鼎二	滁父乍姜懿母餗貞(鼎)
0898	姞智母鼎	姞㫚(智)母乍䘏寶尊鼎
0905	解子乍䘏宄䡓宮鼎	解子乍䘏宄䡓鼎
0909	寠＿父鼎	寠kw父乍狩姁朕(賸)鼎
0911	弔虎父乍弔姬鼎	弔虎父乍弔姬寶鼎

0916	__鼎	rs乍寶鼎、子孫永用
0918	盜叔鼎	盜弔之行貞(鼎)永用之
0919	盅鼎	盅之__貞(鼎)
0921	余子鼎	余子__之鼎
0923	戚箙束乍父丁鼎	束乍父丁寶鼎[戚箙]
0928	穌衛妃乍旅鼎一	穌衛改乍旅鼎其永用
0929	穌衛妃乍旅鼎二	穌衛改乍旅鼎其永用
0930	穌衛妃乍旅鼎三	穌衛改乍旅鼎其永用
0931	穌衛妃乍旅鼎四	穌衛改乍旅鼎其永用
0934	中斿父鼎	中斿父乍寶尊彝貞(鼎)[七五八]
0935	季念乍旅鼎	季念乍旅鼎其永寶用
0937	內公乍鑄從鼎一	內(芮)公乍鑄從鼎永寶用
0938	內公乍鑄從鼎二	內公乍鑄從鼎永寶用
0939	內公乍鑄從鼎三	內公乍鑄從鼎永寶用
0940	乍寶鼎	乍寶鼎子子孫永寶用
0944	至乍寶鼎	至乍寶鼎其萬年永寶用
0947	鑪兹乍旅鼎	鑪兹乍旅鼎孫子永寶
0948	辪侯戚乍父乙鼎	辪侯戚乍父乙鼎彝[史]
0955	靃乍己公鼎	靃乍己公寶鼎其萬年用
0956	鄭同媿乍旅鼎	鄭同媿乍旅鼎其永寶用
0957	弔盂父鼎	弔盂父乍尊鼎其永寶用
0958	弔師父鼎	弔師父乍尊鼎其永寶用
0959	橥鼎	橥乍寶鼎其萬年永寶用
0960	大__弔姜鼎	大□乍弔姜鼎其永寶用
0962	亙乍寶鼎	亙乍寶鼎子子孫永寶用
0963	白旬乍尊鼎	白旬乍尊鼎萬年永寶用
0964	萬仲鼎	萬中□□乍用鼎
0968	走馬吳買乍雝鼎	sz父之走馬吳買乍雝貞(鼎)用
0969	從鼎	從用乍寶鼎
0970	蔡侯鼎	蔡侯乍旅貞(鼎)
0971	內大子鼎一	內大子乍鑄鼎
0972	內大子鼎二	內大子乍鑄鼎
0973	白__乍妣羞鼎一	白oq乍嫊(曹)妹oq羞鼎
0974	白__乍妣羞鼎二	白oq乍嫊(曹)妹oq羞鼎
0975	白__乍妣羞鼎三	白oq乍嫊(曹)妹oq羞鼎
0976	白__乍妣羞鼎四	白oq乍嫊(曹)妹oq羞鼎
0977	□子每刃乍寶鼎	□子每刃乍寶鼎
0978	弔𤞷父鼎	弔𤞷父乍鼎
0979	__君鼎	pl君婦媿霝乍旅尊鼎
0982	己華父鼎	己華父乍寶鼎
0986	中乍且癸鼎	用乍且癸寶鼎
0987	朋仲鼎	倗中乍畢媿賸鼎
0989	仲宦父鼎	中宦父乍寶鼎
0990	__白肄鼎	L9白肄乍pz寶鼎
0992	鼄討鼎	鼄訧為其鼎
0993	陳生寉鼎	陳生寉乍飤鼎
0995	內公飤鼎	內公乍鑄飤鼎
0996	子適鼎	子適乍寶鼎
1000	郜造鼎	郜造遣乍寶鼎
1001	鄭子石鼎	鄭子石乍鼎

鼎

1003	楚王酓肯釶鼎	楚王酓肯(朏)鑄釶(匜)鼎
1005	楚王酓肯釿鼎	楚王酓朏吏鑄喬鼎
1009	繇侯簋鼎	商、用乍旅鼎
1010	榮有嗣爯鼎	榮有司爯乍齍鼎
1013	滔__秉方鼎	滔td秉乍寶鼎
1014	乍寶鼎	乍寶鼎
1015	□大師虎鼎	□大師虎□乍□鼎
1016	廟孱鼎	廟孱乍鼎
1020	鄭邍原父鼎	鄭邍邍(原)父鑄鼎
1021	虢弔大父鼎	虢弔大父乍尊鼎
1022	白宓父旅鼎	白宓父乍旅鼎
1023	從乍寶鼎	从乍寶鼎
1024	大師人__乎鼎	大師人o6乎乍寶鼎
1025	奠姜白寶鼎	奠姜白乍寶鼎
1026	奄朢鼎	奄朢聿乍寶尊鼎
1027	番君召鼎	番君召自乍鼎
1028	央__鼎	央__姬昌乍孟田用____鼎
1031	周__駷鼎	周__駷乍用寶鼎
1034	仲殷父鼎一	中殷父乍鼎
1035	仲殷父鼎二	中殷父乍鼎
1036	史宜父鼎	史宜父乍尊鼎
1038	白執父鼎	白執父乍寶鼎
1039	兼咯父旅鼎	兼咯父乍旅鼎
1040	弔荼父鼎	弔荼父乍尊鼎
1041	且方鼎	用乍孚□□寶鬻尊鼎
1042	白庿父鼎	白庿父乍比鼎
1044	寶__生乍成媿鼎	寶__生乍成媿賸鼎
1045	專車季鼎	專車季乍寶鼎
1048	雝乍母乙鼎	雝乍母乙尊鼎
1049	靜弔乍旅鼎	靜弔乍鄙兄旅貞(鼎)
1050	白筍父鼎一	白筍父乍寶鼎
1051	白筍父鼎二	白筍父乍寶鼎
1053	白考父鼎	白考父乍寶鼎
1054	杞白每亡鼎一	杞白每亡乍鼄婞(曹)寶貞(鼎)
1055	杞白每亡鼎二	杞白每亡乍鼄婞(曹)寶貞(鼎)
1056	曾白從寵鼎	曾白從寵自乍寶鼎用
1057	會娟鼎	會妘乍寶鼎
1060	輔白雁父鼎	輔白雁父乍豐孟妘賸鼎
1061	交君子__鼎	交君子qf肇乍寶鼎
1062	衵鼎	衵白乍寶鼎
1064	武生__弔羞鼎一	武生kJ弔乍其羞鼎
1065	武生__弔羞鼎二	武生kJ弔乍其羞鼎
1070	鄲孝子鼎	命鑄飤鼎鬲
1071	鼄白御戎鼎	鼄白御戎乍滕姬寶貞(鼎)
1072	瘃乍其鬻鼎	隹正月初瘃乍其鬻鬲貞貞(鼎)
1073	白鼎	乍帚寶鼎尊彝
1075	黃季乍季嬴鼎	黃季乍季嬴寶鼎
1076	王伯姜鼎	王白姜乍季姬寶尊鼎
1077	曾仲子__鼎	曾中子__用其吉金自乍寶鼎
1078	犀白魚父旅鼎一	犀白魚父乍旅鼎

1079	犀白魚父旅鼎二	犀白魚父乍旅鼎
1080	華仲義父鼎一	中義父乍新寶鼎
1081	華仲義父鼎二	中義父乍新寶鼎
1082	華仲義父鼎三	中義父乍新寶鼎
1083	華仲義父鼎四	中義父乍新寶鼎
1084	華仲義父鼎五	中義父乍新寶鼎
1085	曾者子乍鼎	曾者子鑄用乍鼎
1086	內子仲□鼎	內子中□肇乍弔媿尊鼎
1087	鑄子弔黑臣鼎	鑄子弔黑臣肇乍寶貞(鼎)
1088	師麻斿弔旅鼎	師麻斿乍旅鼎
1091	小臣趞鼎	中易趞鼎
1093	奠登白鼎	奠登白彶弔嫼乍寶鼎
1094	魯大左司徒元善鼎	魯大左司徒元乍善鼎
1095	函皇父鼎	圅(函)皇父乍琱妘尊ps鼎
1096	弗奴父鼎	弗奴父乍孟姒(始)守賸鼎
1097	白庸父乍羊鼎	白庸父乍羊鼎
1098	善夫白辛父鼎	善夫白辛父乍尊鼎
1099	仲旳父鼎	中旳父乍尊鼎
1100	白尚鼎	白尚肇其乍寶鼎
1102	無大邑魯生鼎	無大邑魯生乍壽母朕(賸)貞(鼎)
1104	辛中姬皇母鼎	辛中姬皇母乍尊鼎
1105	鐵季乍嬴氏行鼎	鐵季乍嬴氏行鼎
1107	番仲吳生鼎	番中吳生乍尊鼎
1108	師賸父鼎	師賸父乍獎姬寶鼎
1109	師自乍鼎	師自其乍寶鼎
1110	鼬白原鼎	鼬白原乍寶鼎
1111	□魯宰鼎	□魯宰鑄氐其□賸寶鼎
1115	楚王酓肯喬鼎	楚王酓胐乍鑄喬鼎
1116	晉司徒白鄀父鼎	晉嗣徒白鄀父乍周姬寶尊鼎
1118	宋莊公之孫趆亥鼎	宋莊公之孫趆亥自乍會鼎
1120	淉白鼎	唯淉白友□林乍鼎
1121	唯弔從王南征鼎	誨乍寶鬲鼎(蓋)
1121	唯弔從王南征鼎	誨乍寶鬲鼎(器)
1123	伯夏父鼎	白夏父乍畢姬尊鼎
1123.	番□伯者鼎	隹番□伯者自乍寶鼎
1126	弔夜鼎	弔夜鑄其饎鼎
1128	_白氏鼎	白氏姒(始)氏乍wJrmp8賸鼎
1129	寒姒好鼎	□事小子_乍寒姒(始)好尊鼎
1130	虢文公子佼鼎一	虢文公子佼乍弔改鼎
1131	虢文公子佼鼎二	虢文公子佼乍弔改鼎
1132	邿白祀乍善鼎	邿白祀乍善鼎
1133	邿白乍孟妊善鼎	邿白肇乍孟妊善寶鼎
1134	敶侯鼎	敶侯乍朕嬀四母賸鼎
1140	衛鼎	衛乍文考小中姜氏盂鼎
1141	善夫旅白鼎	善夫旅白乍毛中姬尊鼎
1142	杞白每亡鼎	杞白每亡乍鼄曹寶鼎
1144	_歠鼎	_歠乍朕考寶尊鼎
1145	舍父鼎	用乍寶鼎
1146	□者生鼎一	□者生□辰用吉金乍寶鼎
1147	□者生鼎二	□者生□辰用吉金乍寶鼎

鼎

1148	鼄姜白鼎一	鼄姜白乍此羸尊鼎
1149	鼄姜白鼎二	鼄姜白乍此羸尊鼎
1151	曩侯鼎	弟__乍寶鼎
1153	白頵父鼎	白頵父乍朕皇考犀白吳姬寶鼎
1154	黃孫子蜈君弔單鼎	唯黃孫子蜈君弔單自乍鼎
1155	戉者乍旅鼎	戉者乍旅鼎
1156	毫鼎	用乍尊鼎
1161	白吉父鼎	白吉父乍毅尊鼎
1163	齊陳__鼎蓋	乍皇考獻弔餗鼎
1166	茲太子鼎	□絲大子乍孟姬寶鼎
1167	__父鼎一	__父乍__寶鼎延令曰
1168	__父鼎二	__父乍__寶鼎延令曰
1171	魯白車鼎	魯白車自乍文考造靜鼎
1174	易乍旅鼎	易用乍寶旅鼎
1175	白鮮乍旅鼎一	白鮮乍旅鼎
1176	白鮮乍旅鼎二	白鮮乍旅鼎
1177	白鮮乍旅鼎三	白鮮乍旅鼎
1185	強白乍井姬鼎一	隹強白乍井姬用鼎、毁
1186	強白乍井姬鼎二	隹強白乍井姬用鼎、毁
1188	旃弔樊乍易姚鼎	旃弔樊乍易姚寶鼎
1189	諆鼎	諆肇乍其皇考皇母者比君鬻鼎
1194	郤王膿鼎	鑄其鬻鼎
1195	戈弔朕鼎一	戈弔朕自乍餗鼎
1196	戈弔朕鼎二	戈弔朕自乍餗鼎
1197	戈弔朕鼎三	戈弔朕自乍餗鼎
1199	虢宣公子白鼎	虢宣公子白乍尊鼎
1200	散白車父鼎一	楸白車父乍郯姞尊鼎
1201	楸白車父鼎二	楸白車父　乍郯姞尊鼎
1202	楸白車父鼎三	楸白車父乍郯姞尊鼎
1203	楸白車父鼎四	楸白車父乍郯姞尊鼎
1205	公朱左自鼎	左自__大夫林自□夫__鑄鼎
1205.	遹鼎	軼乍文考胤白尊鼎（貞）
1207	眉__鼎	鼎二毁二
1215	麥鼎	用乍鼎
1217	毛公籩方鼎	毛公旅鼎亦隹毁
1220	鄁公鼎	自乍__鼎
1221	井鼎	用乍寶尊鼎
1222	寂鼎一	用乍寶鼎
1223	寂鼎二	用乍寶鼎
1224	王子吳鼎	自乍飤鼎
1225	鬳大史申鼎	乍其造貞（鼎）十
1226	師艅鼎	其乍氒文考寶鼎
1227	衛鼎	衛肇乍氒文考己中寶鬻鼎
1230	師器父鼎	師器父乍尊鼎
1238	曾子仲宣鼎	自乍寶貞（鼎）
1239	__鼎一	nt用乍窺公寶尊鼎
1240	__鼎二	nt用乍窺公寶尊鼎
1242	塱方鼎	用乍尊鼎
1243	仲__父鼎	用乍寶鼎
1244	瘨鼎	用乍皇且文考盂鼎

1245	仲師父鼎一	中師父乍季始姒(始)寶尊鼎
1246	仲師父鼎二	中師父乍季始姒(始)寶尊鼎
1247	函皇父鼎	函皇父乍琱娟般、盉尊器、鼎、毀具
1247	函皇父鼎	自豕鼎降十又二、毀八、兩罍、兩壺 鼎
1255	作冊大鼎一	公束鑄武王成王異鼎
1256	作冊大鼎二	公束鑄武王成王異鼎
1257	作冊大鼎三	公束鑄武王成王異鼎
1258	作冊大鼎四	公束鑄武王成王異鼎
1259	鄀公鼎	下鄀雝公誠乍尊鼎
1262	穵鼎	用乍朕文考釐弔尊鼎
1265	猷弔鼎	猷弔仰姬乍寶鼎
1268	梁其鼎一	梁其乍尊鼎
1269	梁其鼎二	梁其乍尊鼎
1270	小臣姿鼎	小臣姿易鼎、兩
1271	史獸鼎	易豕鼎一、爵一
1274	哀成弔鼎	哀成弔之鼎
1275	師同鼎	戎鼎廿、鋪五十、劍廿
1275	師同鼎	用鑄絲尊鼎
1276	__季鼎	用乍寶鼎
1277	七年趞曹鼎	用乍寶鼎
1278	十五年趞曹鼎	用乍寶鼎
1280	康鼎	用乍朕文考釐白寶尊鼎
1283	微鯀鼎	鯀乍朕皇考𬿛彝尊鼎
1285	𢦏方鼎一	用乍寶𬿛尊鼎
1286	大夫始鼎	用乍文考日己寶鼎
1290	利鼎	用作朕文考__白尊鼎
1299	𪓐侯鼎一	__乍尊鼎
1300	南宮柳鼎	用乍朕刺考尊鼎
1301	大鼎一	用乍朕刺考己白盂鼎
1302	大鼎二	用乍朕刺考己白盂鼎
1303	大鼎三	用乍朕刺考己白盂鼎
1304	王子午鼎	自乍𬿛彝𪊲鼎
1305	師奎父鼎	用乍尊鼎
1306	無叀鼎	用乍尊鼎
1307	師望鼎	用乍朕皇考宄公尊鼎
1308	白晨鼎	用乍朕文考h8公宮尊鼎
1309	寰鼎	用乍朕皇考鄭白姬尊鼎
1310	鬲攸從鼎	从乍朕皇且丁公皇考叀公尊鼎
1311	師晨鼎	用乍朕文且辛公尊鼎
1312	此鼎一	用乍朕皇考癸公尊鼎
1313	此鼎二	用乍朕朕皇考癸公尊鼎
1314	此鼎三	用乍朕朕皇考癸公尊鼎
1317	善夫山鼎	用乍朕皇考叔碩父尊鼎
1318	晉姜鼎	用乍寶尊鼎
1319	頌鼎一	皇母龏姒(始)寶尊鼎
1320	頌鼎二	皇母龏姒(始)寶尊鼎
1321	頌鼎三	生母龏姒(始)寶尊鼎
1322	九年裘衛鼎	衛用乍朕文考寶鼎
1324	禹鼎	用乍大寶鼎
1325	五祀衛鼎	衛用乍朕文考寶鼎

字	編號	器名	銘文
	1326	多友鼎	乍尊鼎
	1328	盂鼎	用乍南公寶鼎
	1330	曶鼎	㫚(曶)用絲金乍朕文孝穽白鬻牛鼎
鼎	1331	中山王嚳鼎	隹十四年中山王嚳詐(乍、作)鼎、于銘曰
	1332	毛公鼎	用乍尊鼎
	1377	□姞乍寶鼎	□姞乍寶鼎
	1388	鐵白乍齋鼎	鐵白乍齍鼎□
	1406	梳弔叔父鬲	梳弔叔父乍鼎
	1461	龕來隹鼎	龕來隹乍貞(鼎)
	1481	咏仲無龍寶鼎一	咏中無龍乍寶鼎
	1482	咏仲無龍寶鼎二	咏中無龍乍寶鼎
	1505	番君酌白鼎	隹番君酌白自乍寶鼎
	1509	虢文公子𢼸乍弔妃鬲	虢文公子𢼸乍弔改鬲鼎
	1528	公姞齋鼎	用乍齋鼎
	1617	鼎乍父乙甗	鼎乍父乙尊彝
	1685	鼎毁	[鼎]
	1832	鼎_毁	[鼎_]
	2275	魯白乍旅用鼎毁一	魯白乍旅用鼎毁
	2276	魯白乍旅用鼎毁二	魯白乍旅用鼎毁
	2517	是□乍乙公毁	子子孫孫永寶用[鼎]
	2569	鼎卓林父毁	其子子孫孫永寶用[鼎]
	2645	周客毁	鼎二、毁二
	2671	利毁	歲鼎克
	2678	函皇父毁一	盤、盉、尊器、毁、鼎
	2678	函皇父毁一	自豕鼎降十又二
	2679	函皇父毁二	盤、盉、尊器、毁、鼎
	2679	函皇父毁二	自豕鼎降十又二
	2680	函皇父毁三	盤、盉、尊器、毁、鼎
	2680	函皇父毁三	自豕鼎降十又二
	2680.	函皇父殷四	盤、盉、尊器、毁、鼎
	2680.	函皇父殷四	自豕鼎降十又二
	2693	䨻毁	易鼎二、易貝五朋
	3047	改乍乙公旅盨(蓋)	[鼎]
	3077	弔尃父乍奠季盨一	弔尃父乍奠季寶鐘六、金尊盨四、鼎十
	3078	弔尃父乍奠季盨二	弔尃父乍奠季寶鐘六、金尊盨四、鼎十
	3079	弔尃父乍奠季盨三	弔尃父乍奠季寶鐘六、金尊盨四、鼎十
	3080	弔尃父乍奠季盨四	弔尃父乍奠季寶鐘六、金尊盨四、鼎十
	3782	鼎父乙爵	[鼎]父乙
	3795	鼎父乙爵	[鼎]父丙
	3914	鼎父辛爵一	[鼎]父辛
	3915	鼎父辛爵二	[鼎]父辛
	4464	鼎尊	[鼎]
	4465	鼎尊	[鼎]
	4598	鼎父己尊	[鼎]父己
	4656	𣄰鼎父乙尊	[𣄰鼎]父乙
	4932	鼎方彝	[鼎]
	5001	鼎卣一	[鼎]
	5002	鼎卣二	[鼎]
	5801	洹子孟姜壺一	兩壺八鼎
	5802	洹子孟姜壺二	八鼎

6043	祉鼎觚	[祉鼎]
6783	函皇父盤	鼎、毀一具
6783	函皇父盤	自豖鼎降十又一
6847	蝕__匜	隹蝕s1__其乍__鼎其匜
7322	鼎𣏟戈	[鼎𣏟]、[鼎它]
7539	伺戈	獻鼎之歲
7845	鼎盃	[鼎]
M341	魯中齊鼎	魯中齊肈乍皇考鼎鼎
M423.	趞鼎	用乍朕皇考𩛥白、奠姬寶鼎
M457	鄭虢仲悆鼎	鄭虢中悆肈用乍皇且文考寶鼎
M466	無男鼎	無男乍成姜趄母賸尊鼎
M548	吳王孫無壬鼎	吳王孫無壬之脰鼎
M816	魯大左司徒元鼎	魯大左司徒元乍善鼎
M900	梁十九年鼎	梁十九年鼎亡智__兼嗇夫庶廌

小計：共 441 筆

1147

0881	孎乍父庚鼎	孎乍父庚鬲 [庚冊]
0881	孎乍父庚鼎	隹□□□氏自乍□鬲
0882	王乍康季鬲	王乍康季寶尊鬲
J702	白者君鬲	隹甫哀白者君乍寶鬲
2737	段毀	王鬲 (才) 畢登
4432.	鬲盉	鬲對揚王休
M900	梁十九年鼎	曌吉金鑄鬲 (籃)、小料

小計：共 7 筆

1148

1447	弔䰜鬲	弔䰜乍己白父丁寶尊彝
2833	秦公毀	䰜宅禹責 (蹟)
5826	國差𦉜	齊邦䰜靜安寧

小計：共 3 筆

1149

0830	蔡侯𧹞鼎	蔡侯𧹞之飤鼎
0864	𪓐侯之孫陳鼎	𪓐侯之孫陳之鬻 (鼎)
0920	倗鼎	楚弔之孫倗之飤鼎
1266	郘公平侯鼎一	郘公平侯自乍尊鼎
1267	郘公平侯鼎二	郘公平侯自乍尊鼎

小計：共 5 筆

1149

0864	𪓐侯之孫陳鼎	𪓐侯之孫陳之鬻 (鼎)

⿰鼎寸 ⿰鼎睪 ⿰鼎升 ⿰石鼎 ⿰鼎它 ⿱𠂉鼎 ⿰鼎鼎

0864	𢿝侯之孫陳⿰鼎寸	𢿝侯之孫陳之⿰鼎睪(⿰鼎寸)
0920	倗鼎	楚弔之孫倗之飤⿰鼎寸
1266	鄀公平侯⿰鼎寸一	鄀公平侯自乍尊⿰鼎寸
1267	鄀公平侯⿰鼎寸二	鄀公平侯自乍尊⿰鼎寸
		小計：共 5 筆

⿰鼎睪 1149

0864	𢿝侯之孫陳⿰鼎寸	𢿝侯之孫陳之⿰鼎睪(⿰鼎寸)
		小計：共 1 筆

⿰鼎升 1150

0831	蔡侯𤔲䵼人⿰鼎升	蔡侯𤔲之飤⿰鼎升
1008	𢦏嗣君鼎	自乍𩱽⿰鼎升
1304	王子午鼎	倗乍䵼⿰鼎升
		小計：共 3 筆

⿰石鼎 1151

1052	褱自乍⿰石鼎⿰鼎它_	褱自乍飤⿰石鼎⿰鼎它
1165	大師鐘白乍石⿰鼎它	大師鐘白侵自乍⿰石鼎⿰鼎它
		小計：共 2 筆

⿰鼎它 1152

1052	褱自乍⿰石鼎⿰鼎它_	褱自乍飤⿰石鼎⿰鼎它
1122	昶白乍石⿰鼎它	隹昶白䝿自乍寶□⿰鼎它
1165	大師鐘白乍石⿰鼎它	大師鐘白侵自乍⿰石鼎⿰鼎它
		小計：共 3 筆

⿱𠂉鼎 1153

5348	⿱𠂉鼎嗌卣	⿱𠂉鼎嗌乍寶尊彝
		小計：共 113 筆

⿰鼎鼎 1154

0452	中婦⿰鼎鼎鼎	[中]婦⿰鼎鼎
0761	⿰鼎鼎韋乍父丁鼎	⿰鼎鼎韋乍父丁彝
0784	旂父鼎	旂父乍寶⿰鼎鼎彝
0857	天黿婦姑鼎一	[天黽]乍婦姑⿰鼎鼎彝
0858	天黿婦姑鼎二	[天黽]乍婦姑⿰鼎鼎彝
0906	魯內小臣厎生鼎	魯內小臣厎生乍⿰鼎鼎

0965	曾侯仲子斿父鼎	曾侯中子游父自乍[illegible]彝
1017	剌𡩁鼎	其用盟[illegible]宄嬀日辛
1018	𩥯屯乍父己鼎一	用乍[illegible]彝、父己[𩥯]
1019	__屯乍父己鼎二	用乍[illegible]彝、父己[𩥯]
1041	且方鼎	用乍氒□□寶[illegible]尊鼎
1067	雁公方鼎一	用夙夕[illegible]享
1068	雁公方鼎二	用夙夕[illegible]享
1069	雁公方鼎三	用夙夕[illegible]享
1119	曆方鼎	其用夙夕[illegible]亯
1138	白陶乍父考宮弔鼎	白陶乍氒文考宮弔寶[illegible]彝
1143	曾子仲誨鼎	自乍[illegible]彝
1173	羌乍文考鼎	用乍文考寡弔[illegible]彝
1178	宗婦鄁嬰鼎一	王子剌公之宗婦鄁嬰為宗彝[illegible]彝
1179	宗婦鄁嬰鼎二	王子剌公之宗婦鄁嬰為宗彝[illegible]彝
1180	宗婦鄁嬰鼎三	王子剌公之宗婦鄁嬰為宗彝[illegible]彝
1181	宗婦鄁嬰鼎四	王子剌公之宗婦鄁嬰為宗彝[illegible]彝
1182	宗婦鄁嬰鼎五	王子剌公之宗婦鄁嬰為宗彝[illegible]彝
1183	宗婦鄁嬰鼎六	王子剌公之宗婦鄁嬰為宗彝[illegible]彝
1187	員乍父甲鼎	用乍父甲[illegible]彝[䀠]
1189	諆鼎	諆肇乍其皇考皇母者比君[illegible]鼎
1194	郐王糧鼎	鑄其[illegible]鼎
1198	姬[illegible]彝鼎	姬[illegible]彝
1227	衛鼎	衛肇乍氒文考己中寶[illegible]鼎
1235	不晉方鼎一	用乍寶[illegible]彝
1236	不晉方鼎甲二	用乍寶[illegible]彝
1272	剌鼎	用乍黃公尊[illegible]彝
1273	師湯父鼎	乍朕文考毛叔[illegible]彝
1279	中方鼎	[illegible]父乙尊
1281	史頌鼎一	用乍[illegible]彝
1282	史頌鼎二	用乍[illegible]彝
1283	㣲䜌鼎	䜌乍朕皇考[illegible]彝尊鼎
1285	㦰方鼎一	用乍寶[illegible]尊鼎
1291	善夫克鼎一	克其日用[illegible]朕辟魯休
1292	善夫克鼎二	克其日用[illegible]朕辟魯休
1293	善夫克鼎三	克其日用[illegible]朕辟魯休
1294	善夫克鼎四	克其日用[illegible]朕辟魯休
1295	善夫克鼎五	克其日用[illegible]朕辟魯休
1296	善夫克鼎六	克其日用[illegible]朕辟魯休
1297	善夫克鼎七	克其日用[illegible]朕辟魯休
1304	王子午鼎	自乍[illegible]彝[illegible]鼎
1316	㦰方鼎	用乍文母日庚寶尊[illegible]彝
1327	克鼎	用乍朕文且師華父寶[illegible]彝
1330	曶鼎	㠯(曶)用絲金乍朕文孝宄白[illegible]牛鼎
1434	王乍親王姬__鬲一	王乍親王姬__[illegible]彝
1435	王乍親王姬__鬲二	王乍親王姬__[illegible]彝
1442	王乍贙母鬲	王乍s5[illegible]贙母寶[illegible]彝
1465	魯侯獄鬲	用亯[illegible]氒文考魯公
1528	公姞[illegible]鼎	用乍[illegible]鼎
1635	天黿乍婦姑甗	[天黽]乍毓姑[illegible]彝
2096	王乍又[illegible]彝毁	王乍父[illegible]彝

[illegible]

[illegible]

2176	白__父乍[illegible]毁	白L4父乍[illegible]彝
2237	利毁	利乍寶尊[illegible]彝
2322	庚姬乍[illegible]女毁	庚姬乍[illegible]母寶尊彝[奘]
2410	遣小子𩛥毁	遣小子𩛥目其友乍[illegible]男王姬[illegible]彝
2423	亘__戱毁	亘ws戱乍[illegible]毁
2599	宰亩毁	用乍寶[illegible]
2614	宗婦邯[illegible]毁一	王子剌公之宗婦邯[illegible]為宗彝[illegible]彝
2615	宗婦邯[illegible]毁二	王子剌公之宗婦邯[illegible]為宗彝[illegible]彝
2616	宗婦邯[illegible]毁三	王子剌公之宗婦邯[illegible]為宗彝[illegible]彝
2617	宗婦邯[illegible]毁四	王子剌公之宗婦邯[illegible]為宗彝[illegible]彝
2618	宗婦邯[illegible]毁五	王子剌公之宗婦邯[illegible]為宗彝[illegible]彝
2619	宗婦邯[illegible]毁六	王子剌公之宗婦邯[illegible]為宗彝[illegible]彝
2620	宗婦邯[illegible]毁七	王子剌公之宗婦邯[illegible]為宗彝[illegible]彝
2660	彔乍辛公毁	用乍文且辛公寶[illegible]毁
2667	尌仲毁	尌中乍朕皇考趪中[illegible]彝尊毁
2670	𣘩侯毁	𣘩侯乍姜氏寶[illegible]彝
2687	敔毁	用乍文考父丙[illegible]彝
2695	[illegible]兌毁	[illegible]兌乍朕文且乙公
2703	免乍旅毁	用乍旅[illegible]彝
2705	君夫毁	用乍文父丁[illegible]彝
2727	蔡姞乍尹弔毁	蔡姞乍皇兄尹弔尊[illegible]彝
2752	史頌毁一	用乍[illegible]彝
2753	史頌毁二	用乍[illegible]彝
2754	史頌毁三	用乍[illegible]彝
2755	史頌毁四	用乍[illegible]彝
2756	史頌毁五	用乍[illegible]彝
2757	史頌毁六	用乍[illegible]彝
2758	史頌毁七	用乍[illegible]彝
2759	史頌毁八	用乍[illegible]彝
2759	史頌毁九	用乍[illegible]彝
2800	伊毁	伊用乍朕不顯文且皇考徲弔寶[illegible]彝
2815	師𣪘毁	用乍朕文考乙中[illegible]毁
2831	元年師兌毁一	用乍皇且城公[illegible]毁
2832	元年師兌毁二	用乍皇且城公[illegible]毁
2834	㝬毁	㝬乍[illegible]彝寶毁
2834	㝬毁	㝬其萬年[illegible]實朕多禦
2937	仲義昱乍縣妃[illegible]一	中義昱乍縣妃[illegible]
2938	仲義昱乍縣妃[illegible]二	中義昱乍縣妃[illegible]
2965	曾侯乍弔姬賸器[illegible]彝	曾侯乍弔姬邛嬭賸器[illegible]彝
3635	[illegible]婦爵	[[illegible]婦]
3849	[illegible]父戊爵	[[illegible]]父戊
3861	[illegible]父己爵一	[[illegible]]父己
3862	[illegible]父己爵二	父己[[illegible]]
4007	[illegible]父辛爵	[[illegible]]父辛
4103	[illegible]母丙逐爵	母丙[逐[illegible]]
4238	索諆角	索諆乍有羔日辛[illegible]彝
4439	白衛父盉	白衛父乍[illegible][illegible]彝
5284	遘冊子[illegible]卣	遘冊子[illegible]
5348	[illegible]𨑓卣	[illegible]𨑓乍寶尊彝
5466	顯乍母辛卣一	顯易婦rb、曰用[illegible]于乃姑弃

5467	顯乍母辛卣二	顯易婦rb、日用鬻于乃姑宊
5770	宗婦邯嬰壺一	王子剌公之宗婦邯嬰為宗彝鬻彝
5771	宗婦邯嬰壺二	王子剌公之宗婦邯嬰為宗彝鬻彝
6771	宗婦邯嬰盤	王子剌公之宗婦邯嬰為宗彝鬻彝
M143	顯壺	用鬻于乃姑宊
M252	免簋	用乍旅鬻彝
M341	魯中齊鼎	魯中齊肇乍皇考鬻鼎
		小計：共　113 筆

1155

1162	乃子克鼎	效辛白蔑乃子克曆
1288	令鼎一	王曰：令眔奮乃克至
1289	令鼎二	王曰：令眔奮乃克至
1291	善夫克鼎一	王命善夫克舍令于成周遹正八𠂤之年
1291	善夫克鼎一	克乍朕皇且釐季寶宗彝
1291	善夫克鼎一	克其日用鬻朕辟魯休
1291	善夫克鼎一	克其子子孫孫永寶用
1292	善夫克鼎二	王命善夫克舍令于成周遹正八𠂤之年
1292	善夫克鼎二	克乍朕皇且釐季寶宗彝
1292	善夫克鼎二	克其日用鬻朕辟魯休
1292	善夫克鼎二	克其子子孫孫永寶用
1293	善夫克鼎三	王命善夫克舍令于成周遹正八𠂤之年
1293	善夫克鼎三	克乍朕皇且釐季寶宗彝
1293	善夫克鼎三	克其日用鬻朕辟魯休
1293	善夫克鼎三	克其子子孫孫永寶用
1294	善夫克鼎四	王命善夫克舍令于成周遹正八𠂤之年
1294	善夫克鼎四	克乍朕皇且釐季寶宗彝
1294	善夫克鼎四	克其日用鬻朕辟魯休
1294	善夫克鼎四	克其子子孫孫永寶用
1295	善夫克鼎五	王命善夫克舍令于成周遹正八𠂤之年
1295	善夫克鼎五	克乍朕皇且釐季寶宗彝
1295	善夫克鼎五	克其日用鬻朕辟魯休
1295	善夫克鼎五	克其子子孫孫永寶用
1296	善夫克鼎六	王命善夫克舍令于成周遹正八𠂤之年
1296	善夫克鼎六	克乍朕皇且釐季寶宗彝
1296	善夫克鼎六	克其日用鬻朕辟魯休
1296	善夫克鼎六	克其子子孫孫永寶用
1297	善夫克鼎七	王命善夫克舍令于成周遹正八𠂤之年
1297	善夫克鼎七	克乍朕皇且釐季寶宗彝
1297	善夫克鼎七	克其日用鬻朕辟魯休
1297	善夫克鼎七	克其子子孫孫永寶用
1298	師旂鼎	今弗克氒罰
1307	師望鼎	穆穆克盟（明）氒心
1323	師訊鼎	王曰：師訊、女克𦤎乃身
1323	師訊鼎	白亦克款古先且蠱孫子一䌛皇辟懿德
1324	禹鼎	克夾召先王、奠四方
1324	禹鼎	弗克伐噩
1326	多友鼎	唯孚車不克㠯、卒焚

克

1327	克鼎	克曰：穆穆朕文且師華父悤hv氒心
1327	克鼎	肆克龏保氒辟龏王
1327	克鼎	肆克□于皇天
1327	克鼎	龕克王服
1327	克鼎	醽季右善夫克入門立中廷、北鄉
1327	克鼎	王呼尹氏冊令善夫克
1327	克鼎	王若曰：克、昔余既令女出內朕令
1327	克鼎	克拜䭫首
1327	克鼎	克其萬年無彊
1331	中山王礐鼎	克順克卑
1331	中山王礐鼎	是克行之
1331	中山王礐鼎	克敵大邦
1331	中山王礐鼎	克有工（功）
1331	中山王礐鼎	克并之、于含（今）
2563	德克乍文且考段	德克乍朕文且考尊段
2563	德克乍文且考段	克其萬年子子孫孫永寶用亯
2645	周客段	克氒師眉廌王為周客
2671	利段	歲鼎克
2675	大保段	大保克敬亡譴
2728	恆段一	令女更荣克嗣直啚
2729	恆段二	令女更荣克嗣直啚
2764	㸚段	克奔走（上下帝）
2777	天亡段	不克气衣王祀
2836	彧段	卑克氒啻
2840	番生段	穆穆克誓（哲）氒德
2841	㭜白段	乃且克桒先王
2843	沈子它段	休同公克成妥吾考目于顯受令
2843	沈子它段	迺妹克衣告剌成功
2843	沈子它段	叡吾考克淵克
2843	沈子它段	烏虖、乃沈子妹克蔑見猒于公
2843	沈子它段	克又井斆懿父迺□子
2855	班段一	亡克競氒剌
2855.	班段二	亡克競氒剌
2856	師訇段	亦則於女乃聖且考克左右先王
2856	師訇段	首德不克㽙
2986	曾白霥旅匠一	克狄淮尸（夷）
2987	曾白霥旅匠二	克狄淮尸（夷）
3086	善夫克旅盨	王令尹氏友、史趛典善夫克田人
3086	善夫克旅盨	克拜䭫首
3086	善夫克旅盨	克其用朝夕亯于皇且考
3086	善夫克旅盨	降克多福
3086	善夫克旅盨	克其日易休無彊
3086	善夫克旅盨	克其萬年
3088	師克旅盨一（蓋）	師克不顯文武、雁受大令、匍有四方
3088	師克旅盨一（蓋）	克
3088	師克旅盨一（蓋）	克斆臣先王
3088	師克旅盨一（蓋）	克敢對揚天子不顯魯休
3088	師克旅盨一（蓋）	克其萬年子子孫孫永寶用
3089	師克旅盨二	師克不顯文武、雁受大令、匍有四方
3089	師克旅盨二	克

3089	師克旅盨二	克黔臣先王
3089	師克旅盨二	克敢對揚天子不顯魯休
3089	師克旅盨二	克其萬年子子孫孫永寶用
3094	□公克錞	陰公克鑄其餗錞
3100	陳侯因脊錞	韓鹹大慕克成
3110.	孟_旁豆	孟uC旁乍父旅克豆
3277	克爵	[克]
4891	何尊	克逑(弼)玟王
4891	何尊	佳珷王既克大邑商
5508	弔趯父卣一	余考不克御事
5795	白克壺	白大師易白克僕卅夫
5795	白克壺	白克敢對揚天君王白休
5795	白克壺	克用匄譽壽無彊
5795	白克壺	克克其子子孫孫永寶用享
6615	父己庚禾觶	克乍庚禾父己
6631	小臣單觶一	王後J6克商、才成自
7040	克鐘一	王乎士曶召克
7040	克鐘一	王親令克遹涇東至于京自
7040	克鐘一	易克佃、車馬乘
7041	克鐘二	王乎士曶召克
7041	克鐘二	王親令克遹涇東至于京自
7041	克鐘二	易克佃、車馬
7042	克鐘三	王乎士曶召克
7042	克鐘三	王親令克遹涇東至于京
7043	克鐘四	克不敢豢
7043	克鐘四	專奠王令克敢對揚天子休
7043	克鐘四	克其萬年子子孫孫永寶
7044	克鐘五	乘、克不敢豢
7044	克鐘五	專奠王令克敢對揚天子休
7044	克鐘五	克其萬年子子孫孫永寶
7047	井人鐘	克哲氒德
7048	井人鐘二	克哲氒德
7069	者沏鐘一	以克_光朕卲示之
7070	者沏鐘二	女亦虔秉不經悳台克刺_光之于聿
7071	者沏鐘三	以克_光朕卲示之
7072	者沏鐘四	台克_光朕卲
7073	者沏鐘五	台克_光朕于
7122	梁其鐘一	克哲氒德
7123	梁其鐘二	克哲氒德
7158	癲鐘一	克明氒心足尹
7160	癲鐘三	克明氒心足尹
7161	癲鐘四	克明氒心足尹
7162	癲鐘五	克明氒心足尹
7174	秦公鐘	克明又(氒)心
7177	秦公及王姬編鐘一	克明又(氒)心
7204	克鎛	王乎士曶召克
7204	克鎛	王親令克遹涇東
7204	克鎛	易克佃車馬乘
7204	克鎛	克不敢豢
7204	克鎛	克敢對揚天子休

7204	克鎛	克其萬年子孫永寶
7209	秦公及王姬鎛	克明又(氒)心
7210	秦公及王姬鎛二	克明又(氒)心
7211	秦公及王姬鎛三	克明又(氒)心
7511	□克戈	武克氏楚翼其黃鎦鑄

小計：共 143 筆

彔 1156

1155	戜者乍旅鼎	用妥髮彔
1311	師晨鼎	王才周師彔宮
1319	頌鼎一	旂丐康𧎥屯右、通彔永令
1320	頌鼎二	旂丐康𧎥屯右、通彔永令
1321	頌鼎三	旂丐康𧎥屯右、通彔永令
2323	彔乍文考乙公毁	彔乍文考乙公寶尊毁
2455	彔乍文考乙公毁	彔乍氒文考乙公寶尊毁
2599	宰甶毁	王來獸自豆彔
2660	彔乍辛公毁	蔑彔曆、易赤金
2675	大保毁	王伐彔子聑(聽)、戲氒反
2712	虢姜毁	通彔永令
2725.	𦃄星毁	用旟康匄屯右通彔魯令
2792	師俞毁	才周師彔宮
2796	諫毁	王才周師彔宮
2796	諫毁	王才周師彔宮
2816	彔白戜毁	王若曰：彔白戜
2816	彔白戜毁	彔白戜敢拜手䭬首
2841	芇白毁	用旟屯彔永命魯壽子孫
2844	頌毁一	通彔永令
2845	頌毁二	通彔永令
2845	頌毁二	通彔永令
2846	頌毁三	通彔永令
2847	頌毁四	通彔永令
2848	頌毁五	通彔永令
2849	頌毁六	通彔永令
2850	頌毁七	通彔永令
2851	頌毁八	通彔永令
2995	彔盨一	彔乍鑄盨毁
2996	彔盨二	彔乍鑄盨毁
2997	彔盨三	彔乍鑄盨毁
2998	彔盨四	彔乍鑄盨毁
3083	瘓毁(盨)一	王才周師彔宮
3084	瘓毁(盨)二	王才周師彔宮
4879	彔戜尊	白雝父蔑彔曆
4879	彔戜尊	彔拜稽首
5498	彔戜卣	白雝父蔑彔曆
5498	彔戜卣	彔拜䭬首
5499	彔戜卣二	白雝父蔑彔曆
5499	彔戜卣二	彔拜䭬首
5510	乍冊嗌卣	不彔 嗌子

5799	頌壺一	通彔永令
5800	頌壺二	通彔永令
6792	史墻盤	髮彔、黃耇彌生
6793	矢人盤	豆人虞丂、彔貞、師氏、 右眚
7008	通彔鐘	受余通彔

小計：共 45 筆

彔

禾

1157

J238	禾大方鼎	禾大
0639	戠禾乍鑵鼎	[戠]禾乍旅
0666	亞白禾夔乍鼎	亞白禾夔乍
1156	亳鼎	公侯易亳杞土、v0土、__禾、vk禾
1330	曶鼎	寇曶(曶)禾十秭
1330	曶鼎	東宮迺曰：賞曶(曶)禾十秭
1831	禾__毀	禾__
2103	𤔲禾乍寶彝毀	𤔲禾乍寶彝
2241	天禾乍父乙毀	天禾乍父乙尊彝
2450	禾乍皇母孟姬毀	禾肇乍皇母懿恭孟姬餴彝
3557	子禾爵	子[禾]
3812	禾父丁爵	[禾]父丁
4109	禾子父癸爵	[禾子]父癸
4988	禾卣	[禾]
5013	禾卣	[禾]
5968	__觚	[禾束]
6615	父己庚禾觶	克乍庚禾父己
6971	留鐘	留為弔𩰫禾鐘
7027	邾公釛鐘	陸䜌之孫邾公釛乍𠦪禾鐘
7871	子禾子釜一	子禾子□□內者御命陳得
7884	五年司馬權	以__禾石
7899	鄂君啟車節	適兔禾、適酉焚、適𣴎緆
M553	越王者旨於賜鐘	自祝禾□□

小計：共 23 筆

穡
穖
穆

穡 1158

編號	器名	銘文
2826	師簑段一	夙夜卹氒穡旋（事）
2826	師簑段一	夙夜卹氒穡旋（事）
2827	師簑段二	夙夜卹氒穡旋（事）

小計：共 3 筆

穖 1159

蔑字重見

穆 1160

編號	器名	銘文
1209	嬰方鼎	才穆、朋二百
1284	尹姞鼎	穆公乍尹姞宗室于py林
1284	尹姞鼎	休天君弗望穆公聖粦明
1307	師望鼎	穆穆克盟（明）氒心
1309	寏鼎	王才周康穆宮
1316	㦿方鼎	用穆穆夙夜尊享孝妥福
1323	師𩛥鼎	臣朕皇考穆王
1324	禹鼎	禹曰：不顯趄趄皇且穆公
1327	克鼎	克曰：穆穆朕文且師華父悤hv氒心
1327	克鼎	王各穆廟、即立
1330	曶鼎	王才周穆王大□
1533	尹姞寶鬲一	穆公乍尹姞宗室于䌛林
1533	尹姞寶鬲一	休天君弗望穆公聖粦明𢓊吏（事）先王
1534	尹姞寶鬲二	穆公乍尹姞宗室于䌛林
1534	尹姞寶鬲二	休天君弗望穆公聖粦明𢓊吏（事）先王
2658.	大段	穆章馬兩
2704	穆公段	穆公友□
2704	穆公段	王乎宰□易穆公貝廿朋
2704	穆公段	穆公對王休
2734	遹段	穆王才葊京
2734	遹段	穆王窺易遹雜
2734	遹段	敢對揚穆王休
2770	𢦏段	穆公入、右𢦏立中廷北鄉
2800	伊段	旦、王各穆大室即立
2833	秦公段	穆穆帥秉明德
2840	番生段	穆穆克誓（哲）氒德
3086	善夫克旅盨	王才周康穆宮
4448	長由盉	穆王才下淢应
4448	長由盉	穆王鄉豊
4448	長由盉	穆王蔑長由以逨即井白氏
4865	氒方尊	乍氒穆文且考寶尊彝
4887	蔡侯𩁹尊	穆穆亹亹
4890	盠方尊	穆公右盠
4979	盠方彝一	穆公右盠

4980	盠方彝二	穆公右盠
5795	白克壺	用乍朕穆考後中尊壺
5805	中山王礜方壺	穆穆濟濟
6788	蔡侯𩡶盤	穆穆亹亹
6789	寰盤	王才周康穆宮
6792	史墻盤	祇䫉穆王
7017	楚王酓章鐘一	其永時用亯穆商、商
7037	遟父鐘	用卲乃穆
7047	井人鐘	妄不敢弗帥用文且皇考穆穆秉德
7048	井人鐘二	妄不敢弗帥用文且皇考穆穆秉德
7107	曾侯乙甬鐘	穆音之商
7122	梁其鐘一	穆穆異異
7123	梁其鐘二	穆穆異異
7150	虢叔旅鐘一	穆穆秉元明德
7151	虢叔旅鐘二	穆穆秉元明德
7152	虢叔旅鐘三	穆穆秉元明德
7153	虢叔旅鐘四	穆穆秉元明德
7154	虢叔旅鐘五	穆穆秉元明德
7157	邾公華鐘一	余異龏威忌惄穆
7186	叔夷編鐘五	不顯穆公之孫
7212	秦公鎛	穆穆帥秉明德
7214	叔夷鎛	不顯穆公之孫
7867.	龍__	以命攻（ 工 ）尹穆丙（ 丙 ）
M612	鄦子鐘	穆穆龢鐘
M693	曾大工尹戈	穆侯之子
M695	曾伯宮父鬲	隹曾伯宮父穆迺用吉金
M705	曾侯乙編鐘下一・一	穆鐘之渚商
M707	曾侯乙編鐘下一・三	為穆音變商
M707	曾侯乙編鐘下一・三	為穆音之羽顛下角
M708	曾侯乙編鐘下二・一	穆音之羽
M708	曾侯乙編鐘下二・一	為穆音羽角
M709	曾侯乙編鐘下二・二	穆音之宮
M709	曾侯乙編鐘下二・二	穆音之才楚為穆鐘
M712	曾侯乙編鐘下二・五	為穆音之羽顛下角
M714	曾侯乙編鐘下二・八	音為穆音變商
M716	曾侯乙編鐘下二・十	穆鐘之角
M716	曾侯乙編鐘下二・十	穆鐘之徵
M719	曾侯乙編鐘中一・三	穆鐘之冬反
M721	曾侯乙編鐘中一・五	濁穆鐘之冬
M721	曾侯乙編鐘中一・五	穆鐘之壴
M722	曾侯乙編鐘中一・六	穆鐘之下角
M722	曾侯乙編鐘中一・六	穆鐘之冬
M723	曾侯乙編鐘中一・七	穆鐘之商
M725	曾侯乙編鐘中一・九	穆鐘之羽
M725	曾侯乙編鐘中一・九	濁穆鐘之商
M727	曾侯乙編鐘中一・十一	穆鐘之角
M727	曾侯乙編鐘中一・十一	穆鐘之徵
M729	曾侯乙編鐘中二・二	穆鐘之喜反
M730	曾侯乙編鐘中二・三	穆鐘之冬反
M731	曾侯乙編鐘中二・四	穆鐘之少商

	M732	曾侯乙編鐘中二・五	濁穆鐘之冬
	M732	曾侯乙編鐘中二・五	穆鐘之喜
	M749	曾侯乙編鐘中三・十	為穆音變商
穆	M733	曾侯乙編鐘中二・六	穆鐘之下角
	M733	曾侯乙編鐘中二・六	穆鐘之冬
	M734	曾侯乙編鐘中二・七	穆鐘之商
	M736	曾侯乙編鐘中二・九	穆鐘之羽
	M736	曾侯乙編鐘中二・九	濁穆鐘之商
	M738	曾侯乙編鐘中二・十一	穆音之宮
	M738	曾侯乙編鐘中二・十一	穆音之才楚為穆鐘
	M739	曾侯乙編鐘中二・十二	穆鐘之角
	M739	曾侯乙編鐘中二・十二	穆鐘之徵
	M741	曾侯乙編鐘中三・二	穆音之宮
	M741	曾侯乙編鐘中三・二	穆立楚號為穆鐘
	M742	曾侯乙編鐘中三・三	穆音之羽
	M743	曾侯乙編鐘中三・四	穆音之冬反
	M744	曾侯乙編鐘中三・五	穆音之商
	M747	曾侯乙編鐘中三・八	為穆音之羽顛下角
	M764	曾侯乙編鐘上三・三	宮、角徵，穆音之宮，
	M900	梁十九年鼎	穆穆魯辟

小計：共　104 筆

稷 1161

1331	中山王嚳鼎	使智(知)社稷之任
1331	中山王嚳鼎	社稷其庶虖(乎)
1331	中山王嚳鼎	身勤社稷
1331	中山王嚳鼎	恐隕社稷之光
7871	子禾子釜一	稷月丙午

小計：共 5 筆

稻 1162

1667	陳公子弔邍父甗	用(蒸)饗稻粱
2954	史免旅匡	用盛稻粱
2972	弔家父乍仲姬匡	用成稻粱
2979	弔朕自乍薦匡	以歆稻粱
2979.	弔朕自乍薦匡二	以歆稻粱
2983	弭仲寶匡	用成秫稻(稻)糕粱
2984	伯公父盤	用成糕稻稉粱
2984	伯公父盤	用成糕稻稉粱
2986	曾白霥旅匡一	用盛稻粱
2987	曾白霥旅匡二	用盛稻粱

小計：共 10 筆

稉 1163

2984	伯公父盤	用成糕稻稉粱
2984	伯公父盤	用成糕稻稉粱

小計：共 2 筆

年 1164

0944	至乍寶鼎	至乍寶鼎其萬年永寶用
0955	黿乍己公鼎	黿乍己公寶鼎其萬年用
0959	槳鼎	槳乍寶鼎其萬年永寶用
0963	白旬乍尊鼎	白旬乍尊鼎萬年永寶用
0970	蔡侯鼎	其萬年永寶用
0977	□子每刃乍寶鼎	其萬年永寶
0978	弔䣄父鼎	其萬年永寶用
0979	__君鼎	其萬年永寶用
0987	朋仲鼎	其萬年寶用
0990	__白肆鼎	其萬年用享
1002	二年寧鼎	二年寧__子得治__為__四分__

年

1013	滔__秉方鼎	其萬年永寶用
1014	乍寶鼎	其子子孫孫萬年永寶
1020	鄭雝原父鼎	其萬年子孫永用
1021	虢弔大父鼎	其萬年永寶用
1023	從乍寶鼎	其萬年子孫孫永寶用
1027	番君召鼎	其萬年釁壽
1031	周__駷鼎	其萬年永寶用
1034	仲殷父鼎一	其萬年子子孫寶用
1035	仲殷父鼎二	其萬年子子孫寶用
1036	史宜父鼎	其萬年子子孫永寶用
1040	弔桒父鼎	子孫孫其萬年永寶用
1042	白庶父鼎	其萬年孫子永寶用
1043	卅年鼎	卅年、康_____事__冶巡鑄
1048	雝乍母乙鼎	其萬年子孫孫永寶用
1049	靜弔乍旅鼎	其萬年釁壽永寶用
1050	白筍父鼎一	其萬年子孫永寶用
1051	白筍父鼎二	其萬年子子孫孫永寶用
1053	白考父鼎	其萬年子子孫永寶用
1057	會娟鼎	其萬年子子孫永寶用享
1061	交君子__鼎	祈釁壽、萬年永寶用
1062	𥘅鼎	其萬年子孫永寶用享
1073	白鼎	隹白殷□八自寇年
1075	黃季乍季嬴鼎	其萬年子孫永寶用享
1078	犀白魚父旅鼎一	其萬年子子孫孫永寶用
1079	犀白魚父旅鼎二	其萬年子子孫孫永寶用
1087	鑄子弔黑臣鼎	其萬年釁壽永寶用
1088	師麻斿弔旅鼎	其萬年子子孫孫永寶用
1090	十三年梁上官鼎	十三年、梁陰命率上官__子疾冶乘鑄
1094	魯大左司徒元善鼎	其萬年釁壽永寶用之
1096	弗奴父鼎	其釁壽萬年永寶用
1097	白庠父乍羊鼎	其子子孫孫萬年永寶用享
1098	善夫白辛父鼎	其萬年子子孫永寶用
1099	仲旳父鼎	其萬年子子孫孫永寶用享
1100	白尚鼎	尚其萬年子子孫孫永寶
1102	無大邑魯生鼎	其萬年釁壽永寶用
1105	鑯季乍嬴氏行鼎	子子孫其釁壽萬年永用享
1108	師賸父鼎	其萬年子子孫孫永寶用
1109	師眚乍璛鼎	其萬年子子孫孫永寶用[cx]
1110	雝白原鼎	子子孫孫其萬年永用亯
1112	十一年庫嗇夫肖不茲鼎	十一年
1113	梁廿七年鼎一	梁廿又七年
1114	廿七年大梁司寇肖無智鼎二	梁廿又七年
1116	晉司徒白郄父鼎	其萬年永寶用
1120	滐白鼎	其萬年無彊
1122	𥘅白乍石鬳	其萬年無彊
1123	伯夏父鼎	其萬年子子孫孫
1123.	番□伯者鼎	其萬年子孫永寶用□
1129	寒姒好鼎	其萬年子子孫孫永寶用
1130	虢文公子𤔲鼎一	其萬年無彊
1131	虢文公子𤔲鼎二	其萬年無彊

1132	鄀白祀乍善鼎	其萬年釁壽無疆
1133	鄀白乍孟妊善鼎	其萬年釁壽
1140	衛鼎	衛其萬年子子孫孫永寶用
1141	善夫旅白鼎	其萬年子子孫孫永寶用亯
1142	杞白每亡鼎	其萬年釁壽
1144	__獣鼎	獣其萬年永寶用
1146	☐者生鼎一	其萬年子子孫孫永寶用亯
1147	☐者生鼎二	其萬年子子孫孫永寶用亯
1148	鼄姜白鼎一	其萬年釁壽無疆
1149	鼄姜白鼎二	其萬年釁壽無疆
1150	小臣缶方鼎	王易小臣缶渪責五年
1151	曩侯鼎	其萬年子子孫孫永寶用
1152	私官鼎	卅六年工師瘨工疑
1153	白頵父鼎	其萬年子子孫孫永寶用
1154	黃孫子蜨君弔單鼎	其萬年無疆
1159	辛鼎一	萬年隹人
1160	辛鼎二	萬年隹人
1161	白吉父鼎	其萬年子子孫孫永寶用
1169	平安邦鼎	廿八年坪安邦台客哉{ 四分 }齍
1169	平安邦鼎	卅三年單父上官{冢子}喜所受坪安君者也(蓋)
1169	平安邦鼎	卅三年單父上官{冢子}喜所受坪安君者也(器)
1170	信安君鼎	十二年再九益
1170	信安君鼎	十二年再二益六釿
1171	魯白車鼎	車其萬年釁壽
1188	旃弔樊乍易姚鼎	其萬年無疆
1189	諆鼎	諆其萬年釁壽
1190	內史鼎	其萬年用為考寶尊
1195	弋弔朕鼎一	其萬年無疆
1196	弋弔朕鼎二	其萬年無疆
1197	弋弔朕鼎三	其萬年無疆
1198	姬鬻彝鼎	其萬年子子孫孫永寶用
1200	散白車父鼎一	隹王四年八月初吉丁亥
1200	散白車父鼎一	其萬年子子孫永寶
1201	椒白車父鼎二	其萬年子子孫永寶
1202	椒白車父鼎三	唯王四年八月初吉丁亥
1202	椒白車父鼎三	其萬年子子孫永寶
1203	椒白車父鼎四	唯王四年八月初吉丁亥
1203	椒白車父鼎四	其萬年子子孫永寶
1205	公朱左自鼎	公朱左自十一年十一月
1205.	遣鼎	遣其萬年子子孫孫永寶用
1213	師趛鼎一	__其萬年子孫永寶用
1214	師趛鼎二	__其萬年子孫永寶用
1220	鄅公鼎	其萬年無疆
1229	厚趠方鼎	隹王來各于成周年
1230	師器父鼎	師器父其萬年
1234	旅鼎	隹公大保來伐反尸年
1238	曾子仲宣鼎	其萬年無疆
1241	禁大師興鼎	用旂釁壽萬年無疆
1243	仲__父鼎	其萬年子子孫孫永寶用
1244	瘨鼎	隹三年四月庚午

年

1244	瘨鼎	瘨萬年永寶用
1245	仲師父鼎一	其子子孫萬年永寶用亯
1246	仲師父鼎二	其子子孫萬年永寶用亯
1247	函皇父鼎	琱娟其萬年子子孫孫永寶用
1248	庚贏鼎	隹廿又二年四月既望己酉
1249	寚鼎	寚萬年子子孫孫寶
1251	中先鼎一	隹王令南宮伐反虎方之年
1252	中先鼎二	隹王令南宮伐反虎方之年
1253	平安君鼎	卅三年
1253	平安君鼎	卅二年
1259	鄀公諴鼎	用气（乞）釁壽萬年無疆
1265	猷弔鼎	猷弔仰姬其萬年
1266	鄀公平侯鼎一	萬年無疆
1267	鄀公平侯鼎二	萬年無疆
1268	梁其鼎一	其萬年無疆
1269	梁其鼎二	其萬年無疆
1272	剌鼎	天子萬年
1273	師湯父鼎	其萬年孫孫子子永寶用
1276	_季鼎	其萬年子子孫孫永用
1277	七年趞曹鼎	隹七年十月既生霸
1278	十五年趞曹鼎	隹十又五年五月既生霸壬午
1280	康鼎	子子孫孫其萬　年永寶用
1281	史頌鼎一	隹三年五月丁子（巳）
1281	史頌鼎一	頌其萬年無疆
1282	史頌鼎二	隹三年五月丁子（巳）
1282	史頌鼎二	頌其萬年無疆
1283	微䜌鼎	隹王廿又三年九月
1283	微䜌鼎	其萬年無疆
1290	利鼎	利其萬年子孫永寶用
1291	善夫克鼎一	隹王廿又三年九月
1291	善夫克鼎一	王命善夫克舍令于成周遹正八自之年
1291	善夫克鼎一	萬年無疆
1292	善夫克鼎二	隹王廿又三年九月
1292	善夫克鼎二	王命善夫克舍令于成周遹正八自之年
1292	善夫克鼎二	萬年無疆
1293	善夫克鼎三	隹王廿又三年九月
1293	善夫克鼎三	王命善夫克舍令于成周遹正八自之年
1293	善夫克鼎三	萬年無疆
1294	善夫克鼎四	隹王廿又三年九月
1294	善夫克鼎四	王命善夫克舍令于成周遹正八自之年
1294	善夫克鼎四	萬年無疆
1295	善夫克鼎五	隹王廿又三年九月
1295	善夫克鼎五	王命善夫克舍令于成周遹正八自之年
1295	善夫克鼎五	萬年無疆
1296	善夫克鼎六	隹王廿又三年九月
1296	善夫克鼎六	王命善夫克舍令于成周遹正八自之年
1296	善夫克鼎六	萬年無疆
1297	善夫克鼎七	隹王廿又三年九月
1297	善夫克鼎七	王命善夫克舍令于成周遹正八自之年
1297	善夫克鼎七	萬年無疆

1299	鼉侯鼎一	其萬年子孫永寶用
1300	南宮柳鼎	其萬年子子孫孫永寶用
1301	大鼎一	隹十又五年三月既霸丁亥
1301	大鼎一	大其子子孫孫萬年永寶用
1302	大鼎二	隹十又五年三月既霸丁亥
1302	大鼎二	大其子子孫孫萬年永寶用
1303	大鼎三	隹十又五年三月既霸丁亥
1303	大鼎三	大其子子孫孫萬年永寶用
1304	王子午鼎	萬年無諆(期)
1305	師奎父鼎	師奎父其萬年子子孫孫永寶用
1306	無叀鼎	用割釁壽萬年
1307	師望鼎	師望其萬年子子孫孫永寶用
1308	白晨鼎	子子孫孫其萬年永寶用
1309	寰鼎	隹廿又八年五月既望庚寅
1309	寰鼎	寰其萬年子子孫孫永寶用
1310	鬲攸從鼎	隹卅又一年三月初吉壬辰
1310	鬲攸從鼎	鬲攸从其萬年子子孫孫永寶用
1311	師晨鼎	隹三年三月初吉甲戌
1311	師晨鼎	晨其萬年世
1312	此鼎一	隹十又七年十又二月既生霸乙卯
1312	此鼎一	此其萬年無疆
1313	此鼎二	隹十又七年十又二月既生霸乙卯
1313	此鼎二	此其萬年無疆
1314	此鼎三	隹十又七年十又二月既生霸乙卯
1314	此鼎三	此其萬年無疆
1315	善鼎	余用丐純魯雩萬年
1316	彧方鼎	唯厥事乃子彧萬年辟事天子
1317	善夫山鼎	隹卅又七年正月初吉庚戌
1318	晉姜鼎	萬年無疆
1319	頌鼎一	隹三年五月既死霸甲戌
1319	頌鼎一	頌其萬年釁壽
1320	頌鼎二	隹三年五月既死霸甲戌
1320	頌鼎二	頌其萬年釁壽
1321	頌鼎三	隹三年五月既死霸甲戌
1321	頌鼎三	頌其萬年釁壽
1322	九年裘衛鼎	隹九年正月既死霸庚辰
1322	九年裘衛鼎	衛其萬年永寶用
1323	師訊鼎	訊敢釐王卑天子萬年whwi
1324	禹鼎	其萬年子子孫孫寶用
1325	五祀衛鼎	衛其萬年永寶用
1327	克鼎	天子其萬年無疆
1327	克鼎	克其萬年無疆
1330	曶鼎	隹王元年六月既望乙亥
1331	中山王嚳鼎	隹十四年中山王嚳詐(乍、作)鼎、于銘曰
1331	中山王嚳鼎	五年逿(覆)吳
1439	王白姜尊鬲四	王白姜乍尊鬲其萬年永寶用
1453	nu嬇鬲	其萬年永寶用
1455	榮白鬲	其萬年寶用
1456	京姜鬲	京姜年母乍尊鬲
1458	庶鬲	其萬年子孫永寶用

年

年

1461	䵼來隹鼎	萬壽饗其年無彊用
1469	戲白𩚊鬲一	其萬年子子孫永寶用
1470	戲白𩚊鬲二	其萬年子子孫永寶用
1476	䵼白乍朕鬲	其萬年子子孫孫永寶用
1482	昧仲無龍寶鼎二	其萬年子子孫永寶用亯
1486	宰駟父鬲	其萬年永寶用
1497	虢仲乍虢妃鬲	其萬年子子孫孫永寶用
1499	□季鬲	其萬年子子孫用
1500	＿白鬲	其萬年子子孫孫永寶用
1505	番君酌白鼎	萬年無彊子孫永寶
1506	杜白乍弔媍鬲	其萬年子子孫孫永寶用
1509	虢文公子𤞷乍弔妃鬲	其萬年子孫永寶用亯
1512	虢白乍姬夨母鬲	其萬年子子孫孫永寶用
1513	睽土父乍𡚬妃鬲	其萬年子子孫孫永寶用
1514	白夏父乍畢姬鬲一	其萬年子子孫孫永寶用亯
1515	白夏父乍畢姬鬲二	其萬年子子孫孫永寶用亯
1516	白夏父乍畢姬鬲三	其萬年子子孫孫永寶用亯
1517	白夏父乍畢姬鬲四	其萬年子子孫孫永寶用亯
1518	白夏父乍畢姬鬲六	其萬年子子孫孫永寶用亯
1519	白夏父乍畢姬鬲五	其萬年子子孫孫永寶用亯
1520	奠白荀父鬲	其萬年子子孫孫永寶用
1521	單白遙父鬲	子子孫孫其萬年永寶用享
1522	孟辛父乍孟姞鬲一	其萬年子子孫孫永寶用
1523	孟辛父乍孟姞鬲二	其萬年子子孫孫永寶用
1525	隮子奠白尊鬲	其饗壽萬年無彊
1526	琱生乍宄仲尊鬲	琱生其萬年子子孫孫用寶用享
1527	鼄先父鬲	其萬年子孫永寶
1529	仲柟父鬲一	用祈饗壽萬年
1530	仲柟父鬲二	用祈饗壽萬年
1531	仲相父鬲三	用祈饗壽萬年
1532	仲相父鬲四	用祈饗壽萬年
1641	比甗	从（ 比 ）乍寶獻（ 甗 ）其萬年用
1646	乍寶甗	其萬年永寶用
1653	穀父甗	其萬年子子孫永寶用
1655	奠氏白高父旅甗	其萬年子子孫孫永寶用
1662	寶甗	其萬年子子孫孫永寶用貞
1664	邕子良人歙甗	其萬年無彊、其子子孫永寶用
1665	王孫壽飤甗	其饗壽無彊、萬年無諆（ 期 ）
1667	陳公子弔遙父甗	用𪇘饗壽、萬年無彊
2310	旅乍寶殷	旅乍寶殷其萬年用
2325	同自乍旅殷	同自乍旅殷其萬年用
2330	史趞殷	史趞乍寶殷其萬年用
2338	乍寶殷	乍寶殷其子孫萬年永寶
2340	弔𨮁父殷	弔𨮁父乍尊殷、其萬年用
2341	仲乍寶殷	中乍寶尊彝其萬年永用
2342	弔宼乍寶殷	弔宼乍寶殷其萬年永寶
2343	酋乍寶殷	酋乍寶殷其萬年孫子寶
2350	稃乍父甲殷	稃乍父甲寶殷萬年孫子寶
2351	仲自父乍好旅殷一	中自父乍好旅殷其用萬年
2352	仲自父乍好旅殷二	中自父乍好旅殷其用萬年

2354	仲㕕父設一	中㕕父乍設其萬年永寶用
2355	仲㕕父設二	其萬年永寶用
2356	仲㕕父設三	中㕕父乍設其萬年永寶用
2358	陎侯為季姬設	其萬年用
2359	欮乍𨑮設	其萬年用鄉賓
2361	乍寶尊設	孫孫子子其萬年用
2362	__設	__子子孫其萬年用享
2365	中白設	其萬年寶用
2367	散白乍夨姬設一	其厲(萬)年永用
2368	散白乍夨姬設二	其厲(萬)年永用
2369	散白乍夨姬設三	其厲(萬)年永用
2370	散白乍夨姬設四	其厲(萬)年永用
2371	散白乍夨姬設五	其厲(萬)年永用
2376	□□設	其萬年子子孫孫寶用
2383	侯氏設	其萬年永寶
2390	吹乍寶設二	其萬年子子孫孫永用
2391	冠乍寶設一	其萬年子子孫孫永用
2396	仲競設	其萬年子子孫永用
2401	敶侯乍王媯媵設	其萬年永寶用
2407	白闢乍尊設一	其子子孫孫萬年寶用
2408	白闢乍尊設二	其子子孫孫萬年寶用
2411	史寏設	其萬年子子孫孫永寶
2415	降人𩰫寶設	其子子孫孫萬年用
2416	降人𩰫寶設	其子子孫孫萬年用
2417	齊爐姬寶設	其萬年子子孫孫永用
2419	白喜父乍洹𩟄設一	洹其萬年永寶用
2420	白喜父乍洹𩟄設二	洹其萬年永寶用
2420.	雁侯設	其萬年永寶用
2422	舟洹桼乍且乙設	其萬年子孫寶用[舟]
2424	白苿寶設	其萬年子子孫孫永寶用
2425	兮仲寶設一	其萬年子子孫孫永寶用
2426	兮仲寶設二	其萬年子子孫孫永寶用
2427	兮仲寶設三	其萬年子子孫孫永寶用
2428	兮仲寶設四	其萬年子子孫孫永寶用
2429	兮仲寶設五	其萬年子子孫孫永寶用
2433	害弔乍尊設一	其萬年子子孫孫永寶用
2434	害弔乍尊設二	其萬年子子孫孫永寶用
2435	散車父設一	其萬年子子孫孫永寶
2436	散車父設二	其萬年孫子子永寶
2437	散車父設三	其萬年孫子子永寶
2438	散車父設四	其萬年孫子子永寶
2438.	散車父設五	其萬年孫子子永寶
2438.	㪚車父乍𦣞陆𩟄設	其萬年孫子子永寶
2438.	㪚車父乍𦣞陆𩟄設二	其萬年孫子子永寶
2441	𣑫衍設	其萬年子子孫孫永寶用
2442	䖒虢遣生旅設	其萬年子孫永寶用
2443	孟弢父設一	其萬年子子孫永寶用
2444	孟𢎵父設二	其萬年子子孫孫永寶用
2445	孟𢎵父設三	其萬年子子孫孫永寶用
2454	亢僕乍父己設	子子孫其萬年永寶用

年

年

2456	的白迹毁一	期(箕其)萬年孫孫子子其永用
2457	的白迹毁二	其萬年孫子其永用
2458	孟奠父毁一	其萬年子子孫孫永寶用
2459	孟奠父毁二	其萬年子子孫孫永寶用
2460	孟奠父毁三	其萬年子子孫孫永寶用
2468	齊癸姜尊毁	其萬年子子孫永寶用
2469	姦乍王母媿氏餗毁一	媿氏其釁壽萬年用
2470	姦乍王母媿氏餗毁二	媿氏其釁壽萬年用
2471	姦乍王母媿氏餗毁三	媿氏其釁壽萬年用
2472	姦乍王母媿氏餗毁四	媿氏其釁壽萬年用
2473	_乍皇母尊毁一	其子子孫孫萬年永寶用
2474	_乍皇母尊毁二	其子子孫孫萬年永寶用
2475	衛始毁	子子孫孫其萬年永寶用
2476	董毁	其子子孫孫萬年永用[eL]
2477	董父丁毁	其子子孫孫萬年永用[eL]
2478	白賓父毁(器)一	其萬年子子孫孫永寶用
2479	白賓父毁二	其萬年子子孫孫永寶用
2482	陳侯乍嘉姬毁	其萬年子子孫孫永寶用
2483	量侯毁	子子孫萬年永寶毁勿喪
2484	伯緟父毁	子子孫萬年其永寶用
2484.	夨王毁	子子孫孫其萬年永寶用
2486	□□且辛毁	其萬年孫孫子子永寶用[賓]
2487	白簋乍文考幽仲毁	簋其萬年寶、用鄉孝
2493	鄦其肇乍毁一	其萬年釁壽
2494	鄦其肇乍毁二	其萬年釁壽
2495	季_父徹毁	其萬年子子孫孫永寶用
2496	廣乍弔彭父毁	其萬年子子孫孫永寶用
2497	䢅侯乍王姑毁一	王姑其萬年子子孫孫永寶
2498	䢅侯乍王姑毁二	王姑其萬年子子孫孫永寶
2499	䢅侯乍王姑毁三	王姑其萬年子子孫孫永寶
2500	䢅侯乍王姑毁四	王姑其萬年子子孫孫永寶
2501	旛嫼乍尊毁一	旛嫼其萬年子子孫孫永寶用
2502	旛嫼乍尊毁二	旛嫼其萬年子子孫孫永寶用
2503	旛嫼乍尊毁三	旛嫼其萬年子子孫孫永寶用
2504	旛塍毁	旛嫼其萬年
2505	白疑父乍嬗毁	其萬年子子孫孫永寶用
2506	奠牧馬受毁一	其子子孫孫萬年永寶用
2507	尊牧馬受毁二	其子子孫孫萬年永寶用
2509	旅仲毁	其萬年子子孫孫永用亯孝
2511	夨王毁	子子孫孫其年永寶用
2516	鄧公餗毁	其萬年子子孫孫永壽用之
2518	白田父毁	其萬年子子孫孫永寶用
2520	大自事良父毁	其萬年子子孫孫永寶用
2521	姞氏自作媿毁	其邁(萬)年子子孫孫永寶用
2522	孟弢父毁	其萬年子子孫孫永寶用
2523	孟弢父毁	其萬年子子孫孫永寶用
2527	東仲登父毁	其萬年子子孫永寶用亯
2528	魯白大父乍塍毁	其萬年釁壽永寶用
2529	豐井弔乍白姬毁	其萬年子子孫孫永寶用
2529.	_生毁	uw生乍寶尊毁、uw生其壽考萬年子孫永寶用

2530	𣶃姬乍父辛𣪘	孫子其萬年永寶
2531	魯白大父乍孟□姜𣪘	其萬年釁壽永寶用亯
2532	魯白大父乍仲姬俞𣪘	其萬年釁壽永寶用亯
2533	己侯貉子𣪘	己姜石用盦用匄萬年
2534	魯大宰遼父𣪘一	其萬年釁壽永寶用
2534.	魯大宰遼父𣪘二	其萬年釁壽永寶用
2548	仲惠父𧧓𣪘一	其萬年子子孫孫永寶用
2549	仲惠父𧧓𣪘二	其萬年子子孫孫永寶用
2550	兌乍弔氏𣪘	兌其萬年子子孫孫永寶用
2553	虢季氏子組𣪘一	其萬年無彊
2554	虢季氏子組𣪘二	其萬年無彊
2555	虢季氏子組𣪘三	其萬年無彊
2560	吳彭父𣪘一	其萬年子子孫孫永寶用
2561	吳彭父𣪘二	其萬年子子孫孫永寶用
2562	吳彭父𣪘三	其萬年子子孫孫永寶用
2563	德克乍文且考𣪘	克其萬年子子孫孫永寶用亯
2571	穌公子癸父甲𣪘	其萬年無彊
2571.	穌公子癸父甲𣪘二	其萬年無彊
2572	毛白㘝父𣪘	其萬年無彊
2573	洑白寺𣪘	其萬年子子孫孫永寶用亯
2574	豐兮𣪘一	夷其萬年子孫永寶、用亯考
2575	豐兮𣪘二	夷其萬年子子孫永寶、用亯考
2577	害客𣪘	客其萬年子子孫孫永寶用
2578	兮吉父乍仲姜𣪘	其萬年無彊
2579	白喜乍文考剌公𣪘	喜其萬年子子孫孫其永寶用
2580	羿乍北子𣪘	其萬年子子孫孫永寶
2581	曹伯狄𣪘	其萬年釁壽
2583	鄁公𣪘	萬年無彊
2588	毛关𣪘	其子子孫孫萬年永寶用
2589	孫弔多父乍孟姜𣪘一	其萬年子子孫孫永寶用
2590	孫弔多父乍孟姜𣪘二	其萬年子子孫孫永寶用
2591	孫弔多父乍孟姜𣪘三	其萬年子子孫孫永寶用
2593	弔鼉父乍旅𣪘一	其萬年永寶用
2594	弔鼉父乍旅𣪘二	其萬年永寶用
2594.	弔鼉父乍旅𣪘三	其萬年永寶用
2600	白㪤父𣪘	其萬年子子孫孫永寶用
2601	向𣍘乍旅𣪘一	𣍘其壽考萬年
2602	向𣍘乍旅𣪘二	𣍘其壽考萬年
2603	白吉父𣪘	其萬年子孫孫永寶用
2604	黃君𣪘	用易釁壽黃耇萬年
2609	筥小子𣪘一	其萬年子子孫孫永寶用
2610	筥小子𣪘二	其萬年子子孫孫永寶用
2613	白椃乍宄寶𣪘	唯用㵗柰萬年
2621	雁侯𣪘	其萬年子子孫孫永寶用
2625	曾白文𣪘	其萬年了了孫孫永寶用亯
2628	畢鮮𣪘	鮮其萬年子子孫孫永寶用
2629	牧師父𣪘一	其萬年子子孫孫永寶用亯
2630	牧師父𣪘二	其萬年子子孫孫永寶用亯
2631	牧師父𣪘三	其萬年子子孫孫永寶用亯
2633	相侯𣪘	其萬年子子孫孫□□侯

年

年

2633.	食生走馬谷毁	用易其良壽萬年
2634	誅叔毁	子子孫孫其萬年永寶用
2639	遣毁	遣其萬年子子孫孫永寶用
2640	弔皮父毁	其萬年子子孫永寶用[引]
2641	伯椃虘毁一	萬年饗壽
2642	伯椃虘毁二	萬年饗壽
2644.	伯椃虘毁	萬年饗壽
2646	仲辛父毁	辛父其萬年無彊
2647	魯士商叡毁	叡其萬年饗壽
2648	仲叡父毁一	其萬年子子孫孫永寶用亯于宗室
2649	仲叡父毁二	其萬年子子孫孫永寶用亯于宗室
2650	仲叡父毁三	其萬年子子孫孫永寶用亯于宗室
2651	內白多父毁	其萬年子子孫孫永寶用亯
2652	_毁	p6其萬年孫孫子子永寶
2653.	弔_孫父毁	彌生萬年無彊
2658	白豖毁	隹匄萬年
2665	_弔毁	子子孫孫其萬年永寶用
2666	鑄弔皮父毁	萬年永用
2667	封仲毁	其萬年無彊
2668	散季毁	隹王四年八月初吉丁亥
2668	散季毁	椒(散)季其萬年
2674	弔妣毁	眔中氏萬年
2678	函皇父毁一	琱娟其萬年子子孫孫永寶用
2679	函皇父毁二	琱娟其萬年子子孫孫永寶用
2680	函皇父毁三	琱娟其萬年子子孫孫永寶用
2680.	函皇父毁四	琱娟其萬年子子孫孫永寶用
2681	鄦侯毁	隹五年正月丙午
2682	陳侯午毁	隹十又四年
2683	白家父毁	霝冬萬年
2685	仲枏父毁一	其萬年子孫孫其永寶用
2686	仲枏父毁二	其萬年子子孫孫
2687	敔毁	其萬年寶
2689	白康毁一	康其萬年饗壽
2690	白康毁二	康其萬年饗壽
2690.	相侯毁	其萬年子孫孫用亯侯
2693	罿毁	其萬年孫子寶
2695	鬻兒毁	用祈饗壽萬年無彊多寶
2695	鬻兒毁	兒其萬年
2699	公臣毁一	公臣其萬年用寶丝休
2700	公臣毁二	公臣其萬年用寶丝休
2701	公臣毁三	公臣其萬年用寶丝休
2702	公臣毁四	公臣其萬年用寶丝休
2703	免乍旅毁	免其萬年永寶用
2706	郘公孜人毁	萬年無彊
2710	肄自乍寶器一	萬年以氒孫子寶用
2711	肄自乍寶器二	萬年以氒孫子寶用
2711.	乍冊般毁	子子孫孫萬年福
2712	虢姜毁	虢姜其萬年饗壽
2713	瘨毁一	瘨萬年寶
2714	瘨毁二	瘨萬年寶

2715	瘨𣪕三	瘨萬年寶
2716	瘨𣪕四	瘨萬年寶
2717	瘨𣪕五	瘨萬年寶
2718	瘨𣪕六	瘨萬年寶
2719	瘨𣪕七	瘨萬年寶
2720	瘨𣪕八	瘨萬年寶
2724	章白𢽚𣪕	其萬年子子孫孫其永寶用
2725	師毛父𣪕	其萬年子子孫其永寶用
2725.	楚星𣪕	其萬年無疆
2726	舀𣪕	隹元年三月丙寅
2727	楚姞乍尹弔𣪕	其萬年無疆
2728	恆𣪕一	其萬年世子子孫虘寶用
2729	恆𣪕二	其萬年世子子孫虘寶用
2731	小臣宅𣪕	其萬年用鄉王出入
2732	曾仲大父蛕蚑𣪕	其萬年子子孫孫永寶用亯
2733	何𣪕	何其萬年
2737	段𣪕	孫孫子子萬年用亯祀
2738	衛𣪕	衛其萬年子子孫孫永寶用
2739	無㠱𣪕一	隹十又三年正月初吉壬寅
2739	無㠱𣪕一	無㠱其萬年子孫永寶用
2740	無㠱𣪕二	隹十又三年正月初吉壬寅
2740	無㠱𣪕二	無㠱其萬年子孫永寶用
2741	無㠱𣪕三	隹十又三年正月初吉壬寅
2741	無㠱𣪕三	無㠱其萬年子孫永寶用
2742	無㠱𣪕四	隹十又三年正月初吉壬寅
2742	無㠱𣪕四	無㠱其萬年子孫永寶用
2742.	無㠱𣪕五	隹十又三年正月初吉壬寅
2742.	無㠱𣪕五	無㠱其萬年子孫永寶用
2742.	無㠱𣪕五	隹十又三年正月初吉壬寅
2742.	無㠱𣪕五	無㠱其萬年子孫永寶用
2744	五年師旋𣪕一	隹王五年九月既生霸壬午
2745	五年師旋𣪕二	隹王五年九月既生霸壬午
2746	追𣪕一	追其萬年子子孫孫永寶用
2747	追𣪕二	追其萬年子子孫孫永寶用
2748	追𣪕三	追其萬年子子孫孫永寶用
2749	追𣪕四	追其萬年子子孫孫永寶用
2750	追𣪕五	追其萬年子子孫孫永寶用
2751	追𣪕六	追其萬年子子孫孫永寶用
2752	史頌𣪕一	隹三年五月丁巳
2752	史頌𣪕一	頌其萬年無疆
2753	史頌𣪕二	隹三年五月丁巳
2753	史頌𣪕二	頌其萬年無疆
2754	史頌𣪕三	隹三年五月丁巳
2754	史頌𣪕三	頌其萬年無疆
2755	史頌𣪕四	隹三年五月丁巳
2755	史頌𣪕四	頌其萬年無疆
2756	史頌𣪕五	隹三年五月丁巳
2756	史頌𣪕五	頌其萬年無疆
2757	史頌𣪕六	隹三年五月丁巳
2757	史頌𣪕六	頌其萬年無疆

2758	史頌殷七	隹三年五月丁巳
2758	史頌殷七	頌其萬年無疆
2759	史頌殷八	隹三年五月丁巳
2759	史頌殷八	頌其萬年無疆
2759	史頌殷九	隹三年五月丁巳
2759	史頌殷九	頌其萬年無疆
2762	免殷	免其萬年永寶用
2763	弔向父禹殷	禹其萬年永寶用
2765	殺殷	其萬年子子孫孫永寶用
2766	三兒殷	隹王二年囗月初吉丁巳
2766	三兒殷	用旛萬年釁壽
2767	叡殷一	叡其萬年永寶用
2767	叡殷一	隹十又二年
2768	楚殷	其子子孫孫萬年永寶用
2769	師耤殷	其萬年子孫永寶用
2771	弭弔師求殷一	弭弔其萬年子子孫孫永寶用
2772	弭弔師求殷二	弭弔其萬年子子孫孫永寶用
2773	即殷	即其萬年子子孫孫永寶用
2774.	南宮弔殷	萬年其永寶
2775	裘衛殷	隹廿又七年三月既生霸戊戌
2776	走殷	隹王十又二年三月既望庚寅
2776	走殷	徒其眔乎子子孫孫萬年永寶用
2778	格白殷一	其萬年子子孫孫永保用[eL]
2778	格白殷一	其萬年子子孫孫永保用[eL]
2779	格白殷二	其萬年子子孫孫永保用[eL]
2780	格白殷三	其萬年子子孫孫永保用[eL]周
2781	格白殷四	其萬年子子孫孫永保用[eL]周
2782	格白殷五	其萬年子子孫孫永保用[eL]周
2782.	格白殷六	其萬年子子孫孫永保用[eL]周
2783	趞殷	其子子孫孫萬年寶用
2784	申殷	申其萬年用
2785	王臣殷	隹二年三月初吉庚寅
2786	縣妃殷	我不能不眔縣白萬年保
2787	望殷	隹王十又三年六月初吉戊戌
2787	望殷	王乎史年冊令望
2787	望殷	其萬年子子孫孫永寶用（蓋）
2787	望殷	隹王十又三年六月初吉戊戌
2787	望殷	王呼史年冊令望
2787	望殷	望萬年子子孫孫永寶用（器）
2788	靜殷	子子孫孫其萬年用
2789	同殷一	其萬年子子孫孫永寶用
2790	同殷二	其萬年子子孫孫永寶用
2791	豆閉殷	用易晉壽萬年
2792	師俞殷	唯三年三月初吉甲戌
2792	師俞殷	天子其萬年釁壽黃耇
2792	師俞殷	俞其萬年永保
2793	元年師旋殷一	隹王元年四月既生霸
2793	元年師旋殷一	其萬年子子孫孫永寶用
2794	元年師旋殷二	隹王元年四月既生霸
2794	元年師旋殷二	其萬年子子孫孫永寶用

2795	元年師旋毁三	隹王元年四月既生霸
2795	元年師旋毁三	其萬年子子孫孫永寶用
2796	諫毁	隹五年三月初吉庚寅
2796	諫毁	諫其萬年子子孫孫永寶用（蓋）
2796	諫毁	隹五年三月初吉庚寅
2796	諫毁	諫其萬年子子孫孫永寶用（器）
2797	輔師嫠毁	嫠其萬年子子孫孫永寶用吏
2798	師瘨毁一	其萬年孫孫子子其永寶
2799	師瘨毁二	其萬年孫孫子子其永寶
2800	伊毁	隹王廿又七年正月既望丁亥
2800	伊毁	伊其萬年無彊
2802	六年召白虎毁	隹六年四月甲子
2802	六年召白虎毁	其萬年子子孫孫寶用亯于宗
2803	師酉毁一	隹王元年正月
2803	師酉毁一	酉其萬年子子孫孫永寶用
2804	師酉毁二	隹王元年正月
2804	師酉毁二	酉其萬年子子孫孫永寶用（蓋）隹王元年正月
2804	師酉毁二	酉其萬年子子孫孫永寶用（器）
2805	師酉毁三	隹王元年正月
2805	師酉毁三	酉其萬年子子孫孫永寶用
2806	師酉毁四	隹王元年正月
2806	師酉毁四	酉其萬年子子孫孫永寶用
2806.	師酉毁五	隹王元年正月
2806.	師酉毁五	酉其萬年子子孫孫永寶用
2807	鄀毁一	隹二年正月初吉
2807	鄀毁一	鄀其釁壽萬年無彊
2808	鄀毁二	隹二年正月初吉
2808	鄀毁二	鄀其釁壽萬年無彊
2809	鄀毁三	隹二年正月初吉
2809	鄀毁三	鄀其釁壽萬年無彊
2809	鄀毁三	年無彊
2810	揚毁一	子子孫孫其萬年永寶用
2811	揚毁二	子子孫孫其萬年永寶用
2812	大毁一	隹十又二年三月既生霸丁亥
2813	大毁二	隹十又二年三月既生霸丁亥
2815	師𣪘毁	隹王元年正月初吉丁亥
2815	師𣪘毁	𣪘其萬年子子孫孫永寶用亯
2816	伞白𢦚毁	余其萬年寶用
2817	師𩕢毁	隹王元年九月既望丁亥
2817	師𩕢毁	師𩕢其萬年子子孫孫永寶用
2818	此毁一	隹十又七年十又二月既生霸乙卯
2818	此毁一	此其萬年無彊
2819	此毁二	隹十又七年十又二月既生霸乙卯
2819	此毁二	此其萬年無彊
2820	此毁三	隹十又七年十又二月既生霸乙卯
2820	此毁三	此其萬年無彊
2821	此毁四	隹十又七年十又二月既生霸乙卯
2821	此毁四	此其萬年無彊
2822	此毁五	隹十又七年十又二月既生霸乙卯
2822	此毁五	此其萬年無彊

年

2823	此𣪕六	隹十又七年十又二月既生霸乙卯
2823	此𣪕六	此其萬年無彊
2824	此𣪕七	隹十又七年十又二月既生霸乙卯
2824	此𣪕七	此其萬年無彊
2825	此𣪕八	隹十又七年十又二月既生霸乙卯
2825	此𣪕八	此其萬年無彊
2826	師𡩜𣪕一	其萬年子子孫孫永寶用亯（蓋）王若曰：師𡩜rt
2826	師𡩜𣪕一	其萬年子子孫孫永寶用亯（器）
2827	師𡩜𣪕二	其萬年子子孫孫永寶用亯
2829	師虎𣪕	隹六年六月既望甲戌
2830	三年師兌𣪕	隹三年二月初吉丁亥
2830	三年師兌𣪕	師兌其萬年子子孫孫永寶用
2831	元年師兌𣪕一	隹元年五月初吉甲寅
2831	元年師兌𣪕一	師兌其萬年子子孫孫永寶用
2832	元年師兌𣪕二	隹元年五月初吉甲寅
2832	元年師兌𣪕二	師兌其萬年子子孫孫永寶用
2834	㝬𣪕	㝬其萬年𩛥實朕多禦
2835	訇𣪕	訇萬年子子孫永寶用
2836	𢦚𣪕	卑乃子𢦚萬年
2837	敔𣪕一	敔其萬年子子孫孫永寶用
2838	師𤼈𣪕一	隹十又一年九月初吉丁亥
2838	師𤼈𣪕一	𤼈其萬年子子孫永寶用(蓋)
2838	師𤼈𣪕一	隹十又一年九月初吉丁亥
2838	師𤼈𣪕一	𤼈其萬年子子子孫孫永寶用(器)
2839	師𤼈𣪕二	隹十又一年九月初吉丁亥
2839	師𤼈𣪕二	𤼈其萬年子子孫永寶用(蓋)
2839	師𤼈𣪕二	隹十又一年九月初吉丁亥
2839	師𤼈𣪕二	𤼈其萬年子子子孫孫永寶用(器)
2841	芇白𣪕	隹王九年九月甲寅
2841	芇白𣪕	歸夆其萬年日用亯于宗室
2842	卯𣪕	卯其萬年子子孫孫永寶用
2844	頌𣪕一	隹三年五月既死霸甲戌
2844	頌𣪕一	頌其萬年釁壽無彊
2845	頌𣪕二	隹三年五月既死霸甲戌
2845	頌𣪕二	頌其萬年釁壽無彊
2845	頌𣪕二	隹三年五月既死霸甲戌
2845	頌𣪕二	頌其萬年釁壽無彊
2846	頌𣪕三	隹三年五月既死霸甲戌
2846	頌𣪕三	頌其萬年釁壽無彊
2847	頌𣪕四	隹三年五月既死霸甲戌
2847	頌𣪕四	頌其萬年釁壽無彊
2848	頌𣪕五	隹三年五月既死霸甲戌
2848	頌𣪕五	頌其萬年釁壽無彊
2849	頌𣪕六	隹三年五月既死霸甲戌
2849	頌𣪕六	頌其萬年釁壽無彊
2850	頌𣪕七	隹三年五月既死霸甲戌
2850	頌𣪕七	頌其萬年釁壽無彊
2851	頌𣪕八	隹三年五月既死霸甲戌
2851	頌𣪕八	頌其萬年釁壽無彊
2854	蔡𣪕	隹元年既望丁亥

年

2854	禁𣪘	禁其萬年𩞁壽
2855	班𣪘一	三年靜東或、亡不成
2855.	班𣪘二	三年
2856	師訇𣪘	訇其萬囟年
2856	師訇𣪘	隹元年二月既望庚寅
2857	牧𣪘	隹王七年又三月既生霸甲寅
2857	牧𣪘	牧其萬年壽考子子孫孫永寶用
2887	虢弔旅𠤳一	其萬年永寶
2888	虢弔旅𠤳二	其萬年永寶
2900	史𩁹簠	其萬年永寶用
2901	白□父匡	其萬年永寶用
2902	白矩食𠤳	其萬年永寶用
2904	善夫吉父旅𠤳	其萬年永寶
2906	白薦父𠤳	其萬年永寶用
2918	內大子白𠤳	其萬年子子孫永用
2919	鑄弔乍贏氏𠤳	其萬年𩞁壽永寶用
2921	__弔乍吳姬𠤳	其萬年子子孫孫永寶用
2922	魯白俞父𠤳一	其萬年𩞁壽永寶用
2923	魯白俞父𠤳二	其萬年𩞁壽永寶用
2924	魯白俞父𠤳三	其萬年𩞁壽永寶用
2925	交君子__𠤳一	其𩞁壽萬年永寶用
2926	交君子__𠤳二	其𩞁壽萬年永寶用
2927	商丘弔旅𠤳一	其萬年子子孫孫永寶用
2928	商丘弔旅𠤳一二	其萬年子子孫孫永寶用
2929	師麻孝弔旅𠤳(匡)	其萬年子子孫孫永寶用
2930	尹氏貯良旅𠤳(匡)	其萬年子子孫孫永寶用
2931	鑄子弔黑臣𠤳一	其萬年𩞁壽永寶用
2932	鑄子弔黑臣𠤳二	萬年𩞁壽永寶用
2933	鑄子弔黑臣𠤳三	萬年𩞁壽永寶用
2937	仲義昱乍縣妃[illegible]一	其萬年子子孫孫永寶用之
2938	仲義昱乍縣妃[illegible]二	其萬年子子孫孫永寶用之
2939	季良父乍宗娟媵𠤳一	其萬年子子孫孫永寶用
2940	季良父乍宗娟媵𠤳二	其萬年子子孫孫永寶用
2941	季良父乍宗娟媵𠤳三	其萬年子子孫孫永寶用
2947	季宮父乍媵𠤳	其萬年子子孫孫永寶用
2953	白其父慶旅祜	用易𩞁壽萬年
2958	陳公子𠤳	萬年無疆
2959	鑄公乍朕𠤳一	其萬年𩞁壽
2960	鑄公乍朕𠤳二	其萬年𩞁壽
2964.	弔邦父𠤳	其萬年𩞁壽無疆
2966	蜡公諴旅𠤳	用易𩞁壽萬年
2967	鄦侯乍孟姜朕𠤳	萬年無疆
2970	考弔脂父尊𠤳一	其𩞁壽萬年無疆
2971	考弔脂父尊𠤳二	其𩞁壽萬年無疆
2977	□孫弔左肄𠤳	其萬年𩞁壽無疆
2978	樂子敬豧觓𠤳	其𩞁壽萬年無諆(期)
2979	弔朕自乍薦𠤳	萬年無疆
2979.	弔朕自乍薦𠤳二	萬年無疆
2980	鼄大宰肆𠤳一	其𩞁壽、用肆萬年無昊
2981	鼄大宰肆𠤳二	其𩞁壽、用肆萬年無昊

年

2982	長子□臣乍媵匿	其覺壽萬年無期
2982	長子□臣乍媵匿	其覺壽萬年無期
2985	陳逆匿一	覺壽萬年
2985.	陳逆匿二	覺壽萬年
2985.	陳逆匿三	覺壽萬年
2985.	陳逆匿四	覺壽萬年
2985.	陳逆匿五	覺壽萬年
2985.	陳逆匿六	覺壽萬年
2985.	陳逆匿七	覺壽萬年
2985.	陳逆匿八	覺壽萬年
2985.	陳逆匿九	覺壽萬年
2985.	陳逆匿十	覺壽萬年
2986	曾白霥旅匿一	曾白霥叚不黃耇萬年
2987	曾白霥旅匿二	曾白霥叚不黃耇萬年
3011	弔姞旅須	其萬年永寶用
3014	弭弔旅盨	其萬年永寶用
3017	白大師旅盨一	其萬年永寶用
3018	白大師旅盨(器)二	其萬年永寶用
3021	乍遣盨	句萬年壽敵冬
3022	白車父旅盨(器)一	其萬年永寶用
3023	白車父旅盨(器)二	其萬年永寶用
3025	白公父旅盨(蓋)	其萬年永寶用
3027	仲饑旅盨	其萬年永寶用
3034	白孝_旅盨	永其萬年子子孫孫寶用白孝kd鑄旅盨(須)
3034	白孝_旅盨	其萬年子子孫孫永寶用
3035	魯嗣徒旅毁(盨)	萬年永寶用
3037	華季嗌乍寶毁(盨)	其萬年子子孫永寶用
3040	白庶父盨毁(蓋)	其萬年子子孫孫永寶用
3041	誅季獻旅須	其萬年子孫孫永寶用
3042	頊燹旅盨	其萬年子子孫孫永寶用亯
3048	鑄子弔黑臣盨	其萬年覺壽永寶用
3049	單子白旅盨	其子子孫孫萬年永寶用
3050	籩弔乍旅盨	籩弔其萬年永及中姬寶用
3051	兮白吉父旅盨(蓋)	其萬年無彊子子孫孫永寶用
3052	走亞虢孟延盨一	延其萬年永寶子子孫孫用
3053	走亞虢孟延盨二	延其萬年永寶子子孫孫用
3054	滕侯穌乍旅毁	其子子孫萬年永寶用
3056	師趛乍樠姬旅盨	子孫其萬年永寶用
3056	師趛乍樠姬旅盨	子孫其萬年永寶用
3057	仲自父鎖(盨)	其子孫萬年永寶用亯
3058	曼龏父盨一	其萬年無彊子子孫孫永寶用
3062	乘父毁(盨)	其萬年覺壽永寶用
3068	白寬父盨一	佳卅又三年八月既死辛卯
3069	白寬父盨二	佳卅又三年八月既死辛卯
3070	杜白盨一	其萬年永寶用
3071	杜白盨二	其萬年永寶用
3072	杜白盨三	其萬年永寶用
3073	杜白盨四	其萬年永寶用
3074	杜白盨五	其萬年永寶用
3075	白汈其旅盨一	畯臣天子、萬年唯極

3076	白汈其旅盨二	畯臣天子、萬年唯極
3077	弔尃父乍奠季盨一	隹王元年
3078	弔尃父乍奠季盨二	隹王元年
3079	弔尃父乍奠季盨三	隹王元年
3080	弔尃父乍奠季盨四	隹王元年
3081	翏生旅盨一	萬年釁壽永寶
3082	翏生旅盨二	萬年釁壽永寶王征南淮夷
3082	翏生旅盨二	萬年釁壽永寶
3083	瘨㲃（盨）一	隹四年二月既生霸戊戌
3083	瘨㲃（盨）一	王乎史年冊
3083	瘨㲃（盨）一	瘨其萬年子子孫孫其永寶［ 𠦪冊 ］
3084	瘨㲃（盨）二	隹四年二月既生霸戊戌
3084	瘨㲃（盨）二	王乎史年冊
3084	瘨㲃（盨）二	瘨其萬年子子孫孫其永寶［ 𠦪冊 ］
3085	駒父旅盨（蓋）	唯王十又八年正月
3085	駒父旅盨（蓋）	駒父其萬年永用多休
3086	善夫克旅盨	隹十又八年十又二月初吉庚寅
3086	善夫克旅盨	克其萬年
3087	鬲从盨	隹王廿又五年七月既□□□
3088	師克旅盨一（蓋）	克其萬年子子孫孫永寶用
3089	師克旅盨二	克其萬年子子孫孫永寶用
3090	㚸盨（器）	弔邦父、弔姞萬年子子孫孫永寶用
3092	齊侯乍飤𩫖一	其萬年永保用
3093	齊侯乍飤𩫖二	其萬年永保用
3096	齊侯乍孟姜善𩫖	用旟釁壽、萬年無疆
3097	陳侯午錞錞一	隹十又四年
3098	陳侯午錞錞二	隹十又四年
3099	十年陳侯午𩫖（器）	隹十年
3110.	孟__旁豆	釁壽萬年永寶用
3117	微伯瘨簠	其萬年永寶
3118	魯大嗣徒厚氏元善匿一	其釁壽萬年無疆
3119	魯大嗣徒厚氏元善匿二	其釁壽萬年無疆
3120	魯大嗣徒厚氏元善匿三	其釁壽萬年無疆
4344	嘉仲父斝	隹元年正月初吉丁亥
4344	嘉仲父斝	其釁壽萬年無疆
4433	甲盉	其萬年用鄉賓
4434	師子旅盉	萬年永寶用
4435	__君盉	其□年孫用
4435.	𩁹終盉	𠣞萬年
4436	堯盉	用萬年
4437	王乍豐妊盉	其萬年永寶用
4439	白衛父盉	孫孫子子邁（萬）年永寶
4440	白竇父盉	其萬年子子孫孫永寶用
4441	卅五年__盉	卅五年
4442	季良父盉	其萬年子子孫孫永寶用
4443	王仲皇父盉	其萬年子子孫孫永寶用
4444.	卅五年盉	卅五年
4447	臣辰冊冊𠂤乍冊父癸盉	出饔葊京年
4449	裘衛盉	隹三年三月既生霸壬寅
4449	裘衛盉	衛其萬年永寶用

年

年

4831	倗乍氒考尊	倗乍氒考寶尊彝用萬年吏
4852	□□乍其為氒考尊	用匄壽萬年永寶
4857	乍文考日己尊	其子子孫孫萬年永寶用［天］
4858	亩朋尊	其萬年子孫永寶用亯
4864	乍冊翾尊	隹明保殷成周年
4865	氒方尊	其用匄永福萬年子孫
4873	臣辰冊宀冊乍父癸尊	隹王大龠于宗周徣餈葊京年
4874	萬諆尊	＿人萬年寶
4877	小子生尊	其萬年永寶
4878	召尊	召萬年永光
4880	免尊	免其萬年永寶用
4881	𩰫方尊	子子孫孫其萬年永寶
4883	耳尊	侯萬年壽考黃耇
4884	啟尊	啟从師𨕾父戍于古自之年
4885	效尊	烏虖、效不敢不萬年夙夜奔走
4887	蔡侯䵼尊	元年正月初吉辛亥
4888	盠駒尊一	則萬年保我萬宗
4888	盠駒尊一	盠曰、其萬年、世子孫永寶之
4890	盠方尊	萬年保我萬邦
4892	麥尊	唯天子休于麥辟侯之年
4927	乍文考日己觥	其子子孫孫萬年永寶用［天］
4973	乍文考日工夫方彝	其子子孫孫萬年永寶用［天］
4974	＿方彝	其萬年彝
4977	師遽方彝	用匄萬年無疆
4979	盠方彝一	萬年保我萬邦
4980	盠方彝二	萬年保我萬邦
5429	仲乍好旅卣一	其用萬年
5430	仲乍好旅卣二	其用萬年
5449	倗乍氒考卣	用萬年事
5454	孶卣	其萬年孫子子永寶
5459	縈弔卣	用匄壽、萬年永寶
5474	翾卣	隹明保殷成周年
5474	翾卣	［fL］隹明保殷成周年
5484	乍冊睘卣	隹十又九年王才庈
5484	乍冊睘卣	隹十又九年王才庈
5496	召卣	召萬年永光
5500	免卣	免其萬年永寶用
5501	臣辰冊冊夕卣一	徣餈葊京年
5502	臣辰冊冊夕卣二	徣餈葊京年
5504	庚嬴卣一	其子子孫孫萬年永寶用
5505	庚嬴卣二	其子子孫孫萬年永寶用
5506	小臣傳卣	令師田父殷成周年
5507	乍冊𩱵卣	隹公大史見服于宗周年
5509	麸卣	尹其亙萬年受氒永魯
5511	效卣一	效不敢不萬年夙夜奔走揚公休
5580	治＿＿罍	其萬年無疆
5581	亩朋罍	其萬年子孫永寶用享
5582	對罍	子子孫孫其萬年永寶
5712	白山父方壺	萬年寶用
5721	蔡侯壺	蔡侯□□皇□朕□□其萬年無□

5723	王白姜壺一	其萬年永寶用
5724	王白姜壺二	其萬年永寶用
5727	廿九年東周左自歆壺	廿九年十二月
5729	陳侯乍嬀穌朕壺	其萬年永寶用
5733	曩中乍倗生歆壺	匄三壽懿德萬年
5734	咼乍旅壺	其萬年子子孫孫永用（器蓋）
5738	＿＿壺	其萬年孫孫子子永寶用
5744	仲南父壺一	其萬年子子孫孫永寶用
5745	仲南父壺二	其萬年子子孫孫永寶用
5746	史僕壺一	其萬年子子孫孫永寶用享
5747	史僕壺二	其萬年子子孫孫永寶用享
5749	矩弔乍仲姜壺一	其萬年子子孫孫永用
5750	矩弔乍仲姜壺二	其萬年子子孫孫永用
5751	白公父乍弔姬醴壺	萬年子子孫孫永寶用
5753	大師小子師聖壺	其萬年子孫孫永寶用
5755	散氏車父壺一	其萬年子子孫孫永寶用
5756	中白乍朕壺一	其萬年子子孫孫永寶用
5757	中白乍朕壺二	其萬年子子孫孫永寶用
5761	兮熬壺	其萬年子子孫孫永用
5763	殷句壺	其萬年子子孫孫永寶用享
5764	杞白每亡壺一	其萬年釁壽
5765	杞白每亡壺二	萬年釁壽
5766	周𢍰壺一	其子子孫孫萬年永寶用[eL](器蓋)
5767	周𢍰壺二	其子子孫孫萬年永寶用[eL](器蓋)
5772	陳璋方壺	隹王五年奠陳𠭰再立事歲
5774	𣏟車父壺	白車父其萬年子子孫孫永寶
5775	蔡公子壺	子子孫孫萬年永寶用享
5776	曩公壺	釁壽萬年
5777	孫弔師父行具	釁壽萬年無彊
5778	番匊生鑄賸壺	隹廿又六年十月初吉己卯
5779	安邑下官鍾	七年九月
5780	公孫𥀿壺	用祈釁壽萬年
5781	曾姬無卹壺一	隹王廿又六年
5782	曾姬無卹壺二	隹王廿又六年
5786	𠬝季良父壺	其萬年霝冬難老
5789	命瓜君厚子壺一	隹十年四月吉日
5789	命瓜君厚子壺一	至于萬意年
5790	命瓜君厚子壺二	至于萬意年
5791	十三年瘋壺一	隹十又三年九月初吉戊寅
5791	十三年瘋壺一	瘋其萬年永寶（器蓋）
5792	十三年瘋壺一	隹十又三年
5792	十三年瘋壺一	瘋其萬年永寶（器蓋）
5793	幾父壺一	其萬年孫孫子子永寶用
5794	幾父壺二	其萬年孫孫子子永寶用
5795	白克壺	隹十又六年七月既生霸乙未
5796	三年瘋壺一	隹三年九月丁子
5796	三年瘋壺一	瘋其萬年永寶
5797	三年瘋壺二	隹三年九月丁子
5797	三年瘋壺二	瘋其萬年永寶
5798	曶壺	曶用匄萬年釁壽

年

年

5799	頌壺一	隹三年五月既死霸甲戌
5799	頌壺一	頌其萬年釁壽
5800	頌壺二	隹三年五月既死霸甲戌
5800	頌壺二	頌其萬年釁壽
5801	洹子孟姜壺一	萬年無疆
5802	洹子孟姜壺二	萬年無疆
5805	中山王嚳方壺	隹十四年
5810	嘪鈃	萬年無疆
5812	仲義父𨭚一	其萬年子子孫孫永寶用
5813	仲義父𨭚二	其萬年子子孫孫永寶用
5814	白夏父𨭚一	其萬年子子孫孫永寶用
5815	白夏父𨭚二	其萬年子子孫孫永寶用
5816.	伯亞臣𨭚	用祈釁壽萬年無疆
5827	廿七年寧鈿	廿七年寧為鈿
6632	白乍蔡姬觶	其萬年、世孫子永寶
6727	貞盤	其萬年子子孫孫永寶用
6733	史頌盤	其萬年子孫孫永寶用
6734	才盤	用萬年用楚保眾弔堯
6739	中友父盤	其萬年子子孫孫永寶用
6741	䢅盤	其萬年子孫永寶用亯
6742	弔五父盤	其萬年子子孫孫永寶用
6743	𤔲盤	婋氏其釁壽萬年用
6745	白考父盤	其萬年子子孫孫永寶用
6746	齊侯乍孟姬盤	其萬年釁壽無疆
6747	師寏父盤	其萬年子子孫孫永寶用
6748	德盤	其萬年釁壽
6749	弔高父盤	其萬年子子孫孫永寶用
6750	白侯父盤	用旟釁壽萬年用之
6751	䢅白睘盤	其萬年疆無
6755	毛叔盤	其萬年釁壽無疆
6756	番君白龏盤	萬年子孫永用之亯
6761	白者君盤	其萬年子孫永寶用亯
6762	薛侯盤	其釁壽萬年
6763	句它盤	其萬年無疆
6764	般仲_盤	其萬年釁壽無疆
6765	齊弔姬盤	其萬年無疆
6767	齊縈姬之嫚盤	其釁壽萬年無疆
6770	𩵦白盤	其萬年子子孫孫永用之
6772	魯少司寇封孫宅盤	其釁壽萬年
6773	_湯弔盤	其萬年無用之疆
.6774	_右盤	迺用萬年□孫永寶用亯□用之
6775	_仲乍父丁盤	萬年不忘
6777	邛仲之孫白戔盤	用旟釁壽萬年無疆
6778	免盤	其萬年寶用
6779	齊侯盤	用祈釁壽萬年無疆
6780	黃大子白克盤	用旟釁壽萬年無疆
6781	夆弔盤	其釁壽萬年
6782	者尚余卑盤	用旟釁壽萬年
6783	函皇父盤	琱娟其萬年子子孫孫永寶用
6787	走馬休盤	隹廿年正月既望甲戌

6787	走馬休盤	休其萬年子子孫孫永寶
6788	蔡侯𩵦盤	元年正月初吉辛亥
6789	寰盤	隹廿又八年五月既望庚寅
6789	寰盤	寰其萬年子子孫孫永寶用
6790	虢季子白盤	隹十又二年正月初吉丁亥
6790	虢季子白盤	子子孫孫萬年無疆
6791	兮甲盤	隹五年三月既死霸庚寅
6791	兮甲盤	其眉壽萬年無疆
6792	史墻盤	上帝司vu尢保受天子綰令厚福豐年
6792	史墻盤	其萬年永寶用
6827	甫人父乍旅匜一	甫人父乍旅匜、萬人(年)用
6828	甫人父乍旅匜二	甫人父乍旅匜、萬人(年)用
6831	杞白每亡匜	其萬年永寶用
6833	囗弔㪘匜	萬年用之
6835	匽公匜	萬年永寶用
6836	史頌匜	其萬年子子孫孫永寶用
6840	__子匜	其萬年無疆
6842	王婦曩孟姜旅匜	其萬年眉壽用之
6844	中友父匜	其萬年子子孫孫永寶用
6845	弔__父乍師姬匜	其萬年子子孫永寶用
6846	白正父旅它	其萬年子子孫孫永寶用
6847	蚰__匜	萬年無疆孫亯
6848	𩏧乍王母媿氏匜	媿氏其眉壽萬年用
6849	䢼白匜	其萬年子子孫孫永寶用亯
6850	弔高父匜一	其萬年子子孫孫永寶用
6851	弔高父匜二	其萬年子子孫孫永寶用
6856	番仲燊匜	其萬年子子孫永寶用亯
6857	蔡白𣶒匜	其萬年無疆
6859	白者君匜一	其萬年子孫永寶用享tG
6862	薛侯乍弔妊朕匜	其眉壽萬年
6863	白君黃生匜	其萬年子子孫孫永寶用
6864	番__匜	其萬年子子孫永寶用亯
6865	楚嬴匜	其萬年子孫永用亯
6866	齊侯乍虢孟姬匜	其萬年無疆
6867	弔男父乍為霍姬匜	其子子孫孫其萬年永寶用[井]
6869	浮公之孫公父宅匜	其萬年子子孫永寶用之
6871	𨻰子匜	用旟眉壽萬年無疆
6872	魯大嗣徒子仲白匜	其眉壽萬年無疆
6873	齊侯乍孟姜盥匜	用祈眉壽萬年無疆
6874	鄭大內史弔上匜	其萬年無疆
6875	慶弔匜	其眉壽萬年
6876	夆弔乍季妃盥盤(匜)	其眉壽萬年
6900	乍父丁盂	其萬年永寶用享宗彝
6901	白盂	其萬年孫孫子子永寶用亯
6902	白公父旅盂	其萬年子子孫孫永寶用
6903	魯大嗣徒元𣪕盂	萬年眉壽永寶用
6904	善夫吉父盂	其萬年子子孫孫永寶用
6907	齊侯乍朕子仲姜盂	其眉壽萬年
6910	師永盂	隹十又二年初吉丁卯
6910	師永盂	永其萬年

年

年

6923	庚午盨	萬年無疆
6924	江仲之孫白戔鉠盨	其釁壽萬年無疆
6925	晉邦盨	烏卲萬年
6976	倗鐘	倗友猒其萬年臣天
6981	中義鐘一	其萬年永寶
6982	中義鐘二	其萬年永寶
6983	中義鐘三	其萬年永寶
6984	中義鐘四	其萬年永寶
6985	中義鐘五	其萬年永寶
6986	中義鐘六	其萬年永寶
6987	中義鐘七	其萬年永寶
6988	中義鐘八	其萬年永寶
6989	＿鐘	其萬年子子孫孫永寶
6991	眉壽鐘一	年無疆
6992	眉壽鐘二	年無疆
6999	昆疕王鐘	其萬年子孫永寶
7005	邵公鐘	釁壽萬年無疆
7007	梁其鐘	其萬年無疆
7019	邾太宰鐘	萬年無疆
7027	邾公釛鐘	旂年釁壽
7027	邾公釛鐘	揚君靈、君以萬年
7037	遲父鐘	侯父眔齊萬年釁壽
7040	克鐘一	隹十又六年九月初吉庚寅
7041	克鐘二	隹十又六年九月初吉庚寅
7042	克鐘三	隹十又六年九月初吉庚寅
7043	克鐘四	克其萬年子子孫孫永寶
7044	克鐘五	克其萬年子子孫孫永寶
7049	井人鐘三	妄其萬年子子孫孫永寶用享
7050	井人鐘四	妄其萬年子子孫孫永寶用享
7058	邾公孫班鐘	其萬年釁壽
7059	師臾鐘	師臾其萬年永寶用享
7062	柞鐘	隹王三年四月初吉甲寅
7063	柞鐘二	隹王三年四月初吉甲寅
7064	柞鐘三	隹王三年四月初吉甲寅
7065	柞鐘四	隹王三年四月初吉甲寅
7066	柞鐘五	隹王三年四月初吉甲寅
7069	者沏鐘一	隹戉（越）十有九年
7070	者沏鐘二	隹戉十有九年
7072	者沏鐘四	隹戉十有九年、王曰
7073	者沏鐘五	隹戉十有九年
7084	邾公牼鐘一	至于萬年
7085	邾公牼鐘二	至于萬年
7086	邾公牼鐘三	至于萬年
7087	邾公牼鐘四	至于萬年
7088	士父鐘一	父其眔萬年
7089	士父鐘二	父其眔萬年
7090	士父鐘三	父其眔萬年
7091	士父鐘四	父其眔萬年
7108	鬳弔之仲子平編鐘一	萬年無諆
7109	鬳弔之仲子平編鐘二	萬年無諆

7110	𨚕弔之仲子平編鐘三	萬年無諆
7111	𨚕弔之仲子平編鐘四	萬年無諆
7116	南宮乎鐘	天子其萬年釁壽
7135	逆鐘	仕王元年三月既生霸庚申
7150	虢叔旅鐘一	旅其萬年子子孫孫永寶用亯
7151	虢叔旅鐘二	旅其萬年子子孫孫永寶用亯
7152	虢叔旅鐘三	旅其萬年子子孫孫永寶用亯
7153	虢叔旅鐘四	旅其萬年子子孫孫永寶用亯
7156	虢叔旅鐘七	旅其萬年子子孫孫永寶用亯
7157	邾公華鐘一	其萬年無疆
7158	瘐鐘一	瘐其萬年永寶
7159	瘐鐘二	瘐其萬年
7160	瘐鐘三	瘐其萬年永寶日鼓
7161	瘐鐘四	瘐其萬年永寶日鼓
7162	瘐鐘五	瘐其萬年永寶日鼓
7167	瘐鐘十	年__角
7169	瘐鐘十二	萬年日鼓
7170	瘐鐘十三	萬年日鼓
7171	瘐鐘十四	萬年日鼓
7174	秦公鐘	大壽萬年
7175	王孫遺者鐘	萬年無諆
7176	㝬鐘	㝬其萬年
7178	秦公及王姬編鐘二	大壽萬年
7188	叔夷編鐘七	女考壽萬年永保其身
7202	楚公逆鎛	逆其萬年又壽__身
7204	克鎛	隹十又六年九月初吉庚寅
7204	克鎛	克其萬年子孫永寶
7209	秦公及王姬鎛	大壽萬年
7210	秦公及王姬鎛二	大壽萬年
7211	秦公及王姬鎛三	大壽萬年
7213	𬪩鎛	用旂侯氏永命萬年
7214	叔夷鎛	女考壽萬年永保其身
7220	喬君鉦	其萬年用亯用考
7223	逌𣏟鐸	其萬年永寶用
7493	十四年戈	四年州工币明冶乘
7503	七年戈	十年得工戈冶左勿
7504	廿三年□陽令戈	廿三年
7507	二年寺工讋戈	寺工、二年寺工讋金角
7508	十四年屬邦戈	十四年
7509	丞相觸戈	__年丞相觸造、咸□工币葉工、武
7512	六年奠令韓熙戈	六年鄭令韓熙□、右庫工币馬__冶狄
7515	二年右貫府戈	二年
7517	六年上郡守戈	王六年上郡守疾之造𢦔禮、□□
7518	四年呂不韋戈	四年相邦呂不韋
7521	廿二年臨汾守戈	廿二年臨汾守曋庫系工歍造
7522	卅三年大梁左庫戈	卅三年大梁左庫工币丑冶刅
7523	四年戈	四年命韓__右庫工币__冶__
7524	三年脩余令戈	三年逌余命韓__工币____、冶__
7525	廿四年左軍戈	廿四年左軍__________
7526	卅四年屯丘令戈	卅四年屯丘命爽左工币㴱冶□

年

7528	王二年奠令戈	王二年奠命韓□右庫工帀_慶
7529	十四年相邦冉戈	十四年秦相邦冉造
7530	三年上郡守戈	三年上郡守□造
7531	廿九年高都令陳愈戈	廿九年高都命陳愈
7532	九年我□令癰戈	高望、九年戈丘命癰工帀_冶_
7533	卅二年帶令戈	卅三年帶命初左庫工帀臣冶山
7535	三年汪陶令戈	三年汪陶令富守
7538	邢令戈	四年邢命輅庶長
7540	卅一年相邦冉戈	卅一年相邦冉醠工帀、醠瓌德
7541	四年咎奴戈	四年咎奴_命壯罌工帀賓疾冶問
7542	廿四年右馬令戈	廿四年申陰令右庫工帀䓣冶豎
7543	四年相邦樛游戈	四年相邦樛游之造
7544	八年亲城大令戈	八年亲城大命韓定工帀宋費冶褚
7546	王三年奠令韓熙戈	王三年奠命韓熙右庫工師吏史□冶□
7547	廿六年蜀守武戈	武、廿六年蜀守武造東工醠宦丞耒工箎
7548	元年_令戈	元年
7549	十六年喜令戈	十六年
7550	十二年少令邯鄲戈	十二年肖命邯鄲□右庫工帀□紹台倉造
7551	十二年肖令邯鄲戈	十二年肖命邯鄲□右庫工帀□紹台倉造
7553	廿年奠令戈	廿年鄭命韓恙司寇吳裕
7555	二年戈	二年
7558	十四年奠令戈	十四年奠命趙距司寇王造武庫
7559	十五年奠令戈	十五年奠命趙距司寇□章右庫
7560	十六年奠令戈	十六年奠命趙司寇彭璋㞷庫
7561	十七年奠令戈	十七年奠命幽距司寇彭璋武庫
7562	廿一年奠令戈	廿一年奠命䜌族司寇裕左庫工帀吉□冶□
7563	卅一年奠令戈	卅一年奠命�司寇肖它㞷庫工帀冶看敀
7564	五年相邦呂不韋戈	五年相邦呂不韋造
7565	八年相邦呂不韋戈	八年相邦呂不韋造
7566	十三年相邦義戈	十三年相邦義之造
7567	廿九年相邦肖□戈	廿九年相邦肖_邦
7568	四年奠令戈	四年奠命韓及司寇長朱
7569	五年奠令戈	五年奠命韓_司寇張朱
7570	六年奠令戈	六年奠命_幽司寇向_左庫工帀倉慶冶尹成贛
7571	八年奠令戈	八年奠命_幽司寇史墜右庫工帀易高冶尹_□
7572	十七年彘令戈	十七年彘命䜌肖司寇奠_右庫工帀□較冶□□
7631	廿二年左旂矛	廿二年左旂
7652	五年鄭令韓□矛	五年奠命韓□司寇長朱
7653	十年邦司寇富無矛	十年邦司寇富無
7654	十二年邦司寇野矛	十二年邦司寇野□
7655	中央勇矛	中央勇生安空五年之後日册
7655	中央勇矛	中央勇□生安空三年之後日册
7656	七年宅陽令矛	七年宅陽命馬登
7657	九年鄭令向甸矛	九年奠命向甸司寇□商
7658	五年春平侯矛	五年相邦□平侯邦司寇_
7659	元年春平侯矛	元年相邦□平侯
7660	十□年相邦春平侯矛	十□年相邦春平侯
7661	三年建躬君矛	三年相邦建躬君
7662	八年建躬君矛	八年相邦建躬君
7663	卅二年奠令槍□矛	卅二年奠命槍□司寇趙它

7664	元年奠命棺□矛	元年奠命棺□司寇芋慶
7665	三年奠令棺□矛	三年奠命棺□司寇□慶
7666	七年奠令□幽矛	七年奠命□幽司寇□□
7667	卅四年奠令棺□矛	卅四年奠命棺□司寇造芋慶
7668	二年奠令棺□矛	二年奠命棺□司寇芋慶
7669	四年□雍令矛	四年□雝命韓匡司寇□宅
7670	六年安陽令斷矛	六年安陽命韓亟司陽□□□
7712	十二年右庫劍	十二年□右庫五十五
7719	廿九年高都令劍	廿九年高都命陳愈工币冶乘
7724	二年春平侯劍	二年相邦春平侯
7725	元年劍	元年里相邦王衰
7726	八年相邦建躬君劍一	八年相邦建躬君
7727	八年相邦建躬君劍二	八年相邦建躬君
7728	八年相邦建躬君劍三	八年相邦建躬君
7730	十五年守相杜波劍一	十五年守相杜波
7734	四年春平侯劍	四年□□春升平侯□左庫工币丘□________
7737	十五年劍	十五年相邦春平侯
7738	十七年相邦春平侯劍	十七年相邦春平侯
7739	卅三年奠令□□劍	卅三年奠命□□司寇趙它
7740	四年春平相邦劍	四年春平相邦都及
7742	十三年劍	十三年右守相□□□□□
7813	十年矢括	七年
7823	距末二	廿年尚上長斗乘四其我__攻書
7830	十六年大良造鞅戈	十六年大良造庶長鞅之造__革
7831	廿四年銅梃	廿四年__昌__左執齊
7868	商鞅方升	臨廿六年
7868	商鞅方升	十八年
7869	廿五年銅量器	廿五年____
7884	五年司馬權	五年司馬成公__□事命代□
7893	鷹節一	馬乘帚伐__ 四年币
7894	鷹節二	馬乘帚伐__傳__年
7918	酉年車器	酉年
7921	廿一年寺工獻車軎	廿一年寺工獻工上造但
7930	䢅用乍寶缶一	其萬年子子孫永寶用享
7931	䢅□乍寶缶二	其萬年子子孫永寶用享
7953	三年錯銀鳩杖首	三年才鄭
7990	季老□	子子孫孫其萬年永寶用
M160	□貯𣪕	隹巢來𢾌王令東宮追𠂤六𠂤之年
M177.	㦰𣪕	子子孫孫其萬年永寶用［ co ］
M191	繁卣	其萬年寶、或
M252	免簠	免其萬年永寶用
M299	白大師釐盨	其萬年永寶用
M340	魯伯悆盨	悆其萬年釁壽
M341	魯中齊鼎	其萬年釁壽
M342	魯中齊甗	其萬年釁壽
M343	魯司徒中齊盨	其萬年釁壽
M344	魯司徒中齊盤	其萬年永寶用亯
M345	魯司徒中齊匜	其萬年釁壽
M361	井伯南𣪕	其萬年子子孫孫永寶
M379	筆伯鬲	其萬年子子孫孫永寶用□

年
穌

M423.	趞鼎	隹十又九年四月既望辛卯
M423.	趞鼎	其釁壽萬年
M487	魯司徒伯吳段	萬年永寶用
M508	虞侯政壺	其萬年子子孫孫永寶用
M581	陳公子中慶簠蓋	用祈顧壽萬年無疆子子孫孫永壽用之
M582	陳公孫𢍰父瓶	用祈釁壽萬年無疆
M602	蔡侯匜	邁（萬）年無疆
M612	鄦子鐘	萬年無諆
M617	番白享匜	其萬年無疆
M798	廿八年平安君鼎	廿八年平安邦鑄客載四分齍
M798	廿八年平安君鼎	廿八年平安邦鑄客載四分齍
M798	廿八年平安君鼎	六益料釿之冢（器一）卅三年單父上官宰喜所受
M799	卅二年平安君鼎	卅二年平安邦鑄客㢑四分齍
M799	卅二年平安君鼎	卅三年單父上官宰喜所受平安君石它（器二）
M816	魯大左司徒元鼎	其萬年釁壽永寶用之
M897	六年安平守劍	六年安平守敂疾
M900	梁十九年鼎	梁十九年鼎亡智＿兼嗇夫庶廄
M900	梁十九年鼎	鬲（歷）年萬不承

小計：共 1229 筆

穌 1165

0651	弔乍穌子鼎	弔乍穌子
0928	穌衛妃乍旅鼎一	穌衛改乍旅鼎其永用
0929	穌衛妃乍旅鼎二	穌衛改乍旅鼎其永用
0930	穌衛妃乍旅鼎三	穌衛改乍旅鼎其永用
0931	穌衛妃乍旅鼎四	穌衛改乍旅鼎其永用
1066	穌吉妊鼎	穌吉妊乍虢改魚母賸
1281	史頌鼎一	令史頌11穌
1281	史頌鼎一	穌賓章、馬四匹、吉金
1282	史頌鼎二	令史頌11穌
1282	史頌鼎二	穌賓章、馬四匹、吉金
2345	穌公乍王妃𦍩段	穌公乍王改𦍩（羞）盂段永寶用
2571	穌公子癸父甲段	穌公子癸父甲乍尊段
2571.	穌公子癸父甲段二	穌公子癸父甲乍尊段
2752	史頌段一	11穌濶友里君百生
2752	史頌段一	穌賓章、馬四匹、吉金
2753	史頌段二	11穌濶友里君百生
2753	史頌段二	穌賓章、馬四匹、吉金
2754	史頌段三	11穌濶友里君百生
2754	史頌段三	穌賓章、馬四匹、吉金
2755	史頌段四	11穌濶友里君百生
2755	史頌段四	穌賓章、馬四匹、吉金
2756	史頌段五	11穌濶友里君百生
2756	史頌段五	穌賓章、馬四匹、吉金
2757	史頌段六	11穌濶友里君百生
2757	史頌段六	穌賓章、馬四匹、吉金
2758	史頌段七	11穌濶友里君百生
2758	史頌段七	穌賓章、馬四匹、吉金

2759	史頌𣪘八	11穌㴱友里君百生
2759	史頌𣪘八	穌賓章、馬四匹、吉金
2759	史頌𣪘九	11穌㴱友里君百生
2759	史頌𣪘九	穌賓章、馬四匹、吉金
3054	媵侯穌乍旅𣪘	媵侯穌乍氒文考媵中旅𣪘
3114	穌貉𥬰	穌貉乍小用
5729	陳侯乍嬀穌朕壺	陳侯乍嬀穌（蘇）賸壺
6714	穌甫人槃	穌甫人乍嫚改襄賸般（盤）
6744	穌吉妊盤	穌吉妊乍虢改魚母般（盤）
6825	穌甫人匜	穌甫人乍嫚改襄賸匜
		小計：共 37 筆

1166

0814	東陵鼎	東陵__大右秦
1231	楚王酓忓鼎一	剛工師盤野佐秦忓為之
1232	楚王酓忓鼎二	剛工師盤野佐秦忓為之
1242	㲋方鼎	歆秦歆
1345	史秦鬲	史秦
2422	舟洹秦乍且乙𣪘	洹秦乍且乙寶𣪘
2627	伊𣪘	伊__賞辛吏秦金
2803	師酉𣪘一	西門尸、㬻尸、秦尸、京尸、畀th尸
2804	師酉𣪘二	西門尸、㬻尸、秦尸、京尸、畀th尸
2804	師酉𣪘二	西門尸、㬻尸、秦尸、京尸、畀th尸
2805	師酉𣪘三	西門尸、㬻尸、秦尸、京尸、畀th尸
2806	師酉𣪘四	西門尸、㬻尸、秦尸、京尸、畀th尸
2806.	師酉𣪘五	西門尸、㬻尸、秦尸、京尸、畀th尸
2833	秦公𣪘	秦公曰：不顯朕皇且受天命
2833	秦公𣪘	保㸓氒秦
2835	訇𣪘	西門尸、秦尸、京尸、㬻尸
2835	訇𣪘	戍秦人、降人、服尸
2975	鄦子妝匿	用賸（媵）孟姜秦嬴
6657	但吏勺一	但吏秦苛𦈡為之
6658	但吏勺二	但吏秦苛𦈡為之
6659	但盤勺一	但盤埜（野）秦忑為之
6662	但盤勺	但盤野秦忑為之
6662	但盤勺	但吏秦
6990.	秦王鐘	秦王卑命、竟3d王之定救秦戎
7092	𢊁羌鐘一	達征秦迮齊
7093	𢊁羌鐘二	達征秦迮齊
7094	𢊁羌鐘三	達征秦迮齊
7095	𢊁羌鐘四	達征秦迮齊
7096	𢊁羌鐘五	達征秦迮齊
7174	秦公鐘	秦公曰：我先且受天令
7174	秦公鐘	秦公其畯𩕢才立
7177	秦公及王姬編鐘一	秦公曰：我先且受天令
7178	秦公及王姬編鐘二	秦公其畯𩕢才立
7179	秦公及王姬編鐘四	秦公曰：我先且受天令
7180	秦公及王姬編鐘五	秦公曰：我先且受天令

秦 秝 稃 秳 稆 兼

7209	秦公及王姬鎛	秦公曰：我先且受天令
7209	秦公及王姬鎛	秦公其畯𪛊才立
7210	秦公及王姬鎛二	秦公曰：我先且受天令
7210	秦公及王姬鎛二	秦公其畯𪛊才立
7211	秦公及王姬鎛三	秦公曰：我先且受天令
7211	秦公及王姬鎛三	秦公其畯𪛊才立
7212	秦公鎛	秦公曰：不顯朕皇且受天命
7212	秦公鎛	保䢅氒秦
7212	秦公鎛	于秦執事
7529	十四年相邦冉戈	十四年秦相邦冉造
7545	秦子戈	秦子乍造公族元用左右市御用逸宜_
7593	大良造鞅戟	秦大良造鞅之造戟
7651	秦子矛	秦子乍□公族元用
7669	四年□雍令矛	左庫工帀刑秦冶俞敷____
7814	秦右□弩機	秦右_攻尹五大夫_攻逞
7874	蔡太史鉌	蔡大史秦乍其鉌
7933	大府鎬	秦客王子齊之歲
		小計：共 52 筆

秝 1167

1330	曶鼎	寇曶禾十秝
		小計：共 1 筆

稃 1168

2350	稃乍父甲毀	稃乍父甲寶毀萬年孫子寶
		小計：共 1 筆

秳 1169

4772	㚔秳乍乍父丁尊	[㚔]秳乍父丁尊彝
		小計：共 1 筆

稆 1169+

4039	㚔亞稆爵一	[㚔亞稆]
4040	㚔亞稆爵二	[㚔亞稆]
4041	㚔亞稆爵三	[㚔亞稆]
4042	㚔亞稆爵四	[㚔亞稆]
		小計：共 4 筆

兼 1170

0636 昜兒鼎 兼明昜兒
1039 兼咯父旅鼎 兼咯父乍旅鼎
7121 郐王子旃鐘 兼以父兄庶士
7868 商鞅方升 皇帝盡并兼天下諸侯
M900 梁十九年鼎 梁十九年鼎亡智_兼嗇夫庶廆

小計：共 5 筆

1171

6753 仲獻父盤 黍粱1k麥

小計：共 1 筆

1172

1667 陳公子弔遼父甗 用(蒸)�稻粱
2954 史免匡 用盛稻粱
2972 弔家父匡 用盛稻粱
2979 弔朕自乍薦匡一 以敦稻粱
2980 弔朕自乍薦匡二 以敦稻粱
2983 弭仲簠匡 用成秫�(稻)糕粱
2984 伯公父盬 用成糕稻穤粱
2984 伯公父盬 用成糕稻穤粱
2986 曾白霥旅匡一 用盛稻粱
2987 曾白霥旅匡二 用盛稻粱
6753 仲獻父盤 黍粱1k麥

小計：共 11 筆

1172+

2834 𢦚殷 寍糧宇慕遠猷
5544 糧父己方罍 [糧]父己

小計：共 2 筆

1173

2983 弭仲簠匡 用成秫�(稻)糕粱
2984 伯公父盬 用成糕稻穤粱
2984 伯公父盬 用成糕稻穤粱

小計：共 3 筆

1174

M706 曾侯乙編鐘下一・二 為槃鐘徵
M709 曾侯乙編鐘下二・二 其反才晉為槃鐘
M711 曾侯乙編鐘下二・四 為槃鐘曾

	M713	曾侯乙編鐘下二・七	為槃鐘徵曾
	M738	曾侯乙編鐘中二・十一	其反才晉為槃鐘
	M741	曾侯乙編鐘中三・二	丌才晉號為槃鐘
	M745	曾侯乙編鐘中三・六	為槃鐘羽
	M746	曾侯乙編鐘中三・七	為槃鐘曾
	M748	曾侯乙編鐘中三・九	為槃鐘徵曾
			小計：共 9 筆
糙	1174+		
	0871	鑄客為集醻鼎	鑄客為集糙為之
			小計：共 1 筆
舂	1175		
	4412	白舂盉	白舂乍寶盉
			小計：共 1 筆
臽	1176		
	7176	㝬鐘	南或㞋子敢臽（陷）虐（處?）我土
	6146	臽父戊觚	[臽]父戊
			小計：共 2 筆
䜊	1177		
	J724	南宮有嗣鼎	南宮有嗣䜊乍尊鼎
	5351	鋻䜊卣	䜊乍口寶尊彝[奘]
			小計：共 2 筆
㪔	1178		
	1200	散白車父鼎一	㪔白車父乍邢姞尊鼎
	1201	㪔白車父鼎二	㪔白車父乍邢姞尊鼎
	1202	㪔白車父鼎三	㪔白車父乍邢姞尊鼎
	1203	㪔白車父鼎四	㪔白車父乍邢姞尊鼎
	2435	散車父毁一	㪔車父乍𡩜㜏姞朿（餗）毁
	2436	散車父毁二	㪔車父乍𡩜㜏姞朿（餗）毁
	2437	散車父毁三	㪔車父乍𡩜㜏姞朿（餗）毁
	2438	散車父毁四	㪔車父乍𡩜㜏姞朿（餗）毁
	2438.1	散車父毁五	㪔車父乍𡩜㜏姞朿（餗）毁
	2438.2	散車父毁乍𡩜㜏姞餗毁一	㪔車父乍𡩜㜏姞朿（餗）毁
	2438.3	散車父毁乍𡩜㜏姞餗毁二	㪔車父乍𡩜㜏姞朿（餗）毁

2668	散季毁	楙季肇乍朕王母弔姜寶毁
2668	散季毁	楙(散)季其萬年
5774	楙車父壺	楙車父乍皇母ro姜寶壺
		小計：共 14 筆

麻 1179

1088	師麻斿弔旅鼎	師麻斿乍旅鼎
2929	師麻孝弔旅匿(匡)	師麻s9弔乍旅匡
		小計：共 2 筆

耑 1180

6602	義楚之祭耑	義楚之祭耑
6630	郐王__義之耑	郐王t2父之耑
6630	郐王__義之耑	耑溉之t3
6634	郐王義楚祭耑	自酢(乍)祭耑
7742	十三年劍	攻尹韓耑
		小計：共 5 筆

瓜 1181

5789	命瓜君厚子壺一	命瓜君厚子乍鑄尊壺
5790	命瓜君厚子壺二	命瓜君厚子乍尊壺
		小計：共 2 筆

家 1182

1150	小臣缶方鼎	缶用乍享大子乙家祀尊
1159	辛鼎一	其亡彊氒家雝德疐
1160	辛鼎二	其亡彊氒家雝德疐
1264	螸鼎	史保氒家
1264	螸鼎	因付氒且僕二家
1280	康鼎	王命死嗣王家
1288	令鼎一	余其舍女臣卅家
1289	令鼎二	余其舍女臣卅家
1319	頌鼎一	王曰：頌、令女官嗣成周賈廿家、監嗣新寤
1320	頌鼎二	王曰：頌、令女官嗣成周賈廿家、監嗣新寤
1321	頌鼎三	王曰：頌、令女官嗣成周、賈廿家、監嗣新寤
1327	克鼎	諫辥王家
1327	克鼎	易女井家r5田于蜼
1331	中山王嚳鼎	以憂勞邦家
1332	毛公鼎	命女辥我邦我家內外
1332	毛公鼎	亟(宏)我邦我家
1454	塱肇家鬲	塱肇家鑄乍鬲
1468	白家父乍孟姜鬲	白家父乍孟姜媵鬲

家

2238	魚家段	魚家乍丁父庚彝
2461	白家父乍孟姜段	白家父乍{ 公孟 }姜媵段
2606	昜_乍父丁段一	hz弔休于小臣貝三朋、臣三家
2607	昜_乍父丁段二	臣三家
2609	筥小子段一	筥小子徒家弗受
2610	筥小子段二	筥小子徒家弗受
2683	白家父段	隹白家父部
2730	獻段	獻身才畢公家
2743	䖒段	易女夷臣十家
2763	弔向父禹段	用𩡛(緟)匯奠保我邦我家
2783	趞段	命女乍燹自家嗣馬
2787	望段	死嗣畢王家
2787	望段	死司畢王家
2814	鳥冊夨令段一	姜商令貝十朋、臣十家、鬲百人
2814.	夨令段二	姜商令貝十朋、臣十家、鬲百人
2815	師𣪕段	師𣪕、乃且考又jq(勞?)于我家
2815	師𣪕段	余令女尸我家
2834	𢦚段	用彀保我家
2842	卯段	不淑取我家窒用喪
2852	不嬰段一	臣五家、田十田
2853	不嬰段二	臣五家、田十田
2854	䋣段	昔先王既令女乍宰、嗣王家
2854	䋣段	死嗣王家外內
2855.	班段二	王令毛公以邦家君土
2972	弔家父乍仲姬匿	弔家父乍中姬匡
2985	陳逆匿一	懽血宗家
2985.	陳逆匿二	懽血宗家
2985.	陳逆匿三	懽血宗家
2985.	陳逆匿四	懽血宗家
2985.	陳逆匿五	懽血宗家
2985.	陳逆匿六	懽血宗家
2985.	陳逆匿七	懽血宗家
2985.	陳逆匿八	懽血宗家
2985.	陳逆匿九	懽血宗家
2985.	陳逆匿十	懽血宗家
3592	家戈爵	[家戈]
4883	耳尊	易臣十家
4892	麥尊	巳夕、侯易者𩰫臣二百家
5242	家戈父庚卣	[家戈]父庚
5410	枚家乍父戊卣	枚家乍父戊寶尊彝
5468	子寡子卣	烏虖、誅帝家以寡子作永寶
5468	子寡子卣	烏虖、誅帝家以寡子乍永寶
5784	林氏壺	盱我室家
5789	命瓜君厚子壺一	康樂我家
5790	命瓜君厚子壺二	康樂我家
5793	幾父壺一	僕四家、金十鈞
5794	幾父壺二	僕四家、金十鈞
5799	頌壺一	令女官嗣成周賈廿家
5800	頌壺二	令女官嗣成周賈廿家
6925	晉邦盦	整辥爾家

7008	通彔鐘	用寓光我家受
7116	南宮乎鐘	必父之家
7135	逆鐘	小子室家
7183	叔夷編鐘二	女雁鬲公家
7184	叔夷編鐘三	女台專戒公家
7185	叔夷編鐘四	釐僕三百又五十家
7214	叔夷鎛	女雁鬲公家
7214	叔夷鎛	女台專戒公家
7214	叔夷鎛	釐僕三百又五十家
7994	家父辛	家父辛

小計：共 78 筆

宅 1183

1331	中山王譽鼎	考宅隹型
2731	小臣宅毁	令宅吏白懋父
2731	小臣宅毁	白易小臣宅畫干戈九
2828	宜侯夨毁	氒宅邑卅又五
2833	秦公毁	鼏宅禹責（蹟）
4891	何尊	隹王初鄙宅于成周
4891	何尊	余其宅玆中或
4970	乍冊宅方彝	[亞虞室箙箙徽] 乍冊宅乍彝
6772	魯少司寇封孫宅盤	魯少嗣寇封孫宅乍其子孟姬嬰朕般也（匜）
6869	浮公之孫公父宅匜	浮公之孫公父宅鑄其行它
6925	晉邦盦	□宅京自
7069	者沪鐘一	哉彌王宅
7074	者沪鐘六	哉彌王宅
7077	者沪鐘九	哉彌王宅
7174	秦公鐘	商宅受或
7177	秦公及王姬編鐘一	商宅受或
7179	秦公及王姬編鐘四	商宅受或□□□□□□
7180	秦公及王姬編鐘五	商宅受或□□□□□□
7209	秦公及王姬鎛	商宅受或
7210	秦公及王姬鎛二	商宅受或
7211	秦公及王姬鎛三	商宅受或
7656	七年宅陽令矛	七年宅陽命馬登
7669	四年□雍令矛	四年□雝命韓匡司寇□宅

小計：共 23 筆

室窒 1184

0728	王后鼎	王后左室□□□、王后左□室
0913	大保乍宗室鼎	大保乍宗室寶尊彝
1185	強白乍井姬鼎一	井姬婦亦佩祖考㚤公宗室
1186	強白乍井姬鼎二	井姬婦亦佩祖考㚤公宗室
1219	戍嗣子鼎	隹王窴闌大室、才九月
1230	師器父鼎	用享孝于宗室
1231	楚王酓忓鼎一	室鑄鐈鼎

室
䆌

1232	楚王酓忏鼎二	室鑄鐈鼎
1263	呂方鼎	王窨□大室
1263	呂方鼎	呂祉于大室
1272	剌鼎	王啻、用牡于大室
1277	七年趞曹鼎	旦、王各大室
1284	尹姞鼎	穆公乍尹姞宗室于py林
1284	尹姞鼎	各于尹姞宗室py林
1305	師奎父鼎	王各于大室
1306	無叀鼎	遂于圖室
1309	寰鼎	旦、王各大室、即立
1310	鬲攸從鼎	王才周康宮、徲大室
1311	師晨鼎	旦、王各大室、即立
1312	此鼎一	旦、王各大室、即立
1313	此鼎二	旦、王各大室、即立
1314	此鼎三	旦、王各大室、即立
1315	善鼎	用乍宗室寶尊
1317	善夫山鼎	王才周、各圖室
1319	頌鼎一	旦、王各大室、即立
1320	頌鼎二	旦、王各大室、即立
1321	頌鼎三	旦、王各大室、即立
1533	尹姞寶鬲一	穆公乍尹姞宗室于䜌林
1533	尹姞寶鬲一	各于尹姞宗室䜌林
1534	尹姞寶鬲二	穆公乍尹姞宗室于䜌林
1534	尹姞寶鬲二	各于尹姞宗室䜌林
2451	過白毀	用乍宗室寶尊彝
2535	仲殷父毀一	用朝夕亯孝宗室
2536	仲殷父毀二	用朝夕亯孝宗室
2537	仲殷父毀三	用朝夕亯孝宗室
2537	仲殷父毀四	用朝夕亯孝宗室
2538	仲殷父毀五	用朝夕亯孝宗室
2539	仲殷父毀六	用朝夕亯孝宗室
2540	仲殷父毀六	用朝夕亯孝宗室
2541	仲殷父毀七	用朝夕亯孝宗室
2541.	仲毀父毀七	用朝夕亯孝宗室
2541.	仲毀父毀八	用朝夕亯孝宗室
2576	白侃□寶毀	用夙夜亯于宗室
2613	白椃乍完寶毀	白椃乍氒完室寶毀
2648	仲𠭯父毀一	其萬年子子孫孫永寶用亯于宗室
2649	仲𠭯父毀二	其萬年子子孫孫永寶用亯于宗室
2650	仲𠭯父毀三	其萬年子子孫孫永寶用亯于宗室
2652	__毀	用孝于宗室
2674	弔妣毀	夙夜亯于宗室
2687	敔毀	王才周、各于大室
2704	穆公毀	夕鄉禮于□室
2705	君夫毀	王才康宮大室
2722	䆌弔乍豐姑旅毀	䆌（室）弔乍豐姑憝旅毀
2722	䆌弔乍豐姑旅毀	于䆌（室）弔倗友
2725	師毛父毀	旦、王各于大室
2726	曶毀	王各于大室
2765	殺毀	王才師嗣（司辭）馬宮大室即立

2767	虘毀一	旦、王各大室、即立
2769	師耤毀	王各于大室
2770	㦰毀	王各于大室
2771	弭弔師求毀一	王才葊、各于大室
2772	弭弔師求毀二	王才葊、各于大室
2773	即毀	王才康宮、各大室
2774.	南宮弔毀	昧、各大室
2775	裘衛毀	王才周、各大室、即立
2776	走毀	王才周、各大室、即立
2777	天亡毀	王祀于天室、降
2784	申毀	各大室、即立
2785	王臣毀	王各于大室
2786	縣妃毀	㪔、乃任縣白室
2786	縣妃毀	日：休白哭Lm卹縣白室
2787	望毀	旦、王各大室即立
2787	望毀	旦、王十大室即立
2791	豆閉毀	王各于師戲大室
2791	豆閉毀	永寶用于宗室
2792	師俞毀	旦、王各大室即立
2796	諫毀	旦、王各大室即立
2796	諫毀	旦、王各大室即立
2797	輔師嫠毀	各大室即立
2798	師瘨毀一	各大室、即立
2798	師瘨毀一	用亯于宗室
2799	師瘨毀二	各大室、即立
2799	師瘨毀二	用亯于宗室
2800	伊毀	旦、王各穆大室即立
2810	揚毀一	旦、各大室即立
2811	揚毀二	旦、各大室即立
2817	師穎毀	旦、王各大室
2818	此毀一	旦、王各大室既立
2819	此毀二	旦、王各大室既立
2820	此毀三	旦、王各大室既立
2821	此毀四	旦、王各大室既立
2822	此毀五	旦、王各大室既立
2823	此毀六	旦、王各大室既立
2824	此毀七	旦、王各大室既立
2825	此毀八	旦、王各大室既立
2829	師虎毀	各于人室
2834	㝬毀	再盩先王宗室
2838	師嫠毀一	王才周、各于大室、即立
2838	師嫠毀一	各于大室、即立
2839	師嫠毀二	王才周、各于大室、即立
2839	師嫠毀二	各于大室、即立
2841	㭒白毀	歸夆其萬年日用亯于宗室
2842	卯毀	䣄乃先且考死嗣（司）榮公室
2844	頌毀一	旦、王各大室即立
2845	頌毀二	旦、王各大室即立
2845	頌毀二	旦、王各大室即立
2846	頌毀三	旦、王各大室即立

室
窒

2847	頌毁四	旦、王各大室即立
2848	頌毁五	旦、王各大室即立
2849	頌毁六	旦、王各大室即立
2850	頌毁七	旦、王各大室即立
2851	頌毁八	旦、王各大室即立
2856	師訇毁	王各于大室
2857	牧毁	各大室即立
2880	鑄客匿一	鑄客為王后六室為之
2881	鑄客匿二	鑄客為王后六室為之
2882	鑄客匿三	鑄客為王后六室為之
2883	鑄客匿四	鑄客為王后六室為之
2884	鑄客匿五	鑄客為王后六室為之
2885	鑄客匿六	鑄客為王后六室為之
2886	鑄客匿七	鑄客為王后六室為之、八
2982.	甲午匿	祀于劦室
3058	曼龏父盨一	曼龏父乍寶盨用亯孝宗室
3059	曼龏父盨三	用亯孝宗室、用匄覺壽
3060	曼龏父盨二	用亯孝宗室、用匄覺壽
3083	瘨毁(盨)一	各大室、即立
3084	瘨毁(盨)二	各大室、即立
3105	鑄客豆一	鑄客為王后六室為之
3106	鑄客豆二	鑄客為王后六室為之
3107	鑄客豆三	鑄客為王后六室為之
3108	鑄客豆四	鑄客為王后六室為之
3109	周生豆一	周生乍尊豆用亯于宗室
3110	周生豆二	周生乍尊豆用亯于宗室
4874	萬諆尊	用寧室人
4880	免尊	王各大室
4886	趩尊	各大室、咸
4891	何尊	王奡宗小子于京室曰
4978	吳方彝	王才周成大室
5417	白睘卣一	白睘乍氒室寶尊彝
5418	白睘卣二	白睘乍氒室寶尊彝
5418	白睘卣二	白睘乍室尊寶彝[网]
5500	免卣	王各大室
5571	鑄客罍一	鑄客為王后六室為之
5572	鑄客罍二	鑄客為王后六室為之
5781	曾姬無卹壺一	職在王室
5782	曾姬無卹壺二	職在王室
5784	妹氏壺	盱我室家
5791	十三年瘨壺一	各大室即立
5792	十三年瘨壺一	各大室
5799	頌壺一	旦、王各大室即立
5800	頌壺二	旦、王各大室即立
6776	楚王酓志盤	窒(室)鑄少盤
6787	走馬休盤	旦、王各大室即立
6789	寰盤	旦、王各大室即立
6814	鑄客為御窒洍	鑄客為御窒(室)為之
6884	鑄客鑑	鑄客為王句(后)六室為之
6891	寕小室盂	寕(寢)小室盂

7049	井人鐘三	宗室、肄妄乍龢父大𬀻鐘
7050	井人鐘四	處宗室
7135	逆鐘	乃且考□政于公室
7135	逆鐘	用𢦚于公室僕庸臣妾
7135	逆鐘	小子室家
7948	鑄客銅器二	鑄客為王后六室為之
7949	鑄客銅器三	鑄客為王后六室為之
M423.	趞鼎	各于大室、即立

小計：共 165 筆

宣 1185

1199	虢宣公子白鼎	虢宣公子白乍尊鼎
1238	曾子仲宣鼎	曾子中宣＿用其吉金
1238	曾子仲宣鼎	宣＿用饔其者（諸）父者（諸）兄
1318	晉姜鼎	宣𢦚我猷
2807	鄘毁一	丁亥、王各于宣㓶
2808	鄘毁二	丁亥、王各于宣㓶
2809	鄘毁三	丁亥、王各于宣㓶
6790	虢季子白盤	王各周廟宣㓶、爰鄉
7107	曾侯乙甬鐘	呂其反宣鐘之羽角無鐸之徵曾
M712	曾侯乙編鐘下二・五	其坂（反）為宣鐘
M712	曾侯乙編鐘下二・五	宣鐘之才晉號為六墉
M714	曾侯乙編鐘下二・八	宣鐘珈徵

小計：共 12 筆

向 1186

1326	多友鼎	迺命向父招多友
2189	𦥑向乍厥障毁一	向乍厥尊彝［𦥑］
2190	𦥑向乍厥障毁二	向乍厥尊彝［𦥑］
2291	𦥑向乍父癸寶毁	向乍父癸寶尊彝［𦥑］
2462	弔向父乍婞姒毁一	弔向父乍母辛㚸（始）尊毁
2463	弔向父乍婞姒毁二	弔向父乍母辛㚸（始）尊毁
2464	弔向父乍婞姒毁三	弔向父乍母辛㚸（始）尊毁
2465	弔向父乍婞姒毁四	弔向父乍母辛㚸（始）尊毁
2466	弔向父乍婞姒毁五	弔向父乍母辛㚸（始）尊毁
2601	向䚄乍旅毁一	向䚄乍旅毁
2602	向䚄乍旅毁二	向䚄乍旅毁
2763	弔向父禹毁	弔向父禹曰
4117	亞向＿父戊爵	［亞向bG］父戊
5340	𦥑向卣	向厥乍尊彝［𦥑］
7570	六年奠令戈	六年奠命＿幽司寇向＿左庫工帀倉慶冶尹成鑄
7657	九年鄭令向甸矛	九年奠命向甸司寇□商
M423.	趞鼎	宰訊趞入門立中廷北向

小計：共 17 筆

宇 寷 寏 宏 鞃 圅

宇 1187

1325 五祀衛鼎 迺舍寓（宇）于氒邑，
2834 㝬段 富禋宇慕遠猷
5803 胤嗣好蚉壺 大啟邦洐（宇）
6792 史墻盤 井帥宇誨
6792 史墻盤 武王則令周公舍圁（宇）于周卑處
7164 瘐鐘七 武王則令周公舍《寓》寓（宇）以五十頌處
7334 吳寓戈 吳寓（宇國）

小計：共 7 筆

寷 1188

6993 弔旅魚父鐘 寷寷㲋㲋、降多福無

小計：共 1 筆

寏 1189

2326 師寏父乍弔姞段 師寏父乍弔姞寶尊段
2328 師寏父乍季姞段 師寏父乍季姞寶尊段
2411 史寏段 史寏乍寶段
6747 師寏父盤 師寏父乍季姬般（盤）
6792 史墻盤 佳寏南行

小計：共 5 筆

宏 1190（參鞃圅）

1332 毛公鼎 圅（宏）我邦我家
2816 彔白㦿段 叀圅（宏）天令
2816 彔白㦿段 金車、桒嚋較桒圅（宏）、朱虢靳
6792 史墻盤 宏魯卲王

小計：共 4 筆

鞃 1190

1322 九年裘衛鼎 夓桒韝鞃
1332 毛公鼎 金車賁較、朱䩸圅（鞃）靳、虎冟熏裏、右厄
2840 番生段 朱䩸鞃靳、虎冟熏裏、逪衡右戹
4978 吳方彝 金車、桒圅（鞃）、朱虢靳

小計：共 4 筆

圅 1190

1322 九年裘衛鼎 矩取眚車較桒、圅虎冟、㯳𩊄、畫轉
1332 毛公鼎 圅（宏）我邦我家

1332	毛公鼎	金車䡅較、朱䩛𩏂(鞃)靳、虎冟熏裏、右厄
2816	彔白𢦔段	𩏂(宏)天令
2816	彔白𢦔段	金車、桼䡅較桼𩏂(宏)、朱虢靳
2830	三年師兌段	𩏂靳
2857	牧段	朱虢、𩏂靳、虎冟、熏裏
3088	師克旅盨一(蓋)	牙僰、駒車、桼較、朱虢、𩏂靳
3089	師克旅盨二	牙僰、駒車、桼較、朱虢、𩏂靳
3090	𦣞盨(器)	乃父市、赤舄、駒車、桼較、朱虢、𩏂靳
4978	吳方彝	金車、桼𩏂(鞃)、朱虢靳

小計:共 11 筆

康 1191

1327	克鼎	易女田于康
2834	𤔲段	余亡康晝夜
6925	晉邦盦	永康寶

小計:共 3 筆

寍 1192

1332	毛公鼎	女母敢妄寍(寧)
5803	𤔲嗣好𧊒壺	不能寍(寧)處
5826	國差𦉜	齊邦鼏靜安寍(寧)
D224	蔡侯𩐁殘鐘	寍
6792	史墻盤	緟寍天子
7995	陶範一	斆安寍壽

小計:共 6 筆

定 1193

1325	五祀衛鼎	白邑父、定白、琼白、白俗父曰、厲曰:余執
1325	五祀衛鼎	井白、白邑父、定白、琼白、白俗父迺顜
1331	中山王譽鼎	子子孫孫永定保之
2773	即段	定白入、右即
4411	白定盉	白定乍寶彝
4449	裘衛盉	榮白、定白、琼白、單白
4449	裘衛盉	白邑父、榮白、定白、琼白
5805	中山王譽方壺	述(遂)定君臣之位
6990.	秦王鐘	秦王卑命、竟sd王之定救秦戎
7125	蔡侯𩐁紐鐘一	定均庶邦
7126	蔡侯𩐁紐鐘二	定均庶邦
7132	蔡侯𩐁紐鐘八	定均庶邦
7133	蔡侯𩐁紐鐘九	定均庶邦
7134	蔡侯𩐁甬鐘	定均庶邦
7205	蔡侯𩐁鎛鏄一	定均庶邦
7206	蔡侯𩐁鎛鏄二	定均庶邦
7207	蔡侯𩐁鎛鏄三	定均庶邦

	7208	蔡侯𦎫編鎛四	定均庶邦
	7544	八年亲城大令戈	八年亲城大命韓定工帀宋費冶褚

安

小計：共 19 筆

安 1194

編號	器名	銘文
0808	安父鼎	安父乍寶尊彝
0870	蛸所__鼎	蛸所__貞貞（鼎）安膴
1169	平安邦鼎	廿八年坪安邦佁客哉{四分}齍
1169	平安邦鼎	卅三年單父上官{冢子}喜所受坪安君者也(蓋)
1169	平安邦鼎	卅三年單父上官{冢子}喜所受坪安君者也(器)
1170	信安君鼎	訫（信）安君{ㄙ官}、容料
1170	信安君鼎	下官容料（器）訫（信）安君{ㄙ官}、容料
1216	貿鼎	弔氏事貿安曩白賓貿馬車乘
1225	𥳑大史申鼎	郘安之孫𥳑（筥）大史申
1253	平安君鼎	單父上官宰喜所受坪安君者也
1253	平安君鼎	坪安邦司客
1274	哀成弔鼎	君既安惠
1316	𢦚方鼎	安永宕乃子𢦚心
1316	𢦚方鼎	安永𢍰𢦚身
1323	師𩛥鼎	乃用心引正乃辟安德
1628	何__安甗	何__安乍寶彝
2185	安父乍寶毀	安父乍寶尊彝
2653.	弔__孫父毀	___釁壽永安
2659	郾侯庫毀	宴安允__
2774.	南宮弔毀	吏靜安辟土
2778	格白毀一	𣪕妊彶佋𠬪從格白安彶甸
2778	格白毀一	𣪕妊彶佋𠬪從格白安彶甸
2780	格白毀三	𣪕妊彶佋𠬪從格白安彶甸
2781	格白毀四	𣪕妊彶佋𠬪從格白安彶甸
2782	格白毀五	𣪕妊彶佋𠬪從格白安彶甸
2782.	格白毀六	𣪕妊彶佋𠬪從格白安彶甸
2920	脺子仲安旅匠	辥子中安乍旅匠
4867	鼜睘尊	才庈、君令余乍冊睘安尸（夷）白
5484	乍冊睘卣	王姜令乍冊睘安尸白
5484	乍冊睘卣	王姜令乍冊睘安尸白
5667	嬻妊乍安壺	嬻妊乍安壺
5716	安白曩生旅壺	安白曩生乍旅壺
5779	安邑下官鍾	安邑下官重
5826	國差𦉜	齊邦鼏靜安寧
7070	者汈鐘二	女安乃壽
7075	者汈鐘七	女安乃壽
7078	者汈鐘十	女安乃壽
7081	者汈鐘十三	女安乃壽
7628	安□右矛一	安__右__
7629	安□右矛二	安__右__
7655	中央勇矛	中央勇生安空五年之後日毌
7655	中央勇矛	中央勇□生安空三年之後日毌
7670	六年安陽令斷矛	六年安陽命韓亟司陽□□□

7868	商鞅方升	黔首大安
7870	陳純釜	各茲安陵
7878	安邑下官鍾	安邑下官□重□□□嗇夫嘉句□....
7905	嬦妊車軎	嬦妊乍安車
7995	陶範一	斆安寍壽
M798	廿八年平安君鼎	廿八年平安邦鑄客載四分齍
M798	廿八年平安君鼎	廿八年平安邦鑄客載四分齍
M799	卅二年平安君鼎	平安邦鑄客廚四分齍(蓋一)
M799	卅二年平安君鼎	卅二年平安邦鑄客廚四分齍
M799	卅二年平安君鼎	卅三年單父上官宰憙所受平安君石它(器二)
M897	六年安平守劍	六年安平守敀疾
		小計:共 54 筆

宴 1195

1299	噩侯鼎一	王休宴、乃射
1299	噩侯鼎一	王宴、㱃西
2659	匽侯庫毀	宴安允__
2662.	宴毀一	宴從厭父東
2662.	宴毀一	多易宴
2662.	宴毀一	宴用乍朕文考日己寶毀
2662.	宴毀二	宴從厭父東
2662.	宴毀二	多易宴
2662.	宴毀二	宴用乍朕文考日己寶毀
2663	宴毀一	宴從厭父東
2663	宴毀一	多易宴
2664	宴毀二	宴從厭父東
2664	宴毀二	多易宴
7084	邾公牼鐘一	以宴大夫
7085	邾公牼鐘二	以宴大夫
7086	邾公牼鐘三	以宴大夫
7087	邾公牼鐘四	以宴大夫
7121	邻王子旃鐘	以宴以喜
7157	邾公華鐘一	台宴士庶子
M545	配兒勾鑃	目宴賓客
		小計:共 20 筆

親 1196

1299	噩侯鼎	王寴(親)易馭____五設、馬四匹、矢五__
1326	多友鼎	公寴曰多友曰
2734	遹毀	穆王寴易遹雑
5497	農卣	王寴令白㫚囗
5785	史懋壺	寴(親)令史懋路筮、咸
		小計:共 5 筆

新 1196

1331	中山王嚳鼎	叟(鄭)邦難新(親)
		小計：共 1 筆

富賓容

富 1197

1331	中山王嚳鼎	毋(毌)富而喬(驕)
7535	三年汪陶令戈	三年汪陶令富守
7653	十年邦司寇富無矛	十年邦司寇富無
7677	富鄭劍	富奠(鄭)之劃鐱
7827	中富戈	中富
7996.	上官登	富子之上官隻之畫sp□鈇十
		小計：共 6 筆

賓 1198

2834	㝬毀	㝬其萬年𩰫賓朕多禦
5826	國差𦉥	用賓旨酉
6793	矢人盤	有爽、賓余有散氏心賊
		小計：共 3 筆

容 1199

J734	十一年𢘅鼎	(拓本未見)
5681	土匀錍壺	土匀容四斗錍
1043	卅年鼎	㪿(容)四分
1090	十三年梁上官鼎	十三年、梁陰命率上官_子疾治乘鑄、㪿(容)
1170	信安君鼎	詢(信)安君{厶官}、容料
1170	信安君鼎	下官容料(器)詢(信)安君{厶官}、容料
1170	信安君鼎	下官容料(器)
1205	公朱左自鼎	容一斛
1253	平安君鼎	容四分齍五益六釿半釿四分釿之重
4441	卅五年_盉	容半斗____爽□
4444.	卅五年盉	容半斗 _(__)_爽口
5717	夏成侯鍾	夏成侯we容半斗
7222	□外卒鐸	重金容
7879	麗山鍾	麗山圜容十二斗三升
		小計：共 14 筆

1200

0299	寶鼎	寶□
0461	弔乍寶鼎	弔乍寶
0462	羞乍寶鼎	羞乍寶
0479	乍旅寶鼎	乍旅寶
0480	乍寶鼎一	乍寶鼎
0481	乍寶鼎二	乍寶鼎
0482	乍寶鼎三	乍寶鼎
0483	乍寶鼎四	乍寶鼎
0484	乍寶鼎五	乍寶鼎
0485	乍寶鼎六	乍寶鼎
0486	乍寶鼎七	乍寶鼎
0487	乍寶鼎八	乍寶鼎
0488	乍寶鼎	白乍寶
0609	老乍寶鼎	老乍寶鼎
0610	中乍寶鼎	中乍寶鼎
0611	啻乍寶鼎	啻乍寶鼎
0612	敔乍寶鼎	敔乍寶鼎
0613	__乍寶鼎	ks乍寶鼎
0614	白乍寶鼎	白乍寶鼎
0615	梠乍寶鼎	梠乍寶鼎
0616	甲乍寶齋鼎	甲乍寶齍
0617	車乍寶鼎	車乍寶鼎
0618	__乍寶鼎	tJ乍寶鼎
0619	戈乍寶鼎	乍寶鼎[戈]
0629	__乍寶彝鼎	__乍寶彝
0630	白乍寶彝鼎一	白乍寶彝
0631	白乍寶彝鼎二	白乍寶彝
0632	白乍寶彝鼎三	白乍寶彝
0633	龏乍寶器鼎	龏乍寶器
0634	乍寶尊彝鼎	乍寶尊彝
0640	__乍寶彝鼎	tL乍寶彝
0650	__乍寶鼎	ss乍寶鼎
0661	季乍寶彝鼎	季乍寶彝
0662	父乍寶鼎	父乍寶鼎
0692	閔白乍寶鼎	閔白乍寶鼎
0695	仲乍旅寶鼎	中乍旅寶鼎
0696	�鼎	鼅乍寶尊彝
0097	遇鼎	遇乍寶尊彝
0704	__斁乍寶鼎	vL斁乍寶na
0706	釐乍寶鼎	釐乍寶齍鼎
0707	鈇乍寶鼎	鈇乍寶鼎[皇]
0710	嬴氏乍寶鼎	嬴氏乍寶鼎
0711	徝__乍寶鼎	徝__乍寶鼎
0712	白旂乍寶鼎	白旂乍寶鼎
0713	立鼎	立乍寶尊彝
0714	竟乍氒寶鼎	竟乍氒寶彝
0715	訚乍寶鼎	訚乍寶彝__
0723	__律乍寶鼎	qt律乍寶器

寶

寶

0735	叔乍寶尊鼎一	叔乍寶尊彝
0736	叔乍寶尊鼎二	叔乍寶尊彝
0739	伯□鼎	白□乍寶鼎
0740	伯父方鼎	白父乍寶鼎
0741	乍□鼎	乍□寶尊彝
0742	己方鼎	己乍寶尊彝
0757	𢀛乍父丁鼎	𢀛乍父丁寶鼎
0762	具乍父庚鼎	具乍父庚寶鼎
0764	乍父辛方鼎	乍父辛寶尊彝
0765	冉乍父癸鼎	冉乍父癸寶鼎
0770	康侯丰鼎	康侯丰乍寶尊
0771	夨王方鼎蓋	夨王乍寶尊鼎
0772	白魚鼎	白魚乍寶尊彝
0773	雁公方鼎	雁公乍寶尊彝
0774	白卿鼎	白卿乍寶尊彝
0775	陵弔乍衣鼎	陵弔乍衣寶鼎
0777	孟淠父鼎	孟淠父乍寶鼎
0781	弔旟鼎	弔旟(旅)乍寶尊鼎
0782	雁弔乍寶鼎	雁弔乍寶尊齍
0783	鮮父鼎	鮮父乍寶尊彝
0784	旂父鼎	旂父乍寶𩰫彝
0786	史盄父鼎	史盄父乍寶鼎
0789	毌遌鼎一	[毌]遌乍寶尊彝
0790	毌遌鼎二	[毌]遌乍寶尊彝
0791	事戎鼎	史戎乍寶尊鼎
0794	𩰫姞鼎	𩰫姞乍寶尊彝
0798	緐還鼎	緐還乍寶用鼎
0799	𪓐姛鼎	𪓐姛乍寶尊彝
0808	安父鼎	安父乍寶尊彝
0809	木乍父辛鼎	木乍父辛寶尊
0811	田農鼎	田農乍寶尊彝
0812	虫曶乍旅鼎	虫曶乍寶旅鼎
0818	外弔鼎	外弔乍寶尊彝
0819	王乍仲姜鼎	王乍中姜寶尊
0820	王乍仲姬方鼎	王乍中姬寶彝
0821	史逨方鼎一	史逨乍寶方鼎
0822	史逨方鼎二	史逨乍寶方鼎
0824	陵白方鼎	陵白乍寶尊彝
0839	𡿧𠧒乍父乙鼎	[𡿧𠧒]乍父乙寶□
0841	𩵦乍且乙鼎	𩵦乍且乙寶尊彝
0842	鼎乍父己鼎	鼎其用乍父己寶鼎
0843	＿乍父丁鼎	亞＿乍父丁寶尊
0845	毌乍父癸鼎	[毌]乍父癸寶尊彝
0850	王乍垂姬鼎	王乍＿姬寶尊鼎
0852	𠂤乍隁仲方鼎一	𠂤乍隁中寶尊彝
0853	𠂤乍隁仲方鼎二	𠂤乍隁中寶尊彝
0854	𠂤乍隁仲方鼎三	𠂤乍隁中寶尊彝
0855	𠂤乍隁仲方鼎四	𠂤乍隁中寶尊彝
0856	大保冊鼎	[冊]乍寶尊彝[大保]
0859	ㄙ卩小子句鼎	ㄙ卩小子句乍寶鼎

0877	召父鼎	召父乍氒父寶彝
0880	弔乍單公方鼎	弔乍單公寶尊彝
0882	王乍康季鬲	王乍康季寶尊鬲
0887	㲋乍且丁鼎	㲋乍且丁尊彝永寶
0889	伯䳜方鼎	白䳜乍氒父寶尊彝
0890	堇臨乍父乙鼎	堇臨乍父乙寶尊彝
0891	堇臨乍父乙方鼎	堇臨乍父乙寶尊彝
0893	亞牧乍父辛鼎	乍父辛寶尊彝[亞牧]
0894	__乍父癸鼎	sb季乍父癸寶尊彝
0897	獎𡚬乍父癸鼎	𡚬乍父癸寶尊彝[獎]
0898	姞智母鼎	姞𦥑(智)母乍氒寶尊鼎
0899	弔具乍氒考鼎	弔具乍氒考寶尊彝
0900	季鄉乍宮白方鼎	季盨(鄉)乍宮白寶尊齍
0901	白六辟方鼎	白六辟乍祈寶尊齍
0902	弔__肇乍南宮鼎	弔sa肇乍南宮寶尊
0903	田湆白鼎	[田]湆白□乍寶尊彝
0904	旅日戊乍長鼎	乍長寶尊彝
0907	小臣氏樊尹鼎	小臣氏樊尹乍寶用
0911	弔虎父乍弔姬鼎	弔虎父乍弔姬寶鼎
0912	北子乍母癸方鼎	北子乍母癸寶尊彝
0913	大保乍宗室鼎	大保乍宗室寶尊彝
0916	__鼎	rs乍寶鼎、子孫永用
0917	游鼎	游乍氒文考寶尊彝
0923	戚箙束乍父丁鼎	束乍父丁寶鼎[戚箙]
0924	䶂奪乍父丁鼎一	奪乍父丁寶尊彝[䶂]
0925	𩰬乍且壬鼎	𩰬乍且壬寶尊彝□金
0933	遂攸諆鼎	遂攸諆乍廟弔寶尊彝
0934	中斿父鼎	中斿父乍寶尊彝貞(鼎)[七五八]
0935	季念乍旅鼎	季念乍旅鼎其永寶用
0937	内公乍鑄從鼎一	内(芮)公乍鑄從鼎永寶用
0938	内公乍鑄從鼎二	内公乍鑄從鼎永寶用
0939	内公乍鑄從鼎三	内公乍鑄從鼎永寶用
0940	乍寶鼎	乍寶鼎子子孫永寶用
0944	至乍寶鼎	至乍寶鼎其萬年永寶用
0947	轟茲乍旅鼎	轟茲乍旅鼎孫子永寶
0952	戈囚𦉼陶父辛鼎	戈囚𦉼陶乍父辛寶尊彝
0954	白__乍氒宗方鼎	白m0乍氒宗寶尊彝v8
0955	霍乍己公鼎	霍乍己公寶鼎其萬年用
0956	鄭同媿乍旅鼎	鄭同媿乍旅鼎其永寶用
0957	弔盂父鼎	弔盂父乍尊鼎其永寶用
0958	弔師父鼎	弔師父乍尊鼎其永寶用
0959	藥鼎	藥乍寶鼎其萬年永寶用
0960	大__弔姜鼎	大□乍弔姜鼎其永寶用
0962	亙乍寶鼎	亙乍寶鼎子子孫永寶用
0963	白旬乍尊鼎	白旬乍尊鼎萬年永寶用
0964	萬仲鼎	子孫永寶用
0966	匚方乃孫乍且己鼎	乃孫乍且己宗寶𪔉𩱦[匚方]
0967	獎___乍文父甲鼎	p5u3用乍文父甲寶尊彝[獎]
0969	從鼎	從用乍寶鼎
0970	蔡侯鼎	其萬年永寶用

寶

0973	白__乍妣羞鼎一	其永寶用
0974	白__乍妣羞鼎二	其永寶用
0975	白__乍妣羞鼎三	其永寶用
0976	白__乍妣羞鼎四	其永寶用
0977	口子每刅乍寶鼎	口子每刅乍寶鼎
0977	口子每刅乍寶鼎	其萬年永寶
0978	弔𫝀父鼎	其萬年永寶用
0979	__君鼎	其萬年永寶用
0981	德鼎	用乍寶尊彝
0982	己華父鼎	己華父乍寶鼎
0983(	羊庚鼎	La乍𡧊文考尸弔寶尊彝
0986	中乍且癸鼎	用乍且癸寶鼎
0987	朋仲鼎	其萬年寶用
0988	白矩鼎	白矩乍寶彝
0989	仲宦父鼎	中宦父乍寶鼎
0989	仲宦父鼎	子子孫永寶用
0990	__白肄鼎	L9白肄乍pz寶鼎
0991	交鼎	王易貝、用乍寶彝
0992	邕討鼎	子子孫孫永寶用
0993	隞生雈鼎	孫子其永寶用
0995	內公飤鼎	子孫永寶用享
0996	子邍鼎	子邍乍寶鼎
0996	子邍鼎	子子孫孫永寶用
0997	__父鼎一	用乍𡧊寶尊彝
0998	__父鼎二	用乍𡧊寶尊彝
0999	__父鼎三	用乍𡧊寶尊彝
1000	邿造鼎	邿造遣乍寶鼎
1001	鄭子石鼎	子孫永寶用
1012(	康幺鼎	La乍𡧊文考尸弔寶尊彝
1013	滔__秉方鼎	滔td秉乍寶鼎
1013	滔__秉方鼎	其萬年永寶用
1014	乍寶鼎	乍寶鼎
1014	乍寶鼎	其子子孫孫萬年永寶
1015	口大師虎鼎	其永寶用
1016	廟孱鼎	其子子孫孫永寶用
1017	剌𣪕鼎	剌𣪕乍寶尊
1021	虢弔大父鼎	其萬年永寶用
1023	從乍寶鼎	从乍寶鼎
1023	從乍寶鼎	其萬年子孫孫永寶用
1024	大師人__乎鼎	大師人o6乎乍寶鼎
1025	奠姜白寶鼎	奠姜白乍寶鼎
1025	奠姜白寶鼎	子子孫孫其永寶用
1026	奄塱鼎	奄塱聿乍寶尊鼎
1031	周__駷鼎	周__駷乍用寶鼎
1031	周__駷鼎	其萬年永寶用
1033	滎子旅乍父戊鼎	滎子旅乍父戊寶尊彝
1033	滎子旅乍父戊鼎	其孫子永寶
1034	仲殷父鼎一	其萬年子子孫寶用
1035	仲殷父鼎二	其萬年子子孫寶用
1036	史宜父鼎	其萬年子子孫永寶用

1037	乍冊峀鼎	用乍寶彝
1038	白𦥑父鼎	白𦥑父乍寶鼎
1039	兼咯父旅鼎	子子孫孫其永寶用
1040	弔荼父鼎	子孫孫其萬年永寶用
1041	且方鼎	用乍𠭯□□寶鬻尊鼎
1042	白庙父鼎	其萬年孫子永寶用
1044	寶__生乍成媿鼎	寶__生乍成媿賸鼎
1044	寶__生乍成媿鼎	其子孫永寶用
1045	専車季鼎	専車季乍寶鼎
1045	専車季鼎	其子孫永寶用
1046	圉方鼎	用乍寶尊彝
1047	𨙶白鼎	𨙶白乍寶尊彝
1048	𨙶乍母乙鼎	其萬年子孫永寶用
1049	靜弔乍旅鼎	其萬年釁壽永寶用
1050	白筍父鼎一	白筍父乍寶鼎
1050	白筍父鼎一	其萬年子孫永寶用
1051	白筍父鼎二	白筍父乍寶鼎
1051	白筍父鼎二	其萬年子子孫孫永寶用
1053	白考父鼎	白考父乍寶鼎
1053	白考父鼎	其萬年子子孫永寶用
1054	杞白每亡鼎一	杞白每亡乍鼄𡛷(曹)寶貞(鼎)
1054	杞白每亡鼎一	子子孫永寶用
1055	杞白每亡鼎二	杞白每亡乍鼄𡛷(曹)寶貞(鼎)
1055	杞白每亡鼎二	子子孫永寶用
1056	曾白從寵鼎	曾白從寵自乍寶鼎用
1057	會娟鼎	會妘乍寶鼎
1057	會娟鼎	其萬年子子孫永寶用享
1058	復鼎	復用乍父乙寶尊彝[𠨘]
1059	旂乍父戊鼎	文考遺寶責
1059	旂乍父戊鼎	旂用乍父戊寶尊彝
1060	輔白𦞠父鼎	子子孫永寶用
1061	交君子__鼎	交君子qf肇乍寶鼎
1061	交君子__鼎	祈釁壽、萬年永寶用
1062	𥘅鼎	𥘅白乍寶鼎
1062	𥘅鼎	其萬年子孫永寶用享
1064	武生__弔𦍩鼎一	子子孫孫永寶用之
1065	武生__弔𦍩鼎二	子子孫孫寶用之
1066	穌吉妊鼎	子子孫孫永寶用
1067	雁公方鼎一	雁公乍寶尊彝
1068	雁公方鼎二	雁公乍寶尊彝
1069	雁公方鼎三	雁公乍寶尊彝
1071	鼄白御戎鼎	鼄白御戎乍滕姬寶貞(鼎)
1071	鼄白御戎鼎	子子孫孫永寶用
1072	𤻮乍其𩰫鼎	子孫永寶用之
1073	白鼎	乍帚寶鼎尊彝
1074	奠戚句父鼒	其子孫孫永寶用
1075	黃季乍季嬴鼎	黃季乍季嬴寶鼎
1075	黃季乍季嬴鼎	其萬年子孫永寶用享
1076	王伯姜鼎	王白姜乍季姬寶尊鼎
1076	王伯姜鼎	季姬其永寶用

寶

寶

1077	曾仲子＿鼎	曾中子＿用其吉金自乍寶鼎
1078	犀白魚父旅鼎一	其萬年子子孫孫永寶用
1079	犀白魚父旅鼎二	其萬年子子孫孫永寶用
1080	華仲義父鼎一	中義父乍新寶寶鼎
1080	華仲義父鼎一	其子子孫孫永寶用［ 華 ］
1081	華仲義父鼎二	中義父乍新寶寶鼎
1081	華仲義父鼎二	其子子孫孫永寶用［ 華 ］
1082	華仲義父鼎三	中義父乍新寶寶鼎
1082	華仲義父鼎三	其子子孫孫永寶用［ 華 ］
1083	華仲義父鼎四	中義父乍新寶寶鼎
1083	華仲義父鼎四	其子子孫孫永寶用［ 華 ］
1084	華仲義父鼎五	中義父乍新寶寶鼎
1084	華仲義父鼎五	其子子孫孫永寶用［ 華 ］
1086	內子仲□鼎	子子孫孫永寶用
1087	鑄子弔黑臣鼎	鑄子弔黑臣肇乍寶貞(鼎)
1087	鑄子弔黑臣鼎	其萬年釁壽永寶用
1088	師麻斿弔旅鼎	其萬年子子孫孫永寶用
1091	小臣趞鼎	揚中皇、乍寶
1092	小臣建鼎	用乍寶尊彝
1093	奠登白鼎	奠登白彶弔婦乍寶鼎
1093	奠登白鼎	其子子孫孫永寶用之
1094	魯大左司徒元善鼎	其萬年釁壽永寶用之
1095	函皇父鼎	子子孫孫其永寶用
1096	弗奴父鼎	其釁壽萬年永寶用
1097	白庸父乍羊鼎	其子子孫孫萬年永寶用享
1098	善夫白辛父鼎	其萬年子子孫永寶用
1099	仲旳父鼎	其萬年子子孫孫永寶用享
1100	白尚鼎	白尚肇其乍寶鼎
1100	白尚鼎	尚其萬年子子孫孫永寶
1102	無大邑魯生鼎	其萬年釁壽永寶用
1103	臣卿乍父乙鼎	用乍父乙寶彝
1106	曾孫無期乍飤鼎	子孫永寶用之
1107	番仲吳生鼎	子子孫孫永寶用
1108	師賸父鼎	師賸父乍豩姬寶鼎
1108	師賸父鼎	其萬年子子孫孫永寶用
1109	師𩛥乍鬻鼎	師𩛥其乍寶齍鼎
1109	師𩛥乍鬻鼎	其萬年子子孫孫永寶用［ cx ］
1110	雝白原鼎	雝白原乍寶鼎
1111	□魯宰鼎	□魯宰鑄孚其□賸寶鼎
1111	□魯宰鼎	其子子孫孫永寶用之
1116	晉司徒白郚父鼎	晉嗣徒白郚父乍周姬寶尊鼎
1116	晉司徒白郚父鼎	其萬年永寶用
1119	曆方鼎	曆肇對元德考友隹井乍寶尊彝
1120	淉白鼎	子孫永寶用之
1121	唯弔從王南征鼎	誨乍寶鬲鼎(蓋)
1121	唯弔從王南征鼎	誨乍寶鬲鼎(器)
1122	䢼白乍石鼫	隹䢼白鮇自乍寶□鼫
1122	䢼白乍石鼫	子子孫孫永寶用
1123	伯夏父鼎	永寶用亯
1123.	番□伯者鼎	隹番□伯者自乍寶鼎

1123.	番□伯者鼎	其萬年子孫永寶用□
1128	__白氏鼎	其永寶用
1129	寒姒好鼎	其萬年子子孫孫永寶用
1130	虢文公子𢦚鼎一	子孫永寶用享
1131	虢文公子𢦚鼎二	子子孫孫永寶用享
1132	鄀白祀乍善鼎	子子孫永寶用享
1133	鄀白乍孟妊善鼎	鄀白肇乍孟妊善寶鼎
1133	鄀白乍孟妊善鼎	子子孫孫永寶用
1137	匽侯旨鼎一	用乍姒(始)寶尊彝
1138	白陶乍父考宮弔鼎	白陶乍㕚文考宮弔寶𪔂彝
1138	白陶乍父考宮弔鼎	子子孫孫其永寶
1140	衛鼎	衛其萬年子子孫孫永寶用
1141	善夫旅白鼎	其萬年子子孫孫永寶用享
1142	杞白每亡鼎	杞白每亡乍鼄曹寶鼎
1142	杞白每亡鼎	子子孫孫永寶用享
1144	__獸鼎	__獸乍朕考寶尊鼎
1144	__獸鼎	獸其萬年永寶用
1145	舍父鼎	用乍寶鼎
1145	舍父鼎	子子孫孫其永寶
1146	□者生鼎一	□者生□辰用吉金乍寶鼎
1146	□者生鼎一	其萬年子子孫孫永寶用享
1147	□者生鼎二	□者生□辰用吉金乍寶鼎
1147	□者生鼎二	其萬年子子孫孫永寶用享
1148	鼄姜白鼎一	子子孫孫永寶用
1149	鼄姜白鼎二	子子孫孫永寶用
1151	㠱侯鼎	弟__乍寶鼎
1151	㠱侯鼎	其萬年子子孫孫永寶用
1153	白頵父鼎	白頵父乍朕皇考屖白吳姬寶鼎
1153	白頵父鼎	其萬年子子孫孫永寶用
1154	黃孫子螇君弔單鼎	子子孫孫永寶用享
1155	戜者乍旅鼎	用乍文考宮白寶尊彝
1157	禽鼎	禽用乍寶彝
1158	小子__鼎	Jn用乍父己寶尊[㚔]
1159	辛鼎一	辛乍寶
1160	辛鼎二	辛乍寶
1161	白吉父鼎	其萬年子子孫孫永寶用
1162	乃子克鼎	用乍父辛寶尊彝
1164	旂乍文父日乙鼎	旂用乍文父日乙寶尊彝[㚔]
1165	大師鐘白乍石鼎	其子子孫永寶用之
1166	茲太子鼎	□丝大子乍孟姬寶鼎
1166	茲太子鼎	子子孫永寶用之
1167	__父鼎一	__父乍__寶鼎延令日
1168	__父鼎二	__父乍__寶鼎延令日
1171	魯白車鼎	子子孫孫永寶用享
1173	先乍文考鼎	永余寶
1174	昜乍旅鼎	昜用乍寶旅鼎
1175	白鮮乍旅鼎一	子子孫孫永寶用
1176	白鮮乍旅鼎二	子子孫孫永寶用
1177	白鮮乍旅鼎三	子子孫孫永寶用
1178	宗婦鄁嬰鼎一	永寶用

寶

1179	宗婦𨜽嬰鼎二	永寶用
1180	宗婦𨜽嬰鼎三	永寶用
1181	宗婦𨜽嬰鼎四	永寶用
1182	宗婦𨜽嬰鼎五	永寶用
1183	宗婦𨜽嬰鼎六	永寶用
1184	德方鼎	用乍寶尊彝
1188	旃弔樊乍易姚鼎	旃弔樊乍易姚寶鼎
1188	旃弔樊乍易姚鼎	子子孫永寶用
1189	諶鼎	子孫孫永寶用亯
1190	內史鼎	其萬年用為考寶尊
1191	堇乍大子癸鼎	用乍大子癸寶尊䵼[句冊句]
1193	新邑鼎	用乍寶彝
1195	弋弔朕鼎一	子子孫孫永寶用之
1196	弋弔朕鼎二	子子孫孫永寶用之
1197	弋弔朕鼎三	子子孫孫永寶用之
1198	姬𩰫彝鼎	其萬年子子孫孫永寶用
1199	𩛥宣公子白鼎	子子孫孫永用□寶
1200	散白車父鼎一	其萬年子子孫永寶
1201	椒白車父鼎二	其萬年子子孫永寶
1202	椒白車父鼎三	其萬年子子孫永寶
1203	椒白車父鼎四	其萬年子子孫永寶
1204	淮白鼎	淮白乍鄁_寶尊_
1205.	逨鼎	逨其萬年子子孫孫永寶用
1206	旟鼎	子子孫其永寶
1207	眉_鼎	用為寶器
1213	師趛鼎一	_其萬年子孫永寶用
1214	師趛鼎二	_其萬年子孫永寶用
1216	貿鼎	用乍寶彝
1219	戍嗣子鼎	用乍父癸寶䵼
1220	鄁公鼎	子子孫孫永寶用亯
1221	井鼎	用乍寶尊鼎
1222	㝒鼎一	用乍寶鼎
1223	㝒鼎二	用乍寶鼎
1226	師𩛥鼎	其乍𡰥文考寶鼎
1226	師𩛥鼎	孫子子寶用
1227	衛鼎	衛肈乍𡰥文考己中寶𩰫鼎
1227	衛鼎	子孫永寶
1228	䰞𣪕方鼎	用乍己公寶尊彝
1229	厚趠方鼎	趠用乍𡰥文考父辛寶尊齍
1229	厚趠方鼎	其子子孫永寶[戣]
1230	師器父鼎	子子孫孫永寶用
1233	_鼎	用乍寶尊彝
1233	_鼎	子子孫孫其永寶
1235	不𣄰方鼎一	用乍寶𩰫彝
1236	不𣄰方鼎甲二	用乍寶𩰫彝
1238	曾子仲宣鼎	自乍寶貞(鼎)
1238	曾子仲宣鼎	子子孫孫永寶用
1239	_鼎一	nt用乍寵公寶尊鼎
1240	_鼎二	nt用乍寵公寶尊鼎
1241	蔡大師䑽鼎	子子孫孫永寶用之

1243	仲__父鼎	用乍寶鼎
1243	仲__父鼎	其萬年子子孫孫永寶用
1244	瘨鼎	瘨萬年永寶用
1245	仲師父鼎一	中師父乍季妏姒(始)寶尊鼎
1245	仲師父鼎一	其子子孫萬年永寶用亯
1246	仲師父鼎二	中師父乍季妏姒(始)寶尊鼎
1246	仲師父鼎二	其子子孫萬年永寶用亯
1247	函皇父鼎	琱娟其萬年子子孫孫永寶用
1248	庚贏鼎	用乍寶
1249	寏鼎	用乍召白父辛寶尊彝
1249	寏鼎	寏萬年子子孫孫寶
1251	中先鼎一	䢅于寶彝
1252	中先鼎二	䢅于寶彝
1255	作冊大鼎一	用乍且丁寶尊彝[鳥冊]
1256	作冊大鼎二	用乍且丁寶尊彝[鳥冊]
1257	作冊大鼎三	用乍且丁寶尊彝[鳥冊]
1258	作冊大鼎四	用乍且丁寶尊彝[鳥冊]
1259	䢼公鼬鼎	子子孫孫永寶用
1260	我方鼎	用乍父己寶尊彝
1261	我方鼎二	用乍父己寶尊彝
1262	宯鼎	其孫孫子子其永寶
1263	呂方鼎	用乍寶盬
1264	螢鼎	休朕皇君弗忘氒寶臣
1264	螢鼎	對揚、用乍寶尊
1265	㝬弔鼎	㝬弔仉姬乍寶鼎
1265	㝬弔鼎	子子孫永寶
1266	䢼公平侯�一	子子孫孫永寶用亯
1267	䢼公平侯䵼二	子子孫孫永寶用亯
1268	梁其鼎一	其子子孫孫永寶用
1269	梁其鼎二	其子子孫孫永寶用
1270	小臣𡊨鼎	用乍季娟（妘）寶尊彝
1271	史獸鼎	用乍父庚永寶尊彝
1272	剌鼎	其孫孫子子永寶用
1273	師湯父鼎	其萬年孫孫子子永寶用
1275	師同鼎	子子孫孫其永寶用
1276	__季鼎	用乍寶鼎
1277	七年趞曹鼎	用乍寶鼎
1278	十五年趞曹鼎	用乍寶鼎
1280	康鼎	用乍朕文考釐白寶尊鼎
1280	康鼎	子子孫孫其萬　年永寶用
1281	史頌鼎一	子子孫孫永寶用
1282	史頌鼎二	子子孫孫永寶用
1283	微䜌鼎	䜌子子孫永寶用享
1284	尹姞鼎	用乍寶齍
1285	𢦏方鼎一	用乍寶鬻尊鼎
1285	𢦏方鼎一	其子子孫孫永寶
1286	大夫始鼎	用乍文考日己寶鼎
1286	大夫始鼎	孫孫子子永寶用
1290	利鼎	利其萬年子孫永寶用
1291	善夫克鼎一	克乍朕皇且釐季寶宗彝

1291	善夫克鼎一	克其子子孫孫永寶用
1292	善夫克鼎二	克乍朕皇且釐季寶宗彝
1292	善夫克鼎二	克其子子孫孫永寶用
1293	善夫克鼎三	克乍朕皇且釐季寶宗彝
1293	善夫克鼎三	克其子子孫孫永寶用
1294	善夫克鼎四	克乍朕皇且釐季寶宗彝
1294	善夫克鼎四	克其子子孫孫永寶用
1295	善夫克鼎五	克乍朕皇且釐季寶宗彝
1295	善夫克鼎五	克其子子孫孫永寶用
1296	善夫克鼎六	克乍朕皇且釐季寶宗彝
1296	善夫克鼎六	克其子子孫孫永寶用
1297	善夫克鼎七	克乍朕皇且釐季寶宗彝
1297	善夫克鼎七	克其子子孫孫永寶用
1299	圅侯鼎一	其萬年子孫永寶用
1300	南宮柳鼎	其萬年子子孫孫永寶用
1301	大鼎一	大其子子孫孫萬年永寶用
1302	大鼎二	大其子子孫孫萬年永寶用
1303	大鼎三	大其子子孫孫萬年永寶用
1305	師奎父鼎	師奎父其萬年子子孫孫永寶用
1306	無叀鼎	子孫永寶用
1307	師望鼎	師望其萬年子子孫孫永寶用
1308	白晨鼎	子子孫孫其萬年永寶用
1309	寰鼎	寰其萬年子子孫孫永寶用
1310	鬲攸從鼎	鬲攸从其萬年子子孫孫永寶用
1311	師晨鼎	子子孫孫其永寶用
1312	此鼎一	子子孫孫永寶用
1313	此鼎二	子子孫孫永寶用
1314	此鼎三	子子孫孫永寶用
1315	善鼎	用乍宗室寶尊
1315	善鼎	其永寶用之
1316	㦰方鼎	用乍文母日庚寶尊䵼彝
1316	㦰方鼎	其子子孫孫永寶茲剌
1317	善夫山鼎	子子孫孫永寶用
1318	晉姜鼎	用乍寶尊鼎
1319	頌鼎一	皇母龏始（始）寶尊鼎
1319	頌鼎一	子子孫孫寶用
1320	頌鼎二	皇母龏始（始）寶尊鼎
1320	頌鼎二	子子孫孫寶用
1321	頌鼎三	生母龏始（始）寶尊鼎
1321	頌鼎三	子子孫孫寶用
1322	九年裘衛鼎	衛用乍朕文考寶鼎
1322	九年裘衛鼎	衛其萬年永寶用
1324	禹鼎	用乍大寶鼎
1324	禹鼎	其萬年子子孫孫寶用
1325	五祀衛鼎	衛用乍朕文考寶鼎
1325	五祀衛鼎	衛其萬年永寶用
1326	多友鼎	其子子孫孫永寶用
1327	克鼎	多易寶休
1327	克鼎	用乍朕文且師華父寶䵼彝
1327	克鼎	子子孫孫永寶用

1328	盂鼎	用乍南公寶鼎
1330	曶鼎	子子孫孫其永寶
1332	毛公鼎	易女䰜鬯一卣、鄭（祼）圭鬲(瓚？)寶
1332	毛公鼎	子子孫孫永寶用
1355	乍寶彝鬲	乍寶彝
1371	𩰫鬲	𩰫乍寶尊彝
1377	□姞乍寶鼎	□姞乍寶鼎
1378	雯人守鬲	雯人守乍寶
1379	𩰪鬲	𩰪乍寶尊彝
1381	妄姬乍寶鬲	妄姬乍寶鬲
1401	大乍rL鬲	大乍rL寶尊彝
1409	乍寶彝鬲	乍寶彝
1409	乍寶彝鬲	子其永寶
1411	□□母尊鬲	□□母乍寶尊鬲
1412	倗乍羲妣鬲	倗乍羲妣寶尊彝
1416	吾乍滕公鬲	吾乍滕公寶尊彝
1420	寶鬲	□□□魯□女寶鬲□
1424	榮子鬲	榮子□乍父戊寶彝
1429	魯姬乍尊鬲	魯姬乍尊鬲永寶用
1436	王白姜尊鬲一	王白姜乍尊鬲永寶用
1437	王白姜尊鬲二	王白姜乍尊鬲永寶用
1438	王白姜尊鬲三	王白姜乍尊鬲永寶用
1439	王白姜尊鬲四	王白姜乍尊鬲其萬年永寶用
1440	亞俞林𠬪鬲	林𠬪乍父辛寶尊彝[亞俞]
1442	王乍贇母鬲	王乍s5𩱛贇母寶𩱛彝
1445	樊君鬲	樊君乍弔qywj賸器寶j2
1447	弔鼏鬲	弔鼏乍己白父丁寶尊彝
1448	白章父鬲一	永寶用
1449	白墉父鬲二	永寶用
1450	庚姬乍弔娊尊鬲一	其永寶用
1451	庚姬乍弔娊尊鬲二	其永寶用
1452	庚姬乍弔娊尊鬲三	其永寶用
1453	nu嬇鬲	其萬年永寶用
1454	𨱏肇家𩰲	其永子孫寶
1455	榮白鬲	其萬年寶用
1456	京姜鬲	其永缶（寶）用
1458	庶鬲	庶乍寶鬲
1458	庶鬲	其萬年子孫永寶用
1459	白上父乍姜氏鬲	其永寶用
1460	奠羌白乍季姜鬲	其永寶用
1463	呂王尊鬲	子子孫孫永寶用享
1464	王乍姬□母女尊鬲	子子孫孫永寶用
1467	呂𨐤姬乍鬲	其子子孫孫寶用
1468	白家父乍孟姜鬲	其子孫永寶用
1469	戲白𩰬鬲一	其萬年子子孫永寶用
1470	戲白𩰬鬲二	其萬年子子孫永寶用
1471	魯白愈父鬲一	其永寶用
1472	魯白愈父鬲二	其永寶用
1473	魯白愈父鬲三	其永寶用
1474	魯白愈父鬲四	其永寶用

寶

1475	魯白愈父鬲五	其永寶用
1476	鼄白乍朕鬲	其萬年子子孫孫永寶用
1477	右戲仲夏父豐鬲	子子孫孫永寶用
1478	齊不趄鬲	子子孫孫永寶用
1479	召仲乍生妣奠鬲一	其子子孫孫永寶用
1480	召仲乍生妣奠鬲二	其子子孫孫永寶用
1481	咏仲無龍寶鼎一	咏中無龍乍寶鼎
1481	咏仲無龍寶鼎一	其子子孫永寶用亯
1482	咏仲無龍寶鼎二	咏中無龍乍寶鼎
1482	咏仲無龍寶鼎二	其萬年子子孫永寶用亯
1483	虢季氏子組鬲	子子孫孫永寶用亯
1484	江阝叔鬲	子子孫孫永寶用之
1486	宰駟父鬲	其萬年永寶用
1487	白先父鬲一	其子子孫孫永寶用
1488	白先父鬲二	其子子孫孫永寶用
1489	白先父鬲三	其子子孫孫永寶用
1490	白先父鬲四	其子子孫孫永寶用
1491	白先父鬲五	其子子孫孫永寶用
1492	白先父鬲六	其子子孫孫永寶用
1493	白先父鬲七	其子子孫孫永寶用
1494	白先父鬲八	其子子孫孫永寶用
1495	白先父鬲九	其子子孫孫永寶用
1496	白先父鬲十	其子子孫孫永寶用
1497	虢仲乍虢妃鬲	其萬年子子孫孫永寶用
1498	鼄友父鬲	鼄友父媵其子𡢁嫊（曹）寶鬲
1498	鼄友父鬲	其釁壽永寶用
1500	__白鬲	其萬年子子孫孫永寶用
1501	虢季氏子忟鬲	虢季氏子忟乍寶鬲
1501	虢季氏子忟鬲	子子孫孫永寶用享
1502	成白孫父鬲	子子孫孫永寶用
1504	奠師□父鬲	永寶用
1505	番君酌白鼎	隹番君酌白自乍寶鼎
1505	番君酌白鼎	萬年無疆子孫永寶
1506	杜白乍弔嬇鬲	其萬年子子孫孫永寶用
1507	善夫吉父乍京姬鬲一	其子子孫孫永寶用
1508	善夫吉父乍京姬鬲二	其子子孫孫永寶用
1509	虢文公子忟乍弔妃鬲	其萬年子孫永寶用亯
1510	內公鑄弔姬鬲一	子子孫孫永寶用享
1511	內公鑄弔姬鬲二	子子孫孫永寶用亯
1512	虢白乍姬大母鬲	其萬年子子孫孫永寶用
1513	睽士父乍蓼妃鬲	其萬年子子孫孫永寶用
1514	白夏父乍畢姬鬲一	其萬年子子孫孫永寶用亯
1515	白夏父乍畢姬鬲二	其萬年子子孫孫永寶用亯
1516	白夏父乍畢姬鬲三	其萬年子子孫孫永寶用亯
1517	白夏父乍畢姬鬲四	其萬年子子孫孫永寶用亯
1518	白夏父乍畢姬鬲六	其萬年子子孫孫永寶用亯
1519	白夏父乍畢姬鬲五	其萬年子子孫孫永寶用亯
1520	奠白荀父鬲	其萬年子子孫孫永寶用
1521	單白遵父鬲	子子孫孫其萬年永寶用享
1522	孟辛父乍孟姞鬲一	u0馬孟辛父乍孟姞寶尊鬲

1522	孟辛父乍孟姞鬲一	其萬年子子孫孫永寶用
1523	孟辛父乍孟姞鬲二	u0馬孟辛父乍孟姞寶尊鬲
1523	孟辛父乍孟姞鬲二	其萬年子子孫孫永寶用
1525	隮子奠白尊鬲	子子孫孫永寶用
1526	琱生乍宄仲尊鬲	琱生其萬年子子孫孫用寶用享
1527	盤先父鬲	其萬年子孫永寶
1529	仲枏父鬲一	師湯父有嗣中枏父乍寶鬲
1529	仲枏父鬲一	子孫其永寶用
1530	仲枏父鬲二	師湯父有嗣中枏父乍寶鬲
1530	仲枏父鬲二	子孫其永寶用
1531	仲枏父鬲三	師湯父有嗣中枏父乍寶鬲
1531	仲枏父鬲三	子孫其永寶用
1532	仲枏父鬲四	師湯父有嗣中枏父乍寶鬲
1532	仲枏父鬲四	子孫其永寶用
1533	尹姞寶鬲一	用乍寶盨
1534	尹姞寶鬲二	用乍寶盨
1555	寶甗	寶甗
1584	乍寶彝甗一	乍寶彝
1585	乍寶彝甗二	乍寶彝
1595	始奴寶甗	始奴寶甗
1596	命乍寶彝甗	命乍寶彝
1598	nG乍寶彝甗	nG乍寶彝
1599	門射乍寶彝甗	門射乍寶彝
1601	白乍寶甗	白乍寶彝
1608	妖乍寶彝甗	妖乍寶彝
1609	雷甗	雷乍寶尊彝
1618	乍父庚寶甗	乍父庚寶彝[ac]
1625	白□犨甗	白__乍寶旅獻
1626	田農甗	田農乍寶尊彝
1628	何__安甗	何__安乍寶彝
1629	應監甗	雁監乍寶尊彝
1630	伯矩甗	白矩乍寶尊彝
1636	弔㴱寶甗	弔㴱乍寶彝永用
1637	乍父癸甗	乍父癸寶尊甗[am]
1641	比甗	从(比)乍寶獻(甗)其萬年用
1642	尹白乍且辛甗	尹白乍且辛寶尊彝
1644	大史友乍召公甗	大史友乍召公寶尊彝
1645	孚公㺠甗	孚公㺠乍旅甗永寶用
1646	乍寶甗	□□□乍寶甗
1646	乍寶甗	其萬年永寶用
1647	井乍寶甗	罠乍旅甗子孫孫永寶用、豐井
1648	奠白筍父甗	奠公筍父乍寶獻(甗)永寶用
1649	𦉢㚤乃子乍父辛甗	乃子乍父辛寶尊彝[𦉢㚤]
1650	榮子旅乍且乙甗	榮子旅乍且乙寶彝子孫永寶
1652	弔碩父旅甗	子子孫孫永寶用
1653	𣪘父甗	𣪘乍父寶甗
1653	𣪘父甗	其萬年子子孫永寶用
1654	子邦父旅甗	其子子孫孫永寶用
1655	奠氏白高父旅甗	其萬年子子孫孫永寶用
1656	䵼仲甗	子子孫孫永寶用

寶

1657	圉甗	用乍寶尊彝
1658	奠大師小子甗	奠大師小子侯父乍寶獻(甗)
1658	奠大師小子甗	子子孫孫永寶用
1659	白鮮旅甗	子子永寶用
1662	寶甗	王人vy輔歸雚鑄其寶
1662	寶甗	其萬年子子孫孫永寶用貞
1663	鼄五世孫矩甗	鼄(緟)五世孫矩乍其寶甗
1663	鼄五世孫矩甗	子子孫孫永寶用之
1664	邕子良人歈甗	其萬年無彊、其子子孫永寶用
1668	中甗	用乍父乙寶彝
1906	乍寶彝毁一	乍寶彝
1907	乍寶彝毁二	乍寶彝
1908	乍寶彝毁五	乍寶彝
1909	乍寶彝毁三	乍寶彝
1910	乍寶彝毁四	乍寶彝
1931	乍寶彝毁一	乍寶彝
1932	乍寶彝毁二	乍寶彝
1933	乍寶彝毁三	乍寶彝
1934	乍寶彝毁四	乍寶彝
1935	乍寶彝毁	乍寶彝
1936	乍寶毁一	乍寶毁
1937	乍寶毁二	乍寶毁
1938	乍寶毁三	乍寶毁
1939	乍寶毁四	乍寶毁
1940	乍寶毁五	乍寶毁
1941	乍寶毁六	乍寶毁
1942	乍寶毁七	乍寶毁
2013	閒乍寶彝毁	[閒]乍寶彝
2014	乍犾寶彝毁	乍犾寶彝
2018	用乍寶彝毁	用乍寶彝
2019	白乍寶彝毁一	白乍寶彝
2020	白乍寶彝毁二	白乍寶彝
2021	匀乍寶彝毁一	匀乍寶彝
2022	弔乍寶彝毁	弔乍寶彝
2025	邵乍寶彝毁	邵乍寶彝
2033	尹乍寶隓毁	尹乍寶尊
2034	白乍寶毁一	白乍寶毁
2035	白乍寶毁二	白乍寶毁
2036	白乍寶毁三	白乍寶毁
2037	白乍寶毁四	白乍寶毁
2038	白乍寶毁五	白乍寶毁
2043	乍寶隮彝毁	乍寶尊彝
2044	乍寶隮彝毁二	乍寶尊彝
2045	乍寶隮彝毁三	乍寶尊彝
2046	乍寶隮彝毁四	乍寶尊彝
2047	作寶隮彝毁五	乍寶尊彝
2048	乍寶隮彝毁六	乍寶尊彝
2049	旂乍寶毁	旅乍寶毁
2050	舟乍寶盤	舟乍寶毁
2052	需乍寶毁	需乍寶毁

2053	舍乍寶𣪘	舍乍寶𣪘
2054	奪乍寶𣪘	奪乍寶𣪘
2055	戜乍寶𣪘一	戜乍寶𣪘
2056	戜乍寶𣪘二	戜乍寶𣪘
2064	仲乍寶𣪘	中乍寶𣪘
2065	白乍寶彝𣪘	白乍寶彝
2072	乍寶隮彝𣪘一	乍寶尊彝
2073	乍寶隮彝𣪘二	乍寶尊彝
2074	乍寶隮𣪘	乍寶尊𣪘
2075	作寶用𣪘	乍寶用𣪘
2079	殷乍寶彝𣪘	殷乍寶彝
2089	白魚乍寶彝𣪘	白魚乍寶彝
2092	弔呂乍寶𣪘	弔呂乍寶𣪘
2093	弔乍寶隮彝𣪘一	弔乍寶尊彝
2094	弔乍寶隮彝𣪘二	弔乍寶尊彝
2099	艏白乍寶彝𣪘	艏白乍寶彝
2102	燮聙乍寶彝𣪘	燮聙乍寶彝
2103	龠禾乍寶彝𣪘	龠禾乍寶彝
2104	闌乍寶隮彝𣪘	闌乍寶尊彝
2105	_乍寶隮彝𣪘	nd乍寶尊彝
2106	从乍寶隮彝𣪘	从乍寶尊彝
2108	_乍寶彝𣪘	q8乍寶尊彝
2110	乍姫寶隮彝𣪘	乍姫寶尊彝
2111	農乍寶隮彝𣪘	農乍寶尊彝[皇]
2121	弔敺乍乍寶𣪘	弔敺乍寶𣪘
2122	季楚乍寶𣪘	季楚乍寶𣪘
2123	陕乍寶𣪘	陕乍寶𣪘[冎]
2126	誤父乍寶𣪘	誤父乍寶𣪘
2127	_乍寶𣪘	md綑乍寶𣪘
2128	文乍寶隮彝𣪘	文乍寶尊彝
2131	乍尊車寶彝𣪘	乍尊車寶彝
2132	白乍寶尊𣪘	白乍寶尊𣪘
2133	御乍寶隮彝𣪘	御乍寶尊彝
2134	白乍寶隮彝𣪘一	白乍寶尊彝
2135	白乍寶隮彝𣪘二	白乍寶尊彝
2136	白乍寶隮彝𣪘三	白乍寶尊彝
2143	□白乍寶𣪘	□白乍寶𣪘
2149	□寶彝𣪘	□寶彝
2152	訛乍且戊寶𣪘一	乍且戊寶𣪘[訛]
2153	訛乍且戊寶𣪘二	乍且戊寶𣪘[訛]
2157	子乍父乙寶𣪘	[子]乍父乙寶彝
2158	歺乍父乙寶𣪘一	乍父乙寶𣪘[歺]
2159	歺乍父乙寶𣪘二	乍父乙寶𣪘[歺]
2161	乍父丁寶旅𣪘	乍父丁寶旅彝
2168	辛乍父辛𣪘	辛乍父辛寶彝
2174	白魚乍寶隮𣪘	白魚乍寶尊彝
2175	白矩乍寶隮𣪘	白矩乍寶尊彝
2177	白艇乍寶𣪘	白艇乍寶尊彝
2178	白丙乍寶𣪘	白丙乍寶尊彝
2179	仲□父乍寶𣪘	中□父乍寶𣪘

寶

2181	季保乍寶隮毀	季屖乍寶尊彝
2182	亗叟毀	亗叟乍寶尊彝
2183	裲季乍寶毀	裲季乍寶尊彝
2184	霸姞乍寶毀	霸姞乍寶尊彝
2185	安父乍寶毀	安父乍寶尊彝
2186	師高乍寶毀	師高乍寶尊毀
2187	𩰫姒乍寶毀	𩰫始(姒)乍寶尊彝
2193	鮷白乍寶毀	鮷白乍寶尊彝
2194	亞乍父乙寶毀	乍父乙寶毀[亞]
2195	白魚乍寶毀一	白魚乍寶尊彝
2196	白魚乍寶毀二	白魚乍寶尊彝
2197	白魚乍寶毀三	白魚乍寶尊彝
2198	白魚乍寶毀四	白魚乍寶尊彝
2199	白矩乍寶毀一	白矩乍寶尊彝
2200	白矩乍寶毀二	白矩乍寶尊彝
2201	白要府乍寶毀	白要府乍寶毀
2202	白乍寶用隮彝毀一	白乍寶用尊毀
2203	白乍寶用隮彝毀二	白乍寶用尊毀
2205	仲隻父乍寶毀	中隻父乍寶毀
2206	弔狀乍寶隮毀一	弔狀乍寶尊毀
2207	弔𧇟乍寶隮毀二	弔𧇟乍寶尊毀
2208	茀侯乍𧯠寶毀	革侯乍登寶毀
2209	㐬白乍姬寶毀	㐬白乍姬寶毀
2210	屖乍蘁白寶毀	屖乍蘁白寶毀
2212	榮子旅乍寶毀	榮子旅乍寶毀
2214	師_其乍寶毀	師G4其乍寶毀
2216	姞□父乍寶毀	姞𩫖父乍寶毀
2217	戚姬乍寶隮毀	戚姬乍寶尊毀
2218	密乍父辛寶毀	密乍父辛寶彝
2220	卜孟乍寶毀	卜孟乍寶尊彝
2221	田農乍寶毀	田農乍寶尊彝
2225	長甶乍寶毀一	長甶乍寶尊毀
2226	長甶乍寶毀二	長甶乍寶尊毀
2228	䵼弔乍寶毀	䵼弔乍寶尊彝
2233	樝仲乍寶毀	樝中乍寶尊彝
2235	陵白乍寶毀	陵白乍寶尊彝
2236	䡅白乍寶毀	䡅白乍寶尊彝
2237	利毀	利乍寶尊𥃩彝
2243	_休乍父丁寶毀	休乍父丁寶毀[cq]
2244	_乍父戊寶毀	sw乍父戊寶尊彝
2245	廣乍父己毀	廣乍父己寶尊[旅]
2247	吏乍父戊寶旅毀	吏乍父戊寶旅彝
2248	延乍答廿寶毀	延乍答廿寶尊彝
2249	_乍㝬考寶毀	_乍㝬考寶尊彝
2254	觚獝白鼎乍寶毀	觚獝白鼎乍寶毀
2255	舟尗乍父乙毀	乍父乙寶彝[舟尗]
2256	弔乍父丁毀	弔乍父丁寶尊彝
2257	哦乍父辛毀	哦乍父辛寶尊彝
2260	𣏟𩧲乍父□毀	𣏟𩧲乍父□寶彝
2262	𣥈乍寶毀	𣥈乍寶毀用日亯

2264	嫁仲乍乙白𣪘	嫁中乍乙白寶𣪘
2265	觥乍寶𣪘	觥乍寶尊彝用肆
2266	自乍陾仲寶𣪘	自乍陾中寶尊彝
2270	垙乍父戊寶𣪘	垙乍父戊寶尊彝
2272	荃乍且丁寶𣪘	荃乍且丁寶尊彝
2273	衛乍父庚𣪘	衛乍父庚寶尊彝
2282	史某䫂乍且辛𣪘	史某䫂(兄)乍且辛寶彝
2283	㪤□乍癸𣪘	㪤□乍且癸寶尊彝
2284	____乍父丁寶𣪘一	co乍父丁寶尊彝
2285	____乍父丁寶𣪘二	co乍父丁寶尊彝
2286	____乍父丁寶𣪘三	co乍父丁寶尊彝
2287	堇臨乍父乙𣪘	堇臨乍父乙寶尊彝
2288	圍田乍父己𣪘	田乍父己寶尊彝[品]
2290	__黃乍父癸𣪘	[dw]黃乍父癸寶尊彝戈
2291	㪤向乍父癸寶𣪘	向乍父癸寶尊彝[㪤]
2292	集僭乍父癸𣪘一	集僭乍父癸寶尊彝
2293	集僭乍父癸𣪘二	集僭乍父癸寶尊彝
2294	倗万乍義妣𣪘	倗万乍義妣寶尊彝
2295	弐者乍宮白𣪘	弐者乍宮白寶尊彝
2296	子令乍父癸寶𣪘	子令乍父癸寶尊彝
2297	奠𤔲原父戶寶𣪘	鄭𤔲原父寶彝
2298	戈厚乍兄日辛𣪘	[戈]厚乍兄日辛寶彝
2299	白乍𡜏譔子𣪘	白乍𡜏譔子寶尊彝
2300	史逑乍父乙𣪘	史逑乍父乙寶𣪘飤
2301	□乍父癸寶𣪘	□乍父癸寶尊彝[旅]
2302	𩁹季㚔父𣪘	𩁹(咢)季㚔父乍寶尊彝
2304	𣄨𤔲土□𣪘	𣄨𤔲土□乍寶尊𣪘
2307	睘𣪘	睘乍寶𣪘其永寶用
2308	子邡乍父己𣪘	子邡乍父己寶尊彝
2309	__乍𡜏母𣪘	__乍𡜏母寶尊𣪘
2310	旅乍寶𣪘	旅乍寶𣪘其萬年用
2311	白綮父𣪘	白綮父乍母嫼寶𣪘
2311.	__父𣪘	um父乍寶尊彝、父壬
2312	剳函乍且癸𣪘	剳函乍且戊寶尊彝𢦏(戰)
2313	䮾辨乍父己𣪘一	辨乍文父己寶尊彝[䮾]
2314	䮾辨乍父己𣪘二	辨乍文父己寶尊彝[䮾]
2315	䮾辨乍父己𣪘三	辨乍文父己寶尊彝[䮾]
2317	趨子冉乍父庚𣪘	趨子冉乍父庚寶尊彝
2318	玔𥃝冀乍父癸𣪘	玔𥃝冀乍父癸寶尊彝
2319	𤔲土𤔲乍𡜏考𣪘	𤔲土𤔲乍𡜏丂(考)寶尊彝
2320	兓乍尊𣪘一	兓乍尊𣪘其壽考寶用
2321	兓乍尊𣪘二	兓乍尊𣪘其壽考寶用
2322	庚姬乍𪆫女𣪘	庚姬乍𪆫母寶尊彝[㪤]
2323	彔乍文考乙公𣪘	彔乍文考乙公寶尊𣪘
2324	盂𢘍父𣪘	盂鼎父乍寶𣪘其永用
2326	師㝨父乍弔姞𣪘	師㝨父乍弔姞寶尊𣪘
2327	弔寇乍日壬𣪘	弔寇乍日壬寶尊彝[舟]
2328	師㝨父乍季姞𣪘	師㝨父乍季姞寶尊𣪘
2329	內公𣪘	內公乍鑄從用𣪘永寶
2330	史趞殷	史趞乍寶𣪘其萬年用

寶	2334	頌毁	[䧹䫉]受冊令頌其寶彝
	2337	ㄙ卩乍寶毁	ㄙ卩乍寶毁用鄉王逆造事
	2338	乍寶毁	乍寶毁其子孫萬年永寶
	2341	仲乍寶毁	中乍寶尊彝其萬年永用
	2342	弔宔乍寶毁	弔宔乍寶毁其萬年永寶
	2343	酋乍寶毁	酋乍寶毁其萬年孫子寶
	2344	季假乍旅毁	季假乍旅毁隹子孫乍寶
	2345	穌公乍王妃羞毁	穌公乍王改羊(羞)盂毁永寶用
	2348	仲爯毁	中爯乍又寶彝用鄉王逆造
	2349	翼乍㽙且毁	翼乍㽙且寶尊彝[䀠㔾]
	2350	秺乍父甲毁	秺乍父甲寶毁萬年孫子寶
	2353	保侃母毁	保侃母易貝于南宮乍寶毁
	2354	仲网父毁一	中网父乍毁其萬年永寶用
	2355	仲网父毁二	其萬年永寶用
	2356	仲网父毁三	中网父乍毁其萬年永寶用
	2360	白乍寶毁	白乍寶毁
	2360	白乍寶毁	子子孫孫永寶用
	2361	乍寶尊毁	乍寶尊毁
	2364	徧毁	用乍寶尊彝
	2365	中白毁	其萬年寶用
	2366	白者父毁	白者父乍寶毁
	2367	散白乍夨姬毁一	散白乍夨姬寶毁
	2368	散白乍夨姬毁二	散白乍夨姬寶毁
	2369	散白乍夨姬毁三	散白乍夨姬寶毁
	2370	散白乍夨姬毁四	散白乍夨姬寶毁
	2371	散白乍夨姬毁五	散白乍夨姬寶毁
	2372	夆乍豐觵毁	夆乍豐觵寶毁
	2373	始休毁	用乍隣寶彝
	2374	白庶父毁	彶(及)姞氏永寶用
	2375	旂毁	旂乍寶毁
	2375	旂毁	其子子孫孫永寶用
	2376	□□毁	□□乍寶毁
	2376	□□毁	其萬年子子孫孫寶用
	2377	晉人吏寓乍寶毁	晉人吏寓乍寶毁
	2377	晉人吏寓乍寶毁	其孫子永寶
	2378	辰乍餗毁	其子子孫孫永寶用
	2379	中友父毁一	中友父乍寶毁
	2379	中友父毁一	子子孫永寶用
	2380	中友父毁二	中友父乍寶毁
	2380	中友父毁二	子子孫永寶用
	2381	友父毁一	友父乍寶毁
	2381	友父毁一	子子孫孫永寶用
	2382	友父毁二	友父乍寶毁
	2382	友父毁二	子子孫孫永寶用
	2383	侯氏毁	其萬年永寶
	2384	鄧公毁一	其永寶用
	2385	鄧公毁二	其永寶用
	2386	白__乍白幽毁二	白Lb乍幽白寶毁
	2387	白__乍白幽毁一	白Lb乍白幽寶毁
	2387	白__乍白幽毁一	世子孫孫寶用

2389	戲琶妊乍寶毀	戲琶妊乍寶毀
2389	戲琶妊乍寶毀	子孫孫永寶用亯
2390	吹乍寶毀二	吹乍寶毀
2391	冠乍寶毀一	冠乍寶毀
2392	__白毀	隹九月初吉叡龍白自乍其寶毀
2393	白喬父飤毀	子子孫孫永寶用
2394	己侯乍姜縈毀一	子子孫其永寶用
2395	丂保子達毀	保子達乍寶毀
2396	仲競毀	中競乍寶毀
2397	__乍父辛毀	C3乍父辛皇母匕乙寶尊彝
2398	舀弔山父毀一	其永寶用
2399	舀弔山父毀二	其永寶用
2400	舀弔山父毀三	其永寶用
2401	陳侯乍王媯朕毀	其萬年永寶用
2402	敔毀	敔乍寶毀
2403	遽白還毀	s4白睘乍寶尊彝
2404	效父毀一	用乍氒寶尊彝[五八六]
2405	效父毀二	用乍氒寶尊彝[五八六]
2406	五八六效父毀三	用乍氒寶尊彝[五八六]
2407	白開乍尊毀一	其子子孫孫萬年寶用
2408	白開乍尊毀二	其子子孫孫萬年寶用
2411	史窦毀	史窦乍寶毀
2411	史窦毀	其萬年子子孫孫永寶
2412	賸虎乍氒皇考毀一	賸(賸)虎敢肈乍氒皇考公命中寶尊彝
2413	賸虎乍氒皇考毀二	賸(賸賸)虎敢肈乍氒皇考公命中寶尊彝
2414	賸虎乍氒皇考毀三	賸(賸)虎敢肈乍氒皇考公命中寶尊彝
2415	降人锕寶毀	降人锕乍寶毀
2416	降人锕寶毀	降人锕乍寶毀
2417	齊嬇姬寶毀	齊嬇姬乍寶毀
2418	乎乍姞氏毀	乎乍姞氏寶毀
2418	乎乍姞氏毀	子子孫孫其永寶用
2419	白喜父乍洹餗毀一	洹其萬年永寶用
242.0	雁侯毀	其萬年永寶用
2420	白喜父乍洹餗毀二	洹其萬年永寶用
2420.	改諆毀一	乍改諆寶毀
2420.	改諆毀一	子子孫孫其永寶用
2420.	改諆毀二	乍改諆寶毀
2420.	改諆毀二	子子孫孫其永寶用
2421	舟光御乍父乙毀	用乍父乙寶尊彝[舟光]
2422	舟洹秦乍且乙毀	洹秦乍且乙寶毀
2422	舟洹秦乍且乙毀	其萬年子孫寶用[舟]
2423	亘__戥毀	其永寶用
2424	白莽寶毀	白莽乍寶毀
2424	白莽寶毀	其萬年子子孫孫永寶用
2425	兮仲寶毀一	兮中乍寶毀
2425	兮仲寶毀一	其萬年子子孫孫永寶用
2426	兮仲寶毀二	兮中乍寶毀
2426	兮仲寶毀二	其萬年子子孫孫永寶用
2427	兮仲寶毀三	兮中乍寶毀
2427	兮仲寶毀三	其萬年子子孫孫永寶用

寶

2428	兮仲寶設四	兮中乍寶設
2428	兮仲寶設四	其萬年子子孫孫永寶用
2429	兮仲寶設五	兮中乍寶設
2429	兮仲寶設五	其萬年子子孫孫永寶用
2430	倗白__尊設	其子子孫孫永寶用亯
2431	__弔侯父乍尊設一	其子子孫孫永寶用
2432	__弔侯父乍尊設二	其子子孫孫永寶用
2433	害弔乍尊設一	其萬年子子孫孫永寶用
2434	害弔乍尊設二	其萬年子子孫孫永寶用
2435	散車父設一	其萬年子子孫孫永寶
2436	散車父設二	其萬年孫子子永寶
2437	散車父設三	其萬年孫子子永寶
2438	散車父設四	其萬年孫子子永寶
2438.	散車父設五	其萬年孫子子永寶
2438.	椒車父乍䢼姞餗設	其萬年孫子子永寶
2438.	椒車父乍䢼姞餗設二	其萬年孫子子永寶
2439	寺季故公設一	寺季故公乍寶設
2439	寺季故公設一	子子孫永寶用亯
2440	寺季故公設二	寺季故公乍寶設
2440	寺季故公設二	子子孫孫永寶用亯
2441	姞衍設	姞衍乍寶設
2441	姞衍設	其萬年子子孫孫永寶用
2442	虢虢遣生旅設	其萬年子孫永寶用
2443	孟弢父設一	孟弢父乍寶設
2443	孟弢父設一	其萬年子子孫永寶用
2444	孟弢父設二	孟弢父乍寶設
2444	孟弢父設二	其萬年子子孫孫永寶用
2445	孟弢父設三	孟弢父乍寶設
2445	孟弢父設三	其萬年子子孫孫永寶用
2447	白汈父乍嫌姞設一	子子孫孫永寶用
2448	白汈父乍嫌姞設二	子子孫孫永寶用
2449	白汈父乍嫌姞設三	子子孫孫永寶用
2451	過白設	用乍宗室寶尊彝
2454	亢僕乍父己設	子子孫其萬年永寶用
2455	彔乍文考乙公設	彔乍乓文考乙公寶尊設
2455	彔乍文考乙公設	子子孫其永寶
2456	的白迹設一	的(始)白迹乍寶設
2457	的白迹設二	的白迹乍寶設
2458	孟奠父設一	其萬年子子孫孫永寶用
2459	孟奠父設二	其萬年子子孫孫永寶用
2460	孟奠父設三	其萬年子子孫孫永寶用
2461	白家父乍孟姜設	其子子孫孫永寶用
2462	弔向父乍婞姒設一	其子子孫孫永寶用
2463	弔向父乍婞姒設二	其子子孫孫永寶用
2464	弔向父乍婞姒設三	其子子孫孫永寶用
2465	弔向父乍婞姒設四	其子子孫孫永寶用
2466	弔向父乍婞姒設五	其子子孫孫永寶用
2467	妣__母乍南旁設	妣sG母乍南旁寶設
2467	妣__母乍南旁設	子子孫孫其永寶用
2468	齊癸姜尊設	其萬年子子孫永寶用

2473	__乍皇母尊毀一	其子子孫孫萬年永寶用
2474	__乍皇母尊毀二	其子子孫孫萬年永寶用
2475	衛始毀	衛姒(始)乍寶尊毀
2475	衛始毀	子子孫孫其萬年永寶用
2476	董毀	董乍父寶尊毀
2477	董父丁毀	董乍父丁寶尊毀
2478	白賓父毀(器)一	白賓父乍寶毀
2478	白賓父毀(器)一	其萬年子子孫孫永寶用
2479	白賓父毀二	白賓父乍寶毀
2479	白賓父毀二	其萬年子子孫孫永寶用
2480	是要毀	隹十月是要乍文考寶毀
2480	是要毀	其子孫永寶用
2481	是要毀	隹十月是要乍文考寶毀
2481	是要毀	其子孫永寶用
2482	敶侯乍嘉姬毀	陳侯乍嘉姬寶毀
2482	敶侯乍嘉姬毀	其萬年子子孫孫永寶用
2483	量侯毀	量侯豺作寶尊毀
2483	量侯毀	子子孫萬年永寶毀勿喪
2484	伯綢父毀	子子孫萬年其永寶用
2484.	夨王毀	子子孫孫其萬年永寶用
2485	陵仲孝毀	子子孫其永寶用[主]
2486	□□且辛毀	□□且辛寶毀
2486	□□且辛毀	其萬年孫孫子子永寶用[責]
2487	白簋乍文考幽仲毀	簋其萬年寶、用鄉孝
2488	杞白每亡毀一	杞白每亡乍鼄婔(曹)寶毀
2488	杞白每亡毀一	子子孫孫永寶用亯
2489	杞白每亡毀二	杞白每亡乍鼄婔(曹)寶毀
2489	杞白每亡毀二	子子孫孫永寶用亯
2490	杞白每亡毀三	杞白每亡乍鼄婔(曹)寶毀
2490	杞白每亡毀三	子子孫孫永寶用亯
2491	杞白每亡毀四	杞白每亡乍鼄婔(曹)寶毀
2491	杞白每亡毀四	子子孫孫永寶用亯
2492	杞白每亡毀五	杞白每亡乍鼄婔(曹)寶毀
2492	杞白每亡毀五	子子孫孫永寶用亯
2493	鄦其肇乍毀一	子子孫孫永寶用
2494	鄦其肇乍毀二	子子孫孫永寶用
2495	季__父徹毀	季oG父徹乍寶毀
2495	季__父徹毀	其萬年子子孫孫永寶用
2496	廣乍弔彭父毀	廣乍弔彭父寶毀
2496	廣乍弔彭父毀	其萬年子子孫孫永寶用
2497	䣄侯乍王姞毀一	王姞其萬年子子孫孫永寶
2498	䣄侯乍王姞毀二	王姞其萬年子子孫孫永寶
2499	䣄侯乍王姞毀三	王姞其萬年子子孫孫永寶
2500	䣄侯乍王姞毀四	王姞其萬年子子孫孫永寶
2501	旜嫼乍尊毀一	旜嫼其萬年子子孫孫永寶用
2502	旜嫼乍尊毀二	旜嫼其萬年子子孫孫永寶用
2503	旜嫼乍尊毀三	旜嫼其萬年子子孫孫永寶用
2504	旜滕毀	子子孫孫永寶用
2505	白疑父乍嫸毀	白疑父乍嫸寶毀
2505	白疑父乍嫸毀	其萬年子子孫孫永寶用

寶

2505.	井姜大宰設	井姜大宰己鑄其寶設
2505.	井姜大宰設	子子孫孫永寶用言
2506	奠牧馬受設一	奠牧馬受乍寶設
2506	奠牧馬受設一	其子子孫孫萬年永寶用
2507	尊牧馬受設二	奠牧馬受乍寶設
2507	尊牧馬受設二	其子子孫孫萬年永寶用
2508	攸設	攸用乍父戊寶尊彝
2509	旅仲設	旅中乍pv寶設
2510	臣卿乍父乙設	用乍父乙寶彝
2511	夨王設	子子孫孫其年永寶用
2513	再乍季日乙妻設一	子子孫孫永寶用
2514	再乍季日乙妻設二	子子孫孫永寶用
2517	是□乍乙公設	子子孫孫永寶用[鼎]
2518	白田父設	白田父乍井ri寶設
2518	白田父設	其萬年子子孫孫永寶用
2519	周雒生媵設	其孫孫子子永寶用[eL]
2520	大自事良父設	大自吏良父乍寶設
2520	大自事良父設	其萬年子子孫孫永寶用
2521	姞氏自作設	姞氏自牧(作)為寶尊設
2521	姞氏自作設	其邁(萬)年子子孫孫永寶用
2522	孟設父設	其萬年子子孫孫永寶用
2523	孟設父設	其萬年子子孫孫永寶用
2524	仲幾父設	用𠬝賓、乍丁寶設
2525	需孜設	用乍且癸寶尊
2526	弔倠設	用乍寶尊彝
2527	束仲豪父設	其萬年子子孫永寶用言
2528	魯白大父乍媵設	其萬年釁壽永寶用
2529	豐井弔乍白姬設	其萬年子子孫孫永寶用
2529.	__生設	uw生乍寶尊設、uw生其壽考萬年子孫永寶用
2530	遣姬乍父辛設	孫子其萬年永寶
2531	魯白大父乍孟□姜設	其萬年釁壽永寶用言
2532	魯白大父乍仲姬俞設	其萬年釁壽永寶用言
2533	己侯貉子設	己侯貉子分己姜寶、乍設
2534	魯大宰遽父設一	其萬年釁壽永寶用
2534.	魯大宰遽父設二	其萬年釁壽永寶用
2537	仲殷父設四	其子子孫孫永寶用
2539	仲殷父設六	其子子孫孫永寶用
2540	仲殷父設六	其子子孫孫永寶用
2541	仲殷父設七	其子子孫孫永寶用
2541.	仲設父設七	其子子孫孫永寶用
2541.	仲設父設八	其子子孫孫永寶用
2542	辰才寅□□設	□□自乍寶設
2542	辰才寅□□設	其子孫其永寶
2543	釱敗設	用乍父戊寶尊彝[吳]
2545	季𩰫乍井弔設	季𩰫肇乍𠬝文考井弔寶尊彝
2545	季𩰫乍井弔設	子子孫孫其永寶用
2547	格白乍晉姬設	格白乍晉姬寶設
2547	格白乍晉姬設	子子孫孫其永寶用
2548	仲恵父諫設一	其萬年子子孫孫永寶用
2549	仲恵父諫設二	其萬年子子孫孫永寶用

2550	兌乍弔氏毀	兌其萬年子子孫孫永寶用
2551	弔角父乍宕公毀一	其子子孫孫永寶用[cx]
2552	弔角父乍宕公毀二	其子子孫孫永寶用[cx]
2553	虢季氏子組毀一	子子孫孫永寶用亯
2554	虢季氏子組毀二	子子孫孫永寶用亯
2555	虢季氏子組毀三	子子孫孫永寶用亯
2559	白中父毀	用乍氒寶尊毀
2560	吳彭父毀一	其萬年子子孫孫永寶用
2561	吳彭父毀二	其萬年子子孫孫永寶用
2562	吳彭父毀三	其萬年子子孫孫永寶用
2563	德克乍文且考毀	克其萬年子子孫孫永寶用亯
2564	𦍒且日庚乃孫毀一	且日庚乃孫乍寶毀
2564	𦍒且日庚乃孫毀一	其子子孫孫永寶用[𦍒]
2565	且日庚乃孫毀二	且日庚乃孫乍寶毀
2565	且日庚乃孫毀二	其子子孫孫永寶用[𦍒]
2566	寧毀一	世孫子寶
2567	寧毀二	世孫子寶
2567.	戊寅毀	用乍父丁寶尊彝
2569	鼎卓林父毀	卓林父乍寶毀
2569	鼎卓林父毀	其子子孫孫永寶用[鼎]
2570	縈毀	用乍寶尊彝
2571	穌公子癸父甲毀	子子孫孫永寶用亯
2571.	穌公子癸父甲毀二	子子孫孫永寶用亯
2572	毛白嚻父毀	毛白嚻父乍中姚寶毀
2572	毛白嚻父毀	子子孫孫永寶用亯
2573	洨白寺毀	洨白寺自乍寶毀
2573	洨白寺毀	其萬年子子孫孫永寶用亯
2574	豐兮毀一	夷其萬年子孫永寶、用亯考
2575	豐兮毀二	夷其萬年子子孫永寶、用亯考
2576	白俔□寶毀	白俔自乍＿＿寶毀
2576	白俔□寶毀	子子孫孫永寶用
2577	害客毀	害客乍朕文考日辛寶尊毀
2577	害客毀	客其萬年子子孫孫永寶用
2578	兮吉父乍仲姜毀	兮吉父乍中姜寶尊毀
2578	兮吉父乍仲姜毀	子子孫孫永寶用亯
2579	白喜乍文考剌公毀	喜其萬年子子孫孫其永寶用
2580	㫚乍北子毀	其萬年子子孫孫永寶
2581	曹伯狄毀	子子孫孫永寶用亯
2582	內弔＿毀	內弔＿父乍寶毀
2582	內弔＿毀	子子孫孫永寶用
2583	鄁公毀	用乍寶毀
2584	邗正衛毀	用乍父戊寶尊彝
2585	禽毀	禽用乍寶彝
2588	毛关毀	毛㚔(关?)乍寶毀
2588	毛关毀	其子子孫孫萬年永寶用
2589	孫弔多父乍孟姜毀一	其萬年子子孫孫永寶用
2590	孫弔多父乍孟姜毀二	其萬年子子孫孫永寶用
2591	孫弔多父乍孟姜毀三	其萬年子子孫孫永寶用
2593	弔䵼父乍旅毀一	其萬年永寶用
2594	弔䵼父乍旅毀二	其萬年永寶用

寶

2594.	弔䰞父乍旅𣪕三	其萬年永寶用
2595	奠虢仲𣪕一	奠虢中乍寶𣪕
2596	奠虢仲𣪕二	奠虢中乍寶𣪕
2597	奠虢仲𣪕三	奠虢中乍寶𣪕
2599	宰峀𣪕	用乍寶𪓛
2600	白𦘔父𣪕	其萬年子子孫孫永寶用
2601	向𣪘乍旅𣪕一	孫子子永寶用
2602	向𣪘乍旅𣪕二	孫子永寶用
2603	白吉父𣪕	其萬年子孫孫永寶用
2604	黃君𣪕	子子孫孫永寶用亯
2605	邿_𣪕	邿𨚕乍寶𣪕
2605	邿_𣪕	子子孫孫永寶用亯
2605	邿_𣪕	(蓋)邿𨚕乍寶𣪕
2605	邿_𣪕	子子孫孫永寶用亯
2608	官差父𣪕	官差父乍義友寶𣪕
2608	官差父𣪕	孫孫子子永寶用
2609	筥小子𣪕一	其萬年子子孫孫永寶用
2610	筥小子𣪕二	其萬年子子孫孫永寶用
2612	不壽𣪕	對揚王休、用乍寶
2613	白梡乍宄寶𣪕	白梡乍氒宄室寶𣪕
2613	白梡乍宄寶𣪕	孫孫子子永寶
2614	宗婦𨚕𡢁𣪕一	永寶用、以降大福
2615	宗婦𨚕𡢁𣪕二	永寶用、以降大福
2616	宗婦𨚕𡢁𣪕三	永寶用、以降大福
2617	宗婦𨚕𡢁𣪕四	永寶用、以降大福
2618	宗婦𨚕𡢁𣪕五	永寶用、以降大福
2619	宗婦𨚕𡢁𣪕六	永寶用、以降大福
2620	宗婦𨚕𡢁𣪕七	永寶用、以降大福
2621	雁侯𣪕	其萬年子子孫孫永寶用
2622	琱伐父𣪕一	子子孫孫永寶用
2623	琱伐父𣪕二	子子孫孫永寶用
2623.	琱伐父𣪕	子子孫孫永寶用
2623.	琱伐父𣪕	子子孫孫永寶用
2624	琱伐父𣪕三	子子孫孫永寶用
2625	曾白文𣪕	唯曾白文自乍寶𣪕
2625	曾白文𣪕	其萬年子子孫孫永寶用亯
2626	耆乍父乙𣪕	用乍父乙寶彝
2626	耆乍父乙𣪕	其子孫永寶
2628	畢鮮𣪕	鮮其萬年子子孫孫永寶用
2629	牧師父𣪕一	乍𢼸姚寶𣪕
2629	牧師父𣪕一	其萬年子子孫孫永寶用亯
2630	牧師父𣪕二	乍𢼸姚寶𣪕
2630	牧師父𣪕二	其萬年子子孫孫永寶用亯
2631	牧師父𣪕三	乍𢼸姚寶𣪕
2631	牧師父𣪕三	其萬年子子孫孫永寶用亯
2633.	食生走馬谷𣪕	子孫永寶用亯
2634	䣄叔𣪕	子子孫孫其萬年永寶用
2635	臤𣪕一	用乍寶彝
2636	臤𣪕二	用乍寶彝
2637	臤𣪕三	用乍寶彝

2638	賢𣪘四	用乍寶彝
2639	逋𣪘	逋其萬年子子孫孫永寶用
2640	弔皮父𣪘	其萬年子子孫永寶用[引]
2641	伯椃虘𣪘一	子子孫孫永寶
2642	伯椃虘𣪘二	子子孫孫永寶
2643	史族𣪘	吏族乍寶𣪘
2643	史族𣪘	其子子孫孫永寶用
2643	史族𣪘	吏族乍寶𣪘
2643	史族𣪘	其子子孫孫永寶用
2644	命𣪘	用乍寶彝
2644.	伯椃虘𣪘	子子孫孫永寶
2645	周客𣪘	用為寶器
2646	仲辛父𣪘	子孫孫永寶用亯
2647	魯士商𪨷𣪘	子子孫孫永寶用亯
2648	仲𪨷父𣪘一	其萬年子子孫孫永寶用亯于宗室
2649	仲𪨷父𣪘二	其萬年子子孫孫永寶用亯于宗室
2650	仲𪨷父𣪘三	其萬年子子孫孫永寶用亯于宗室
2651	內白多父𣪘	內白多父乍寶𣪘
2651	內白多父𣪘	其萬年子子孫孫永寶用亯
2652	__𣪘	p6乍文且考尊寶𣪘
2652	__𣪘	p6其萬年孫孫子子永寶
2653.	弔__孫父𣪘	子子孫永寶用亯
2655	小臣靜𣪘	用乍父丁寶尊彝
2656	師害𣪘一	子子孫孫永寶用
2657	師害𣪘二	子子孫孫永寶用
2658	白𣪘𣪘	白𣪘肇其作西宮寶
2658	白𣪘𣪘	子子孫孫永寶
2658.	大𣪘	其子子孫永寶用
2660	彔乍辛公𣪘	用乍文且辛公寶𩰫𣪘
2660	彔乍辛公𣪘	其子子孫孫永寶
2661	競𣪘一	用乍父乙寶尊彝𣪘
2662	競𣪘二	用乍父乙寶尊彝𣪘
2662.	宴𣪘一	宴用乍朕文考日己寶𣪘
2662.	宴𣪘一	子子孫孫永寶用
2662.	宴𣪘二	宴用乍朕文考日己寶𣪘
2662.	宴𣪘二	子子孫孫永寶用
2663	宴𣪘一	用乍朕文考日己寶𣪘
2663	宴𣪘一	子子孫孫永寶用
2664	宴𣪘二	用乍朕文考日己寶𣪘
2664	宴𣪘二	子子孫孫永寶用
2665	__弔𣪘	用乍寶𣪘
2665	__弔𣪘	子子孫孫其萬年永寶用
2666	鑄弔皮父𣪘	子子孫孫寶皇
2667	𩁹仲𣪘	子子孫孫永寶用
2668	散季𣪘	椒季肇乍朕王母弔姜寶𣪘
2668	散季𣪘	子子孫孫永寶
2669	__妊小𣪘	用乍妊小寶𣪘
2669	__妊小𣪘	其子子孫孫永寶用[cx]
2670	𣚘侯𣪘	𣚘侯乍姜氏寶𩰫彝
2670	𣚘侯𣪘	方吏姜氏、乍寶𣪘

寶

2670	構侯設	用乍文母構妊寶設
2671	利設	用乍旃公寶尊彝
2672	伯茓父設	其子子孫孫永寶用
2672	伯茓父設	用乍妊小寶設
2672	伯茓父設	其子子孫孫永寶用[cx]
2673	□弔買設	買其子子孫孫永寶用亯
2674	弔狀設	弔狀乍寶尊設
2674	弔狀設	用侃喜百生倗友眔子婦{ 子孫 }永寶用
2676	旅肆乍父乙設	用乍父乙寶彝
2678	函皇父設一	琱娟其萬年子子孫孫永寶用
2679	函皇父設二	琱娟其萬年子子孫孫永寶用
2680	函皇父設三	琱娟其萬年子子孫孫永寶用
2680.	函皇父設四	琱娟其萬年子子孫孫永寶用
2683	白家父設	自乍寶設
2683	白家父設	子孫永寶用亯
2684	_竈乎設	竈乎乍寶設
2685	仲枏父設一	師湯父有嗣中枏父乍寶設
2685	仲枏父設一	其萬年子孫孫其永寶用
2686	仲枏父設二	師湯父有嗣中枏父乍寶設
2686	仲枏父設二	其永寶用
2687	敔設	其萬年寶
2689	白康設一	白康乍寶設
2689	白康設一	永寶絲設
2690	白康設二	白康乍寶設
2690	白康設二	永寶絲設
2691	善夫梁其設一	孫子子孫孫永寶用亯
2692	善找梁其設二	孫子子孫孫永寶用亯
2693	䵼設	其萬年孫子寶
2694	虘乍且考設	休朕匋(寶)君
2694	虘乍且考設	用乍且考寶尊彝
2695	豁兌設	用祈釁壽萬年無疆多寶
2695	豁兌設	子子孫孫永寶用亯
2696	孟設一	孚子子孫孫其永寶
2697	孟設二	孚子子孫孫其永寶
2698	陳肪設	乍絲寶設
2699	公臣設一	公臣其萬年用寶絲休
2700	公臣設二	公臣其萬年用寶絲休
2701	公臣設三	公臣其萬年用寶絲休
2702	公臣設四	公臣其萬年用寶絲休
2703	免乍旅設	免其萬年永寶用
2704	穆公設	用乍寶皇設
2706	郜公敄人設	子子孫孫永寶用亯
2707	小臣守設一	用乍鑄引中寶設
2707	小臣守設一	子子孫孫永寶用
2708	小臣守設二	用乍鑄引中寶設
2708	小臣守設二	子子孫孫永寶用
2709	小臣守設三	用乍鑄引中寶設
2709	小臣守設三	子子孫孫永寶用
2710	肆自乍寶器一	用自乍寶器
2710	肆自乍寶器一	萬年以孚孫子寶用

2711	𦗍自乍寶器二	用自乍寶器
2711	𦗍自乍寶器二	萬年以氒孫子寶用
2711.	乍冊般𣪕	用乍父丁寶尊彝
2712	虢姜𣪕	虢姜乍寶尊𣪕
2712	虢姜𣪕	子子孫孫永寶用
2713	瘨𣪕一	瘨萬年寶
2714	瘨𣪕二	瘨萬年寶
2715	瘨𣪕三	瘨萬年寶
2716	瘨𣪕四	瘨萬年寶
2717	瘨𣪕五	瘨萬年寶
2718	瘨𣪕六	瘨萬年寶
2719	瘨𣪕七	瘨萬年寶
2720	瘨𣪕八	瘨萬年寶
2722	窒弔乍豐姞旅𣪕	子孫其永寶用
2723	昚𣪕	友眔氒子孫永寶
2724	𩫖白𠭯𣪕	用乍朕文考寶尊𣪕
2724	𩫖白𠭯𣪕	其萬年子子孫孫其永寶用
2725	師毛父𣪕	用乍寶𣪕
2725	師毛父𣪕	其萬年子子孫其永寶用
2725.	𦎫星𣪕	𦎫星父乍匍中姞寶𣪕
2725.	𦎫星𣪕	子子孫孫永寶用亯
2726	㫚𣪕	用乍寶𣪕
2726	㫚𣪕	子子孫孫其永寶
2727	蔡姞乍尹弔𣪕	子子孫孫永寶用亯
2728	恆𣪕一	用乍文考公弔寶𣪕
2728	恆𣪕一	其萬年世子子孫虞寶用
2729	恆𣪕二	用乍文考公弔寶𣪕
2729	恆𣪕二	其萬年世子子孫虞寶用
2731	小臣宅𣪕	子子孫永寶
2732	曾仲大父蛕蚑𣪕	用自乍寶𣪕
2732	曾仲大父蛕蚑𣪕	其萬年子子孫孫永寶用亯
2733	何𣪕	用乍寶𣪕
2733	何𣪕	子子孫孫其永寶用
2734	遹𣪕	其孫孫子子永寶
2735	屓敖𣪕	用乍寶𣪕
2735	屓敖𣪕	屓敖其子子孫永寶
2736	師遽𣪕	世孫子永寶
2738	衛𣪕	用乍朕文且考寶尊𣪕
2738	衛𣪕	衛其萬年子子孫孫永寶用
2739	無異𣪕一	無異其萬年子孫永寶用
2740	無異𣪕二	無異其萬年子孫永寶用
2741	無異𣪕三	無異其萬年子孫永寶用
2742	無異𣪕四	無異其萬年子孫永寶用
2742.	無異𣪕五	無異其萬年子孫永寶用
2742.	無異𣪕五	無異其萬年子孫永寶用
2743	䰙𣪕	用乍寶𣪕
2743	䰙𣪕	其子子孫孫寶用
2744	五年師旋𣪕一	用乍寶𣪕
2744	五年師旋𣪕一	子子孫孫永寶用
2745	五年師旋𣪕二	用乍寶𣪕

寶

2745	五年師旋設二	子子孫孫永寶用
2746	追設一	追其萬年子子孫孫永寶用
2747	追設二	追其萬年子子孫孫永寶用
2748	追設三	追其萬年子子孫孫永寶用
2749	追設四	追其萬年子子孫孫永寶用
2750	追設五	追其萬年子子孫孫永寶用
2751	追設六	追其萬年子子孫孫永寶用
2752	史頌設一	子子孫孫永寶用
2753	史頌設二	子子孫孫永寶用
2754	史頌設三	子子孫孫永寶用
2755	史頌設四	子子孫孫永寶用
2756	史頌設五	子子孫孫永寶用
2757	史頌設六	子子孫孫永寶用
2758	史頌設七	子子孫孫永寶用
2759	史頌設八	子子孫孫永寶用
2759	史頌設九	子子孫孫永寶用
2760	小臣謎設一	用乍寶尊彝
2761	小臣謎設二	用乍寶尊彝
2762	免設	免其萬年永寶用
2763	弔向父禹設	禹其萬年永寶用
2765	救設	用乍寶設
2765	救設	其萬年子子孫孫永寶用
2766	三兒設	其□又之□□鈇氒吉金用乍□寶設
2767	虘設一	用乍寶設
2767	虘設一	虘其萬年永寶用
2768	楚設	其子子孫孫萬年永寶用
2769	師耤設	其萬年子孫永寶用
2770	㦸設	用乍朕文考寶設
2771	弭弔師求設一	用乍朕文且寶設
2771	弭弔師求設一	弭弔其萬年子子孫孫永寶用
2772	弭弔師求設二	用乍朕文且寶設
2772	弭弔師求設二	弭弔其萬年子子孫孫永寶用
2773	即設	用乍朕文考幽弔寶設
2773	即設	即其萬年子子孫孫永寶用
2774	臣諫設	令肄服乍朕皇文考寶尊
2774.	南宮弔設	萬年其永寶
2775	裘衛設	用乍朕文且考寶設
2775	裘衛設	衛其子子孫孫永寶用
2775.	害設一	命用乍文考寶設
2775.	害設一	其子子孫孫永寶用
2775.	害設二	命用乍文考寶設
2775.	害設二	其子子孫孫永寶用
2776	走設	用自乍寶尊設
2776	走設	徒其眔氒子子孫孫萬年永寶用
2783	趞設	其子子孫孫萬年寶用
2784	申設	子子孫孫其永寶
2785	王臣設	王臣其永寶用
2787	望設	用乍朕皇且白廿tx父寶設
2787	望設	其萬年子子孫孫永寶用（蓋）
2787	望設	用乍朕皇且白甲父寶設

2787	望毁	朢萬年子子孫孫永寶用（器）
2789	同毁一	用乍朕文丂叀中尊寶毁
2789	同毁一	其萬年子子孫孫永寶用
2790	同毁二	用乍朕文丂叀中尊寶毁
2790	同毁二	其萬年子子孫孫永寶用
2791	豆閉毁	用乍朕文考釐弔寶毁
2791	豆閉毁	永寶用于宗室
2791.	史密毁	子子孫孫其永寶用
2792	師俞毁	用乍寶毁
2793	元年師旋毁一	其萬年子子孫孫永寶用
2794	元年師旋毁二	其萬年子子孫孫永寶用
2795	元年師旋毁三	其萬年子子孫孫永寶用
2796	諫毁	諫其萬年子子孫孫永寶用（蓋）
2796	諫毁	諫其萬年子子孫孫永寶用（器）
2797	輔師嫠毁	用乍寶毁
2797	輔師嫠毁	嫠其萬年子子孫孫永寶用吏
2798	師瘨毁一	其萬年孫孫子子其永寶
2799	師瘨毁二	其萬年孫孫子子其永寶
2800	伊毁	伊用乍朕不顯文且皇考徲弔寶諧彝
2800	伊毁	子子孫孫永寶用亯
2802	六年召白虎毁	其萬年子子孫孫寶用亯于宗
2803	師酉毁一	酉其萬年子子孫孫永寶用
2804	師酉毁二	酉其萬年子子孫孫永寶用（蓋）
2804	師酉毁二	酉其萬年子子孫孫永寶用（器）
2805	師酉毁三	酉其萬年子子孫孫永寶用
2806	師酉毁四	酉其萬年子子孫孫永寶用
2806.	師酉毁五	酉其萬年子子孫孫永寶用
2807	鄦毁一	子子孫孫永寶用亯
2808	鄦毁二	子子孫孫永寶用亯
2809	鄦毁三	子子孫孫永寶用亯
2809	鄦毁三	子子孫孫永寶用亯
2810	揚毁一	余用乍朕剌考𡧊白寶毁
2810	揚毁一	子子孫孫其萬年永寶用
2811	揚毁二	余用乍朕剌考𡧊白寶毁
2811	揚毁二	子子孫孫其萬年永寶用
2812	大毁一	其子子孫孫永寶用
2813	大毁二	其子子孫孫永寶用
2814	鳥冊夨令毁一	用乍丁公寶毁
2814	鳥冊夨令毁一	後人永寶[鼎]
2814.	夨令毁二	用乍丁公寶毁
2814.	夨令毁二	後人永寶[鼎]
2815	師𣪕毁	䛁其萬年子子孫孫永寶用亯
2816	彔白𢦚毁	用乍朕皇考釐王寶尊毁
2816	彔白𢦚毁	余其萬年寶用
2817	師穎毁	師穎其萬年子子孫孫永寶用
2818	此毁一	子子孫孫永寶用
2819	此毁二	子子孫孫永寶用
2820	此毁三	子子孫孫永寶用
2821	此毁四	子子孫孫永寶用
2822	此毁五	子子孫孫永寶用

寶

2823	此𣪘六	子子孫孫永寶用
2824	此𣪘七	子子孫孫永寶用
2825	此𣪘八	子子孫孫永寶用
2826	師𤔲𣪘一	其萬年子子孫孫永寶用亯（蓋）
2826	師𤔲𣪘一	其萬年子子孫孫永寶用亯（器）
2827	師𤔲𣪘二	其萬年子子孫孫永寶用亯
2829	師虎𣪘	子子孫孫其永寶用
2830	三年師兌𣪘	師兌其萬年子子孫孫永寶用
2831	元年師兌𣪘一	師兌其萬年子子孫孫永寶用
2832	元年師兌𣪘二	師兌其萬年子子孫孫永寶用
2834	㝬𣪘	㝬乍𩰫彝寶𣪘
2835	訇𣪘	訇萬年子子孫永寶用
2836	𢦚𣪘	用乍文母日庚寶尊𣪘
2836	𢦚𣪘	其子子孫孫永寶
2837	敔𣪘一	敔其萬年子子孫孫永寶用
2838	師𠭰𣪘一	𠭰其萬年子子孫孫永寶用(蓋)
2838	師𠭰𣪘一	𠭰其萬年子子子孫孫永寶用(器)
2839	師𠭰𣪘二	𠭰其萬年子子孫永寶用(蓋)
2839	師𠭰𣪘二	𠭰其萬年子子子孫孫永寶用(器)
2840	番生𣪘	用乍𣪘、永寶
2842	卯𣪘	易女瓚章、瑴、宗彝一造、寶
2842	卯𣪘	用乍寶尊𣪘
2842	卯𣪘	卯其萬年子子孫孫永寶用
2844	頌𣪘一	皇母龔姒（始）寶尊𣪘
2844	頌𣪘一	子子孫孫永寶用（器蓋）
2845	頌𣪘二	皇母龔姒（始）寶尊𣪘
2845	頌𣪘二	子孫孫永寶用（蓋）
2845	頌𣪘二	皇母龔姒（始）寶尊𣪘
2845	頌𣪘二	子子孫孫永寶用（器）
2846	頌𣪘三	皇母龔姒（始）寶尊𣪘
2846	頌𣪘三	子子孫孫永寶用
2847	頌𣪘四	皇母龔姒（始）寶尊𣪘
2847	頌𣪘四	子孫永寶用
2848	頌𣪘五	皇母龔姒（始）寶尊𣪘
2848	頌𣪘五	子子孫孫永寶用（蓋）
2849	頌𣪘六	皇母龔姒（始）寶尊𣪘
2849	頌𣪘六	子子孫孫永寶用
2850	頌𣪘七	皇母龔姒（始）寶尊𣪘
2850	頌𣪘七	子子孫孫永寶用（蓋）
2851	頌𣪘八	皇母龔姒（始）寶尊𣪘
2851	頌𣪘八	子子孫孫永寶用（蓋）
2852	不𡢁𣪘一	子子孫孫其永寶用亯
2853	不𡢁𣪘二	子子孫孫其永寶用亯
2853.	_㽙𣪘	用乍且考寶尊彝
2854	𦳫𣪘	用乍寶尊𣪘
2854	𦳫𣪘	子孫永寶用
2855	班𣪘一	子子孫多世其永寶
2855.	班𣪘二	子子孫多世其永寶
2856	師訇𣪘	用乍朕剌且乙白咸益姬寶𣪘
2856	師訇𣪘	子子孫孫永寶用

2856	師訇設	乍州宮寶
2857	牧設	牧其萬年壽考子子孫孫永寶用
2863	史頌匿	史頌乍匿永寶
2870	犻__匿	犻mc鑄其寶匿
2877	菡交仲旅匿	菡交中乍旅匿、寶用
2887	虢弔旅匿一	其萬年永寶
2888	虢弔旅匿二	其萬年永寶
2889	魯士孚父飤匿一	魯士孚父乍飤匿、永寶用
2890	魯士孚父飤匿三	魯士孚父乍飤匿、永寶用
2891	魯士孚父飤匿四	魯士孚父乍飤匿、永寶用
2892	魯士孚父飤匿二	魯士孚父乍飤匿、永寶用
2900	史㝬簠	其萬年永寶用
2901	白□父匡	白□父乍寶匿
2901	白□父匡	其萬年永寶用
2902	白矩食匿	其萬年永寶用
2903	寡匿	其子子孫孫永寶用
2904	善夫吉父旅匿	其萬年永寶
2905	吉__匽	吉fd乍寶匽
2905	吉__匽	子子孫孫永寶用
2906	白鷈父匿	其萬年永寶用
2911	奢虎匿一	鬻山奢虎鑄其寶匿
2911	奢虎匿一	子子孫孫永寶用
2912	奢虎匿二	鬻山奢虎鑄其寶匿
2912	奢虎匿二	子子孫孫永寶用
2913	旅虎匿一	鬻__旅虎鑄其寶匿
2913	旅虎匿一	子子孫孫永寶用
2914	旅虎匿二	鬻__旅虎鑄其寶匿
2914	旅虎匿二	子子孫孫永寶用
2915	旅虎匿三	鬻__旅虎鑄其寶匿
2915	旅虎匿三	子子孫孫永寶用
2916	窋姒旅匿	其子子孫孫永寶用
2917	冑乍餗匿	其子子孫孫永寶用亯
2919	鑄弔乍贏氏匿	鑄弔乍贏氏寶匿
2919	鑄弔乍贏氏匿	其萬年覺壽永寶用
2920	脖子仲安旅匿	其子子孫永寶用亯
2920.	白多父匿	其永寶用亯
2921	__弔乍吳姬匿	其萬年子子孫孫永寶用
2922	魯白俞父匿一	其萬年覺壽永寶用
2923	魯白俞父匿二	其萬年覺壽永寶用
2924	魯白俞父匿三	其萬年覺壽永寶用
2925	交君子__匿一	交君子qf肇乍寶匿
2925	交君子__匿一	其覺壽萬年永寶用
2926	交君子__匿二	交君子qf肇乍寶匿
2926	交君子__匿二	其覺壽萬年永寶用
2927	商丘弔旅匿一	其萬年子子孫永寶用
2928	商丘弔旅匿一二	其萬年子子孫孫永寶用
2929	師麻孝弔旅匿(匡)	其萬年子子孫孫永寶用
2930	尹氏賈良旅匿(匡)	其萬年子子孫孫永寶用
2931	鑄子弔黑臣匿一	鑄子弔黑臣肇乍寶匿
2931	鑄子弔黑臣匿一	其萬年覺壽永寶用

寶

寶

2932	鑄子弔黑叵匿二	鑄子弔黑叵肇乍寶匿
2932	鑄子弔黑叵匿二	萬年眉壽永寶用
2933	鑄子弔黑叵匿三	鑄子弔黑叵肇乍寶匿
2933	鑄子弔黑叵匿三	萬年眉壽永寶用
2935	蛮侯乍弔姬寺男賸匿	子子孫孫永寶用亯
2937	仲義昱乍縣妃𣪘一	其萬年子子孫孫永寶用之
2938	仲義昱乍縣妃𣪘二	其萬年子子孫孫永寶用之
2939	季良父乍宗𡟰賸匿一	其萬年子子孫孫永寶用
2940	季良父乍宗𡟰賸匿二	其萬年子子孫孫永寶用
2941	季良父乍宗𡟰賸匿三	其萬年子子孫孫永寶用
2945	□仲虎匿	用自乍寶匿
2945	□仲虎匿	其子孫永寶用亯
2947	季宮父乍賸匿	其萬年子子孫孫永寶用
2948	番君召𩜁匿一	子子孫孫永寶用
2949	番君召𩜁匿二	子子孫孫永寶用
2950	番君召𩜁匿三	子子孫孫永寶用
2951	番君召𩜁匿四	子子孫孫永寶用
2952	番君召𩜁匿五	子子孫孫永寶用
2953	白其父𪊨旅祜	子子孫孫永寶用之
2954	史免旅匿	其子子孫孫永寶用亯
2959	鑄公乍朕匿一	子子孫孫永寶用
2960	鑄公乍朕匿二	子子孫孫永寶用
2964	曾□□𩜁匿	子子孫孫孫永寶用之
2964.	弔邦父匿	子子孫孫永寶
2966	蛴公諴旅匿	子子孫孫永寶用
2968	奠白大𤔲工召弔山父旅匿一	子子孫孫用為永寶
2969	奠白大𤔲工召弔山父旅匿二	子子孫孫為永寶
2970	考弔𢍰父尊匿一	子子孫孫永寶用之
2971	考弔𢍰父尊匿二	子子孫孫永寶用之
2974	上鄀府匿	子子孫孫永寶用之
2976	盄公匿	子子孫孫永寶用
2977	□孫弔左𩜁匿	子子孫孫永寶用之
2979	弔朕自乍薦匿	子子孫孫永寶用之
2979.	弔朕自乍薦匿二	子子孫孫永寶用之
2980	鼄大宰𩜁匿一	子子孫孫永寶用之
2981	鼄大宰𩜁匿二	子子孫孫永寶用之
2982.	甲午匿	永寶用亯
2983	弭仲寶匿	弭中乍寶匿
2984	伯公父盬	其子子孫孫永寶用亯(蓋)
2984	伯公父盬	其子子孫孫永寶用亯(器)
2985	陳逆匿一	鑄茲寶簠
2985.	陳逆匿二	鑄茲寶簠
2985.	陳逆匿三	鑄茲寶簠
2985.	陳逆匿四	鑄茲寶簠
2985.	陳逆匿五	鑄茲寶簠
2985.	陳逆匿六	鑄茲寶簠
2985.	陳逆匿七	鑄茲寶簠
2985.	陳逆匿八	鑄茲寶簠
2985.	陳逆匿九	鑄茲寶簠
2985.	陳逆匿十	鑄茲寶簠

2986	曾白霥旅匿一	子子孫孫永寶用之亯
2987	曾白霥旅匿二	子子孫孫永寶用之亯
2991	弔倉父寶盨	弔倉父乍寶盨
2991.	弔倉父寶盨二	弔倉父乍寶盨
2992	白夸父盨	白夸父乍寶盨
2995	彔盨一	其永寶用
2996	彔盨二	其永寶用
2997	彔盨三	其永寶用
2998	彔盨四	其永寶用
2999	史𩁹旅盨一	其永寶用
3000	史𩁹旅盨二	其永寶用
3001	白鮮旅設(盨)一	其永寶用
3002	白鮮旅設(盨)二	其永寶用
3003	白鮮旅設(盨)三	其永寶用
3004	白鮮旅設(盨)	其永寶用
3006	白多父旅盨一	其永寶用
3007	白多父旅盨二	其永寶用
3008	白多父旅盨三	其永寶用
3009	白多父旅盨四	其永寶用
3010	立為旅須	子子孫孫永寶用
3011	弔姞旅𩓢	其萬年永寶用
3012	仲義父旅盨一	其永寶用[華]
3013	仲義父旅盨二	其永寶用[華]
3014	弭弔旅盨	其萬年永寶用
3015	仲彤盨一	子子孫孫永寶用
3016	仲彤盨二	子子孫孫永寶用
3017	白大師旅盨一	其萬年永寶用
3018	白大師旅盨(器)二	其萬年永寶用
3019	弔賓父盨	弔賓父乍寶盨
3020	𠛬弔旅盨	子子孫孫永寶用
3022	白車父旅盨(器)一	其萬年永寶用
3023	白車父旅盨(器)二	其萬年永寶用
3024	仲大師旅盨	中大師子為其旅永寶用
3025	白公父旅盨(蓋)	其萬年永寶用
3027	仲𩞁旅盨	其萬年永寶用
3028	虢弔行盨	子子孫孫永寶用亯
3029	周𩣡旅盨	子子孫孫永寶用
3030	奠義白旅盨(器)	子子孫孫其永寶用
3031	奠義羌父旅盨一	子子孫孫永寶用
3032	奠義羌父旅盨二	子子孫孫永寶用
3032.	奠登弔旅盨	奠登弔及子子孫孫永寶用
3033	易弔旅盨	其子子孫孫永寶用亯
3034	白孝__旅盨	永其萬年子子孫孫寶用白孝kd鑄旅盨(須)
3034	白孝__旅盨	其萬年子子孫孫永寶用
3035	魯嗣徒旅設(盨)	萬年永寶用
3036	奠井弔康旅盨	子子孫孫其永寶用
3036.	奠井弔康旅盨二	子子孫孫其永寶用
3037	華季𥃝乍寶設(盨)	華季𥃝乍寶設
3037	華季𥃝乍寶設(盨)	其萬年子子孫永寶用
3038	鬲弔興父旅盨	其子子孫孫永寶用

寶

3039	白多父盨	其永寶用亯
3040	白庶父盨毁（蓋）	其萬年子子孫孫永寶用
3041	䜌季獻旅須	其萬年子孫孫永寶用
3042	頊燹旅盨	其萬年子子孫孫永寶用亯
3043	遣弔吉父旅須一	子子孫孫永寶用
3044	遣弔吉父旅須二	子子孫孫永寶用
3045	遣弔吉父旅須三	子子孫孫永寶用
3046	筍白大父寶盨	筍白大父乍嬴妃鑄匋（寶）盨
3046	筍白大父寶盨	其子子孫永寶用
3047	攺乍乙公旅盨（蓋）	子子孫孫永寶用
3048	鑄子弔黑臣盨	鑄子弔黑臣肇乍寶盨
3048	鑄子弔黑臣盨	其萬年眉壽永寶用
3049	單子白旅盨	其子子孫孫萬年永寶用
3050	覍弔乍旅盨	覍弔其萬年永及中姬寶用
3051	兮白吉父旅盨（蓋）	其萬年無彊子子孫孫永寶用
3052	走亞䖒孟延盨一	延其萬年永寶子子孫孫用
3053	走亞䖒孟延盨二	延其萬年永寶子子孫孫用
3054	滕侯穌乍旅毁	其子子孫萬年永寶用
3056	師趛乍檇姬旅盨	子孫其萬年永寶用
3056	師趛乍檇姬旅盨	子孫其萬年永寶用
3057	仲自父鎮（盨）	中自父乍季恭□寶尊盨
3057	仲自父鎮（盨）	其子孫萬年永寶用亯
3058	曼龏父盨一	曼龏父乍寶盨用亯孝宗室
3058	曼龏父盨一	其萬年無彊子子孫孫永寶用
3059	曼龏父盨三	曼龏父乍寶盨
3059	曼龏父盨三	子子孫孫永寶用
3060	曼龏父盨二	曼龏父乍寶盨
3060	曼龏父盨二	子子孫孫永寶用
3061	弭弔旅盨	其子子孫孫永寶用
3062	乘父毁（盨）	乘父士杉其肇乍其皇考白明父寶毁
3062	乘父毁（盨）	其萬年眉壽永寶用
3063	㴑乍姜淏盨	子子孫永寶用
3063	㴑乍姜淏盨	子子孫永寶用
3068	白寬父盨一	白寬父乍寶盨
3069	白寬父盨二	白寬父乍寶盨
3070	杜白盨一	杜白乍寶盨
3070	杜白盨一	其萬年永寶用
3071	杜白盨二	杜白乍寶盨
3071	杜白盨二	其萬年永寶用
3072	杜白盨三	杜白乍寶盨
3072	杜白盨三	其萬年永寶用
3073	杜白盨四	杜白乍寶盨
3073	杜白盨四	其萬年永寶用
3074	杜白盨五	杜白乍寶盨
3074	杜白盨五	其萬年永寶用
3075	白汈其旅盨一	子子孫孫永寶用
3076	白汈其旅盨二	子子孫孫永寶用
3077	弔專父乍奠季盨一	弔專父乍奠季寶鐘六、金尊盨四、鼎十
3077	弔專父乍奠季盨一	奠季其子子孫孫永寶用
3078	弔專父乍奠季盨二	弔專父乍奠季寶鐘六、金尊盨四、鼎十

3078	弔專父乍奠季盨二	奠季其子子孫孫永寶用
3079	弔專父乍奠季盨三	弔專父乍奠季寶鐘六、金尊盨四、鼎十
3079	弔專父乍奠季盨三	奠季其子子孫孫永寶用
3080	弔專父乍奠季盨四	弔專父乍奠季寶鐘六、金尊盨四、鼎十
3080	弔專父乍奠季盨四	奠季其子子孫孫永寶用
3081	翏生旅盨一	萬年釁壽永寶
3082	翏生旅盨二	萬年釁壽永寶王征南淮夷
3082	翏生旅盨二	萬年釁壽永寶
3083	瘨殷(盨)一	用乍文考寶殷
3083	瘨殷(盨)一	瘨其萬年子子孫孫其永寶[季冊]
3084	瘨殷(盨)二	用乍文考寶殷
3084	瘨殷(盨)二	瘨其萬年子子孫孫其永寶[季冊]
3086	善夫克旅盨	子子孫孫永寶用
3087	鬲从盨	其子子孫孫永寶用[丫]
3088	師克旅盨一(蓋)	克其萬年子子孫孫永寶用
3089	師克旅盨二	克其萬年子子孫孫永寶用
3090	㝬盨(器)	用乍寶盨
3090	㝬盨(器)	弔邦父、弔姞萬年子子孫孫永寶用
3110.	弔賓父豆?	弔賓父乍寶盨
3110.	孟_旁豆	釁壽萬年永寶用
3111	大師盧豆	盧其永寶用亯
3115	曾仲斿父甫	曾中斿父自乍寶簠
3115.	曾仲斿父甫二	曾中斿父自乍寶甫(莆)
3116	劉公鋪	劉公乍杜孎尊簠永寶用
3117	微伯瘨簠	其萬年永寶
3118	魯大嗣徒厚氏元善匯一	子孫永寶用之
3119	魯大嗣徒厚氏元善匯二	子孫永寶用之
3120	魯大嗣徒厚氏元善匯三	子孫永寶用之
3127	仲枏父匕	中枏父乍匕永寶用
3644	乍寶爵	乍寶
3994	爵寶彝爵	[爵]寶彝
4023	則爵	[則]乍寶
4044.	則乍寶爵	[則]乍寶
4108	孔申乍寶爵	埶申乍寶
4137	臣乍父乙寶爵一	臣乍父乙寶
4138	臣乍父乙寶爵二	臣乍父乙寶
4141	戋乍父丁寶爵	戋乍父丁寶
4153	聞乍寶隮彝爵	聞(虘?)乍寶尊彝
4154	白餡乍寶彝爵	白餡乍寶彝
4155	白限乍寶彝爵	白限父乍寶彝
4156	剛乍寶隮彝爵	剛乍寶尊彝
4159	_父乍寶彝爵	vn父乍寶彝
4162	車乍父寶彝爵	車乍父寶彝
4163	立乍寶隮彝爵	立乍寶尊彝
4164	史舀乍寶彝爵	史舀(智)乍寶彝
4167	_乍且乙爵	_乍且乙寶彝
4168	口乍且乙爵	口乍且乙寶彝
4169	乍甫丁爵	乍甫丁寶尊彝
4170	_乍且丁爵	wk乍且丁寶彝
4173	獸乍父戊爵	獸乍父戊寶彝

寶

4174	獸乍父戊爵二	獸乍父戊寶彝
4178	__豐乍父辛爵一	豐乍父辛寶[冊牽]
4179	豐乍父辛爵二	豐乍父辛寶[冊牽]
4180	豐乍父辛爵三	豐乍父辛寶[冊牽]
4181	__乍且己爵	fm乍且己尊寶彝
4185	玨�乍父庚爵	玨遲父庚寶彝
4186	攸乍上父爵	攸乍上父寶尊彝
4187	效爵	效乍且戊寶尊彝
4188	又乍氒父爵	又乍氒父寶尊彝
4190	牆乍父乙爵一	牆乍父乙寶尊彝
4191	牆乍父乙爵二	牆乍父乙寶尊彝
4191.	父丁爵	乍父丁寶尊彝[天ab]
4195	犇乍父辛爵	犇大乍父辛寶尊彝
4198	塱乍父甲爵	公易塱貝、用乍父甲寶彝
4199	觚乍白父辛爵	觚乍召白父辛寶尊彝
4200	呂仲僕乍毓子爵	呂中僕乍毓子寶尊彝或
4201	盟舟惠爵	盟舟輪__乍氒且乙寶宗彝
4204	盂爵	用乍父寶尊彝
4237	史逨角	史逨乍寶尊彝
4334	冓斝	冓乍寶尊彝
4340.	虎白斝	大白乍父寶尊彝
4340.	__斝	__乍康公寶尊彝
4341	冊牽折乍父乙斝	折乍父乙寶尊彝[冊牽]
4344	嘉仲父斝	自乍寶尊彝
4344	嘉仲父斝	子子孫孫永寶用
4399	此乍寶彝盉	此乍寶彝
4406.	革侯盉	革侯乍寶盉
4410	翻父盉	翻父乍寶彝
4411	白定盉	白定乍寶彝
4412	白春盉	白春乍寶盉
4413	吳盉	吳乍寶盉[亞俞]
4418	白矩盉	白矩乍寶尊彝
4423	陵白盉	陵白乍寶尊彝
4423.	陵白鎣	陵白乍寶尊彝
4425	季瘋霝德盉	季瘋霝德乍寶盉
4426	啚父盉	啚父乍幺母寶盉
4429	田吳乍氒考盉	[田]吳乍氒考寶尊彝
4431	史孔盉	子子孫孫永寶用
4432	白富乍召白父辛盉	白富乍召白父辛寶尊彝
4433	甲盉	甲乍寶尊彝
4434	師子旅盉	萬年永寶用
4437	王乍豐妊盉	王乍豐妊單寶般盉
4437	王乍豐妊盉	其萬年永寶用
4438	亞異侯吳盉	乍父乙寶尊彝
4439	白衛父盉	孫孫子子邁(萬)年永寶
4440	白章父盉	白章父乍寶盉
4440	白章父盉	其萬年子子孫孫永寶用
4442	季良父盉	季良父乍kh姒(始)寶盉
4442	季良父盉	其萬年子子孫孫永寶用
4443	王仲皇父盉	其萬年子子孫孫永寶用

4447	臣辰冊冊𠂤乍冊父癸盉	用乍父癸寶尊彝
4449	裘衛盉	衛用乍朕文考惠孟寶般
4449	裘衛盉	衛其萬年永寶用
4626	乍寶彝尊一	乍寶彝
4627	乍寶彝尊二	乍寶彝
4628	乍寶彝尊三	乍寶彝
4629	乍寶彝尊四	乍寶彝
4630	乍寶彝尊五	乍寶彝
4639	饕餮鳥紋尊	乍寶彝
4672	辛乍寶彝尊	辛乍寶彝
4680	白乍寶彝尊	白乍寶彝
4682	乍寶尊彝尊一	乍寶尊彝
4683	乍寶尊彝尊二	乍寶尊彝
4684	乍寶尊彝尊三	乍寶尊彝
4685	乍寶尊彝尊四	乍寶尊彝
4686	乍寶尊彝尊六	乍寶尊彝
4687	乍寶尊彝尊七	乍寶尊彝
4688	乍寶尊彝尊八	乍寶尊彝
4705	乍父辛尊	乍父辛寶尊
4708	夨王尊	夨王乍寶彝
4713	矩尊一	矩乍寶尊彝
4714	矩尊二	矩乍寶尊彝
4716	_尊一	h7乍寶尊彝
4717	_尊二	h7乍寶尊彝
4719	䵼赤尊	䵼赤乍寶彝
4720	見尊	見乍寶尊彝
4724	舀尊	舀乍寶尊彝
4725	乍父乙尊	乍父乙寶彝
4727	乍且乙尊	乍且乙寶尊彝
4729	乍父丁尊	乍父丁寶彝[吴]
4730	乍父丁尊	乍父丁寶彝尊
4731	乍父戊尊	乍父戊寶尊彝
4732	乍父辛尊	_乍父辛寶尊彝
4733	乍父己尊	乍父己寶彝[c8]
4737	□乍父辛尊	□乍父辛寶尊彝
4738	艅白尊	艅白乍寶尊彝
4739	白矩尊一	白矩乍寶尊彝
4740	白矩尊二	白矩乍寶尊彝
4741	白矩尊三	白矩乍寶尊彝
4742	白貉尊	白貉乍寶尊彝
4743	戒弔尊	戒弔乍寶尊彝
4744	白旟尊一	白旟乍寶尊彝
4745	白旟尊二	白旟乍寶尊彝
4746	白旟尊三	白旟乍寶尊彝
4747	緘季尊	緘季乍寶尊彝
4749	員父尊	員父乍寶尊彝
4751	雁公尊	雁公乍寶尊彝
4755	榮子尊	榮子乍寶尊彝
4756	仲𢼸尊	中𢼸乍寶尊
4758	㶑白尊	㶑白乍寶彝尊

寶

4759	陵白尊	陵白乍寶尊彝
4761	乍且己尊	乍且己寶尊彝[冎]
4762	竟乍且癸尊	竟乍且癸寶尊彝
4764	__白乍父乙尊	qc白乍父乙寶尊
4765	對乍父乙尊	對乍父乙[亞夫]寶尊彝
4766	乍父丁尊	乍父丁[虪]寶尊彝
4767	乍父丁尊	乍父丁寶尊彝[虪]
4768	戈車乍父己尊	戈車乍父丁寶尊彝
4769	逆乍父丁尊	逆乍父丁寶尊彝
4771	乍父丁尊	乍父丁寶尊彝[aw]
4773	魚乍父己尊	魚乍父乙寶尊彝
4776	此尊	此乍父辛寶尊彝
4777	鐵乍父辛尊	鐵乍父辛寶尊彝
4778	賷乍父辛尊	賷乍父辛寶尊彝
4780	北白滅尊一	北白滅乍寶尊彝
4781	北白滅尊二	北白滅乍寶尊彝
4782	北白滅尊三	北白滅乍寶尊彝
4785	卿乍氒考尊	卿乍氒考寶尊彝
4787	鳥矢乍辛尊	鳥矢乍父辛寶彝
4791	屯乍兄辛尊	屯乍兄辛寶尊彝[虪]
4792	史伏乍父乙旅尊	史伏乍父乙寶旅彝
4793	隹乍父己尊	隹乍父己寶彝[戚箙]
4794	魍乍且乙尊	魍乍且乙寶彝[子廠]
4795	觑乍父戊尊	觑乍父戊寶尊彝[猇]
4796	獸乍父庚尊	獸乍父庚寶尊彝[弓]
4797	□□乍父庚尊	□□乍父庚寶尊彝
4798	厥子乍父辛尊	氒子乍父辛寶尊彝
4799	___乍父癸尊	狸乍父癸寶尊彝[單]
4800	宿父乍父癸尊	宿父乍父癸寶尊彝
4801	單異乍父癸尊	單異乍父癸寶尊彝
4802	__尊	__乍父乙寶尊彝[犭]
4804	衛乍季衛父尊	衛乍季衛父寶尊彝
4805	□乍氒皇考尊	__乍氒皇考寶尊彝
4808	亞䀠矦㴱乍母辛尊	[亞䀠矦]㴱乍母辛寶彝
4812	冊㓟乍父乙尊	冊㓟乍父乙寶尊彝[竚]
4813	周__旁乍父丁尊	[周uG]旁乍父丁宗寶彝
4814	偖乍父癸尊	偖乍父癸寶尊彝用旅
4815	白丫辥乍日癸尊	[白丫]辥乍日癸公寶尊彝
4816	亞__傳乍父戊尊	傳乍父戊寶尊彝[亞jc]
4817	曶尊	曶乍文考日庚寶尊器
4818	季盀尊	季盀乍寶尊彝用彔__
4819	述乍兄日乙尊	述乍兄日乙寶尊彝[䢵]
4820	__何乍兄日壬尊	qn乍兄日壬寶尊彝[dk]
4822	参尊	参乍□考宗彝其永寶
4822.	__尊	q6乍宗尊氒孫子永寶
4823	懥季遽父尊	懥季遽父乍豐姬寶尊彝
4824	引為㲋庸尊	引為㲋庸寶尊彝用永孝
4825	夰者君乍父乙尊	夰者君乍父乙寶尊彝[cu]
4826	呂仲僕尊	呂仲僕乍毓子寶尊彝[或]
4830	㢊肇其乍父己尊	㢊肇乍父己寶尊彝[䡈__]

4831	倗乍𠨘考尊	倗乍𠨘考寶尊彝用萬年吏
4832	田濬白遂尊一	[田]濬白遂乍𠨘彝考寶旅尊
4833	田濬白遂尊二	[田]濬白遂乍𠨘彝考寶旅尊
4834	白乍𠨘文考尊	白乍𠨘文考尊彝其子孫永寶
4835	鄦仲尊	鄦中__乍𠨘文考寶尊彝、日辛
4837	鬲乍父甲尊	鬲易貝于王、用乍父甲寶尊彝
4839	史喪尊	事喪乍丁公寶彝
4840	弔龜方尊	弔龜易貝于王始用乍寶尊彝
4841	守宮乍父辛雞𦉢尊	其永寶
4843	𠬪員父壬尊	員乍父壬寶尊彝
4843	𠬪員父壬尊	子子孫孫其永寶[𠬪]
4844	□乍父癸尊	□□父癸寶尊彝
4845	服方尊	乍文考日辛寶尊彝
4848	𠬪共𦉢乍父乙尊	用乍父乙寶尊彝[𠬪共]
4849	鄀啟方尊	子子孫孫其永寶
4851	黃尊	其{ 百世 }孫孫子子永寶
4852	□□乍其為𠨘考尊	用匄壽萬年永寶
4853	復尊	用乍父乙寶尊彝[㠱]
4854	__車與乍公日辛尊	用乍公日辛寶彝[st]
4855	弔爽父乍饉白尊	子子孫孫其永寶
4857	乍文考日己尊	乍文考日己寶尊宗彝
4857	乍文考日己尊	其子子孫孫萬年永寶用[天]
4858	㽙田尊	自乍寶彝
4858	㽙田尊	其萬年子孫永寶用亯
4859	戉箙啟尊	乍且丁旅寶彝
4862	㠱能匋尊	能匋用乍文父日乙寶尊彝[㠱]
4863	㝨乍父乙尊	用乍父乙寶尊彝
4864	乍冊䰧尊	用乍父乙寶尊彝
4865	𠨘方尊	乍𠨘穆文且考寶尊彝
4867	䊿睘尊	用乍朕文考日癸旅寶[䊿]
4868	趞乍姞尊	用乍姞寶彝
4869	次尊	用乍寶彝
4870	㠱商尊	用乍文辟日丁寶尊彝[㠱]
4871	𣪘幸豐尊	用乍父辛寶尊彝
4873	臣辰冊𡧊冊乍父癸尊	用乍父寶尊彝
4874	萬諆尊	__人萬年寶
4875	听折尊	其永寶〔 幸𣪘 〕
4876	保尊	用乍文父癸宗寶尊彝
4877	小子生尊	用乍𣪕寶尊彝
4877	小子生尊	其萬年永寶
4879	余𢦏尊	用乍文考乙公寶尊彝
4880	免尊	免其萬年永寶用
4881	䍜方尊	用乍辛公寶尊彝
4881	䍜方尊	子子孫孫其萬年永寶
4882	匡乍文考日丁尊	用乍文考日丁寶彝
4882	匡乍文考日丁尊	其子子孫孫永寶用
4883	耳尊	肇乍京公寶尊彝
4883	耳尊	京公孫子寶
4884	𠭘尊	用乍父乙寶尊彝
4885	效尊	效對公休、用乍寶尊彝

寶

4885	效尊	亦其子子孫孫永寶
4886	趩尊	趩蔑曆、用乍寶尊彝
4886	趩尊	世孫子毋敢豖、永寶
4888	盠駒尊一	余用乍朕文考大中寶尊彝
4888	盠駒尊一	盠曰、其萬年、世子孫永寶之
4890	盠方尊	用乍朕文祖益公寶尊彝
4890	盠方尊	更朕先寶事
4891	何尊	用乍叀公寶尊彝
4892	麥尊	麥揚、用乍寶尊彝
4893	矢令尊	用乍父丁寶尊彝、敢追明公賞于父丁[鳥冊]
4913	__乍父丁觥	h7乍父丁寶彝
4915	冄父辛觥	[冄]父辛寶尊彝
4916	乍母戊觥(蓋)	乍母戊寶尊彝
4917	旃觥	乍父乙寶尊彝[旃]
4918	㚔猷乍父辛觥	[猷]乍父辛寶尊彝[㚔]
4923	守宮乍父辛觥	守宮乍父辛尊彝其永寶
4926	吳栽䮾觥(蓋)	用乍父戊寶尊彝
4927	乍文考日己觥	乍文考日己寶尊宗彝
4927	乍文考日己觥	其子子孫孫萬年永寶用[天]
4928	折觥	其永寶[桒冊]
4961	榮子方彝	榮子乍寶尊彝
4965	㚔猷乍父辛方彝一	㚔猷乍父辛寶尊彝
4966	㚔猷乍父辛方彝二(器)	㚔猷乍父辛寶尊彝
4967	弔[illegible]方彝	用乍寶尊彝
4968	[illegible]方彝一	子子孫孫其永寶
4969	[illegible]方彝二	子子孫孫其永寶
4971	乍父癸方彝(蓋)	用乍父癸寶彝
4972	過从父彝	子子孫孫其永寶
4973	乍文考日工夫方彝	乍文考日己寶尊宗彝
4973	乍文考日工夫方彝	其子子孫孫萬年永寶用[天]
4974	__方彝	用乍高文考父癸寶尊彝
4974	__方彝	孫子寶[爻]
4975	麥方彝	用鬲(嗝)井侯出入遅令、孫孫子子其永寶
4976	折方彝	其永寶[桒冊]
4977	師遽方彝	用乍文且它公寶尊彝
4977	師遽方彝	百世孫子永寶
4978	吳方彝	用乍青尹寶尊彝
4978	吳方彝	吳其世子孫永寶用
4979	盠方彝一	用乍朕文祖益公寶尊彝
4979	盠方彝一	更朕先寶事
4980	盠方彝二	用乍朕文祖益公寶尊彝
4980	盠方彝二	更朕先寶事
4981	鳥冊令方彝	用乍父丁寶尊彝
5190	乍寶彝卣一	乍寶彝
5191	乍寶彝卣二	乍寶彝
5249	弔乍寶彝卣	弔乍寶彝
5257	乍車寶彝卣一	乍車寶彝
5258	乍車寶彝卣二	乍車寶彝
5263	乍寶尊彝卣一	乍寶尊彝
5264	乍寶尊彝卣二	乍寶尊彝

5265	乍寶尊彝卣三	乍寶尊彝
5266	乍寶尊彝卣四	乍寶尊彝
5267	乍寶尊彝卣五	乍寶尊彝
5268	乍寶尊彝卣六	乍寶尊彝
5269	乍寶尊彝卣七	乍寶尊彝
5270	乍寶尊彝卣八	乍寶尊彝
5271	乍寶尊彝卣九	乍寶尊彝
5272	乍寶尊彝卣十	乍寶尊彝
5273	乍寶尊彝卣十一	乍寶尊彝
5274	乍寶尊彝卣十二	乍寶尊彝
5275	乍寶尊彝卣十三	乍寶尊彝
5285	乍宗寶彝卣	乍宗寶彝
5301	仲卣(蓋)	中乍寶尊彝
5305	_乍寶尊彝卣	h7乍寶尊彝
5306	頧卣	頧乍寶尊彝
5307	韗卣	[韗]乍寶尊彝
5309	豐乍從寶彝卣	豐乍從寶彝
5311	弔乍寶尊彝卣	弔乍寶尊彝
5315	曶卣(蓋)	曶乍寶尊彝
5316	強季卣	強季乍寶旅彝
5321	㚇乍父乙卣	乍父乙寶彝[㚇]
5324	觪白卣	觪白乍寶尊彝
5327	壴乍父丁卣	壴乍父辛寶彝
5328	仲僘卣	仲僘乍寶彝
5329	汪白卣	汪白乍寶旅彝
5330	綸白卣	綸白乍寶尊彝
5331	白魚卣	白魚乍寶尊彝
5332	竟卣	[竟]乍厥寶尊彝
5333	白矩卣一(蓋)	白矩乍寶尊彝
5334	白矩卣二	白矩乍寶尊彝
5335	白矩卣三	白矩乍寶尊彝
5336	白矩卣四	白矩乍寶尊彝
5337	白貉卣	白貉乍寶尊彝
5338	仲鐵卣	中鐵乍寶尊彝
5339	弔歡卣	弔歡乍寶尊彝
5341	羸季卣	羸季乍寶尊彝
5342	衛父卣	衛父乍寶尊彝
5347	貙卣	貙乍寶尊彝[冈]
5348	𨚕𨖅卣	𨚕𨖅乍寶尊彝
5351	鼕懋卣	懋乍□寶尊彝[㸚]
5357	乍父丁寶旅彝卣	乍父丁寶旅彝
5359	夆莫父卣	夆莫父乍寶彝
5361	隥白卣一	隥白乍寶尊彝
5362	濕白卣一	濕白乍寶尊彝
5363	濕白卣二	濕白乍寶尊彝
5370	遣乍且乙卣	遣乍且乙寶尊彝
5371	_乍且丁卣	h5乍且丁寶尊彝
5374	羊乍父乙卣	羊乍父乙寶尊彝
5375	天乍父乙卣	乍父乙寶尊彝[天]
5377	車乍父丁卣	車乍父丁寶尊彝

寶

5378	叀乍父戊旅卣二	叀乍父戊寶尊彝
5379	叀乍父戊旅卣一	叀乍父戊寶旅彝
5382	_乍父己卣	[dm]乍寶父彝己
5383

父己卣 | [

 ]父己乍寶尊彝 |
| 5384 |

乍父辛卣 |

乍父辛寶尊彝 |
| 5385 |

乍父辛卣 |

乍父辛寶尊彝 |
| 5390 | 北白殺卣 | 北白殺乍寶尊彝 |
| 5391 |

乍宄白卣 |

乍宄白寶尊彝 |
| 5395 |

弔卣 |

弔乍

寶尊彝 |
5396	季卣	季乍父辛寶尊彝
5397	弔夫冊卣	弔夫父冊乍寶彝
5401	_乍父丁卣	[ep]乍父丁寶尊彝
5402

乍且乙卣 |

乍且乙寶尊彝 |
5404	小臣乍父乙卣	小臣乍父乙寶彝
5405	_矢乍父辛卣	_矢乍父辛寶彝
5406	衛卣	衛乍季衛父寶尊彝
5407	單

乍父甲卣 |

乍父甲寶尊彝[單] |
| 5409 |

_乍且癸卣 | _乍且癸寶尊彝[

 ] |
| 5410 | 枚家乍父戊卣 | 枚家乍父戊寶尊彝 |
| 5411 |

乍父戊卣 |

乍父戊寶尊彝[

 ] |
| 5412 |

乇乍兄辛卣 | 乇乍兄辛寶尊彝[

 ] |
| 5415 | 白乍文公旅卣 | 白乍文公寶尊旅彝 |
| 5415 | 白乍文公旅卣 | 白乍文公寶尊旅彝 |
| 5417 | 白睘卣一 | 白睘乍

室寶尊彝 |
| 5418 | 白睘卣二 | 白睘乍

室寶尊彝 |
5418	白睘卣二	白睘乍室尊寶彝[网]
5421	亞_對乍父乙卣	對乍父乙寶尊彝[亞b2]
5425	何乍兄日壬卣	qn乍兄日壬寶尊彝[dk]
5427

乍父癸卣 |

乍父癸寶尊彝、用旅 |
| 5428 | ___乍父考癸卣 | uv乍文考癸寶尊彝[ev] |
| 5431 | 白_乍西宮白卣 | 白rz乍西宮白寶尊彝 |
| 5432 |

乍甲考宗彝卣 |

乍甲考宗彝其永寶 |
| 5433 |

亞束

乍父癸卣 | [亞束]

乍父癸寶尊彝[

 ] |
| 5434 | 亞集

乍文考父丁卣 | 亞集乍文老父丁寶尊彝 |
| 5440 | _白日_乍父丙卣 | ha白日m4乍父丙寶尊彝 |
| 5441 |

季遽父卣一 |

季遽父乍豐姬寶尊彝 |
| 5442 |

季遽父卣二 |

季遽父乍豐姬寶尊彝 |
| 5444 | 守宮卣 | 其永寶 |
| 5446 |

白

旅卣一 | [

 ]

白

乍

考寶旅尊 |
| 5449 |

乍

考卣 |

乍

考寶尊彝 |
| 5451 |

仲

乍文考日辛卣 |

中

乍

文考寶尊彝、日辛 |
| 5452 | 豚乍父庚卣 | 其子子孫孫永寶 |
| 5454 |

卣 |

乍寶尊彝 |
| 5454 |

卣 | 其萬年孫子子永寶 |
| 5459 |

弔卣 | 用匄壽、萬年永寶 |
| 5461 | 寓乍幽尹卣 | 用乍幽尹寶尊彝 |
| 5461 | 寓乍幽尹卣 | 其永寶用 |
| 5462 |

白乍父乙卣一 | 用乍父乙寶尊彝 |
| 5463 |

白乍父乙卣二 | 用乍父乙寶尊彝 |
| 5464 | 刀耳乍父乙卣 | 用乍父乙寶尊彝[刀] |

5468	子寡子卣	烏虖、詠帝家以寡子作永寶
5468	子寡子卣	烏虖、詠帝家以寡子乍永寶
5469	白ns卣	用乍寶尊彝
5470	__盂乍父丁卣	用乍父丁寶尊彝[fk]
5471	獎小子省乍父己卣	用乍父己寶彝[獎]
5471	獎小子省乍父己卣	用乍父己寶彝[獎]
5473	同乍父戊卣	用乍父戊寶尊彝
5474	劉卣	用乍父乙寶尊彝
5474	劉卣	用乍父乙寶尊彝
5476	趙乍姑寶卣	用乍姑寶彝
5478	次卣	用乍寶彝
5479	獎商乍文辟日丁卣	商用乍文辟日丁寶尊彝[獎]
5480	冊牽冊豐卣	用乍父辛寶尊彝[冊牽]
5480	冊牽冊豐卣	用乍父辛寶尊彝[冊牽]
5481	叔卣一	用乍寶尊彝
5482	叔卣二	用乍寶尊彝
5483	周乎卣	周乎鑄旅寶彝
5483	周乎卣	孫孫子子其永寶用[eL]
5483	周乎卣	周乎鑄旅寶彝
5484	乍冊睘卣	用乍文考癸寶尊器
5484	乍冊睘卣	用乍文考癸寶尊器
5485	貉子卣一	用乍寶尊彝
5486	貉子卣二	用乍寶尊彝
5487	靜卣	其子子孫孫永寶用
5488	靜卣二	其子子孫孫永寶用
5489	戉箙啟卣	乍且丁寶旅尊彝
5490	戉稽卣	用乍文考日乙寶尊彝
5490	戉稽卣	用乍文考日乙寶尊彝
5495	保卣	用乍文父癸宗寶尊彝
5495	保卣	用乍文父癸宗寶尊彝
5497	農卣	敢對揚王休、從乍寶彝
5498	彔戜卣	用乍文考乙公寶尊彝
5499	彔戜卣二	用乍文考乙公寶尊彝
5500	免卣	免其萬年永寶用
5501	臣辰冊冊夕卣一	用乍父癸寶尊彝[臣辰冊夕]
5502	臣辰冊冊夕卣二	用乍父癸寶尊彝[臣辰冊夕]
5503	競卣	用乍父乙寶尊彝
5503	競卣	子子孫孫永寶
5504	庚贏卣一	用乍厥文姑寶尊彝
5504	庚贏卣一	其子子孫孫萬年永寶用
5505	庚贏卣二	用乍厥文姑寶尊彝
5505	庚贏卣二	其子子孫孫萬年永寶用
5506	小臣傳卣	用乍朕考日甲寶
5509	楚卣	高對乍父丙寶尊彝
5509	楚卣	㠱侯吳其子子孫孫寶用
5510	乍冊嗌卣	子子孫孫寶
5511	效卣一	用乍寶尊彝
5511	效卣一	亦其子子孫孫永寶
5561	白罍	白乍厥寶尊彝
5564	單陵乍父日乙方罍	陵乍父日乙寶罍(罍)[dz]

寶

寶

5565	乍父乙罍	乍父乙寶中尊靁(罍)[ba]
5574	女姬罍	女姬乍氒姑夕母(姼?)寶尊彝
5578	戈蘇乍且乙罍	其子子孫永寶[戈]
5580	淊___罍	子子孫孫永寶用享
5581	峀毗罍	自乍寶靁(罍)
5581	峀毗罍	其萬年子孫永寶用享
5582	對罍	對乍文考日癸寶尊靁(罍)
5582	對罍	子子孫孫其萬年永寶
5583	不白夏子罍一	子子孫孫永寶用之
5584	不白夏子罍二	子子孫孫永寶用之
5597	次甗	用乍寶彝
5646	弊乍寶壺	弊乍寶壺
5648	梁乍寶彝壺	梁乍寶彝
5652	__乍寶彝壺	C9乍寶彝
5657	白乍寶壺一	白乍寶壺
5658	白乍寶壺二	白乍寶壺
5663	億媯乍寶壺	億(嫚)媯乍寶壺
5675	濉公壺	濉公乍寶尊彝
5676	伯矩壺一	白矩乍寶尊彝
5677	伯矩壺二	白矩乍寶尊彝
5690	白到方壺	白到乍寶尊彝
5691	甚父乍父壬壺	甚父乍父壬寶壺
5698	鬼乍父丙壺	鬼乍父丙寶壺[ei]
5699	姍奪乍父丁壺	奪乍父丁寶尊彝[姍]
5702	__侯壺	__侯乍旅壺永寶用
5703	內公鑄從壺一	內公乍鑄從壺永寶用
5704	內公鑄從壺二	內公乍鑄從壺永寶用
5705	內公鑄從壺三	內公乍鑄從壺永寶用
5708	__何乍兄日壬壺	qn乍兄日壬寶尊彝[dk]
5709	白魚父旅壺	白魚父乍旅壺永寶用
5710	賓車父壺一	賓車父乍寶壺永用享(器蓋)
5711	賓車父壺二	賓車父乍寶壺永用享(器蓋)
5712	白山父方壺	萬年寶用
5713	孟上父尊壺	其永寶用[dr]
5716	安白異生旅壺	其永寶用
5718	曾仲斿父壺	自乍寶尊壺(蓋左行)
5718	曾仲斿父壺	自乍寶尊壺(器右行)
5722	白庶父醴壺	__口氏永寶用
5723	王白姜壺一	其萬年永寶用
5724	王白姜壺二	其萬年永寶用
5725	呂王__乍內姬壺	其永寶用享
5729	陳侯乍媯穌朕壺	其萬年永寶用
5730	保循母壺	揚始休、用乍寶壺
5731	邛君婦龢壺	子子孫孫永匋(寶)用之
5732	鄧孟乍監嫚壺	子子孫孫永寶用
5735	內大子白壺	內大子白乍鑄寶壺
5735	內大子白壺	內大子白乍鑄寶壺、永享
5738	____壺	o9o1乍寶壺
5738	____壺	其萬年孫孫子子永寶用
5739	鄭楙弔賓父醴壺	子子孫孫永寶用

5743	齊良壺	子孫永寶用
5744	仲南父壺一	其萬年子子孫孫永寶用
5745	仲南父壺二	其萬年子子孫孫永寶用
5746	史僕壺一	其萬年子子孫孫永寶用享
5747	史僕壺二	其萬年子子孫孫永寶用享
5748	虢季子組壺	虢季子組乍寶壺
5748	虢季子組壺	子孫孫永寶其用享
5749	矩弔乍仲姜壺一	矩弔乍中姜寶尊壺
5750	矩弔乍仲姜壺二	矩弔乍中姜寶尊壺
5751	白公父乍弔姬醴壺	萬年子子孫孫永寶用
5752	陳侯壺	子子孫孫永寶是尚
5753	大師小子師望壺	大師{ 小子 }師望乍寶壺
5753	大師小子師望壺	其萬年子孫孫永寶用
5755	散氏車父壺一	其萬年子子孫孫永寶用
5756	中白乍朕壺一	其萬年子子孫孫永寶用
5757	中白乍朕壺二	其萬年子子孫孫永寶用
5760	蓮花壺蓋	□弔□＿□＿以其吉□寶壺
5762	呂行壺	用乍寶尊彝
5763	殷句壺	殷句乍其寶壺
5763	殷句壺	其萬年子子孫孫永寶用享
5764	杞白每亡壺一	杞白母亡乍鼄�(曹)寶壺
5764	杞白每亡壺一	子子孫永寶用享
5765	杞白每亡壺二	杞白每亡乍鼄婢(曹)寶壺
5765	杞白每亡壺二	子子孫永寶用享
5766	周䜌壺一	其子子孫孫萬年永寶用[eL](器蓋)
5767	周䜌壺二	其子子孫孫萬年永寶用[eL](器蓋)
5768	虞嗣寇白吹壺一	虞嗣寇白吹乍寶壺
5768	虞嗣寇白吹壺一	子子孫孫永寶用之(器蓋)
5769	虞嗣寇白吹壺二	虞嗣寇白吹乍寶壺
5769	虞嗣寇白吹壺二	子子孫孫永寶用之(器蓋)
5770	宗婦鄁嬰壺一	永寶用
5771	宗婦鄁嬰壺二	永寶用
5774	楙車父壺	楙車父乍皇母ro姜寶壺
5774	楙車父壺	白車父其萬年子子孫孫永寶
5775	蔡公子壺	子子孫孫萬年永寶用享
5777	孫弔師父行具	子子孫永寶用之
5778	番匊生鑄賸壺	子子孫孫永寶用
5785	史懋壺	用乍父丁寶壺
5786	旻季良父壺	子子孫孫是永寶
5787	沕其壺一	其百子千孫永寶用
5787	沕其壺一	其子子孫永寶用
5788	沕其壺二	其百子千孫永寶用
5788	沕其壺二	其子子孫永寶用
5791	十三年瘐壺一	瘐其萬年永寶 (器蓋)
5792	十三年瘐壺	瘐其萬年永寶 (器蓋)
5793	幾父壺一	其萬年孫孫子子永寶用
5794	幾父壺二	其萬年孫孫子子永寶用
5795	白克壺	克克其子子孫孫永寶用享
5796	三年瘐壺一	瘐其萬年永寶
5797	三年瘐壺二	瘐其萬年永寶

寶

5798	曶壺	子子孫孫其永寶
5799	頌壺一	皇母龏姒(始)寶尊壺
5799	頌壺一	子子孫孫寶用
5800	頌壺二	皇母龏姒(始)寶尊壺
5800	頌壺二	子子孫寶用
5808	孟城行鈃	子子孫孫永寶用之
5809	弘乍旅鈃	其眉壽、子子孫孫永寶用
5810	甖鈃	永寶是尚
5812	仲義父𦉜一	其萬年子子孫孫永寶用
5813	仲義父𦉜二	其萬年子子孫孫永寶用
5814	白夏父𦉜一	其萬年子子孫孫永寶用
5815	白夏父𦉜二	其萬年子子孫孫永寶用
5816	奠義白𦉜	易眉壽、孫子__永寶
5816.	伯亞臣𦉜	子孫永寶是尚
5825	樂書缶	萬世是寶
5826	國差𦉜	攻師何鑄西郭寶𦉜四秉
6259	亞夫乍寶從彝觚一	[亞夫]乍寶從彝
6260	亞夫乍寶從彝觚一	[亞夫]乍寶從彝
6264	卿乍父乙觚	[鄉]乍父乙寶尊彝
6268	亞乍父乙觚一	亞乍父乙尊寶彝
6269	亞乍父乙觚二	亞乍父乙寶尊彝
6272	㣇攸乍乙公觚	攸乍乙公寶彝[㣇]
6275	𠫑戍𠫑乍且癸旬觚	[𠫑戍𠫑]乍且癸[旬]寶彝
6276	𣄨趣乍日癸觚	趣乍日癸寶尊彝[𣄨]
6281	天□逐攸宁觚	天□逐攸宁用乍父辛寶尊彝
6282	召乍父戊觚	召乍氒文考父戊寶尊彝
6282	召乍父戊觚	子子孫孫其永寶用
6442	父乙寶觶	父乙寶
6581	逨乍寶彝觶	逨乍寶彝
6586	耒乍寶彝觶	[耒]乍寶彝
6598	姞亘母觶	姞亘母乍寶
6600	邑觶	邑乍寶尊彝
6603	㚇白觶	㚇白乍寶彝
6609	毌疑__觶	疑乍寶尊彝[毌]
6616	者兒觶	者兒乍寶尊彝
6622	吉偖乍氒觶	吉偖乍氒寶尊彝
6623	白乍氒且觶	白乍氒且寶尊彝
6624	亞__遽仲乍父丁觶	遽中乍父丁寶[亞bv]
6625	弔__乍𣓀公觶	弔om乍𣓀公寶彝
6627	鼓𡔷乍父辛觶	[鼓𡔷]乍父辛寶尊彝
6628	鳥冊何般貝宁父乙觶	[何般貝宁]用乍父乙寶尊彝[鳥]
6629	齊史疑乍且辛觶	齊史疑乍且辛寶彝
6631	小臣單觶一	用乍寶尊彝
6632	白乍蔡姬觶	其萬年、世孫子永寶
6633	斳乍文考觶	用乍文考尊彝、永寶
6634	郳王義楚祭耑	子孫寶
6635	中觶	用乍父乙寶尊彝
6663	白公父金勺一	子孫永寶用者
6689	季乍寶盤	季乍寶
6695	轉乍寶盤	轉乍寶盤

6696	曆盤	曆乍寶尊彝
6698	亞艅吳盤	吳乍寶盤[亞俞]
6699	鄧父盤	鄧父乍寶尊彝
6704	榮子盤	榮子乍寶尊彝
6706	鸙父乍丝女盤	鸙父乍丝女(母)匋(寶)盤
6709	癸白矩盤	癸白矩乍寶尊彝
6711	田遶乍氒考盤	[田]遶乍氒考寶尊彝
6713	亞曩侯乍父丁盤	乍父丁寶旅彝[亞曩侯]
6716	京隣仲＿盤	[京]隣中wb乍父辛寶尊彝
6719	京弔盤	子孫永寶用
6720	來＿乍＿盤	孫孫子子其寶用
6721	曾中盤	子孫永寶用之
6722	彭生盤	彭生乍氒文考辛寶尊彝[冊光自尹]
6724	周棘生盤	孫子寶用
6726	筍侯乍弔姬盤	其永寶用鄉
6727	貞盤	貞乍寶盤
6727	貞盤	其萬年子子孫孫永寶用
6728	虢嫚□盤	虢嫚□乍寶盤
6728	虢嫚□盤	子子孫孫永寶用
6729	奠登弔旅盤	及子子孫孫永寶用
6730	仲礼盤	用乍中寶器
6731	奠白盤	其子子孫孫永寶用
6732	陶子盤	用乍寶尊彝
6733	史頌盤	其萬年子孫孫永寶用
6735	虢金氒孫盤	虢金氏孫乍寶盤
6735	虢金氒孫盤	子子孫孫永寶用
6736	魯白愈父盤一	其永寶用
6737	魯白愈父盤二	其永寶用
6738	魯白愈父盤三	其永寶用
6739	中友父盤	其萬年子子孫孫永寶用
6740	白駟父盤	子子孫孫永寶用
6741	衵盤	□衵□□乍寶盤
6741	衵盤	其萬年子孫永寶用亯
6742	弔五父盤	弔五父乍寶盤
6742	弔五父盤	其萬年子子孫孫永寶用
6744	鮇吉妊盤	子子孫孫永寶用之
6745	白考父盤	白考父乍寶盤
6745	白考父盤	其萬年子子孫孫永寶用
6746	齊侯乍孟姬盤	齊侯乍皇氏孟姬寶般(盤)
6747	師寏父盤	其萬年子子孫孫永寶用
6748	德盤	子子孫孫永寶用
6749	弔高父盤	其萬年子子孫孫永寶用
6751	衵白章盤	衵白章自乍寶監
6751	衵白章盤	子孫永寶用亯
6752	取膚子商盤	子子孫永寶用
6754	楚季苟盤	其子子孫孫永寶用亯
6755	毛叔盤	毛弔朕彪氏孟姬寶般
6757	干氏弔子盤	子子孫孫永寶用之
6761	白者君盤	隹番hJ白者君自乍寶槃
6761	白者君盤	其萬年子孫永寶用亯

寶

寶

6762	薛侯盤	子子孫孫永寶用
6763	句它盤	隹句它弔乍寶般
6763	句它盤	子子孫孫永寶用亯
6764	般仲__盤	子子孫孫永寶用之
6765	齊弔姬盤	齊弔姬乍孟庚寶般
6767	齊縈姬之嫚盤	齊縈姬之嫚(姪)乍寶般
6767	齊縈姬之嫚盤	子子孫孫永寶用亯
6771	宗婦鄁嬰盤	永寶用
6772	魯少司寇封孫宅盤	永寶用之
6773	__湯弔盤	子子孫孫永寶
6774	__右盤	唯qe右自乍用其吉金寶盤
6774	__右盤	迺用萬年□孫永寶用亯□用之
6775	__仲乍父丁盤	用乍父丁寶尊彝
6775	__仲乍父丁盤	孫子其永寶弔休
6777	邛仲之孫白戔盤	子子孫孫永寶用之
6778	免盤	其萬年寶用
6780	黃大子白克盤	子子孫孫永寶用之
6782	者尚余卑盤	子子孫孫永寶用之
6783	函皇父盤	琱娟其萬年子子孫孫永寶用
6784	三十四祀盤(祼盤)	對王休、用乍子孫其永寶
6785	守宮盤	其百世子子孫孫永寶用弃走
6786	__弔多父盤	pL弔多父乍朕皇考季氏寶般
6786	__弔多父盤	乍兹寶般
6786	__弔多父盤	子子孫孫永寶用
6787	走馬休盤	休其萬年子子孫孫永寶
6789	袁盤	用乍朕皇考奠白奠姬寶盤
6789	袁盤	袁其萬年子子孫孫永寶用
6790	虢季子白盤	虢季子白乍寶盤
6791	兮甲盤	子子孫孫永寶用
6792	史墻盤	用乍寶尊彝
6792	史墻盤	剌且文考弋寶(休)
6792	史墻盤	其萬年永寶用
6807	乍子□匜	乍子□□匜永寶用
6811	乍父乙匜	乍父乙寶尊彝[㕣]
6816	白庶父乍肩匜	白庶父乍肩永寶用
6818	弔侯父匜	弔侯父乍姜□寶它
6819	__匜	__乍寶匜、用子孫亯
6820	冊物匜	物乍父乙寶尊彝[冊好]
6822	奠義白乍季姜匜	奠義白乍季姜寶它(匜)用
6829	黃仲匜	永寶用亯
6830	召樂父匜	召樂父乍娓改寶它、永寶用
6831	杞白每亡匜	杞白每亡□寶它
6831	杞白每亡匜	其萬年永寶用
6832	保弔黑臣匜	保弔黑姬乍寶它
6832	保弔黑臣匜	其永寶用
6834	__周匜	[__]周窀乍救姜寶它
6834	__周匜	{子孫}永寶用
6835	匽公匜	萬年永寶用
6836	史頌匜	其萬年子子孫孫永寶用
6837	虢金氏孫匜	虢金氏孫乍寶匜

寶

6837	虢金氏孫匜	子子孫孫永寶用
6838	筍侯匜	筍侯乍寶匜
6838	筍侯匜	其萬壽、子孫永寶用
6839	函皇父乍周媜匜	其子子孫孫永寶用
6841	魯白愈父匜	其永寶用
6843	白吉父乍京姬匜	其子子孫孫永寶用
6844	中友父匜	其萬年子子孫孫永寶用
6845	弔__父乍師姬匜	弔__父乍睘自姬寶它
6845	弔__父乍師姬匜	其萬年子子孫永寶用
6846	白正父旅它	其萬年子子孫孫永寶用
6849	昶白匜	昶白vh乍寶匜
6849	昶白匜	其萬年子子孫孫永寶用亯
6850	弔高父匜一	其萬年子子孫永寶用
6851	弔高父匜二	其萬年子子孫孫永寶用
6852	__邑戕白匜	隹__邑戕白自乍寶匜
6852	__邑戕白匜	子子孫孫永寶用之
6853	取膚__商它	用賸之麗妃子孫永寶用
6854	辭馬南弔匜	子子孫孫永寶用亯
6855	貯子匜	貫子己父乍寶匜
6856	番仲縈匜	唯番中up自乍寶它
6856	番仲縈匜	其萬年子子孫永寶用亯
6857	蔡白箭匜	隹白箭乍寶匜
6858	樊君首匜	子子孫孫其永寶用亯
6859	白者君匜一	隹番hJ白者尹自乍寶它
6859	白者君匜一	其萬年子孫永寶用享LG
6861	曩甫人匜	曩甫人余余王__叡孫茲乍寶匜
6861	曩甫人匜	子子孫孫永寶用
6862	薛侯乍弔妊朕匜	子子孫永寶用
6863	白君黃生匜	其萬年子子孫孫永寶用
6864	番__匜	唯番hhvl用士(吉)金乍自寶匜
6864	番__匜	其萬年子子孫永寶用亯
6866	齊侯乍虢孟姬匜	齊侯乍虢孟姬良女寶它
6866	齊侯乍虢孟姬匜	子子孫孫永寶用
6867	弔男父乍為霍姬匜	其子子孫孫其萬年永寶用[井]
6868	大師子大孟姜匜	子子孫孫用為元寶
6869	浮公之孫公父宅匜	其萬年子子孫永寶用之
6870	寬公孫指父匜	子子孫孫永寶用之
6874	鄭大內史弔上匜	子子孫孫永寶用之
6897	永盂	永乍寶尊彝[oc]
6899	__乍康公盂	__乍康公寶尊彝
6900	乍父丁盂	其萬年永寶用享宗彝
6901	白盂	白乍寶尊盂
6901	白盂	其萬年孫孫子子永寶用亯
6902	白公父旅盂	其萬年子子孫孫永寶用
6903	魯大嗣徒元飲盂	萬年眉壽永寶用
6904	善夫吉父盂	其萬年子子孫孫永寶用
6905	要君餘盂	子子孫孫寶是尚
6907	齊侯乍朕子仲姜盂	齊侯乍朕子中姜寶盂
6909	遫盂	其永寶用
6910	師永盂	孫孫子子永其率寶用

寶

6912	微瘐盆一	敚瘐乍寶
6913	微瘐盆二	敚瘐乍寶
6916	樊君夔盆	樊君C5用其吉金自乍寶盆
6917	郻子行飤盆	永寶用之
6919	子弔嬴内君寶器	子弔嬴内君乍寶器
6921	鄧子仲盆	子子孫孫永寶用之
6923	庚午盨	子子孫孫永寶用之
6925	晉邦盨	永康寶
6926	杞白每亡盨	杞白每亡乍鼄婞（曹）寶盨
6926	杞白每亡盨	其子子孫孫永寶用
6966	永寶用編鐘	永寶用
6970	紀侯鐘	己侯虓乍寶鐘
6980	内公鐘	子孫永寶用
6981	中義鐘一	其萬年永寶
6982	中義鐘二	其萬年永寶
6983	中義鐘三	其萬年永寶
6984	中義鐘四	其萬年永寶
6985	中義鐘五	其萬年永寶
6986	中義鐘六	其萬年永寶
6987	中義鐘七	其萬年永寶
6988	中義鐘八	其萬年永寶
6989	_鐘	其萬年子子孫孫永寶
6991	眉壽鐘一	龕吏朕辟皇王釁壽永寶
6992	眉壽鐘二	龕吏朕辟皇王釁壽永寶
6994	楚公豪鐘一	孫孫子子其永寶
6995	楚公豪鐘二	楚公豪自乍寶大薔鐘
6995	楚公豪鐘二	孫子其永寶
6996	楚公豪鐘三	楚公豪自乍寶大薔鐘
6996	楚公豪鐘三	孫孫子子其永寶
6997	楚公豪鐘四	楚公自乍寶大薔鐘
6997	楚公豪鐘四	孫孫子子其永寶
6998	楚公豪鐘五	孫孫子子其永寶
6999	昆疕王鐘	其萬年子孫永寶
7007	梁其鐘	龕臣皇王釁壽永寶
7009	兮仲鐘一	子孫永寶用亯
7010	兮仲鐘二	子孫永寶用亯
7012	兮仲鐘四	子子孫孫永寶用亯
7013	兮仲鐘五	子子孫孫永寶用亯
7015	兮仲鐘七	子子孫孫永寶用亯
7021	虘鐘一	虘乍寶鐘
7021	虘鐘一	虘眔蔡姬永寶
7022	虘鐘二	虘乍寶鐘
7022	虘鐘二	虘眔蔡姬永寶
7023	虘鐘三	虘乍寶鐘
7023	虘鐘三	虘眔蔡姬永寶
7026	粊弔鐘	子子孫孫永寶用亯
7037	遲父鐘	子子孫孫亡彊寶
7039	應侯見工鐘二	子子孫孫永寶用
7043	克鐘四	用乍朕皇且考白寶薔鐘
7043	克鐘四	克其萬年子子孫孫永寶

7044	克鐘五	用乍朕皇且考白寶龢鐘
7044	克鐘五	克其萬年子子孫孫永寶
7049	井人鐘三	妄其萬年子子孫孫永寶用享
7050	井人鐘四	妄其萬年子子孫孫永寶用享
7059	師臾鐘	師臾其萬年永寶用享
7062	柞鐘	其子子孫孫永寶
7063	柞鐘二	其子子孫孫永寶
7064	柞鐘三	其子子孫孫永寶
7065	柞鐘四	其子子孫孫永寶
7068	柞鐘七	其子子孫孫永寶
7083	鮮鐘	孫子永寶
7088	士父鐘一	□□□□□乍朕皇考弔氏寶龢鐘
7088	士父鐘一	子子孫孫永寶
7089	士父鐘二	□□□□□乍朕皇考弔氏寶龢鐘
7089	士父鐘二	子子孫孫永寶
7090	士父鐘三	□□□□□乍朕皇考弔氏寶龢鐘
7090	士父鐘三	子子孫孫永寶
7091	士父鐘四	□□□□□乍朕皇考弔氏寶龢鐘
7091	士父鐘四	子子孫孫永寶
7136	邵鐘一	永以為寶
7137	邵鐘二	永以為寶
7138	邵鐘三	永以為寶
7139	邵鐘四	永以為寶
7140	邵鐘五	永以為寶
7141	邵鐘六	永以為寶
7142	邵鐘七	永以為寶
7143	邵鐘八	永以為寶
7144	邵鐘九	永以為寶
7145	邵鐘十	永以為寶
7146	邵鐘十一	永以為寶
7147	邵鐘十二	永以為寶
7148	邵鐘十三	永以為寶
7149	邵鐘十四	永以為寶
7150	虢叔旅鐘一	旅其萬年子子孫孫永寶用享
7151	虢叔旅鐘二	旅其萬年子子孫孫永寶用享
7152	虢叔旅鐘三	旅其萬年子子孫孫永寶用享
7153	虢叔旅鐘四	旅其萬年子子孫孫永寶用享
7156	虢叔旅鐘七	旅其萬年子子孫孫永寶用享
7158	瘋鐘一	敢乍文人大寶協龢鐘
7158	瘋鐘一	瘋其萬年永寶
7159	瘋鐘二	永余寶
7160	瘋鐘三	敢乍文人大寶協龢鐘
7160	瘋鐘三	瘋其萬年永寶日鼓
7161	瘋鐘四	敢乍文人大寶協龢鐘
7161	瘋鐘四	瘋其萬年永寶日鼓
7162	瘋鐘五	敢乍文人大寶協龢鐘
7162	瘋鐘五	瘋其萬年永寶日鼓
7168	瘋鐘十一	永余寶
7174	秦公鐘	匍有四方、其康寶
7176	㝬鐘	王對乍宗周寶鐘

寶

7178	秦公及王姬編鐘二	匍有四方、其康寶
7187	叔夷編鐘六	尸用乍鑄其寶鐘
7202	楚公逆鎛	孫子其永寶
7204	克鎛	用乍朕皇且考白寶𪔛鐘
7204	克鎛	克其萬年子孫永寶
7209	秦公及王姬鎛	匍有四方、其康寶
7210	秦公及王姬鎛二	匍有四方、其康寶
7211	秦公及王姬鎛三	匍有四方、其康寶
7212	秦公鎛	永寶宜
7213	𥃝鎛	𨇨中之子𥃝乍子中姜寶鎛
7214	叔夷鎛	用乍鑄其寶鎛
7220	喬君鉦	乍無者俞寶sq___
7220	喬君鉦	子子孫孫永寶用之
7223	迺𡨴鐸	迺𡨴乍寶鐸
7223	迺𡨴鐸	其萬年永寶用
7403	邵君戈	艾君鳳寶有
7914	矢車鑾	口乍矢寶
7929	散瘨鍑	散瘨乍寶
7930	𧝓用乍寶缶一	鄭帚大𧝓用乍寶缶
7930	𧝓用乍寶缶一	其萬年子子孫永寶用享
7931	𧝓□乍寶缶二	大𧝓用乍寶缶
7931	𧝓□乍寶缶二	其萬年子子孫永寶用享
7988	𩐫乍寶器	𩐫乍寶器
7990	季老□	子子孫孫其萬年永寶用
7996	陶範二	央乍父乙寶尊彝
M126	圉卣	用乍寶尊彝
M148	矢王壺	矢王乍寶彝
M151	北子宋盤	北子宋乍文父乙寶尊彝
M158	曆季尊	匽侯弟曆季乍寶彝
M171	小臣靜卣	用乍父□寶尊彝
M177.	𢦏殷	子子孫孫其萬年永寶用[co]
M191	繁卣	用乍文考辛公寶尊彝
M191	繁卣	其萬年寶、或
M252	免簠	免其萬年永寶用
M282	師𩛥尊	用乍𠂤文考寶彝
M282	師𩛥尊	孫孫子子寶
M299	白大師釐盨	其萬年永寶用
M340	魯伯悆盨	永寶用亯
M341	魯中齊鼎	子子孫孫永寶用亯
M342	魯中齊甗	子子孫孫永寶用
M343	魯司徒中齊盨	子子孫孫永寶用亯
M344	魯司徒中齊盤	其萬年永寶用亯
M345	魯司徒中齊匜	魯司徒中齊肈乍皇考白走父寶匜
M345	魯司徒中齊匜	子子孫孫永寶用亯
M349	己侯壺	永寶用
M361	井伯南殷	其萬年子子孫孫永寶
M379	夆伯鬲	其萬年子子孫孫永寶用□
M423.	趞鼎	用乍朕皇考𡘇白、奠姬寶鼎
M423.	趞鼎	子子孫孫永寶
M457	鄭虢仲悆鼎	鄭虢中悆肈用乍皇且文考寶鼎

M457	鄭虢仲悆鼎	子子孫孫永寶用
M466	鄦男鼎	子子孫孫永寶用
M478	大宰巳毁	井姜大宰巳鑄其寶毁
M478	大宰巳毁	子子孫孫永寶用亯
M487	魯司徒伯吳毁	萬年永寶用
M508	虞侯政壺	虞侯政乍寶壺
M508	虞侯政壺	其萬年子子孫孫永寶用
M602	蔡𦗷匜	子子孫孫永寶用之、匜
M616	番休伯者君盤	盤永寶用之
M617	番白享匜	子孫永寶用
M695	曾伯宮父鬲	自乍寶尊鬲
M816	魯大左司徒元鼎	其萬年饗壽永寶用之
		小計：共 2610 筆

宧 1201

0989	仲宧父鼎	中宧父乍寶鼎
7182	叔夷編鐘一	夙夜宧執而政事
7214	叔夷鎛	夙夜宧執而政事
7547	廿六年蜀守武戈	武、廿六年蜀守武造東工𨚗宧丞耒工篼
		小計：共 4 筆

宰 1202

0678	宰德㝯寶父丁鼎	宰德㝯父丁
0747	梁上官鼎	宜諹(信)tb宰㾝參分
1111	□魯宰鼎	□魯宰鑄𠂤其□媵寶鼎
1253	平安君鼎	單父上官宰喜所受坪安君者也
1273	師湯父鼎	王呼宰雁易□弓
1309	寰鼎	宰頵右寰入門
1319	頌鼎一	宰引右頌入門、立中廷
1320	頌鼎二	宰引右頌入門、立中廷
1321	頌鼎三	宰引右頌入門、立中廷
1486	宰駟父鬲	魯宰駟父乍姬𨝹媵鬲
2168	宰乍父辛毁	宰乍父辛寶彝
2505.	井姜大宰毁	井姜大宰己鑄其寶毁
2534	魯大宰邍父毁一	魯大宰原父乍季姬牙媵毁
2534.	魯大宰邍父毁二	魯大宰原父乍季姬牙媵毁
2599	宰甶毁	光宰甶貝五朋
2704	穆公毁	王乎宰□易穆公貝廿朋
2767	虘毁一	王乎宰曶易大師虘虎裘
2775.	害毁一	宰屖父右害立
2775.	害毁一	王冊命宰曰
2775.	害毁二	宰屖父右害立
2775.	害毁二	王冊命宰曰
2787	望毁	宰倗父右朢入門
2787	望毁	宰倗父右朢
2838	師嫠毁一	宰琱生内、右師嫠

寶 宧 宰

2838	師嫠毀一	宰琱生内、右師嫠
2839	師嫠毀二	宰琱生内、右師嫠
2839	師嫠毀二	宰琱生内、右師嫠
2844	頌毀一	宰引右頌入門立中廷
2845	頌毀二	宰引右頌入門立中廷
2845	頌毀二	宰引右頌入門立中廷
2846	頌毀三	宰引右頌入門立中廷
2847	頌毀四	宰引右頌入門立中廷
2848	頌毀五	宰引右頌入門立中廷
2849	頌毀六	宰引右頌入門立中廷
2850	頌毀七	宰引右頌入門立中廷
2851	頌毀八	宰引右頌入門立中廷
2854	𧻚毀	宰曶入、右𧻚立中廷
2854	𧻚毀	昔先王既令女乍宰、嗣王家
2980	鼄大宰𩡮匿一	鼄大宰欉子𡭊鑄其𩡮匿
2981	鼄大宰𩡮匿二	鼄大宰欉子𡭊鑄其𩡮匿
3121.	大宰歸父𨯛	齊大宰歸父vf為忌盧盤
4242	㢊冊宰桅乍父丁角	王各、宰桅从
4977	師遽方彝	王乎宰利易師遽琿圭一、環章四
4978	吳方彝	宰朏右乍冊吳入門
5777	孫弔師父行具	邛立宰孫弔師父乍行具
5799	頌壺一	宰引右頌入門立中廷
5800	頌壺二	宰引右頌入門立中廷
6768	齊大宰歸父盤一	齊大宰歸父vf為忌顆盤
6769	齊大宰歸父盤二	齊大宰歸父vf為忌顆盤
6789	寰盤	宰頵右寰入門
6793	矢人盤	宰In父
7019	邾太宰鐘	鼄大宰欉子𧺼自乍其御鐘
7213	𩛥鎛	大使、大It、大宰
M423.	趞鼎	宰訊趞入門立中廷北向
M478	大宰巳毀	井姜大宰巳鑄其寶毀
M798	廿八年平安君鼎	六益料釿之冢（器一）卅三年單父上官宰喜所受
M799	卅二年平安君鼎	卅三年單父上官宰喜所受平安君石它（器二）
		小計：共　57 筆

守　1203

0119	守𩂣鼎	[守𩂣]
0154	守鼎	[守]
0432	守父癸鼎	[守]父癸
1301	大鼎一	大目𡳿友守
1302	大鼎二	大目𡳿友守
1303	大鼎三	大目𡳿友守
1311	師晨鼎	隹小臣善夫、守口、官犬、眔奠人、善夫、官
1378	雯人守鬲	雯人守乍寶
1590.	守豕父乙甗	[守豕]父乙
1707	守毀	[守]
1822	守婦毀	守婦
2707	小臣守毀一	王吏小臣守吏于集

2707	小臣守𣪕一	守敢對揚天子休令
2708	小臣守𣪕二	王吏小臣守吏于集
2708	小臣守𣪕二	守敢對揚天子休令
2709	小臣守𣪕三	王吏小臣守吏于集
2709	小臣守𣪕三	守敢對揚天子休令
3128.	守戈爵	[守戈]
3364	守爵	[守]
3508.	守乙爵	[守]乙
3535	子守爵	子[守]
3688	守戈爵	[守戈]
4084	𣪘冊父己爵	[冊]丁[𣪘][守冊]父己
4534	亞守尊	[亞守]
4841	守宮乍父辛雞形尊	守宮揚王休
4923	守宮乍父辛觥	守宮乍父辛尊彝其永寶
5300	守宮乍父辛卣	守宮乍父辛
5444	守宮卣	守宮乍父辛尊彝
5617	心守壺	[心守]
5915	守觚一	[守]
6121	亞守矣觚	[亞守矣]
6176	亞木守觚	[亞木守]
6381	守婦觶一	[守婦]
6382	守婦觶二	[守婦]
6436	守豕父乙觶	[守豕]父乙
6785	守宮盤	周師光守宮事
6785	守宮盤	易守宮絲束、蘆幕五、蘆㝃二
6785	守宮盤	守宮對揚周師釐
7331	守易戈	守易
7517	六年上郡守戈	王六年上郡守疾之造戟禮、□□
7521	廿二年臨汾守戈	廿二年臨汾守曋庫系工歆造
7530	三年上郡守戈	三年上郡守□造
7535	三年汪陶令戈	三年汪陶令富守
7547	廿六年蜀守武戈	武、廿六年蜀守武造東工𨜷宦丞耒工𡧖
7729	守相杜波劍	守相杜波邦右庫徙
7730	十五年守相杜波劍一	十五年守相杜波
7742	十三年劍	十三年右守相□□□□□
M897	六年安平守劍	六年安平守畋疾
補2	守觚一	[守]
補2	守觚二	[守]
補5	亞守鼎	[亞守]
		小計：共 51 筆

寵 1204

1056	曾白從寵鼎	曾白從寵自乍寶鼎用
7122	梁其鐘一	用天子寵、蔑汈其
7123	梁其鐘二	用天子寵、蔑汈其
7150	虢叔旅鐘一	寵御于天子
7151	虢叔旅鐘二	寵御于天子
7152	虢叔旅鐘三	寵御于天子

7153	虢叔旅鐘四	寵御于天子
7155	虢叔旅鐘六	寵御于天子
		小計：共 8 筆

寵
宥
宜

宥 1205

0908	宥乍父辛鼎	宥乍父辛尊彝[亞俞]
2796	諫毁	先王既命女䋣嗣王宥
2796	諫毁	先王既命女䋣嗣王宥
7515	二年右貫府戈	右貫府受御＿宥厶
		小計：共 4 筆

宜 1206

0747	梁上官鼎	宜訫(信)tb宰曆參分
0838	亞吴鼎	[亞吴]宮晉於𣶒(獻?)侯宜
1036	史宜父鼎	史宜父乍尊鼎
1192	亞□伐＿乍父乙鼎	丁卯、王令宜子迨西方
1331	中山王嚳鼎	臣宗之宜
1331	中山王嚳鼎	以征不宜(義)之邦
1331	中山王嚳鼎	智(知)為人臣之宜施(也)
1661	乍冊般甗	王宜人方
2711.	乍冊般毁	王宜人方無敎
2777	天亡毁	丁丑、王鄉大宜、王降
2814	鳥冊夨令毁一	乍冊夨令尊宜(俎?)于王姜
2815	鳥冊夨令毁二	乍冊夨令尊宜(俎?)于王姜
2828	宜侯夨毁	王立于宜、入土(社)南鄉
2828	宜侯夨毁	繇、侯于宜
2828	宜侯夨毁	易才宜王人□又七生
2828	宜侯夨毁	易宜庶人六百又□六夫
2828	宜侯夨毁	宜侯夨揚王休
2833	秦公毁	宜
5450	天黿盥乍父辛卣	宜之商盥
5485	貉子卣一	王牢于pj、hG宜
5486	貉子卣二	王牢于pj、咸宜
5492	亞獏四祀卲其卣	尊文武帝乙宜
5803	胤嗣好蚉壺	子之大Lf不宜
5805	中山王嚳方壺	不顧(顧)大宜
5805	中山王嚳方壺	不用禮宜
5805	中山王嚳方壺	隹宜可長
6908	郐宜同歆盂	郐王季糧之孫宜桐乍鑄歆盂
7212	秦公鎛	永寶宜
7349	吾宜戈	吾宜
7545	秦子戈	秦子乍造公族元用左右市御用逸宜＿
7591	宜乘之棗戟	宜此之棗戟
		小計：共 31 筆

宵 1207

2024	宵乍旅彝毁	宵乍旅彝(器、蓋)
		小計：共 2 筆

宿 1208

2722	䆛弔乍豐姞旅毁	豐姞憝用宿夜亯孝于𢼏公
4800	宿父乍父癸尊	宿父乍父癸寶尊彝
1125.1	郳季宿車鼎	郳季宿車自乍行鼎子子孫孫永寶萬年無彊用
6746.1	郳季宿車盤	郳季宿車自乍行盤子子孫孫永寶用之
6849.1	郳季宿車匜	郳季宿車自乍行匜子子孫孫永寶用之
6919.1	郳季宿車盆	郳季宿車自乍行盆子子孫孫永寶用之
		小計：共 2 筆

寑 1209

0961	乙未鼎	乙未王賫(賞貝合文)婀母申才寑(寑)
1210	寑__鼎	庚午王命寑(寑)__省北田四品
1503	御鬲	[亞]庚寅、御寅囗、才寑
2525	寑敄毁	賞寑(寑)敄囗貝二朋
3601	寢幺爵	[寑幺]
4202.1	____爵	乙未王賫(賞貝合文)婀母申才寑(寑)
4669	荷戈形父癸尊一	[__]父癸[寑]
4670	荷戈形父癸尊二	[__]父癸[寑]
4892	麥尊	之日、王目侯內于寑
4977	師遽方彝	王才周康寑(寑)、鄉醴
5320	亞室父乙卣	[亞室寑(寑)__父乙]
5457	小臣系乍且乙卣一	易才寑
5458	小臣系乍且乙卣二	易才寑
6678	寑止盤	[寑止]
6891	寑小室盂	寑(寑)小室盂
7390	易自寢戈	易自寑戈
7465	曾侯乙寢戈	曾侯乙之寑戈
		小計：共 18 筆

寠 1209

2801	五年召白虎毁	余獻寠氏目壺
2801	五年召白虎毁	報寠氏帛束、璜
		小計：共 2 筆

寍 1210

0810	臣寍乍父癸鼎	[臣]寍乍父癸彝
0966	匸寍乃孫乍且己鼎	乃孫乍且己宗寶𦋅𤔲
5491	亞𩰫二祀卲其卣	qp寍貝五朋

7022	虘鐘一	用濼(樂)好丏
7023	虘鐘二	用濼(樂)好丏
7024	虘鐘三	用濼(樂)好丏
7027	邾公釛鐘	用樂我嘉丏及我正卿

小計：共 7 筆

寡 1211

1331	中山王嚳鼎	寡人聞之
1331	中山王嚳鼎	寡人幼童未甬(通)智
1331	中山王嚳鼎	以左右寡人
1331	中山王嚳鼎	以諱道寡人
1331	中山王嚳鼎	寡人聞之
1331	中山王嚳鼎	氏(是)以寡人�(委)賃(任)之邦
1331	中山王嚳鼎	寡人庸其悳(德)
1331	中山王嚳鼎	寡懼其忽然不可得
1331	中山王嚳鼎	氏(是)以寡許之謀慮虐(皆)從
1332	毛公鼎	鰥寰迺敄鰥寡
2791.	史密毀	乃執啚寡亞
5468	子寡子卣	烏虖、誺帝家以寡子作永寶
5468	子寡子卣	烏虖、誺帝家以寡子乍永寶
5510	乍冊嗌卣	弋勿__嗌鰥寡
5784	妹氏壺	多寡不訐
5805	中山王嚳方壺	寡人非之

小計：共 16 筆

客 1212

0492	客鑄盟鼎一	客鑄盟
0493	客鑄盟鼎二	客鑄盟
0494	客鑄盟鼎三	客鑄盟
0495	客鑄盟鼎四	客鑄盟
0731	鑄客鼎	鑄客為集脰、集脰
0871	鑄客為集醋鼎	鑄客為集糌為之
0872	鑄客為集醋鼎	鑄客為集醋為之
0873	鑄客為集脰鼎一	鑄客為集脰為之
0874	鑄客為集脰鼎二	鑄客為集脰為之
0945	鑄客為大后脰官鼎	鑄客為大句(后)脰官為之
0946	鑄客為王后七府鼎	鑄客為王句(后)七廎為之
1004	鑄客鼎	鑄客為集膴、伸膴、睘豚膴為之
1169	平安邦鼎	廿八年坪安邦台客胾{ 四分 }齋
1194	郐王㮛鼎	雝賓客
1225	膂大史申鼎	台御賓客
1253	平安君鼎	坪安邦司客
1290	利鼎	王客于般宮
2577	峕客毀	峕客乍朕文考日辛寶尊毀
2577	峕客毀	客其萬年子子孫孫永寶用
2645	周客毀	克奚師眉廌王為周客

2736	師遽毁	王才周、客新宮
2738	衛毁	王客于康宮
2880	鑄客匿一	鑄客為王后六室為之
2881	鑄客匿二	鑄客為王后六室為之
2882	鑄客匿三	鑄客為王后六室為之
2883	鑄客匿四	鑄客為王后六室為之
2884	鑄客匿五	鑄客為王后六室為之
2885	鑄客匿六	鑄客為王后六室為之
2886	鑄客匿七	鑄客為王后六室為之、八
3105	鑄客豆一	鑄客為王后六室為之
3106	鑄客豆二	鑄客為王后六室為之
3107	鑄客豆三	鑄客為王后六室為之
3108	鑄客豆四	鑄客為王后六室為之
3121.	鑄客鑪	鑄客為集豆__為之
4892	麥尊	王客葊京酌祀
5571	鑄客罍一	鑄客為王后六室為之
5572	鑄客罍二	鑄客為王后六室為之
5700	__壺	__客、之官__、辛、五官
5737	左__壺	四升__客四受十五__
5773	陳喜壺	JG客敢為尊壺九
5783	曾白陭壺	用鄉賓客
6707	鑄客為集脰盤	鑄客為集脰為之
6757	干氏弔子盤	干氏弔子乍中姬客母賸般
6814	鑄客為御睯匜	鑄客為御睯(室)為之
6884	鑄客鑑	鑄客為王句(后)六室為之
7217	姑馮勾鑃	台樂賓客
7867.	龍__	□客臧(臧)嘉聞王於栽(歲)之歲
7933	大府鎬	秦客王子齊之歲
7947	鑄客銅器一	鑄客為集脰為之
7948	鑄客銅器二	鑄客為王后六室為之
7949	鑄客銅器三	鑄客為王后六室為之
M545	配兒勾鑃	目宴賓客
M553	越王者旨於賜鐘	□而賓客
M798	廿八年平安君鼎	廿八年平安邦鑄客載四分齍
M798	廿八年平安君鼎	廿八年平安邦鑄客載四分齍
M799	卅二年平安君鼎	平安邦鑄客麿四分齍(蓋一)
M799	卅二年平安君鼎	卅二年平安邦鑄客麿四分齍

小計：共 57 筆

寓 1213

1139	寓鼎	戊寅、王蔑寓曆事纂大人
1139	寓鼎	易乍冊寓□__寓拜稽首、對王休
2377	晉人吏寓乍寶毁	晉人吏寓乍寶毁
5461	寓乍幽尹卣	寓對揚王休
7008	通彔鐘	用寓光我家受
7159	瘐鐘二	用寓光瘐身
7164	瘐鐘七	武王則令周公舍寓以五十頌處
7168	瘐鐘十一	用寓光瘐身

小計：共 8 筆

寒害索

寒 1214

1129	寒姒好鼎	口事小子＿乍寒姒（始）好尊鼎
1279	中方鼎	王才寒餗
1327	克鼎	易女田于寒山

小計：共 3 筆

害 1215

1332	毛公鼎	邦𨟻（將）害吉
2433	害弔乍尊段一	害弔乍尊段
2434	害弔乍尊段二	害弔乍尊段
2656	師害段一	麇生智父師害uL中舀
2656	師害段一	師害乍文考尊段
2657	師害段二	麇生智父師害uL中舀
2657	師害段二	師害乍文考尊段
2683	白家父段	用易害（丐）釁壽黃耇
2775.	害段一	宰犀父右害立
2775.	害段一	＿＿害諳首
2775.	害段二	宰犀父右害立
2775.	害段二	＿＿害諳首
2812	大段一	賓睽訊（害、介）章、帛束
2813	大段二	賓睽訊（害、介）章、帛束
3088	師克旅盨一（蓋）	千害王身、乍爪牙。王曰
3089	師克旅盨二	千害王身、乍爪牙。王曰
4887	蔡侯𩔰尊	悤害訢𥛚（暢）
6786	＿弔多父盤	用易屯祿、受害福
6788	蔡侯𩔰盤	悤害訢𥛚暢
6792	史墻盤	害（㝬）犀文考乙公遽𩁹
7352	＿害戈	Gp害

小計：共 21 筆

索 1216

4238	索諆角（爵）	索諆乍有羔日辛𩰫彝

小計：共 1 筆

1217

0905	解子乍氒宄團宮鼎	解子乍氒宄團鼎
1017	剌䵼鼎	其用盟䵼宄媯日辛
1307	師望鼎	不顯皇考宄公
1307	師望鼎	用乍朕皇考宄公尊鼎
1330	曶鼎	昏（曶）用絲（茲）金乍朕文孝穿（宄）白䵼牛鼎
1526	琱生乍宄仲尊鬲	琱生乍文考宄中尊鬲
2261	義白乍宄婦陸姞𣪕	義白乍宄婦陸姞
2551	弔角父乍宕公𣪕一	弔角父乍朕皇孝宄公尊𣪕
2552	弔角父乍宕公𣪕二	弔角父乍朕皇考宄公尊𣪕
2613	白椃乍宄寶𣪕	白椃乍氒宄室寶𣪕
2803	師酉𣪕一	用乍朕文考乙白宄姬尊𣪕
2804	師酉𣪕二	用乍朕文考乙白宄姬尊𣪕
2804	師酉𣪕二	用乍朕考乙白宄姬尊𣪕
2805	師酉𣪕三	用乍朕文考乙白宄姬尊𣪕
2806	師酉𣪕四	用乍朕文考乙白宄姬尊𣪕
2806.	師酉𣪕五	用乍朕文考乙白宄姬尊𣪕
4975	麥方彝	鬲（嗝）于麥宄、易金
5391	鬩乍宄白卣	鬩乍宄白寶尊彝
5793	幾父壺一	同中宄西宮易幾父Gw桒六
5794	幾父壺二	同中宄西宮易幾父Gw桒六
6791	兮甲盤	毋敢或入蠻宄賈、則亦井
7059	師臾鐘	師臾肇乍朕剌且虢季宄公幽弔

小計：共 22 筆

1218

1316	𢦚方鼎	安永宕乃子𢦚心
2801	五年召白虎𣪕	公宕（宕）其三、女則宕（宕）其二
2801	五年召白虎𣪕	公宕（宕）其二、女則宕（宕）其一
2836	𢦚𣪕	休宕氒心
2852	不𡢁𣪕一	女以我車宕伐厰允于高陵
2853	不𡢁𣪕二	女以我車宕伐厰允于高陶
3090	𨟻盨（器）	迺䜌宕

小計：共 7 筆

1219

0827	宋公䜌鼎	宋公䜌之餧貞（鼎）
1118	宋莊公之孫趨亥鼎	宋莊公之孫趨亥自乍會鼎
1443	宋䜌父乍寶子媵鬲	宋䜌父乍豐子媵鬲
4851	黃尊	黃肇乍文考宋白旅尊彝
J2587	衛宋𨟻尊	（拓本未見）
6910	師永盂	氒逹vx氒彊宋句
6972	宋公鐘	宋公戌之訶鐘
7195	宋公戌鎛一	宋公戌之訶鐘
7196	宋公戌鎛二	宋公戌之訶鐘

宋宗

7197	宋公戌鎛三	宋公戌之訶鐘
7198	宋公戌鎛四	宋公戌之訶鐘
7199	宋公戌鎛五	宋公戌之訶鐘
7200	宋公戌鎛六	宋公戌之訶鐘
7455	宋公䜌之造戈	宋公䜌之造戈
7456	宋公得之造戈	宋公得之造戈
7513	宋公差戈	宋公差之所造不陽族戈
7514	宋公差戈	宋公差之所造柳族戈
7544	八年亲城大令戈	八年亲城大命韓定工帀宋費冶褚
M151	北子宋盤	北子宋乍文父乙寶尊彝
M790	宋公差戈	宋公差之徒造戈
M792	宋公䜌簠	有殷天乙唐孫宋公䜌

小計：共　21 筆

宗　1220

0708	弔乍懿宗䵼方鼎	弔乍懿宗䵼
0913	大保乍宗室鼎	大保乍宗室寶尊彝
0927	若媢乍文嬰宗鼎	若媢乍文嬰宗尊彝
0954	白__乍㐭宗方鼎	白m0乍㐭宗寶尊彝v8
0966	匚方乃孫乍且己鼎	乃孫乍且己宗寶𪓐𪓐[匚方]
1104	辛中姬皇母鼎	其子子孫孫用享孝于宗老
1117	豊乍父丁鼎	乙未、王商宗庚豊貝二朋
1135	獻侯乍丁侯鼎	唯成王大桒、才宗周
1136	獻侯乍丁侯鼎二	唯成王大桒、才宗周
1137	匽侯旨鼎一	匽侯旨初見事于宗周
1178	宗婦鄁嬰鼎一	王子剌公之宗婦鄁嬰為宗彝𪓐彝
1179	宗婦鄁嬰鼎二	王子剌公之宗婦鄁嬰為宗彝𪓐彝
1180	宗婦鄁嬰鼎三	王子剌公之宗婦鄁嬰為宗彝𪓐彝
1181	宗婦鄁嬰鼎四	王子剌公之宗婦鄁嬰為宗彝𪓐彝
1182	宗婦鄁嬰鼎五	王子剌公之宗婦鄁嬰為宗彝𪓐彝
1183	宗婦鄁嬰鼎六	王子剌公之宗婦鄁嬰為宗彝𪓐彝
1185	𩵦白乍井姬鼎一	井姬婦亦佩祖考弔公宗室
1186	𩵦白乍井姬鼎二	井姬婦亦佩祖考弔公宗室
1191	堇乍大子癸鼎	匽侯令堇飴大保于宗周
1228	𣪕𣪕方鼎	才宗周
1230	師器父鼎	用亯孝于宗室
1265	䜌弔鼎	多宗永令
1281	史頌鼎一	王才宗周
1282	史頌鼎二	王才宗周
1283	微䜌鼎	王才宗周
1284	尹姞鼎	穆公乍尹姞宗室于py林
1284	尹姞鼎	各于尹姞宗室py林
1291	善夫克鼎一	王才宗周
1291	善夫克鼎一	克乍朕皇且釐季寶宗彝
1292	善夫克鼎二	王才宗周
1292	善夫克鼎二	克乍朕皇且釐季寶宗彝
1293	善夫克鼎三	王才宗周
1293	善夫克鼎三	克乍朕皇且釐季寶宗彝

1294	善夫克鼎四	王才宗周
1294	善夫克鼎四	克乍朕皇且釐季寶宗彝
1295	善夫克鼎五	王才宗周
1295	善夫克鼎五	克乍朕皇且釐季寶宗彝
1296	善夫克鼎六	王才宗周
1296	善夫克鼎六	克乍朕皇且釐季寶宗彝
1297	善夫克鼎七	王才宗周
1297	善夫克鼎七	克乍朕皇且釐季寶宗彝
1315	善鼎	王才宗周
1315	善鼎	用乍宗室寶尊
1315	善鼎	余其用各我宗子雩百生
1323	師𩛥鼎	乍公上父尊于朕考虢季易父wu宗
1327	克鼎	王才宗周
1328	盂鼎	隹九月、王才宗周、令盂
1331	中山王譽鼎	長為人宗
1331	中山王譽鼎	臣宗之宜
1533	尹姞寶鬲一	穆公乍尹姞宗室于繇林
1533	尹姞寶鬲一	各于尹姞宗室繇林
1534	尹姞寶鬲二	穆公乍尹姞宗室于繇林
1534	尹姞寶鬲二	各于尹姞宗室繇林
2289	弜__乍父癸宗段	q2乍父癸宗尊彝[弜]
2451	過白段	用乍宗室寶尊彝
2535	仲殷父段一	用朝夕亯孝宗室
2536	仲殷父段二	用朝夕亯孝宗室
2537	仲殷父段三	用朝夕亯孝宗室
2537	仲殷父段四	用朝夕亯孝宗室
2538	仲殷父段五	用朝夕亯孝宗室
2539	仲殷父段六	用朝夕亯孝宗室
2540	仲殷父段六	用朝夕亯孝宗室
2541	仲殷父段七	用朝夕亯孝宗室
2541.	仲段父段七	用朝夕亯孝宗室
2541.	仲段父段八	用朝夕亯孝宗室
2568	__玗乍父辛段	隹八月甲申、公中才宗周
2576	白倔□寶段	用夙夜亯于宗室
2614	宗婦鄀嬰段一	王子剌公之宗婦鄀嬰為宗彝[illegible]彝
2615	宗婦鄀嬰段二	王子剌公之宗婦鄀嬰為宗彝[illegible]彝
2616	宗婦鄀嬰段三	王子剌公之宗婦鄀嬰為宗彝[illegible]彝
2617	宗婦鄀嬰段四	王子剌公之宗婦鄀嬰為宗彝[illegible]彝
2618	宗婦鄀嬰段五	王子剌公之宗婦鄀嬰為宗彝[illegible]彝
2619	宗婦鄀嬰段六	王子剌公之宗婦鄀嬰為宗彝[illegible]彝
2620	宗婦鄀嬰段七	王子剌公之宗婦鄀嬰為宗彝[illegible]彝
2632	陳逆段	乍為皇且大宗段
2648	仲叡父段一	其萬年子子孫孫永寶用亯于宗室
2640	仲叡父段二	其萬年子子孫孫永寶用亯于宗室
2650	仲叡父段三	其萬年子子孫孫永寶用亯于宗室
2652	__段	用孝于宗室
2674	弔妣段	夙夜亯于宗室
2693	𧊒段	公易𧊒宗彝一肆(肆)
2724	甞白厭段	至、寮于宗周
2752	史頌段一	王才宗周

宗

宗

2753	史頌段二	王才宗周
2754	史頌段三	王才宗周
2755	史頌段四	王才宗周
2756	史頌段五	王才宗周
2757	史頌段六	王才宗周
2758	史頌段七	王才宗周
2759	史頌段八	王才宗周
2759	史頌段九	王才宗周
2783	趩段	唯二月、王才宗周、戊寅
2789	同段一	王才宗周
2790	同段二	王才宗周
2791	豆閉段	永寶用于宗室
2798	師瘨段一	用亯于宗室
2799	師瘨段二	用亯于宗室
2802	六年召白虎段	對揚朕宗君其休
2802	六年召白虎段	其萬年子子孫孫寶用亯于宗
2814	鳥冊夨令段一	用尊史于皇宗
2814.	夨令段二	用尊史于皇宗
2833	秦公段	乍彖宗彝
2834	㝬段	再盩先王宗室
2841	茾白段	用好宗廟
2841	茾白段	歸夆其萬年日用亯于宗室
2842	卯段	易女瓚章、瑴、宗彝一造、寶
2843	沈子它段	朕吾考令乃鵬沈子乍�于周公宗
2855	班段一	隹八月初吉才宗周甲戌
2855	班段一	受京宗懿釐
2855.	班段二	才宗周
2855.	班段二	受京宗懿釐
2939	季良父乍宗媿媵匿一	季良父乍宗媿媵匿
2940	季良父乍宗媿媵匿二	季良父乍宗媿媵匿
2941	季良父乍宗媿媵匿三	季良父乍宗媿媵匿
2985	陳逆匿一	懽血宗家
2985	陳逆匿一	于大宗皇祖皇祉
2985.	陳逆匿二	懽血宗家
2985.	陳逆匿二	于大宗皇祖皇祉
2985.	陳逆匿三	懽血宗家
2985.	陳逆匿三	于大宗皇祖皇祉
2985.	陳逆匿四	懽血宗家
2985.	陳逆匿四	于大宗皇祖皇祉
2985.	陳逆匿五	懽血宗家
2985.	陳逆匿五	于大宗皇祖皇祉
2985.	陳逆匿六	懽血宗家
2985.	陳逆匿六	于大宗皇祖皇祉
2985.	陳逆匿七	懽血宗家
2985.	陳逆匿七	于大宗皇祖皇祉
2985.	陳逆匿八	懽血宗家
2985.	陳逆匿八	于大宗皇祖皇祉
2985.	陳逆匿九	懽血宗家
2985.	陳逆匿九	于大宗皇祖皇祉
2985.	陳逆匿十	懽血宗家

2985.	陳逆簠十	于大宗皇祖皇祉
3058	曼龏父盨一	曼龏父乍寶盨用亯孝宗室
3059	曼龏父盨三	用亯孝宗室、用匄釁壽
3060	曼龏父盨二	用亯孝宗室、用匄釁壽
3109	周生豆一	周生乍尊豆用亯于宗室
3110	周生豆二	周生乍尊豆用亯于宗室
4201	盟舟惠爵	盟舟鑰_乍氒且乙寶宗彝
4396	㒸乍宗彝盉	[㒸]乍宗彝
4447	臣辰冊冊𠂤乍冊父癸盉	隹王大龠于宗周
4753	傳匋乍從宗彝尊	傳匋乍從宗彝
4813	周_旁乍父丁尊	[周uG]旁乍父丁宗寶彝
4822	参尊	参乍□考宗彝其永寶
4822.	_尊	q6乍宗尊氒孫子永寶
4846	絭尊	用乍宗彝
4852	□□乍其為氒考尊	□□乍其為氒考宗彝
4857	乍文考日己尊	乍文考日己寶尊宗彝
4863	奚乍父乙尊	隹公pw于宗周
4865	氒方尊	其用夙夜亯于氒大宗
4873	臣辰冊𠂤冊乍父癸尊	隹王大龠于宗周徣饔葊京年
4876	保尊	用乍文父癸宗寶尊彝
4877	小子生尊	王令生辨事公宗
4881	矙方尊	用夙_宗
4888	盠駒尊一	王弗望氒舊宗小子
4888	盠駒尊一	則萬年保我萬宗
4891	何尊	王寡宗小子于京室曰
4927	乍文考日己觥	乍文考日己寶尊宗彝
4960	仲追父乍宗彝	中追父乍宗彝
4973	乍文考日工夫方彝	乍文考日己寶尊宗彝
5192	乍宗彝卣	乍宗彝
5285	乍宗寶彝卣	乍宗寶彝
5432	参乍甲考宗彝卣	参乍甲考宗彝其永寶
5452	豚乍父庚卣	豚乍父庚宗彝
5459	榮弔卣	榮弔乍其為氒考宗彝
5477	單光壴乍父癸鬻卣	文考日癸乃_子壴乍父癸旅宗尊彝
5481	叔卣一	隹王桒于宗周
5482	叔卣二	隹王桒于宗周
5487	靜卣	用乍宗彝
5488	靜卣二	用乍宗彝
5495	保卣	用乍文父癸宗寶尊彝
5495	保卣	用乍文父癸宗寶尊彝
5501	臣辰冊冊𠂤卣一	隹王大龠于宗周
5502	臣辰冊冊𠂤卣二	隹王大龠于宗周
5507	乍冊魆卣	隹公大史見服于宗周年
5510	乍冊嗌卣	遣祐石宗不剃
5761	兮熬壺	享孝于大宗
5766	周莾壺一	其用享于宗
5767	周莾壺二	其用享于宗
5770	宗婦鄁嫛壺一	王子剌公之宗婦鄁嫛為宗彝𩰫彝
5771	宗婦鄁嫛壺二	王子剌公之宗婦鄁嫛為宗彝𩰫彝
5781	曾姬無卹壺一	甬(用)乍宗彝尊壺

宗

宗

5782	曾姬無卹壺二	甬(用)乍宗彝尊壺
5801	洹子孟姜壺一	齊侯命大子乘_來句宗白
5802	洹子孟姜壺二	齊侯命大子乘dw來句宗白聽命于天子
5803	㠱嗣好盗壺	反臣丌(其)宗
5805	中山王䚄方壺	而臣宗䮾立
5805	中山王䚄方壺	賈曰:為人臣而返(反)臣其宗
6632	白乍蔡姬觶	白乍蔡姬宗彝
6701	宗仲乍尹姞盤	宗中乍尹姞般(盤)
6771	宗婦䣄嫛盤	王子剌公之宗婦䣄嫛為宗彝䵼彝
6810	宗仲乍尹姞匜	宗中乍尹姞匜
6888	吳王光鑑一	台乍弔姬寺吁宗_薦鑑
6889	吳王光鑑二	台乍弔姬寺吁宗_薦鑑
6900	乍父丁盂	其萬年永寶用享宗彝
6925	晉邦盦	宗婦楚邦
7017	楚王酓章鐘一	楚王酓章乍曾侯乙宗彝
7018	楚王酓章鐘二	乍曾侯宗彝
7021	虘鐘一	用享大宗
7021	虘鐘一	用濼(樂)好宗
7021	虘鐘一	用卲大宗
7022	虘鐘二	用享大宗
7022	虘鐘二	用濼(樂)好宗
7022	虘鐘二	用卲大宗
7023	虘鐘三	用享大宗
7023	虘鐘三	用濼(樂)好宗
7023	虘鐘三	用卲大宗
7024	虘鐘四	用享大宗
7049	井人鐘三	宗室、肄安乍龢父大醬鐘
7050	井人鐘四	處宗室
7088	士父鐘一	用享于宗
7089	士父鐘二	用享于宗
7090	士父鐘三	用享于宗
7091	士父鐘四	用享于宗
7092	𠩺羌鐘一	𠩺羌乍rq氒辟䡈(韓)宗徹
7092	𠩺羌鐘一	賞于䡈(韓)宗
7093	𠩺羌鐘二	𠩺羌乍rq氒辟䡈(韓)宗徹
7093	𠩺羌鐘二	賞于䡈(韓)宗
7094	𠩺羌鐘三	𠩺羌乍rq氒辟䡈(韓)宗徹
7094	𠩺羌鐘三	賞于䡈(韓)宗
7095	𠩺羌鐘四	𠩺羌乍rq氏辟䡈(韓)宗徹
7095	𠩺羌鐘四	賞于䡈(韓)宗
7096	𠩺羌鐘五	𠩺羌乍rq氒辟䡈(韓)宗徹
7096	𠩺羌鐘五	賞于䡈(韓)宗
7176	㝬鐘	王對乍宗周寶鐘
7201	楚王酓章乍曾侯乙鎛	楚王酓章乍曾侯乙宗彝
7555	二年戈	宗子攻五吹我左工市_
7975	中山王墓兆域圖	𥧌宗宮方百乇
M191	繁卣	易宗彝一䢅(套)

小計:共 230 筆

㝉 1221

1339	㝉鬲一	[㝉]
1340	㝉鬲二	[㝉]
4351	㝉盉	[㝉]
6671	㝉盤	[㝉]

小計：共 4 筆

牢 1222

2242	牢豕乍父丁餗殷	牢豕乍父丁餗彝
4702	牢乍父辛尊	牢乍父辛旅
7590	犢共畋戟	犢共畋牢朱

小計：共 3 筆

申 1223

1225	鄦大史申鼎	鄦安(申?)之孫鄦(筥)大史申

小計：共 1 筆

客 1224

2577	史客殷	史客乍朕文考日辛寶尊殷
2577	史客殷	客其萬年子子孫孫永寶用

小計：共 2 筆

𡧍 1225

1096	弗奴父鼎	弗奴父乍孟姒(始)𡧍賸鼎
M707	曾侯乙編鐘下一・三	𡧍于索宮之顫
M711	曾侯乙編鐘下二・四	𡧍于索商之顫
M712	曾侯乙編鐘下二・五	𡧍于索宮之顫
M740	曾侯乙編鐘中三・十	𡧍于索商之顫
M747	曾侯乙編鐘中三・八	𡧍于索宮之顫

小計：共 6 筆

宅 1226

1174	易乍旅鼎	宅白于成周休賜小臣金

小計：共 1 筆

㝑 1227

	3964	宩父癸爵	[宩]父癸
			小計：共 1 筆
寠	1228		
	2659	郾侯庫𣪘	用司乘寠
			小計：共 1 筆
寗	1229	參遊字條下	
寚	1230		
	0561	寚父乙鼎	寚父乙乙
	5489	戉箙𢼸卣	寚ff山谷至于上侯𨑓川上
			小計：共 2 筆
寙	1231		
	6792	墻盤	寙(宏)魯卲王
			小計：共 1 筆
寘	1232		
	7074	者沪鐘六	戠彌王 寘 庶
	7077	者沪鐘九	戠彌王 寘 庶
			小計：共 2 筆
宧	1233		
	0678	宰德宧賓父丁鼎	宰德宧父丁
	0942	亞㠱竹士宧鼎	[亞㠱竹宧]智光㣇(暨)[卿宁]
	1162	乃子克鼎	宧絲五十爰
	1255	作冊大鼎一	大揚皇天尹大保宧
	1256	作冊大鼎二	大揚皇天尹大保宧
	1257	作冊大鼎三	大揚皇天尹大保宧
	1258	作冊大鼎四	大揚皇天尹大保宧
	2316	宧父丁𣪘	宧父丁尊彝[cc]
	2653	𣪕𣪘	白氏宧𣪕
	2670	𣎴侯𣪘	方其日受宧
	2696	孟𣪘一	用宧丝彝乍
	2697	孟𣪘二	用宧丝彝乍
	2814	鳥冊夨令𣪘一	令敢揚皇王宧、丁公文報
	2814	鳥冊夨令𣪘一	令敢㕧皇王宧
	2814.	夨令𣪘二	令敢揚皇王宧、丁公文報
	2814.	夨令𣪘二	令敢㕧皇王宧

4893	矢令尊	乍冊令、敢揚明公尹厥宦
4962	竹宦父戊方彝一	[竹宦]父戊[告永]
4963	竹宦父戊方彝二	[竹宦]父戊[告永]
4970	乍冊宅方彝	[亞嚢宦箙箙鐵]乍冊宅乍彝
4981	矢冊令方彝	乍冊令、敢揚明公尹厥宦
5320	亞宦父乙卣	[亞宦帚＿父乙]
5365	亞嚢宦晉竹父丁卣	[亞嚢宦晉竹]父丁
5470	＿孟乍父丁卣	兮公宦孟鬯束貝十朋
		小計：共 24 筆

貢 1234

J1161	貢毁	貢乍尊
		小計：共 1 筆

宦 1235

3064	曩白子宦父征盨一	曩白子宦父乍其征盨
3065	曩白子宦父征盨二	曩白子宦父乍其征盨
3066	曩白子宦父征盨三	曩白子宦父乍其征盨
3067	曩白子宦父征盨四	曩白子宦父乍其征盨
6715	曩白宦父盤	曩白宦父朕姜無須盤
6826	曩白宦父匜	曩白宦父朕姜無顆它
		小計：共 6 筆

宔 1236

1327	克鼎	宔靜于猷
2342	弔宔乍寶毁	弔宔乍寶毁其萬年永寶
		小計：共 2 筆

富 1237

5445	膚富卣	辛卯子易富貝
		小計：共 1 筆

寰 1238

1309	寰鼎	宰頵右寰入門
1309	寰鼎	易寰玄衣、黹屯、赤市、朱黃、繺旂、攸勒、
1309	寰鼎	寰拜韻首
1309	寰鼎	寰其萬年子子孫孫永寶用
2826	師寰毁一	王若曰：師寰rt
2826	師寰毁一	師寰虔不豢
2826	師寰毁一	師寰虔不豢

2827	師褱設二	王若曰：師褱rt_
2827	師褱設二	師褱虔不豢
5805	中山王嚳方壺	慈孝褱惠
6789	褱盤	宰頵右褱入門
6789	褱盤	王乎史qr冊易褱玄衣黹屯
6789	褱盤	褱拜諸首
6789	褱盤	褱其萬年子子孫孫永寶用

小計：共 14 筆

歓 1239

0756	疋弓歓乍父丙鼎	[疋弓]歓乍父丙

小計：共 1 筆

鄭 1240

7017	楚王酓章鐘一	鄭之于西昜
7018	楚王酓章鐘二	鄭之于西昜
7201	楚王酓章乍曾侯乙鎛	鄭之于西昜

小計：共 3 筆

窸 1241

5388	亞餘窸乍父辛卣	窸乍父辛尊彝[亞俞]

小計：共 1 筆

寐 1242

2357	膺冊姒寐 設	姒寐設用乍訇辛設[膺冊]

小計：共 1 筆

寊 1243

2213	姜林母乍寊設	姜林母乍寊設
2920.	白多父匿	白多父乍成姬多母寊厚器
3039	白多父盨	白多父乍成姬多母寊厚器

小計：共 3 筆

竅 1244

6792	史墻盤	竅毓子孫

小計：共 1 筆

窕 1245

1430.1	伯窕父鬲	白窕父乍姞尊鬲
		小計：共 1 筆

寡 1246

1218	寡兒鼎	蘇公之孫寡兒羼其吉金
3096	齊侯乍孟姜善𦎫	齊侯乍朕寡萬孟膳𦎫
6779	齊侯盤	齊侯乍賸寡v1孟姜盥般
6873	齊侯乍孟姜盥匜	齊侯乍賸寡v1孟姜盥匜
		小計：共 4 筆

寍 1247

6793	矢人盤	余又爽寍
		小計：共 1 筆

寎 1248

7092	㠱羌鐘一	寎敓楚京
7093	㠱羌鐘二	寎敓楚京
7094	㠱羌鐘三	寎敓楚京
7095	㠱羌鐘四	寎敓楚京
7096	㠱羌鐘五	寎敓楚京
		小計：共 5 筆

𣐺 1249

5784	𣐺氏壺	𣐺在我車
		小計：共 1 筆

宮 1250

0838	亞吳鼎	[亞吳]宮晉旅𠂇(𢽣?)侯宜
0900	季㶣乍宮白方鼎	季㶣(㶣)乍宮白寶尊𩰫
0902	弔_肇乍南宮鼎	弔sa肇乍南宮寶尊
1041	且方鼎	用𠭯□□宮
1047	䣄白鼎	工令䣄白㠯丁止為宮
1138	白陶乍父考宮弔鼎	白陶乍𠭯文考宮弔寶䵼彝
1145	舍父鼎	辛宮易舍父帛金
1145	舍父鼎	揚辛宮休
1155	𢦏者乍旅鼎	用乍文考宮白寶尊彝
1248	庚贏鼎	王格□宮衣事

窕
寡
寍
寎
𣐺
宮

宮

1251	中先鼎一	隹王令南宮伐反虎方之年
1252	中先鼎二	隹王令南宮伐反虎方之年
1273	師湯父鼎	王才周新宮
1277	七年趞曹鼎	王才周般宮
1278	十五年趞曹鼎	龏王才周新宮
1280	康鼎	王才康宮
1286	大夫始鼎	隹三月初吉甲寅、王才龢宮
1286	大夫始鼎	王才華宮□
1286	大夫始鼎	王才邦宮
1288	令鼎一	王至于溓宮、敀
1289	令鼎二	王至于溓宮、敀
1290	利鼎	王客于般宮
1300	南宮柳鼎	武公有南宮柳
1301	大鼎一	王才糧俿宮
1302	大鼎二	王才糧俿宮
1303	大鼎三	王才糧俿宮
1308	白晨鼎	用乍朕文考h8公宮尊鼎
1309	寰鼎	王才周康穆宮
1310	鬲攸從鼎	王才周康宮、徲大室
1311	師晨鼎	王才周師彔宮
1312	此鼎一	王才周康宮徲宮
1313	此鼎二	王才周康宮徲宮
1314	此鼎三	王才周康宮徲宮
1315	善鼎	王各大師宮
1317	善夫山鼎	南宮乎入右善夫山入門
1319	頌鼎一	王才周康卲宮
1319	頌鼎一	賈用宮御
1320	頌鼎二	王才周康卲宮
1320	頌鼎二	賈用宮御
1321	頌鼎三	王才周康卲宮
1321	頌鼎三	賈用宮御
1322	九年裘衛鼎	王才周駒宮
1326	多友鼎	丁酉、武公在獻宮
1326	多友鼎	迺h9于獻宮
1330	曶鼎	以匡季告東宮
1330	曶鼎	東宮迺曰
1330	曶鼎	㫚(曶)或目匡季告東宮
1330	曶鼎	東宮迺曰：賞㫚(曶)禾十秭
2231	白乍南宮毁	白乍南宮□毁
2295	甙者乍宮白毁	甙者乍宮白寶尊彝
2353	保侃母毁	保侃母易貝于南宮乍寶毁
2598	燮乍宮仲念器	用乍宮中念器
2612	不壽毁	王才大宮
2658	白퀘毁	白퀘肇其作西宮寶
2665	_弔毁	ki弔u4my于西宮
2705	君夫毁	王才康宮大室
2733	何毁	王才華宮
2736	師遽毁	王才周、客新宮
2738	衛毁	王客于康宮
2765	救毁	王才師嗣(司辭)馬宮大室即立

宮

2767	虘設一	王才周師量宮
2768	楚設	王各于康宮
2773	即設	王才康宮、各大室
2773	即設	曰：嗣琱宮人虢旛、用吏
2774.	南宮弔設	南宮弔入門
2775.	害設一	王才屖宮
2775.	害設二	王才屖宮
2784	申設	王在周康宮
2787	望設	王才周康宮新宮
2787	望設	王才周康宮新宮
2788	靜設	丁卯、王令靜司射學宮
2792	師俞設	才周師彔宮
2796	諫設	王才周師彔宮
2796	諫設	王才周師彔宮
2797	輔師嫠設	王才周康宮
2798	師瘨設一	王才周師司馬宮
2799	師瘨設二	王才周師司馬宮
2800	伊設	王才周康宮
2800	伊設	熱官司康宮王臣妾、百工
2807	鄦設一	王才周卲宮
2808	鄦設二	王才周卲宮
2809	鄦設三	王才周卲宮
2810	揚設一	王才周康宮
2811	揚設二	王才周康宮
2812	大設一	王才糧侲宮
2813	大設二	王才糧侲宮
2817	師額設	王才周康宮
2818	此設一	王才周康宮徲宮
2819	此設二	王才周康宮徲宮
2820	此設三	王才周康宮徲宮
2821	此設四	王才周康宮徲宮
2822	此設五	王才周康宮徲宮
2823	此設六	王才周康宮徲宮
2824	此設七	王才周康宮徲宮
2825	此設八	王才周康宮徲宮
2835	訇設	王才射日宮
2842	卯設	今余隹令女死嗣（司）葊宮葊人
2844	頌設一	王才周康卲宮
2844	頌設一	監嗣（司）新寤（造）賈用宮御
2845	頌設二	王才周康卲宮
2845	頌設二	監嗣（司）新寤（造）賈用宮御
2845	頌設二	王才周康卲宮
2845	頌設二	監嗣（司）新寤（造）賈用宮御
2846	頌設三	王才周康卲宮
2846	頌設三	監嗣（司）新寤（造）賈用宮御
2847	頌設四	王才周康卲宮
2847	頌設四	監嗣（司）新寤（造）賈用宮御
2848	頌設五	王才周康卲宮
2848	頌設五	監嗣（司）新寤（造）賈用宮御
2849	頌設六	王才周康卲宮

宮

2849	頌設六	監嗣(司)新寤(造)賈用宮御
2850	頌設七	王才周康卲宮
2850	頌設七	監嗣(司)新寤(造)賈用宮御
2851	頌設八	王才周康卲宮
2851	頌設八	監嗣(司)新寤(造)賈用宮御
2853.	尹設	辰才庚口口歆口宮
2856	師訇設	乍州宮寶
2857	牧設	王才周、才師游父宮
2947	季宮父乍賸匠	季宮父乍中姊姶姬賸匠
3083	痶設(盨)一	王才周師彔宮
3084	痶設(盨)二	王才周師彔宮
3086	善夫克旅盨	王才周康穆宮
3087	鬲从盨	才永師田宮
3087	鬲从盨	其邑复_言二邑。畀鬲比复氒小宮tu鬲比田
3095	拍乍祀彝(蓋)	拍乍朕配平姬章宮祀彝
4444	卲宮盉	和工工感卲宮和
4446	麥盉	井侯光氒吏麥蒿千麥宮
4838	執乍父口尊	□□各于宮□□
4841	守宮乍父辛雞形尊	守宮揚王休
4878	召尊	用乍團宮旅彝
4885	效尊	公東宮內鄉于王
4893	矢令尊	丁亥、令矢告于周公宮
4893	矢令尊	甲申、明公用牲于京宮
4893	矢令尊	乙酉、用牲于康宮
4923	守宮乍父辛觥	守宮乍父辛尊彝其永寶
4977	師遽方彝	王才周康宮、鄉醴
4981	爯冊令方彝	丁亥、令矢告于周公宮
4981	爯冊令方彝	甲申、明公用牲于京宮
4981	爯冊令方彝	乙酉、用牲于康宮
5300	守宮乍父辛卣	守宮乍父辛
5431	白_乍西宮白卣	白rz乍西宮白寶尊彝
5444	守宮卣	守宮乍父辛尊彝
5493	召乍_宮旅卣	用乍杋宮旅彝
5496	召卣	用乍團宮旅彝
5504	庚嬴卣一	王格于庚嬴宮
5505	庚嬴卣二	王格于庚嬴宮
5509	棥卣	王歆西宮、烝、咸
5511	效卣一	公東宮內鄉于王
5701	右征尹壺	右征尹、右征尹、西宮
5785	史懋壺	王才莽京濕宮
5791	十三年痶壺一	王才成周嗣土淲宮
5792	十三年痶壺一	王才成周嗣土淲宮
5793	幾父壺一	同中宂西宮易幾父Gw桒六
5794	幾父壺二	同中宂西宮易幾父Gw桒六
5798	曶壺	王各于成宮
5799	頌壺一	王才周康卲宮
5799	頌壺一	監嗣新造賈用宮御
5800	頌壺二	王才周康卲宮
5800	頌壺二	監嗣新造賈用宮御
5801	洹子孟姜壺一	于南宮子用璧二備

5802	洹子孟姜壺二	于南宮子用璧二備	宮
6635	中觶	王易中馬自__侯四__、南宮兄	
6785	守宮盤	周師光守宮事	
6785	守宮盤	易守宮絲束、蘆幕五、蘆冟二	
6785	守宮盤	守宮對揚周師釐	
6787	走馬休盤	王才周康宮	
6789	寰盤	王才周康穆宮	
6793	矢人盤	鮮、且、敚、 武父、西宮襄	
6793	矢人盤	迺卑西宮襄	
6793	矢人盤	西宮襄、武父則誓	
6793	矢人盤	矢王于豆新宮東廷	
6877	黴乍旅盉	王才葊上宮	
6909	遹盂	君才雝、即宮	
7018	楚王酓章鐘二	其永時用喜□羽反、宮反	
7040	克鐘一	王才周康剌宮	
7041	克鐘二	王才周康剌宮	
7042	克鐘三	王才周康剌宮	
7083	鮮鐘	王才成周嗣□淲宮	
7107	曾侯乙甬鐘	割肄之宮反	
7116	南宮乎鐘	嗣土南宮乎乍大林協鐘	
7116	南宮乎鐘	亞且宮中	
7204	克鎛	王才周康剌宮	
7382	皇宮左戈一	皇宮左	
7383	皇宮左戈二	皇宮左	
7459	宮氏白子戈一	宮氏白子元戈__	
7460	宮氏白子戈二	宮氏白子元相	
7537	洌白戈	梁白乍宮行元用	
7609	右宮矛	右宮	
7899	鄂君啟車節	王居於茂郢之遊宮	
7900	鄂君啟舟節	王居於茂郢之遊宮	
7902	下宮車軎	下宮	
7903	左宮車軎一	左宮	
7904	左宮車軎二	左宮	
7975	中山王墓兆域圖	從丘欧目至內宮六步	
7975	中山王墓兆域圖	從丘欧目至內宮六步	
7975	中山王墓兆域圖	從丘欧目至內宮六步	
7975	中山王墓兆域圖	從丘欧目至內宮六步	
7975	中山王墓兆域圖	從丘欧至內宮廿四步	
7975	中山王墓兆域圖	從丘欧目至內宮六步	
7975	中山王墓兆域圖	從丘欧目至內宮六步	
7975	中山王墓兆域圖	從丘欧至內宮廿四步	
7975	中山王墓兆域圖	閔、內宮垣	
7975	中山王墓兆域圖	內宮垣	
7975	中山王墓兆域圖	內宮垣	
7975	中山王墓兆域圖	內宮垣	
7975	中山王墓兆域圖	內宮垣	
7975	中山王墓兆域圖	內宮垣	
7975	中山王墓兆域圖	從內宮目至中宮卅步	
7975	中山王墓兆域圖	從內宮至中宮廿五步	
7975	中山王墓兆域圖	大藏宮方百乇	

宮

7975	中山王墓兆域圖	執旦宮方百乇
7975	中山王墓兆域圖	五奎宮方百乇
7975	中山王墓兆域圖	㴐宗宮方百乇
7975	中山王墓兆域圖	從内宮至中宮廿五步
7975	中山王墓兆域圖	從内宮目至中宮卅步
7975	中山王墓兆域圖	從内宮至中宮卅六步
7975	中山王墓兆域圖	從内宮目至中宮卅六步
7975	中山王墓兆域圖	閔、中宮垣
7975	中山王墓兆域圖	中宮垣
7975	中山王墓兆域圖	中宮垣
7975	中山王墓兆域圖	中宮垣
7975	中山王墓兆域圖	中宮垣
7975	中山王墓兆域圖	中宮垣
7975	中山王墓兆域圖	中宮垣
M160	囗貯段	隹巢來攸王令東宮追目六自之年
M423.	趞鼎	王在周康卲宮
M693	曾大工尹戈	西宮之孫
M695	曾伯宮父鬲	隹曾伯宮父穆迺用吉金
M705	曾侯乙編鐘下一・一	曾侯乙乍時，宮、徵曾，
M705	曾侯乙編鐘下一・一	割肄之瀋宮
M705	曾侯乙編鐘下一・一	濁文王之宮
M705	曾侯乙編鐘下一・一	濁文王之瀋宮
M706	曾侯乙編鐘下一・二	妥賓之宮
M706	曾侯乙編鐘下一・二	無鐸之宮曾
M707	曾侯乙編鐘下一・三	袑于索宮之顧
M708	曾侯乙編鐘下二・一	㶊鐘之變宮
M709	曾侯乙編鐘下二・二	贏孠之宮
M709	曾侯乙編鐘下二・二	穆音之宮
M709	曾侯乙編鐘下二・二	大族之宮
M709	曾侯乙編鐘下二・二	贏孠之宮角
M709	曾侯乙編鐘下二・二	妥賓之宮曾
M710	曾侯乙編鐘下二・三	曾侯乙乍時，中鏄、宮曾，
M710	曾侯乙編鐘下二・三	韋音之宮
M710	曾侯乙編鐘下二・三	割肄之宮曾
M710	曾侯乙編鐘下二・三	㶊音之宮
M711	曾侯乙編鐘下二・四	妥賓之宮
M711	曾侯乙編鐘下二・四	無睪之宮曾
M712	曾侯乙編鐘下二・五	曾侯乙乍時，宮、徵曾，
M712	曾侯乙編鐘下二・五	割肄之宮
M712	曾侯乙編鐘下二・五	袑于索宮之顧
M715	曾侯乙編鐘下二・九	曾侯乙乍時，鑘、宮曾，
M715	曾侯乙編鐘下二・九	文王之宮
M715	曾侯乙編鐘下二・九	獸鐘之宮
M715	曾侯乙編鐘下二・九	割肄之宮曾
M716	曾侯乙編鐘下二・十	坪皇之宮
M716	曾侯乙編鐘下二・十	新鐘之宮曾
M716	曾侯乙編鐘下二・十	濁新鐘之宮
M717	曾侯乙編鐘中一・一	曾侯乙乍寺（時），羽反，宮反，羽反，宮反，
M720	曾侯乙編鐘中一・四	曾侯乙乍時（時），少羽，宮反，
M723	曾侯乙編鐘中一・七	曾侯乙乍寺（時），宮、徵曾，

M723	曾侯乙編鐘中一・七	割肄之宮
M723	曾侯乙編鐘中一・七	濁文王之宮
M724	曾侯乙編鐘中一・八	濁坪皇之宮
M725	曾侯乙編鐘中一・九	濁獸鐘之宮
M725	曾侯乙編鐘中一・九	濁割肄之宮
M726	曾侯乙編鐘中一・十	曾侯乙乍時，宮角、宮曾，
M726	曾侯乙編鐘中一・十	文王之宮
M726	曾侯乙編鐘中一・十	割肄之宮曾
M726	曾侯乙編鐘中一・十	獸鐘之宮
M727	曾侯乙編鐘中一・十一	坪皇之宮
M727	曾侯乙編鐘中一・十一	新鐘之宮曾
M727	曾侯乙編鐘中一・十一	濁新鐘之宮
M728	曾侯乙編鐘中二・一	曾侯乙乍寺（時），羽、宮反，
M731	曾侯乙編鐘中二・四	曾侯乙乍時，少羽，宮反，
M734	曾侯乙編鐘中二・七	曾侯乙乍寺（時），宮、徵曾，
M734	曾侯乙編鐘中二・七	割肄之宮
M734	曾侯乙編鐘中二・七	濁文王之宮
M735	曾侯乙編鐘中二・八	濁坪皇之宮
M736	曾侯乙編鐘中二・九	濁獸鐘之宮
M737	曾侯乙編鐘中二・十	曾侯乙乍時，宮角、徵，
M737	曾侯乙編鐘中二・十	文王之宮
M737	曾侯乙編鐘中二・十	割肄之宮曾
M737	曾侯乙編鐘中二・十	獸鐘之宮
M738	曾侯乙編鐘中二・十一	贏孠之宮
M738	曾侯乙編鐘中二・十一	夫族之宮
M738	曾侯乙編鐘中二・十一	穆音之宮
M739	曾侯乙編鐘中二・十二	坪皇之宮
M739	曾侯乙編鐘中二・十二	新鐘之宮曾
M739	曾侯乙編鐘中二・十二	濁新鐘之宮
M740	曾侯乙編鐘中三・一	曾侯乙乍時，羽、宮，
M740	曾侯乙編鐘中三・一	割肄之少宮
M740	曾侯乙編鐘中三・一	亘鐘之宮
M741	曾侯乙編鐘中三・二	贏孠之宮
M741	曾侯乙編鐘中三・二	穆音之宮
M742	曾侯乙編鐘中三・三	曾侯乙乍時，宮角、徵，
M742	曾侯乙編鐘中三・三	韋音之宮
M743	曾侯乙編鐘中三・四	妥賓之宮
M744	曾侯乙編鐘中三・五	曾侯乙乍時，羽、宮，
M744	曾侯乙編鐘中三・五	割肄之宮反
M745	曾侯乙編鐘中三・六	割肄之宮角
M745	曾侯乙編鐘中三・六	韋音之宮
M746	曾侯乙編鐘中三・七	妥賓之宮
M747	曾侯乙編鐘中三・八	曾侯乙乍時，宮、徵曾，
M747	曾侯乙編鐘中三・八	割肄之宮
M747	曾侯乙編鐘中三・八	符于索宮之顧
M755	曾侯乙編鐘上一・六	宮曾、宮，
M758	曾侯乙編鐘上二・三	商、羽曾，鄘音之宮，
M759	曾侯乙編鐘上二・四	商曾、羽角，韋音之宮，
M760	曾侯乙編鐘上二・五	商角、羽，割肄之宮
M761	曾侯乙編鐘上二・六	商、羽曾，黃鐘之宮，

M764	曾侯乙編鐘上三・三	宮、角徵，穆音之宮，
M765	曾侯乙編鐘上三・四	宮、徵曾，贏孠之宮，
M766	曾侯乙編鐘上三・五	宮曾、徵角，妥賓之宮，
M767	曾侯乙編鐘上三・六	宮角、徵，大族之宮，
M768	曾侯乙編鐘上三・七	宮、徵曾，無睪之宮，

小計：共　289 筆

營　1251

1325	五祀衛鼎	逆欒(營)二川、曰：余舍女田五田

小計：共　1 筆

呂　1252

1263	呂方鼎	呂祉于大室
1263	呂方鼎	王易呂䰜三卣、貝卅朋
1463	呂王尊鬲	呂王乍尊鬲
1467	呂䱸姬乍鬲	呂䱸乍齍鬲
2071	呂姜乍毁	呂姜乍毁
2788	靜毁	王目吳㚘、呂剛
2855	班毁一	王令呂白曰
2855.	班毁二	王令呂白曰
4200	呂仲僕乍毓子爵	呂中僕乍毓子寶尊彝或
4826	呂仲僕尊	呂仲僕乍毓子寶尊彝[或]
5485	貉子卣一	王各于呂𢼄
5486	貉子卣二	王各于呂𢼄
5725	呂王__乍內姬壺	呂王np乍內姬尊壺
5762	呂行壺	唯還、呂行𢦏、孚__
6666	呂盤	[呂]
7019	邾太宰鐘	□□吉金膚呂
7084	邾公牼鐘一	幺鏐膚呂
7085	邾公牼鐘二	幺鏐膚呂
7086	邾公牼鐘三	幺鏐膚呂
7087	邾公牼鐘四	幺鏐膚呂
7107	曾侯乙甬鐘	割肄之才楚號為呂鐘
7107	曾侯乙甬鐘	呂其反宣鐘之羽角無鐸之徵曾
7475	衛公孫呂戈	衛公孫呂之告戈
7518	四年呂不韋戈	四年相邦呂不韋
7564	五年相邦呂不韋戈	五年相邦呂不韋造
7565	八年相邦呂不韋戈	八年相邦呂不韋造
7735	少虡劍一	玄鏐鈇呂
7736	少虡劍二	乍為元用玄鏐鈇呂
M709	曾侯乙編鐘下二・二	其才齊為呂音
M712	曾侯乙編鐘下二・五	割肄之才楚號為呂鐘
M738	曾侯乙編鐘中二・十一	其才齊為呂音
M740	曾侯乙編鐘中三・一	割肄之才楚為呂鐘
M741	曾侯乙編鐘中三・二	丌才齊號為呂音
M744	曾侯乙編鐘中三・五	割肄之才楚號為呂鐘

M747	曾侯乙編鐘中三・八	割肄之才楚號為呂鐘
		小計：共 35 筆

竈 1253

2833	秦公𣪘	竈(造)囿(佑)四方
7136	𨜒鐘一	其竈四堵
7137	𨜒鐘二	其竈四堵
7138	𨜒鐘三	其竈四堵
7139	𨜒鐘四	其竈四堵
7140	𨜒鐘五	其竈四堵
7141	𨜒鐘六	其竈四堵
7142	𨜒鐘七	其竈四堵
7143	𨜒鐘八	其竈四堵
7144	𨜒鐘九	其竈四堵
7145	𨜒鐘十	其竈四堵
7146	𨜒鐘十一	其竈四堵
7147	𨜒鐘十二	其竈四堵
7148	𨜒鐘十三	其竈四堵
7149	𨜒鐘十四	其竈四堵
7212	秦公鎛	竈又下國
		小計：共 16 筆

宊 1254

2841	芾白𣪘	我亦弗宊亯邦
		小計：共 1 筆

寮 1255

1332	毛公鼎	王曰：父厝、巳曰及玆卿事寮
1332	毛公鼎	大史寮于父即尹
1624	毌寮白甗	[毌]寮白采乍旅
2814	鳥冊夨令𣪘一	用𩜁寮人婦子
2814.	夨令𣪘二	用𩜁寮人婦子
2840	番生𣪘	王令𩁹嗣(司)公族卿吏、大史寮
2857	牧𣪘	令女辟百寮有同吏
4893	夨令尊	受卿事寮
4893	夨令尊	公令𢓊同卿事寮
4893	夨令尊	眔卿事寮
4893	夨令尊	奭左右于乃寮以乃友事
4981	𪇔冊令方彝	受卿事寮
4981	𪇔冊令方彝	公令𢓊同卿事寮
4981	𪇔冊令方彝	眔卿事寮、眔者尹
4981	𪇔冊令方彝	奭左右于乃寮、以乃友事
6909	遡盂	寮女寮：奚、㚤、華
7183	叔夷編鐘二	為女隸寮

7184	叔夷編鐘三	逕乃?寮
7214	叔夷鎛	為女?寮
7214	叔夷鎛	逕乃?寮

小計：共 20 筆

空 1256

1112	十一年庫嗇夫肖不茲鼎	庫嗇夫肖不茲賙人夫_所為空二斗
7655	中央勇矛	中央勇生安空五年之後日毌
7655	中央勇矛	中央勇口生安空三年之後日毌
7774	貝矢鏃	空

小計：共 4 筆

窩 1257

7125	蔡侯??鐘一	窩窩為政
7126	蔡侯??鐘二	窩窩為政
7132	蔡侯??鐘八	窩窩為政
7133	蔡侯??鐘九	窩窩為政
7134	蔡侯?甬鐘	窩窩為政
7205	蔡侯?編鎛一	窩窩為政
7206	蔡侯?編鎛二	窩窩為政
7207	蔡侯?編鎛三	窩窩為政
7208	蔡侯?編鎛四	窩窩為政

小計：共 9 筆

窆 1258

7975	中山王?兆域圖	王命賈為逃（兆）乏（窆）

小計：共 1 筆

窔 1259

1262	窔鼎	趞中令窔?嗣?邸田
1262	窔鼎	窔拜韻首

小計：共 2 筆

窔 1260

0885	井姬窔鼎	強白乍井姬窔鼎

小計：共 1 筆

窀 1261

6834	__周匜	[__]周窀乍救姜寶它
		小計：共 1 筆

寬 1262

3068	白寬父盨一	白寬父乍寶盨
3069	白寬父盨二	白寬父乍寶盨
		小計：共 2 筆

窼 1263

4675	窼乍旅彝尊	窼乍旅彝
		小計：共 1 筆

窹 1264

5780	公孫窹壺	公孫窹立事歲飯ho月
7418	陳麗子窹(造)戈	陳麗子窹(造)戈
		小計：共 2 筆

窒 1264+

2842	卯毁	不淑取我家窒用喪
		小計：共 1 筆

宵 1265

0281	叉宵鼎	[叉宵]
1819	叉宵毁一	[叉宵]
1820	叉宵毁二	[叉宵]
3604	叉宵爵	[叉宵]
6055	丑宵觚一	[丑宵]
6056	丑宵觚二	[丑宵]
		小計：共 6 筆

㝯 1266

2629	牧師父毁一	牧師父弟弔㝯父御于君
2630	牧師父毁二	牧師父弟弔㝯父御于君
2631	牧師父毁三	牧師父弟弔㝯父御于君
		小計：共 3 筆

㢉 1267

	1060	輔白脽父鼎	輔白脽父乍豐孟妘賸鼎
			小計：共 1 筆
脛	1268		
	2961	陳侯乍賸匿一	陳侯乍王中嬀脛賸匿
	2962	陳侯乍賸匿二	陳侯乍王中嬀脛賸匿
	2963	陳侯匿	陳侯乍王中嬀脛賸匿
	2967	陳侯乍孟姜朕匿	陳侯乍孟姜脛匿
			小計：共 4 筆
疾	1269		
	1090	十三年梁上官鼎	十三年、梁陰命率上官＿子疾冶乘鑄
	1332	毛公鼎	敃(旻)天疾畏
	2854	蔡毁	母敢疾又入告
	2854	蔡毁	勿吏敢又疾、止從獄
	2856	師訇毁	今日天疾畏降喪
	7188	叔夷編鐘七	毋疾毋已
	7214	叔夷鎛	毋疾毋已
	7517	六年上郡守戈	王六年上郡守疾之造戟禮、□□
	7541	四年咎奴戈	四年咎奴＿命壯罌工帀賓疾冶問
	M897	六年安平守劍	六年安平守畋疾
			小計：共 10 筆
瘨	1270		
	2798	師瘨毁一	嗣馬井白親右師瘨入門立中廷
	2798	師瘨毁一	王乎內史吳冊令師瘨曰
	2798	師瘨毁一	瘨拜韻首
	2799	師瘨毁二	嗣馬井白親右師瘨入門立中廷
	2799	師瘨毁二	王乎內史吳冊令師瘨曰
	2799	師瘨毁二	瘨拜韻首
			小計：共 6 筆
疕	1271		
	6999	昆疕王鐘	昆疕王用貝乍龢鐘
			小計：共 1 筆
瘏	1272		
	7975	中山王墓兆域圖	瘏宗宮方百乇

小計：共 1 筆

⿸疒余 1273

1072	⿸疒余乍其⿱䰜鼎鼎	隹正月初⿸疒余乍其⿱䰜鼎鬲貞貞(鼎)

小計：共 1 筆

⿸疒高 1274

2855	班𣪕一	伐東或⿸疒高戎、咸
2855.	班𣪕二	⿸疒高戎
5826	國差𦉜	侯氏母⿸疒咎(咎)母⿸疒高

小計：共 3 筆

⿸疒咎 1275

5826	國差𦉜	侯氏母⿸疒咎(咎)母⿸疒高

小計：共 1 筆

瘨 1276

1244	瘨鼎	王乎虢弔召瘨
1244	瘨鼎	瘨萬年永寶用
2713	瘨𣪕一	瘨曰：⿰㬎見皇且考嗣(司辭)威義
2713	瘨𣪕一	王對瘨楙、易佩
2713	瘨𣪕一	瘨萬年寶
2714	瘨𣪕二	瘨曰：⿰㬎見皇且考嗣(司辭)威義
2714	瘨𣪕二	王對瘨楙、易佩
2714	瘨𣪕二	瘨萬年寶
2715	瘨𣪕三	瘨曰：⿰㬎見皇且考嗣(司辭)威義
2715	瘨𣪕三	王對瘨楙、易佩
2715	瘨𣪕三	瘨萬年寶
2716	瘨𣪕四	瘨曰：⿰㬎見皇且考嗣(司辭)威義
2716	瘨𣪕四	王對瘨楙、易佩
2716	瘨𣪕四	瘨萬年寶
2717	瘨𣪕五	瘨曰：⿰㬎見皇且考嗣(司辭)威義
2717	瘨𣪕五	王對瘨楙、易佩
2717	瘨𣪕五	瘨萬年寶
2718	瘨𣪕六	瘨曰：⿰㬎見皇且考嗣(司辭)威義
2718	瘨𣪕六	王對瘨楙、易佩
2718	瘨𣪕六	瘨萬年寶
2719	瘨𣪕七	瘨曰：⿰㬎見皇且考嗣(司辭)威義
2719	瘨𣪕七	王對瘨楙、易佩
2719	瘨𣪕七	瘨萬年寶
2720	瘨𣪕八	瘨曰：⿰㬎見皇且考嗣(司辭)威義
2720	瘨𣪕八	王對瘨楙、易佩
2720	瘨𣪕八	瘨萬年寶

瘋

3083	瘋毀(盨)一	嗣馬共右瘋
3083	瘋毀(盨)一	瘋其萬年子子孫孫其永寶[䇂冊]
3084	瘋毀(盨)二	嗣馬共右瘋
3084	瘋毀(盨)二	瘋其萬年子子孫孫其永寶[䇂冊]
3117	微伯瘋簠	敚白瘋乍簠
3125	敚白瘋匕二	敚白瘋乍匕
3126	敚白瘋匕一	敚白瘋乍匕
4126	瘋乍父丁爵一	瘋乍父丁
4127	瘋乍父丁爵二	瘋乍父丁
4189	瘋乍父丁爵	瘋乍父丁乍尊彝
5791	十三年瘋壺一	屖父右瘋
5791	十三年瘋壺一	王乎乍冊尹冊易瘋畫靳
5791	十三年瘋壺一	瘋拜䭬首對揚王休
5791	十三年瘋壺一	瘋其萬年永寶 (器蓋)
5792	十三年瘋壺一	屖父右瘋
5792	十三年瘋壺一	王乎乍冊尹冊易瘋畫靳
5792	十三年瘋壺一	瘋拜䭬首對揚王休
5792	十三年瘋壺一	瘋其萬年永寶 (器蓋)
5796	三年瘋壺一	乎虢弔召瘋、易羔俎
5796	三年瘋壺一	乎師壽召瘋易彘俎
5796	三年瘋壺一	瘋其萬年永寶
5797	三年瘋壺二	乎虢弔召瘋、易羔俎
5797	三年瘋壺二	乎師壽召瘋易彘俎
5797	三年瘋壺二	瘋其萬年永寶
6912	微瘋盆一	敚瘋乍寶
6913	微瘋盆二	敚瘋乍寶
7158	瘋鐘一	瘋曰
7158	瘋鐘一	瘋不敢弗帥且考
7158	瘋鐘一	皇王對瘋身楙、易佩
7158	瘋鐘一	瘋其萬年永寶
7159	瘋鐘二	瘋趄趄
7159	瘋鐘二	廣啟瘋身
7159	瘋鐘二	瘋其萬年
7159	瘋鐘二	用寓光瘋身
7160	瘋鐘三	瘋曰
7160	瘋鐘三	瘋不敢弗帥且考
7160	瘋鐘三	皇王對瘋身楙、易佩
7160	瘋鐘三	瘋其萬年永寶日鼓
7161	瘋鐘四	瘋曰
7161	瘋鐘四	瘋不敢弗帥且考
7161	瘋鐘四	皇王對瘋身楙、易佩
7161	瘋鐘四	瘋其萬年永寶日鼓
7162	瘋鐘五	瘋曰
7162	瘋鐘五	瘋不敢弗帥且考
7162	瘋鐘五	皇王對瘋身楙、易佩
7162	瘋鐘五	瘋其萬年永寶日鼓
7164	瘋鐘七	今瘋夙夕虔苟(敬)卹乎死事
7165	瘋鐘八	廣啟瘋身
7166	瘋鐘九	瘋其萬
7168	瘋鐘十一	用寓光瘋身

7169	瘐鐘十二	瘐乍𤔲鐘
7170	瘐鐘十三	瘐乍𤔲鐘
7171	瘐鐘十四	瘐乍𤔲鐘
7929	敚瘐鍑	敚瘐乍寶

小計：共 80 筆

同 1277

0956	鄭同媿乍旅鼎	鄭同媿乍旅鼎其永寶用
1275	師同鼎	Lz畀其井師同從
1370	同姜尊鬲	同姜乍尊鬲
2325	同自乍旅毁	同自乍旅毁其萬年用
2789	同毁一	榮白右同立中廷、北鄉
2790	同毁二	榮白右同立中廷、北鄉
2831	元年師兌毁一	同中右師兌入門、立中廷
2832	元年師兌毁二	同中右師兌入門、立中廷
2835	𠤳毁	用乍文且乙白同姬尊毁
2843	沈子它毁	休同公克成妥吾考目于顯受令
2852	不嬰毁一	戎大同從追女
2853	不嬰毁二	戎大同從追女
4893	夨令尊	公令𢓊同卿事寮
4981	𠂤冊令方彝	公令𢓊同卿事寮
5473	同乍父戊卣	夨王易同金車弓矢
5473	同乍父戊卣	同對揚王休
5714	同白邦父壺	同白邦父乍弔姜萬人壺
5793	幾父壺一	同中宄西宮易幾父Gw桼六
5794	幾父壺二	同中宄西宮易幾父Gw桼六
5803	𠷎嗣𡚱𡨦壺	馭右和同
5805	中山王䄣方壺	而退與者侯齒長於會同
5805	中山王䄣方壺	齒長於會同
6793	夨人盤	降以南封于同道
6910	師永盂	邑人奎父、畢人師同
7217	姑馮勾鑃	姑wd昏同之子羇𠂤吉金

小計：共 25 筆

冑 1278

1278	十五年趞曹鼎	史趞曹易弓矢、虎盧、囗冑、毌、殳
1329	小字盂鼎	貝冑一、金干一
1308	白晨鼎	矛戈皋冑
2694	𧆨乍且考毁	易𢦔冑、干戈
2836	𢦚毁	孚戎兵盾、矛、戈、弓、備、矢、裨、冑
2917	冑乍𩐳𥂴	冑自乍𩐳𥂴
5805	中山王䄣方壺	氏以身蒙桒（甲）冑

小計：共 7 筆

冒 1279

字	字形	編號	器名	銘文
		1322	九年裘衛鼎	舍盠冒□羝皮二、罡(從)皮二
冒				小計:共 1 筆
网 兩	网	1280	同1281兩	
	兩	1281		
		1152	私官鼎	一斗半正十三斤八兩十四朱
		1228	歔𣪕方鼎	檎中賞孚歔𣪕遂毛兩
		1244	瘨鼎	易駒兩
		1247	函皇父鼎	自豕鼎降十又二、𣪘八、兩罍、兩壺
		1270	小臣夌鼎	小臣夌易鼎、兩
		1318	晉姜鼎	易鹵責千兩
		1322	九年裘衛鼎	舍矩姜帛三兩
		1322	九年裘衛鼎	我舍顏𨻰大馬兩
		1329	小字盂鼎	孚車卅兩
		1329	小字盂鼎	孚車百□兩
		2359	欮乍孚𣪘	欮乍孚𣪘兩
		2658.	大𣪘	穆章馬兩
		2678	函皇父𣪘一	兩罍
		2678	函皇父𣪘一	兩壺
		2679	函皇父𣪘二	兩罍
		2679	函皇父𣪘二	兩壺
		2680	函皇父𣪘三	兩罍
		2680	函皇父𣪘三	兩壺
		2680.	函皇父𣪘四	兩罍
		2680.	函皇父𣪘四	兩壺
		2707	小臣守𣪘一	賓馬兩、金十鈞
		2708	小臣守𣪘二	賓馬兩、金十鈞
		2709	小臣守𣪘三	賓馬兩、金十鈞
		2721	㒼𣪘	自黃賓㒼章(璋)一、馬兩
		2731	小臣宅𣪘	車馬兩
		2812	大𣪘一	大賓豕訊章、馬兩
		2813	大𣪘二	大賓、賓豕訊章、馬兩
		4444	卲宮盉	五十兩廿三斤十兩十五和工工感卲官和
		4449	裘衛盉	矩或取赤虎兩
		4449	裘衛盉	麀桒兩賁韐一
		4888	盠駒尊一	王親旨盠駒、易兩
		5801	洹子孟姜壺一	兩壺八鼎
		5802	洹子孟姜壺二	兩壺
		6783	函皇父盤	𣪘八、兩罍、兩壺
		7879	麗山鍾	重二鈞十三斤八兩
		7975	中山王墓兆域圖	兩堂間八十七乇(尺)
		7975	中山王墓兆域圖	兩堂間百乇(尺)
		7975	中山王墓兆域圖	兩堂間百乇(尺)
		7975	中山王墓兆域圖	兩堂間八十乇(尺)
		M191	繁卣	車、馬兩

小計：共 40 筆

䓓 1282

2721	䓓毁	王命䓓眔弔緐父歸吳姬飴器
2721	䓓毁	自黃賓䓓章（璋）一、馬兩
2721	䓓毁	䓓對揚天子休

小計：共 3 筆

网 1283

1557	戈网甗	[戈网]
1751	网毁	[网]
2354	仲网父毁一	中网父乍毁其萬年永寶用
2355	仲网父毁二	中网父乍毁
2356	仲网父毁三	中网父乍毁其萬年永寶用
3367	网爵	[网]
5099	戈网卣	[戈网]
5347	䝙卣	䝙乍寶尊彝[网]
5418	白睘卣二	白睘乍室尊寶彝[网]

小計：共 9 筆

罾 1284

2654	奭乍文父丁毁	隹□令伐尸方罾
5494	奭㸚乍母辛卣	令望人方罾
M160	□貯毁	□□賈眔子鼓罾鑄旅毁

小計：共 3 筆

𦊰 1285

5784	𡚬氏壺	𦊰獵毋後

小計：共 1 筆

𦉢 1286

6791	兮甲盤	王初各伐玁狁于𦉢𥁕

小計：共 1 筆

覆 1287

1331	中山王譽鼎	五年𨗦（覆）吳

小計：共 1 筆

巾 1288

2831	元年師兌𣪘一	易女乃且巾、五黃、赤舄
2832	元年師兌𣪘二	易女乃且巾、五黃、赤舄
5798	曶壺	赤巾(市)幽黃、赤舄，攸勒、䜌旂、用事
7484	郾侯職乍巾萃句	郾侯職乍巾萃鋸
7497	郾侯脮乍師巾萃鍨鉘	郾侯脮乍師巾萃鍨鉘
7753	巾斧	巾

小計：共 6 筆

帥 1289

1281	史頌鼎一	帥𩔈䇂好于成周
1282	史頌鼎二	帥𩔈䇂好于成周
1307	師望鼎	望肇帥井皇考
1325	五祀衛鼎	帥履裘衛厲田四田
1332	毛公鼎	女母(毋)弗帥用先王乍明井(型)
2713	𤸫𣪘一	不敢弗帥用夙夕
2714	𤸫𣪘二	不敢弗帥用夙夕
2715	𤸫𣪘三	不敢弗帥用夙夕
2716	𤸫𣪘四	不敢弗帥用夙夕
2717	𤸫𣪘五	不敢弗帥用夙夕
2718	𤸫𣪘六	不敢弗帥用夙夕
2719	𤸫𣪘七	不敢弗帥用夙夕
2720	𤸫𣪘八	不敢弗帥用夙夕
2752	史頌𣪘一	帥堣盩于成周
2753	史頌𣪘二	帥堣盩于成周
2754	史頌𣪘三	帥堣盩于成周
2755	史頌𣪘四	帥堣盩于成周
2756	史頌𣪘五	帥堣盩于成周
2757	史頌𣪘六	帥堣盩于成周
2758	史頌𣪘七	帥堣盩于成周
2759	史頌𣪘八	帥堣盩于成周
2759	史頌𣪘九	帥堣盩于成周
2763	弔向父禹𣪘	肇帥井先文且
2816	彔白𢦚𣪘	子子孫孫其帥井受茲休
2829	師虎𣪘	今余隹帥井先令
2833	秦公𣪘	穆穆帥秉明德
2840	番生𣪘	番生不敢弗帥井皇且考不杯元德
2857	牧𣪘	王曰：牧、女母敢弗帥用先王乍明井
6792	史墻盤	井帥宇誨
6925	晉邦盦	敢帥井先王
7020	單伯鐘	余小子肇帥井朕皇且考懿德
7047	井人鐘	妄不敢弗帥用文且皇考穆穆秉德
7048	井人鐘二	妄不敢弗帥用文且皇考穆穆秉德
7122	梁其鐘一	汈其肇帥井皇且考秉明德
7123	梁其鐘二	汈其肇帥井皇且考秉明德
7150	虢叔旅鐘一	旅敢肇帥井皇考威儀

7151	虢叔旅鐘二	旅敢肈帥井皇考威儀
7152	虢叔旅鐘三	旅敢肈帥井皇考威儀
7153	虢叔旅鐘四	旅敢肈帥井皇考威儀
7154	虢叔旅鐘五	旅敢肈帥井
7158	瘋鐘一	瘋不敢弗帥且考
7160	瘋鐘三	瘋不敢弗帥且考
7161	瘋鐘四	瘋不敢弗帥且考
7162	瘋鐘五	瘋不敢弗帥且考
7212	秦公鎛	穆穆帥秉明德

小計：共 45 筆

常 1290

1008	虎嗣君鼎	虎嗣君常羿其吉金

小計：共 1 筆

裙帬 1290+

3083	瘋毁（ 盨 ）一	易敝帬
3084	瘋毁（ 盨 ）二	易般帬
5651	公子裙壺	{ 公子 }裙on

小計：共 3 筆

幬 1291

1308	白晨鼎	畫hd、幬較、虎幃

小計：共 1 筆

幕 1291+

6785	守宮盤	易守宮絲束、蘆幕五、蘆冟二

小計：共 1 筆

幃 1292

1308	白晨鼎	畫hd、幬較、虎幃

小計：共 1 筆

帚 1293

0304	帚媯鼎一	帚媯
0305	帚媯鼎二	帚媯
0647	天黿帚__鼎	[天黽]帚o5
1073	白鼎	乍帚寶鼎尊彝
1899	帚如咸毁	帚如咸

4958	母___帚方彝一	母[fyfr]帚
4959	母___帚方彝二	母[fyfr]帚
5158	帚隻父庚卣	[帚隻]、父庚、父辛[酉]
5188	帚女彝卣一	帚女彝
5189	帚女彝卣二	帚女彝
5280	帚子卣	[帚好口止]
5574	女姬罍	啟兄午匚帚
6543	帚亞弜觶	[亞帚弜]
6601	帚子每觶	帚好正
7893	鷹節一	馬乘帚伐__四年市
7894	鷹節二	馬乘帚伐__傳__年
7930	䢅用乍寶缶一	鄭帚大䢅用乍寶缶
		小計：共 17 筆

布 1294

4867	鼖睘尊	尸白賓用貝、布
5484	乍冊睘卣	尸白賓睘貝布
5484	乍冊睘卣	尸白賓睘貝布
6785	守宮盤	馬匹、毳布三、專__三、鋻朋
		小計：共 4 筆

芇 1295

2841	芇白𣪘	又芇于大命
		小計：共 1 筆

𢂔 1296

0757	𢂔乍父丁鼎	𢂔乍父丁寶鼎
0925	𢂔乍且壬鼎	𢂔乍且壬寶尊彝□金
2191	段金𢂔乍旅𣪘一	段金𢂔乍旅𣪘
2192	段金𢂔乍旅𣪘二	段金𢂔乍旅𣪘
2398	𢂔弔山父𣪘一	𢂔弔山父乍疊姬尊𣪘
2399	𢂔弔山父𣪘二	𢂔弔山父乍疊姬尊𣪘
2400	𢂔弔山父𣪘三	𢂔弔山父乍疊姬尊𣪘
4752	段金𢂔旅尊	段金𢂔乍旅彝
		小計：共 8 筆

巿 1297

1276	__季鼎	王易赤θ巿、玄衣黹屯、䜌旂
1277	七年趞曹鼎	易趞曹戠巿、冋黃、䜌
1290	利鼎	易女赤θ巿、䜌旂、用事
1300	南宮柳鼎	易女赤巿、幽黃、攸勒
1305	師奎父鼎	易戠巿冋黃、玄衣黹屯、戈琱祴、旂

1309	寰鼎	易寰玄衣、黹屯、赤市、朱黃、䜌旂、攸勒、
1312	此鼎一	易女玄衣黹屯、赤市朱黃、䜌旂
1313	此鼎二	易女玄衣黹屯、赤市、朱黃、䜌旂
1314	此鼎三	易女玄衣黹屯、赤市、朱黃、䜌旂
1317	善夫山鼎	易女玄衣黹屯、赤市朱黃、䜌旂
1319	頌鼎一	易女玄衣黹屯、赤市朱黃、䜌旂攸勒、用事
1320	頌鼎二	易女玄衣黹屯、赤市朱黃、䜌旂攸勒、用事
1321	頌鼎三	易女玄衣黹屯、赤市朱黃、䜌旂攸勒、用事
1323	師訊鼎	易女玄衮䵼屯、赤市朱黃、䜌旂、大師金雁
1327	克鼎	易女叔市參冋、茀悤
1328	盂鼎	易女鬯一卣、冋衣、市、舄、車馬
1332	毛公鼎	朱市悤黃、玉環、玉琭
2598	燮乍宮仲念器	王令燮uk市旂
2687	敔毁	王蔑敔曆、易玄衣赤市
2725	師毛父毁	易赤市
2726	曶毁	易戠衣、赤θ市
2733	何毁	王易何赤市、朱亢、䜌旂
2738	衛毁	__赤市、攸勒
2762	免毁	易女赤θ市、用吏
2768	趩毁	赤θ市、綜䜌旂
2769	師楷毁	易女玄衣黹屯、叔市
2770	截毁	易女戠衣、赤θ市、䜌旂
2773	即毁	王乎命女赤市朱黃
2775	裘衛毁	王乎內史易衛戠市、朱黃、䜌
2776	走毁	易女赤θ市、䜌旂、用吏
2783	趞毁	易女赤市、幽亢、䜌旂、用事
2784	申毁	賜女赤市縈黃
2787	望毁	易女赤θ市、䜌、用吏
2787	望毁	易女赤θ市
2791	豆閉毁	王曰：閉、易女戠衣、θ市、䜌旂
2792	師俞毁	易赤市、朱黃、旂
2793	元年師旋毁一	易女赤市冋黃、麗般（鑾）
2794	元年師旋毁二	易女赤市冋黃、麗般（鑾）
2795	元年師旋毁三	易女赤市冋黃、麗般（鑾）
2797	輔師嫠毁	易女韋市素黃、䜌旂
2797	輔師嫠毁	赤市朱黃、戈彤沙琱㦸
2800	伊毁	易女赤市幽黃
2803	師酉毁一	新易女赤市朱黃中絅、攸勒
2804	師酉毁二	新易女赤市朱黃中絅、攸勒
2804	師酉毁二	新易女赤市朱黃中絅、攸勒
2805	師酉毁三	新易女赤市朱黃中絅、攸勒
2806	師酉毁四	新易女赤市朱黃中絅、攸勒
2806.	師酉毁五	新易女赤市朱黃中絅、攸勒
2807	鄦毁一	易女赤市冋黃、䜌旂、用吏
2808	鄦毁二	易女赤市冋黃、䜌旂、用吏
2809	鄦毁三	易女赤市冋黃、䜌旂、用吏
2810	揚毁一	賜女赤θ市、䜌旂
2811	揚毁二	賜女赤θ市、䜌旂
2817	師類毁	易女赤市朱黃、䜌旂攸勒、用事
2818	此毁一	赤市朱黃、䜌旂

䜌市

市 韐 韐

2819	此𣪘二	赤市朱黃、䜌旂
2820	此𣪘三	赤市朱黃、䜌旂
2821	此𣪘四	赤市朱黃、䜌旂
2822	此𣪘五	赤市朱黃、䜌旂
2823	此𣪘六	赤市朱黃、䜌旂
2824	此𣪘七	赤市朱黃、䜌旂
2825	此𣪘八	赤市朱黃、䜌旂
2835	訇𣪘	易女玄衣黹屯、𢦏市冋黃
2838	師𠭰𣪘一	易女弔市金黃、赤舄攸勒、用吏
2838	師𠭰𣪘一	䜌叔市巩(恐)告于王
2838	師𠭰𣪘一	易女弔市金黃、赤舄攸勒、用吏
2839	師𠭰𣪘二	易女弔市金黃、赤舄攸勒、用吏
2839	師𠭰𣪘二	䜌叔市巩(恐)告于王
2839	師𠭰𣪘二	易女弔市金黃、赤舄攸勒、用吏
2840	番生𣪘	易朱市悤黃、鞞鞍、玉睘、玉琭
2844	頌𣪘一	赤市朱黃
2845	頌𣪘二	赤市朱黃
2845	頌𣪘二	赤市朱黃
2846	頌𣪘三	赤市朱黃
2847	頌𣪘四	赤市朱黃
2848	頌𣪘五	赤市朱黃
2849	頌𣪘六	赤市朱黃
2850	頌𣪘七	赤市朱黃
2851	頌𣪘八	赤市朱黃
3083	瘨𣪘(盨)一	䟌市攸勒
3084	瘨𣪘(盨)二	䟌市攸勒
3088	師克旅盨一(蓋)	易䰜鬯一卣、赤市五黃、赤舄
3089	師克旅盨二	易䰜鬯一卣、赤市五黃、赤舄
3090	𦞙盨(器)	乃父市、赤舄、駒車、桒較、朱䟌、𠭯靳
4880	免尊	令史懋易免𢦏市冋黃
4886	趩尊	易趩戠衣、𢦏市冋黃、旂
4890	盠方尊	易盠赤市幽亢、攸勒
4892	麥尊	金＿、冂、衣、市、舄
4979	盠方彝一	易盠赤市幽亢、攸勒
4980	盠方彝二	易盠赤市幽亢
5500	免卣	令史懋易免𢦏市冋黃
5798	曶壺	赤市幽黃、赤舄
5799	頌壺一	易女玄衣黹屯、赤市朱黃
5800	頌壺二	易女玄衣黹屯、赤市朱黃
6787	走馬休盤	赤市朱黃
6789	寰盤	赤市朱黃、䜌旂攸勒
7545	秦子戈	秦子乍造公族元用左右市御用逸宜＿
7651	秦子矛	左右市冶用逸□
M423.	趩鼎	赤市朱黃

小計：共 99 筆

韐韐 1298

4449	裘衛盉	麀桒兩賁韐一

小計：共 1 筆

帛 1299

1145	舍父鼎	辛宮易舍父帛金
1322	九年裘衛鼎	夋帀轃、帛轡乘、金鹿鋞
1322	九年裘衛鼎	舍矩姜帛三兩
1322	九年裘衛鼎	朏帛、金一反
2633	相侯毀	易帛金、殳揚侯休
2690.	相侯毀	易帛金
2721	𦎫毀	吳姬賓帛束
2801	五年召白虎毀	報寢氏帛束、璜
2812	大毀一	帛束
2812	大毀一	賓睽訊章、帛束
2813	大毀二	帛束
2813	大毀二	賓睽訊章、帛束
2841	茾白毀	見、獻賫{ 帛貝 }
3128	魚鼎匕	帛命入敗
7112	者減鐘一	不帛不羊
7113	者減鐘二	不帛不羊

小計：共 16 筆

白 1300

0467	白乍彝鼎一	白乍彝
0468	白乍彝鼎二	白乍彝
0469	白旅鼎	白旅鼎
0470	白乍鼎	白乍鼎
0471	白公乍鼎一	白公乍
0472	白公乍鼎二	白公乍
0488	乍寶鼎	白乍寶
0599	戩白乍彝鼎	戩白乍彝
0604	北白乍尊鼎	北白乍尊
0614	白乍寶鼎	白乍寶鼎
0621	白乍旅鼎	白乍旅鼎
0630	白乍寶彝鼎一	白乍寶彝
0631	白乍寶彝鼎二	白乍寶彝
0632	白乍寶彝鼎三	白乍寶彝
0649	白乍旅彝鼎	白乍旅彝
0666	亞白禾變乍鼎	亞白禾變乍
0692	�白乍寶鼎	閱白乍寶鼎
0693	__白乍旅鼎	kn白乍旅鼎
0712	白旂乍寶鼎	白旂乍寶鼎
0739	伯□鼎	白□乍寶鼎
0740	伯父方鼎	白父乍寶鼎
0768	董白乍鑵鼎	董白乍旅尊彝
0772	白魚鼎	白魚乍寶尊彝

白

0774	白卿鼎	白卿乍寶尊彝
0813	白遲父乍雛鼎	白遲父乍雛貞(鼎)
0824	隁白方鼎	隁白乍寶尊彝
0826	白指乍籚鼎	白指乍旅尊鼎
0885	井姬窔鼎	漁白乍井姬窔鼎
0889	伯㦰方鼎	白㦰乍𠂤父寶尊彝
0900	季鄦乍宮白方鼎	季盨(鄦)乍宮白寶尊齍
0901	白六辭方鼎	白六辭乍祈寶尊齍
0903	毌渧白鼎	[毌]渧白□乍寶尊彝
0954	白_乍𠂤宗方鼎	白m0乍𠂤宗寶尊彝v8
0963	白旬乍尊鼎	白旬乍尊鼎萬年永寶用
0969	從鼎	白姜易從貝{ 三十朋 }
0973	白_乍妣羞鼎一	白oq乍婕(曹)妹oq羞鼎
0974	白_乍妣羞鼎二	白oq乍婕(曹)妹oq羞鼎
0975	白_乍妣羞鼎三	白oq乍婕(曹)妹oq羞鼎
0976	白_乍妣羞鼎四	白oq乍婕(曹)妹oq羞鼎
0988	白矩鼎	白矩乍寶彝
0990	_白肆鼎	L9白肆乍pz寶鼎
1022	白宓父旅鼎	白宓父乍旅鼎
1025	奠姜白寶鼎	奠姜白乍寶鼎
1038	白執父鼎	白執父乍寶鼎
1042	白庿父鼎	白庿父乍比鼎
1047	䣄白鼎	王令䣄白啚于㞢為宮
1047	䣄白鼎	䣄白乍寶尊彝
1050	白筍父鼎一	白筍父乍寶鼎
1051	白筍父鼎二	白筍父乍寶鼎
1053	白考父鼎	白考父乍寶鼎
1054	杞白每亡鼎一	杞白每亡乍鼄婕(曹)寶貞(鼎)
1055	杞白每亡鼎二	杞白每亡乍鼄婕(曹)寶貞(鼎)
1056	曾白從寵鼎	曾白從寵自乍寶鼎用
1060	輔白雁父鼎	輔白雁父乍豐孟妘賸鼎
1062	䙴鼎	䙴白乍寶鼎
1071	鼄白御戎鼎	鼄白御戎乍滕姬寶貞(鼎)
1073	白鼎	隹白殷□八自寇年
1076	王伯姜鼎	王白姜乍季姬寶尊鼎
1078	犀白魚父旅鼎一	犀白魚父乍旅鼎
1079	犀白魚父旅鼎二	犀白魚父乍旅鼎
1093	奠登白鼎	奠登白彶弔嬀乍寶鼎
1097	白庯父乍羊鼎	白庯父乍羊鼎
1098	善夫白辛父鼎	善夫白辛父乍尊鼎
1100	白尚鼎	白尚肇其乍寶鼎
1110	䣄白原鼎	䣄白原乍寶鼎
1116	晉司徒白郜父鼎	晉嗣徒白郜父乍周姬寶尊鼎
1120	淉白鼎	唯淉白友□林乍鼎
1122	䙴白乍石鼒	隹䙴白鰈自乍寶□鼒
1123	伯夏父鼎	白夏父乍畢姬尊鼎
1128	_白氏鼎	白氏姒(始)氏乍wjrmp8媵鼎
1132	邿白祀乍善鼎	邿白祀乍善鼎
1133	邿白乍孟妊善鼎	邿白肇乍孟妊善寶鼎
1138	白陶乍父考宮弔鼎	白陶乍𠂤文考宮弔寶䵼彝

1141	善夫旅白鼎	善夫旅白乍毛中姬尊鼎
1142	杞白每亡鼎	杞白每亡乍鼄曹寶鼎
1148	鼄姜白鼎一	鼄姜白乍此嬴尊鼎
1149	鼄姜白鼎二	鼄姜白乍此嬴尊鼎
1153	白頵父鼎	白頵父乍朕皇考屖白吳姬寶鼎
1155	戜者乍旅鼎	用乍文考宮白寶尊彝
1161	白吉父鼎	白吉父乍毅尊鼎
1162	乃子克鼎	效辛白蔑乃子克曆
1162	乃子克鼎	辛白其並受囚
1165	大師鐘白乍石鬻	大師鐘白侵自乍碩鬻
1171	魯白車鼎	魯白車自乍文考造靜鼎
1174	易乍旅鼎	寔白于成周休賜小臣金
1175	白鮮乍旅鼎一	白鮮乍旅鼎
1176	白鮮乍旅鼎二	白鮮乍旅鼎
1177	白鮮乍旅鼎三	白鮮乍旅鼎
1185	強白乍井姬鼎一	隹強白乍井姬用鼎、𣪘
1186	強白乍井姬鼎二	隹強白乍井姬用鼎、𣪘
1199	虢宣公子白鼎	虢宣公子白乍尊鼎
1200	散白車父鼎一	㪔白車父乍䢼姞尊鼎
1201	㪔白車父鼎二	㪔白車父　乍䢼姞尊鼎
1202	㪔白車父鼎三	㪔白車父乍䢼姞尊鼎
1203	㪔白車父鼎四	㪔白車父乍䢼姞尊鼎
1204	淮白鼎	淮白乍鄁__寶尊__
1205.	遫鼎	誒乍文考胤白尊鼎（貞）
1216	賀鼎	弔氏事貧安曩白賓賀馬車乘
1242	塱方鼎	豐白、尃古咸𢦏
1243	仲__父鼎	周白__及仲__父伐南淮夷
1249	寓鼎	用乍召白父辛寶尊彝
1255	作冊大鼎一	公賞乍冊大白馬
1256	作冊大鼎二	公賞乍冊大白馬
1257	作冊大鼎三	公賞乍冊大白馬
1258	作冊大鼎四	公賞乍冊大白馬
1276	__季鼎	白俗父右uJ季
1277	七年趞曹鼎	井白入右趞曹立中廷、北鄉
1280	康鼎	榮白內右康
1280	康鼎	用乍朕文考釐白寶尊鼎
1290	利鼎	井白內右利立中廷、北鄉
1290	利鼎	用作朕文考__白尊鼎
1298	師旂鼎	雷事氒友引以告于白懋父
1298	師旂鼎	白懋父迺罰得䙷古三百寽
1301	大鼎一	用乍朕剌考己白盂鼎
1302	大鼎二	用乍朕剌考己白盂鼎
1303	大鼎三	用乍朕剌考己白盂鼎
1305	師奎父鼎	𤔲馬井白右師奎父
1309	袁鼎	用乍朕皇考鄭白姬尊鼎
1323	師訊鼎	休白大師肩𦖞
1323	師訊鼎	白大師不自乍
1323	師訊鼎	白亦克款古先且蠱孫子一𦖞皇辟懿德
1323	師訊鼎	白大師武臣保天子
1325	五祀衛鼎	衛目邦君君厲告于井白

白

1325	五祀衛鼎	白邑父、定白、𤎼白、白俗父曰、厲曰：余執
1325	五祀衛鼎	井白、白邑父、定白、𤎼白、白俗父迺顜
1328	盂鼎	易女邦𤔲四白
1328	盂鼎	易夷𤔲王臣十又三白
1329	小字盂鼎	□越白□□畯𤂳虘㠯新□從、咸
1329	小字盂鼎	盂告、𨽍白即立
1329	小字盂鼎	𠛬□□□□□于明白
1329	小字盂鼎	𢇍白
1329	小字盂鼎	□白告咸盂㠯□侯眔侯田□□□□盂征
1330	曶鼎	𠮷(曶)用絲金乍朕文孝𡨦白𩰫牛鼎
1366	北白鬲	北白乍彝
1380	白_鬲	白uf乍尊彝
1382	㪟白乍𪔂鬲一	㪟白乍𪔂鬲
1383	㪟伯鬲二	㪟白乍𪔂鬲
1384	㪟伯鬲三	㪟白乍𪔂鬲
1385	㪟伯鬲四	㪟白乍𪔂鬲
1386	㪟伯鬲五	㪟白乍𪔂鬲
1388	𢼸白乍𪔂鼎	𢼸白乍𪔂鼎□
1405	白邦父乍𪔂鼎	白邦父乍𪔂鬲
1415	𡛷鬲	[𡛷𡯁]白乍父乙彝
1421	時白鬲一	時白乍□中□羞鬲
1422	時白鬲二	時白乍□中□羞鬲
1423	時白鬲三	時白乍□中□羞鬲
1427	鄭興白乍弔𡣃𪔂鬲一	鄭興白乍弔𡣃𪔂鬲
1428	鄭興伯乍弔𡣃𪔂鬲二	鄭興白乍弔𡣃𪔂鬲
1433	召白毛尊鬲	召白毛乍王母尊鬲
1436	王白姜尊鬲一	王白姜乍尊鬲永寶用
1437	王白姜尊鬲二	王白姜乍尊鬲永寶用
1438	王白姜尊鬲三	王白姜乍尊鬲永寶用
1439	王白姜尊鬲四	王白姜乍尊鬲其萬年永寶用
1446	白𤞷父乍井姬鬲	白𤞷父乍井姬季姜尊鬲
1447	弔𩰫鬲	弔𩰫乍己白父丁寶尊彝
1448	白𩫏父鬲一	白𩫏父乍弔姬鬲
1449	白墉父鬲二	白𩫏父乍弔姬鬲
1455	榮白鬲	榮白鑄鬲于qa
1459	白上父乍姜氏鬲	白上父乍姜氏尊鬲
1460	奠羌白乍季姜鬲	鄭羌白乍季姜尊鬲
1468	白家父乍孟姜鬲	白家父乍孟姜媵鬲
1469	戯白餗𪔂一	戯白乍餗𪔂
1470	戯白餗𪔂二	戯白乍餗𪔂
1471	魯白愈父鬲一	魯白愈乍鼄姬仁朕(媵)羞鬲
1472	魯白愈父鬲二	魯白愈父乍鼄姬仁媵(媵)羞鬲
1473	魯白愈父鬲三	魯白愈父乍鼄姬仁媵(媵)羞鬲
1474	魯白愈父鬲四	魯白愈父乍鼄姬仁媵(媵)羞鬲
1475	魯白愈父鬲五	魯白愈父乍鼄姬仁媵(媵)羞鬲
1476	鼄白乍朕鬲	鼄白乍塍(媵)鬲
1478	齊不𧼛鬲	齊不𧼛乍厎白尊鬲
1485	白矩鬲	匽侯易白矩貝
1487	白先父鬲一	白先父乍𡚬尊鬲

1488	白先父鬲二	白先父乍𡛜尊鬲
1489	白先父鬲三	白先父乍𡛜尊鬲
1490	白先父鬲四	白先父乍𡛜尊鬲
1491	白先父鬲五	白先父乍𡛜尊鬲
1492	白先父鬲六	白先父乍𡛜尊鬲
1493	白先父鬲七	白先父乍𡛜尊鬲
1494	白先父鬲八	白先父乍𡛜尊鬲
1495	白先父鬲九	白先父乍𡛜尊鬲
1496	白先父鬲十	白先父乍𡛜尊鬲
1500	__白鬲	□白乍弔姬尊鬲
1502	成白孫父鬲	成白孫父乍浸嬴尊鬲
1505	番君酌白鼎	隹番君酌白自乍寶鼎
1506	杜白乍弔媾鬲	杜白乍叔媾尊鬲
1512	虢白乍姬矢母鬲	虢白乍姬矢母尊鬲
1514	白夏父乍畢姬鬲一	白夏父畢姬尊鬲
1515	白夏父乍畢姬鬲二	白夏父乍畢姬尊鬲
1516	白夏父乍畢姬鬲三	白夏父乍畢姬尊鬲
1517	白夏父乍畢姬鬲四	白夏父乍畢姬尊鬲
1518	白夏父乍畢姬鬲六	白夏父乍畢姬尊鬲
1519	白夏父乍畢姬鬲五	白夏父乍畢姬尊鬲
1520	奠白荀父鬲	奠白荀父乍弔姬尊鬲
1521	單白遽父鬲	單白遽父乍中姞尊鬲
1525	隱子奠白尊鬲	隱(鄫)子子奠白乍尊鬲
1581	白乍彝甗一	白乍彝
1583	白乍彝甗二	白乍彝
1601	白乍寶甗	白乍寶彝
1605	白乍旅甗	白乍旅甗
1610	井白甗	井白乍甗
1612	白㢈甗	白㢈乍尊彝
1614	白真乍鑄甗	白真乍旅獻
1616	矢白乍旅甗	矢白乍旅彝
1620	虢白甗	虢白乍婦獻用
1621	夆白甗	夆白命乍旅彝
1624	田寮白甗	[田]寮白釆乍旅
1625	白□鑄甗	白__乍寶旅獻
1627	漁伯甗	漁白自為用甗
1630	伯矩甗	白矩乍寶尊彝
1639	漁白乍井姬甗	漁白乍井姬用甗
1642	尹白乍且辛甗	尹白乍且辛寶尊彝
1655	奠氏白高父旅甗	奠氏白□父乍旅獻(甗)
1659	白鮮旅甗	白鮮乍旅獻(甗)
1668	中甗	白買父以自氒人戍漢中州
1902	□白陪毀	耳白陪
1903	白乍彝毀一	白乍彝
1904	白乍彝毀二	白乍彝
1905	白乍彝毀三	白乍彝
1928	白乍彝毀一	白乍彝
1929	白乍彝毀二	白乍彝
1930	白乍彝方座毀三	白乍彝
1947	白八冊毀	白八[冊]

白

2019	白乍寶彝毁一	白乍寶彝
2020	白乍寶彝毁二	白乍寶彝
2026	白乍旅彝毁一	白乍旅彝
2027	白乍旅彝毁二	白乍旅彝
2028	白乍旅彝毁三	白乍旅彝
2034	白乍寶毁一	白乍寶毁
2035	白乍寶毁二	白乍寶毁
2036	白乍寶毁三	白乍寶毁
2037	白乍寶毁四	白乍寶毁
2038	白乍寶毁五	白乍寶毁
2039	白乍旅毁一	白乍旅毁
2040	白乍旅毁二	白乍旅毁
2060	白姬乍__毁	白姬乍cx
2065	白乍寶彝毁	白乍寶彝
2089	白魚乍寶彝毁	白魚乍寶彝
2099	牖白乍寶彝毁	牖白乍寶彝
2114	吴乍白旅彝	吴乍白旅
2119	白劉乍旅毁	白劉乍旅毁
2120	白到乍孰毁	白到乍孰毁
2125	滎白乍旅毁	滎白乍旅毁
2132	白乍寶尊毁	白乍寶尊毁
2134	白乍寶障彝毁一	白乍寶尊彝
2135	白乍寶障彝毁二	白乍寶尊彝
2136	白乍寶障彝毁三	白乍寶尊彝
2142	白戜乍旅毁	白戜乍旅毁
2143	□白乍寶毁	□白乍寶毁
2174	白魚乍寶障毁	白魚乍寶尊彝
2175	白矩乍寶障毁	白矩乍寶尊彝
2176	白__父乍鬻毁	白L4父乍鬻彝
2177	白艖乍寶毁	白艖乍寶尊彝
2178	白丙乍寶毁	白丙乍寶尊彝
2193	艅白乍寶毁	艅白乍寶尊彝
2195	白魚乍寶毁一	白魚乍寶尊彝
2196	白魚乍寶毁二	白魚乍寶尊彝
2197	白魚乍寶毁三	白魚乍寶尊彝
2198	白魚乍寶毁四	白魚乍寶尊彝
2199	白矩乍寶毁一	白矩乍寶尊彝
2200	白矩乍寶毁二	白矩乍寶尊彝
2201	白要府乍寶毁	白要府乍寶毁
2202	白乍寶用障彝毁一	白乍寶用尊毁
2203	白乍寶用障彝毁二	白乍寶用尊毁
2209	亢白乍姬寶毁	亢白乍姬寶毁
2210	屐乍齏白寶毁	屐乍齏白寶毁
2231	白乍南宮毁	白乍南宮□毁
2234	白乍乙公障毁	白乍乙公尊毁
2235	陵白乍寶毁	陵白乍寶尊彝
2236	賣白乍寶毁	賣白乍寶尊彝
2250	八五一／堇白乍旅毁	堇白乍旅尊彝[八五一]
2251	比乍白婦__毁	比乍白婦tf尊彝
2254	觚猎白鼎乍寶毁	觚猎白鼎乍寶毁

2261	義白乍宄婦陸姞毁	義白乍宄婦陸姞
2264	嫁仲乍乙白毁	嫁中乍乙白寶毁
2274	強白乍自為鼎毁	強白乍自為貞毁
2275	強白乍旅用鼎毁一	強白乍旅用鼎毁
2276	強白乍旅用鼎毁二	強白乍旅用鼎毁
2295	貮者乍宮白毁	貮者乍宮白寶尊彝
2299	白乍𡚬譯子毁	白乍𡚬譯子寶尊彝
2311	白蔡父毁	白蔡父乍母嫊寶毁
2332	白__乍媿氏旅毁	白p1乍媿氏旅用追考(孝)
2358	陎侯為季姬毁	陎侯白為季姬毁
2360	白乍寶毁	白乍寶毁
2365	中白毁	中白乍亲姬䜌彝
2366	白者父毁	白者父乍寶毁
2367	散白乍夨姬毁一	散白乍夨姬寶毁
2368	散白乍夨姬毁二	散白乍夨姬寶毁
2369	散白乍夨姬毁三	散白乍夨姬寶毁
2370	散白乍夨姬毁四	散白乍夨姬寶毁
2371	散白乍夨姬毁五	散白乍夨姬寶毁
2374	白庶父毁	白庶父乍旅毁
2386	白__乍白幽毁二	白Lb乍幽白寶毁
2387	白__乍白幽毁一	白Lb乍白幽寶毁
2392	__白毁	隹九月初吉叡龍白自乍其寶毁
2393	白喬父飤毁	白喬父乍飤毁
2403	遽白還毁	s4白睘乍寶尊彝
2407	白閈乍尊毁一	白閈(闞)乍尊毁
2408	白閈乍尊毁二	白閈(闞)乍尊毁
2419	白喜父乍洹餴毁一	白喜父乍洹餴毁
2420	白喜父乍洹餴毁二	白喜父乍洹餴毁
2424	白䒨寶毁	白䒨乍寶毁
2430	倗白__尊毁	倗白__自乍尊毁
2447	白汈父乍嫸姞毁一	白汈父乍嫸姞尊毁
2448	白汈父乍嫸姞毁二	白汈父乍嫸姞尊毁
2449	白汈父乍嫸姞毁三	白汈父乍嫸姞尊毁
2451	過白毁	過白從王伐反荊、孚金
2456	肑白迹毁一	肑(始)白迹乍寶毁
2457	肑白迹毁二	肑白迹乍寶毁
2461	白家父乍孟姜毁	白家父乍{公孟}姜媵毁
2478	白賓父毁(器)一	白賓父乍寶毁
2479	白賓父毁二	白賓父乍寶毁
2484	伯綗父毁	白綗父乍周羌尊毁
2487	白簹乍文考幽仲毁	白簹(祈)父乍文考幽中尊毁
2488	杞白每亡毁一	杞白每亡乍鼄婞(曹)寶毁
2489	杞白每亡毁二	杞白每亡乍鼄婞(曹)寶毁
2490	杞白每亡毁三	杞白每亡乍鼄婞(曹)寶毁
2491	杞白每亡毁四	杞白每亡乍鼄婞(曹)寶毁
2492	杞白每亡毁五	杞白每亡乍鼄婞(曹)寶毁
2505	白疑父乍嫿毁	白疑父乍嫿寶毁
2518	白田父毁	白田父乍井ri寶毁
2522	孟𤼈父毁	孟𤼈父乍幻白姬媵毁八
2523	孟𤼈父毁	孟𤼈父乍幻白姬媵毁八

白

2528	魯白大父乍媵㲃	魯白大父乍季姬rk媵㲃
2529	豐井弔乍白姬㲃	豐井弔乍白姬尊㲃
2531	魯白大父乍孟□姜㲃	魯白大父乍孟姬姜媵㲃
2532	魯白大父乍仲姬俞㲃	魯白大父乍中姬俞媵㲃
2547	格白乍晉姬㲃	格白乍晉姬寶㲃
2556	復公子白舍㲃一	復公子白舍曰
2557	復公子白舍㲃二	復公子白舍曰
2558	復公子白舍㲃三	復公子白舍曰
2559	白中父㲃	白中父夙夜吏走考
2572	毛白嚨父㲃	毛白嚨父乍中姚寶㲃
2573	洑白寺㲃	洑白寺自乍寶㲃
2576	白倱□寶㲃	白倱自乍____寶㲃
2579	白喜乍文考剌公㲃	白喜父乍朕文考剌公尊㲃
2581	曹伯狄㲃	曹白狄乍夙㛸公尊㲃
2583	鄦公㲃	鄦公白盄用吉金
2600	白䜌父㲃	白䜌父乍朕皇考屖白吳姬尊㲃
2603	白吉父㲃	白吉父乍毅尊㲃
2613	白椃乍宄寶㲃	白椃乍氒宄室寶㲃
2625	曾白文㲃	唯曾白文自乍寶㲃
2634	𣪘叔㲃	𣪘弔𣪘姬乍白媿賸㲃
2639	逋㲃	逋乍朕文考胤白尊㲃
2644.	伯椃虘㲃	白椃虘肇乍皇考剌公尊殷
2648	仲𣪕父㲃一	中𣪕父乍朕皇考遟白
2649	仲𣪕父㲃二	中𣪕父乍朕皇考遟白
2650	仲𣪕父㲃三	中𣪕父乍朕皇考遟白
2651	內白多父㲃ー	內白多父乍寶㲃
2653	𪒠㲃	白氏𡧊𪒠
2658	白㦰㲃	白㦰肇其作西宮寶
2660	彔乍辛公㲃	白䧹父來自𣪘
2660	彔乍辛公㲃	對揚白休
2661	競㲃一	白屖父蔑御史競曆、賞金
2661	競㲃一	競揚白屖父休
2662	競㲃二	白屖父蔑御史競曆、賞金
2662	競㲃二	競揚白屖父休
2669	_妊小㲃	白艿父吏____尹人于齊𠂤
2672	伯艿父㲃	白艿父吏____尹人于齊𠂤
2683	白家父㲃	隹白家父部
2689	白康㲃一	白康乍寶㲃
2690	白康㲃二	白康乍寶㲃
2694	㢈乍且考㲃	公白易氒臣弟㢈井五mG
2694	㢈乍且考㲃	㢈弗敢望公白休
2694	㢈乍且考㲃	對揚白休
2724	章白㪤㲃	易章(鄘)白㪤貝十朋
2725	師毛父㲃	井白右、大史冊命
2730	獻㲃	楷白于遘王
2730	獻㲃	楷白令氒臣獻金車
2731	小臣宅㲃	令宅吏白懋父
2731	小臣宅㲃	白易小臣宅畫干戈九
2731	小臣宅㲃	揚公白休
2760	小臣謎㲃一	白懋父目㲃八𠂤征東尸(夷)

2760	小臣謎段一	白懋父承王令易自達征自五齵貝
2761	小臣謎段二	白懋父目殷八自征東尸(夷)
2761	小臣謎段二	白懋父承王令易自達征自五齵貝
2765	救段	井白內、右救立中廷北鄉
2769	師耤段	滎白內、右師耤即立中廷
2769	師耤段	弭白用乍尊段
2771	弭弔師求段一	用楚弭白
2772	弭弔師求段二	用楚弭白
2773	即段	定白入、右即
2775	裘衛段	南白入、右裘衛入門、立中廷、北鄉
2776	走段	司馬井白入、右徒
2778	格白段一	格白取良馬乘于倗生
2778	格白段一	則析、格白iL
2778	格白段一	殹妊彶佗𠂤從格白安彶甸
2778	格白段一	鑄保段、用典格白田
2778	格白段一	格白取良馬乘于倗生
2778	格白段一	則析、格白iL
2778	格白段一	殹妊彶佗𠂤從格白安彶甸
2778	格白段一	鑄保段、用典格白田
2779	格白段二	格白取良馬乘于倗生
2779	格白段二	鑄保段、用典格白田
2780	格白段三	格白取良馬乘于倗生
2780	格白段三	則析、格白iL
2780	格白段三	殹妊彶佗𠂤從格白安彶甸
2780	格白段三	鑄保段、用典格白田
2781	格白段四	格白取良馬乘于倗生
2781	格白段四	則析、格白iL
2781	格白段四	殹妊彶佗𠂤從格白安彶甸
2781	格白段四	鑄保段、用典格白田
2782	格白段五	格白取良馬乘于倗生
2782	格白段五	則析、格白iL
2782	格白段五	殹妊彶佗𠂤從格白安彶甸
2782	格白段五	鑄保段、用典格白田
2782.	格白段六	格白取良馬乘于倗生
2782.	格白段六	則析、格白iL
2782.	格白段六	殹妊彶佗𠂤從格白安彶甸
2782.	格白段六	鑄保段、用典格白田
2786	縣妃段	白屖父休于縣妃曰
2786	縣妃段	劇、乃任縣白室
2786	縣妃段	縣妃每揚白屖父休
2786	縣妃段	曰：休白哭Lm卹縣白室
2786	縣妃段	我不能不眔縣白萬年保
2786	縣妃段	其自今日孫孫子子母敢望白休
2787	望段	用乍朕皇且白廿tx父寶段
2787	望段	用乍朕皇且白甲父寶段
2789	同段一	滎白右同立中廷、北鄉
2790	同段二	滎白右同立中廷、北鄉
2791	豆閉段	井白入
2791.	史密段	率族人、釐白、僰、眉
2791.	史密段	用乍朕文考乙白尊段

白

2797	輔師𤔲𣪘	榮白入、右輔師𤔲
2798	師𤸎𣪘一	嗣馬井白親右師𤸎入門立中廷
2799	師𤸎𣪘二	嗣馬井白親右師𤸎入門立中廷
2801	五年召白虎𣪘	弋白氏從許
2801	五年召白虎𣪘	召白虎曰
2802	六年召白虎𣪘	召白虎告曰
2802	六年召白虎𣪘	用獄Jf為白
2802	六年召白虎𣪘	亦我考幽白姜令
2802	六年召白虎𣪘	白氏則報璧琱生
2803	師酉𣪘一	用乍朕文考乙白宄姬尊𣪘
2804	師酉𣪘二	用乍朕文考乙白宄姬尊𣪘
2804	師酉𣪘二	用乍朕考乙白宄姬尊𣪘
2805	師酉𣪘三	用乍朕文考乙白宄姬尊𣪘
2806	師酉𣪘四	用乍朕文考乙白宄姬尊𣪘
2806.	師酉𣪘五	用乍朕文考乙白宄姬尊𣪘
2807	𨛭𣪘一	毛白內門
2807	𨛭𣪘一	鄧用乍朕皇考龏白尊𣪘
2808	𨛭𣪘二	毛白內門
2808	𨛭𣪘二	鄧用乍朕皇考龏白尊𣪘
2809	𨛭𣪘三	毛白內門
2809	𨛭𣪘三	鄧用乍朕皇考龏白尊𣪘
2810	揚𣪘一	嗣徒單白內、右揚
2810	揚𣪘一	余用乍朕剌考𢉅白寶𣪘
2811	揚𣪘二	嗣徒單白內、右揚
2811	揚𣪘二	余用乍朕剌考𢉅白寶𣪘
2812	大𣪘一	用乍朕皇考剌白尊𣪘
2813	大𣪘二	用乍朕皇考剌白尊𣪘
2814	鳥冊夨令𣪘一	隹王于伐楚白、才炎
2814	鳥冊夨令𣪘一	公尹白丁父兄（ 貺 ）于戍
2814.	夨令𣪘二	隹王于伐楚白、才炎
2814.	夨令𣪘二	公尹白丁父兄（ 貺 ）于戍
2815	師𣪕𣪘	白龢父若曰
2816	彔白𢦚𣪘	王若曰：彔白𢦚
2816	彔白𢦚𣪘	彔白𢦚敢拜手𩒨首
2817	師𩒳𣪘	嗣工液白入右師𩒳
2817	師𩒳𣪘	用乍朕文考尹白尊殷
2828	宜侯夨𣪘	易奠七白
2829	師虎𣪘	井白內、右師虎即立中廷北鄉
2830	三年師兌𣪘	𩁹白右師兌入門、立中廷
2835	𨟭𣪘	用乍文且乙白同姬尊𣪘
2837	敔𣪘一	㽙于榮白之所
2838	師𤔲𣪘一	用乍朕皇考輔白尊𣪘
2838	師𤔲𣪘一	用乍朕皇考輔白尊𣪘
2839	師𤔲𣪘二	用乍朕皇考輔白尊𣪘
2839	師𤔲𣪘二	用乍朕皇考輔白尊𣪘
2841	茾白𣪘	己未、王命中到歸茾白or裘
2841	茾白𣪘	王若曰：茾白
2841	茾白𣪘	茾白拜手𩒨首天子休
2842	卯𣪘	榮白乎令卯曰
2842	卯𣪘	敢對揚榮白休

2852	不娶段一	白氏日：不娶
2852	不娶段一	白氏日：不娶、女小子
2852	不娶段一	用乍朕皇且公白孟姬尊段
2853	不娶段二	白氏日：不娶
2853	不娶段二	白氏日：不娶、女小子
2853	不娶段二	用作朕皇且公白孟姬尊段
2855	班段一	王令毛白更虢城公服
2855	班段一	王令吳白日
2855	班段一	王令呂白日
2855.	班段二	王令毛白更虢城公服
2855.	班段二	王令吳白日
2855.	班段二	王令呂白日
2856	師訇段	用乍朕剌且乙白咸益姬寶段
2857	牧段	用乍朕皇文考益白尊段
2862	剳白鋁	剳白乍孟姬鋁
2897	白彊行器	白彊為皇氏白行器
2898	白旅魚父旅匿	白旅魚父乍旅匿
2901	白□父匿	白□父乍寶匿
2902	白矩食匿	白矩自乍食匿
2906	白鷹父匿	白鷹父乍□匿
2920.	白多父匿	白多父乍戌姬多母靈匿器
2922	魯白俞父匿一	魯白俞父乍姬仁匿
2923	魯白俞父匿二	魯白俞父乍姬仁匿
2924	魯白俞父匿三	魯白俞父乍姬仁匿
2953	白其父慶旅祜	唯白其父慶乍遊祜
2968	奠白大嗣工召弔山父旅匿一	奠白大嗣工召弔山父乍旅匿
2969	奠白大嗣工召弔山父旅匿二	奠白大嗣工召弔山父乍旅匿
2984	伯公父盤	白大師小子白公父乍盤
2984	伯公父盤	白大師小子白公父乍盤
2986	曾白霖旅匿一	曾白霖哲聖元元武武孔黹
2986	曾白霖旅匿一	曾白霖叚不黃者萬年
2987	曾白霖旅匿二	曾白霖哲聖元元武武孔黹
2987	曾白霖旅匿二	曾白霖叚不黃者萬年
2989	白筍父旅盨	白筍父乍旅盨
2990	登白盨	登白乍re盨用
2992	白夸父盨	白夸父乍寶盨
2993	中白乍嫡姬旅盨一	中白乍嫡姬旅盨用
2994	中白乍嫡姬旅盨二	中白乍嫡姬旅盨用
3001	白鮮旅段（盨）一	白鮮乍旅段
3002	白鮮旅段（盨）二	白鮮乍旅段
3003	白鮮旅段（盨）三	白鮮乍旅段
3004	白鮮旅段（盨）	白鮮乍旅段
3006	白多父旅盨一	白多父乍旅盨（須）
3007	白多父旅盨二	白多父乍旅盨（須）
3008	白多父旅盨三	白多父乍旅盨（須）
3009	白多父旅盨四	白多父乍旅盨（須）
3017	白大師旅盨一	白大師乍旅盨
3018	白大師旅盨（器）二	白大師乍旅盨
3022	白車父旅盨（器）一	白車父乍旅盨
3023	白車父旅盨（器）二	白車父乍旅盨

白

3025	白公父旅盨（蓋）	白公父乍旅盨
3030	奠義白旅盨（器）	奠義白乍旅盨（彭）
3034	白孝__旅盨	白孝kd鑄旅盨（須）
3034	白孝__旅盨	永其萬年子子孫孫寶用白孝kd鑄旅盨（須）
3035	魯嗣徒旅毁（盨）	魯嗣徒白吳敢肇乍旅毁
3039	白多父盨	白多父乍戍姬多母窯𡩜器
3040	白庶父盨毁（蓋）	白庶父乍盨毁
3046	筍白大父寶盨	筍白大父乍嬴妃鑄匋（寶）盨
3049	單子白旅盨	單子白乍弔姜旅盨
3051	兮白吉父旅盨（蓋）	兮白吉父乍旅尊盨
3062	乘父毁（盨）	乘父士杉其肇乍其皇考白明父寶毁
3064	曩白子宼父征盨一	曩白子宼父乍其征盨
3065	曩白子宼父征盨二	曩白子宼父乍其征盨
3066	曩白子宼父征盨三	曩白子宼父乍其征盨
3067	曩白子宼父征盨四	曩白子宼父乍其征盨
3068	白寬父盨一	白寬父乍寶盨
3069	白寬父盨二	白寬父乍寶盨
3070	杜白盨一	杜白乍寶盨
3071	杜白盨二	杜白乍寶盨
3072	杜白盨三	杜白乍寶盨
3073	杜白盨四	杜白乍寶盨
3074	杜白盨五	杜白乍寶盨
3075	白汈其旅盨一	白汈其乍旅盨
3076	白汈其旅盨二	白汈其乍旅盨
3117	微伯瘨簠	敚白瘨乍簠
3125	敚白瘨匕二	敚白瘨乍匕
3126	敚白瘨匕一	敚白瘨乍匕
3654	白__爵	白__
4096	白乍父癸爵	白乍父癸
4111	過白乍彝爵	過白乍彝
4154	白詔乍寶彝爵	白詔乍寶彝
4155	白限乍寶彝爵	白限父乍寶彝
4199	觪乍白父辛爵	觪乍召白父辛寶尊彝
4204	盂爵	王令盂寧鄧白、賓貝
4213	白御角	白御
4331.	乍伯弔乙斝	乍白弔乙
4340.	虎白斝	犬白乍父寶尊彝
4392	白彭乍盉	白彭乍
4411	白定盉	白定乍寶彝
4412	白舂盉	白舂乍寶盉
4418	白矩盉	白矩乍寶尊彝
4420	白__自乍用盉	白ny自乍用盉
4423	隚白盉	隚白乍寶尊彝
4423.	隚白鎣	隚白乍寶尊彝
4424	白鬷乍旅盉	白鬷乍母rd旅盉
4430	白百父乍孟姬朕鎣	白百父乍孟姬朕鎣
4432	白寚乍召白父辛盉	白寚乍召白父辛寶尊彝
4439	白衛父盉	白衛父乍嬴䵼彝
4440	白章父盉	白章父乍寶盉
4448	長甶盉	即井白大祝射

4448	長甶盉	穆王蔑長甶以逑即井白氏
4448	長甶盉	井白氏彌不姦
4449	裘衛盉	矩白庶人取瑾章于裘衛
4449	裘衛盉	裘衛乃彘告于白邑父
4449	裘衛盉	榮白、定白、㝩白、單白
4449	裘衛盉	白邑父、榮白、定白、㝩白
4449	裘衛盉	單白迺令參有司;嗣土敚邑
4678	白乍旅彝尊一	白乍旅彝
4679	白乍旅彝尊二	白乍旅彝
4680	白乍寶彝尊	白乍寶彝
4715	事白尊	吏白乍旅彝
4738	艅白尊	艅白乍寶尊彝
4739	白矩尊一	白矩乍寶尊彝
4740	白矩尊二	白矩乍寶尊彝
4741	白矩尊三	白矩乍寶尊彝
4742	白貉尊	白貉乍寶尊彝
4744	白旟尊一	白旟乍寶尊彝
4745	白旟尊二	白旟乍寶尊彝
4746	白旟尊三	白旟乍寶尊彝
4758	㶇白尊	㶇白乍寶彝尊
4759	陵白尊	陵白乍寶尊彝
4764	__白乍父乙尊	qc白乍父乙寶尊
4780	北白滅尊一	北白滅乍寶尊彝
4781	北白滅尊二	北白滅乍寶尊彝
4782	北白滅尊三	北白滅乍寶尊彝
4809	強白匄井姬羊形尊	強白匄井姬用盂鏙
4815	白乁薛乍日癸尊	[白乁]薛乍日癸公寶尊彝
4832	畾漆白逘尊一	[畾]漆白逘乍皇彝考寶旅尊
4833	畾漆白逘尊二	[畾]漆白逘乍皇彝考寶旅尊
4834	白乍皇文考尊	白乍皇文考尊彝其子孫永寶
4851	黃尊	黃肇乍文考宋白旅尊彝
4855	弔爽父乍齇白尊	弔爽父乍文考齇白尊彝
4867	鼇睘尊	才序、君令余乍冊睘安尸(夷)白
4867	鼇睘尊	尸白賓用貝、布
4872	古白尊	古白曰p7卯乍尊彝
4872	古白尊	曰古白子曰p7v2皇父彝
4878	召尊	白懋父易召白馬每黃猶(髮)微
4878	召尊	用u8不杯・召多用追炎不杯白懋父友
4879	彔䧹尊	白雝父蔑彔曆
4879	彔䧹尊	對揚白休
4956	白豐乍旅方彝一	白豐乍旅彝
4957	白豐乍旅方彝二	白豐乍旅彝
4972	過从父彝	過从父乍__白尊彝
5248	白壴父乍卣	白壴父乍
5286	白乍尊彝卣	白乍尊彝
5287	白乍尊彝卣	白乍尊彝
5324	艅白卣	艅白乍寶尊彝
5329	汪白卣	汪白乍寶旅彝
5330	綸白卣	綸白乍寶尊彝
5331	白魚卣	白魚乍寶尊彝

白

5333	白矩卣一(蓋)	白矩乍寶尊彝
5334	白矩卣二	白矩乍寶尊彝
5335	白矩卣三	白矩乍寶尊彝
5336	白矩卣四	白矩乍寶尊彝
5337	白貉卣	白貉乍寶尊彝
5361	陵白卣一	陵白乍寶尊彝
5362	潶白卣一	潶白乍寶尊彝
5363	潶白卣二	潶白乍寶尊彝
5389	矢白隻乍父癸卣	矢白隻乍父癸彝
5390	北白殺卣	北白殺乍寶尊彝
5391	閔乍宄白卣	閔乍宄白寶尊彝
5392	散白乍_父卣一	散白乍ot父尊彝
5392	散白乍_父卣一	散白乍ot父尊彝
5393	散白乍_父卣二	散白乍ot父尊彝
5413	魚狽白罰卣	狽白罰乍尊彝[魚]
5415	白乍文公旅卣	白乍文公寶尊旅彝
5415	白乍文公旅卣	白乍文公寶尊旅彝
5417	白睘卣一	白睘乍氒室寶尊彝
5418	白睘卣二	白睘乍氒室寶尊彝
5418	白睘卣二	白睘乍室尊寶彝[网]
5431	白_乍西宮白卣	白rz乍西宮白寶尊彝
5440	_白日_乍父丙卣	ha白日m4乍父丙寶尊彝
5446	田潘白遗旅卣一	[田]潘白遗乍氒考寶旅尊
5462	宗白乍父乙卣一	隹王八月、宗白易貝于姜
5463	宗白乍父乙卣二	隹王八月、宗白易貝于姜
5469	白ns卣	白ns父日
5481	叔卣一	賞叔鬱鬯、白金、hx牛
5482	叔卣二	賞叔鬱鬯、白金、hx牛
5484	乍冊睘卣	王姜令乍冊睘安尸白
5484	乍冊睘卣	尸白賓睘貝布
5484	乍冊睘卣	王姜令乍冊睘安尸白
5484	乍冊睘卣	尸白賓睘貝布
5496	召卣	白懋父賜召白馬
5496	召卣	用追于炎、不讎白懋父友
5497	農卣	王親令白呰曰
5498	彔彧卣	白雝父蔑彔曆
5498	彔彧卣	對揚白休
5499	彔彧卣二	白雝父蔑彔曆
5499	彔彧卣二	對揚白休
5503	競卣	隹白屖父以成自即東
5503	競卣	白屖父皇競各于官
5503	競卣	對揚白休
5506	小臣傳卣	白𠭯父賓小臣傳□□白休
5548	昶白章罍	昶白[章]盦
5561	白罍	白乍氒寶尊彝
5583	不白夏子罍一	不白夏子自乍尊罍(罍)
5584	不白夏子罍二	不白夏子自乍尊罍(罍)
5642	羽壺	上白、羽、
5657	白乍寶壺一	白乍寶壺
5658	白乍寶壺二	白乍寶壺

5666	白乍姬	白乍姬歙壺
5672	白彧壺	白彧乍歙壺
5673	白彧乍旅彝壺	白彧乍旅彝
5676	伯矩壺一	白矩乍寶尊彝
5677	伯矩壺二	白矩乍寶尊彝
5679	白濼父旅壺	白濼父乍旅壺
5690	白到方壺	白到乍寶尊彝
5695	内白攸乍齹公壺	内白攸乍齹公尊彝
5709	白魚父旅壺	白魚父乍旅壺永寶用
5712	白山父方壺	白山父乍尊壺
5714	同白邦父壺	同白邦父乍弔姜萬人壺
5715	白多父行壺	___白多父非壺
5716	安白異生旅壺	安白異生乍旅壺
5722	白庶父醴壺	白庶父乍尊壺
5723	王白姜壺一	王白姜乍尊壺
5724	王白姜壺二	王白姜乍尊壺
5735	内大子白壺	内大子白乍鑄寶壺
5735	内大子白壺	内大子白乍鑄寶壺、永享
5751	白公父乍弔姬醴壺	白公父乍弔姬醴壺
5756	中白乍朕壺一	中白乍亲姬繺人賸壺
5757	中白乍朕壺二	中白乍亲姬繺人賸壺
5762	吕行壺	唯三月、白懋父北征
5764	杞白每亡壺一	杞白母亡乍鼄婁(曹)寶壺
5765	杞白每亡壺二	杞白每亡乍鼄婁(曹)寶壺
5768	虞嗣寇白吹壺一	虞嗣寇白吹乍寶壺
5769	虞嗣寇白吹壺二	虞嗣寇白吹乍寶壺
5774	楸車父壺	白車父其萬年子子孫孫永寶
5783	曾白陭壺	隹曾白陭迺用吉金鐈鋚
5785	史懋壺	王乎伊白易懋貝
5795	白克壺	白大師易白克僕卅夫
5795	白克壺	白克敢對揚天君王白休
5801	洹子孟姜壺一	齊侯命大子乘___來句宗白
5802	洹子孟姜壺二	齊侯命大子乘dw來句宗白聽命于天子
5811	曾白文 鑘	唯曾白父自乍氒pe鑘
5814	白夏父鑘一	白夏父乍畢姬尊霝
5815	白夏父鑘二	白夏父乍畢姬尊霝
5816	奠義白鑘	奠義白乍武□鑘
5816	伯亞臣鑘	黃孫馬pr子白亞臣自乍鑘
6263	亞___皿觚	[亞䨻大]皿白乍尊彝
6388	白憂解	白憂
6531	白乍彝觶	白乍彝
6540	白乍彝觶	白乍彝
6603	㚖白觶	㚖白乍寶彝
6623	白乍氒且觶	白乍氒且寶尊彝
6632	白乍蔡姬觶	白乍蔡姬宗彝
6663	白公父金勺一	白公父乍金爵
6702	漁白盤一	漁白自乍盤鎣
6703	漁白盤二	漁白乍用___
6708	白龢父乍用器盤	白龢父自乍用器
6709	癸白矩盤	癸白矩乍寶尊彝

白

白

6710	白百父乍孟姬盤	白百父乍孟姬朕盤
6715	曩白寏父盤	曩白寏父朕姜無須盤
6717	魯白厚父乍仲姬俞盤一	魯白厚父乍孟姬俞媵盤
6718	魯白厚父乍仲姬俞盤二	魯白厚父乍中姬俞媵盤
6731	奠白盤	奠白乍盤也（匜）
6736	魯白愈父盤一	魯白俞（愈）父乍鼄姬仁朕顧般
6737	魯白愈父盤二	魯白俞（愈）父乍鼄姬仁朕顧般
6738	魯白愈父盤三	魯白俞（愈）父乍鼄姬仁朕顧般
6740	白駟父盤	白駟父乍姬淪朕盤
6745	白考父盤	白考父乍寶盤
6750	白侯父盤	白侯父媵弔嬀㝨母槃（盤）
6751	䢅白睘盤	䢅白睘自乍寶監
6756	番君白龏盤	隹番君白龏用其赤金自鑄盤
6761	白者君盤	隹番hJ白者君自乍寶槃
6770	鬻白盤	鬻白賸（媵）贏尹母
6777	邛仲之孫白戋盤	邛中之孫白戋自乍顧盤
6780	黃大子白克盤	黃大子白□乍中19□媵盤
6789	寰盤	用乍朕皇考奠白奠姬寶盤
6790	虢季子白盤	虢季子白乍寶盤
6790	虢季子白盤	不顯子白
6790	虢季子白盤	趄趄子白
6790	虢季子白盤	王孔嘉子白義
6790	虢季子白盤	王曰：白父
6791	兮甲盤	兮白吏父乍般
6816	白庶父乍㡯匜	白庶父乍㡯永寶用
6817	匽白聖匜	匽白聖乍正它、永用
6822	奠義白乍季姜匜	奠義白乍季姜寶它（匜）用
6823	長湯匜	長湯白18乍它、永用之
6824	曾子白匜	隹曾子白及父自乍尊匜
6826	曩白寏父匜	曩白寏父朕姜無顧它
6831	杞白每亡匜	杞白每亡□寶它
6841	魯白愈父匜	魯白愉父乍鼄（邾）姬仁朕顧它
6843	白吉父乍京姬匜	白吉父乍京姬它
6846	白正父旅它	白正父乍旅它
6849	䢅白匜	䢅白vh乍寶匜
6852	＿邑戋白匜	隹＿邑戋白自乍寶匜
6857	蔡白㴉匜	隹白㴉乍寶匜
6859	白者君匜一	隹番hJ白者尹自乍寶它
6860	陳白元匜	陳白vm之子白元乍西孟嬀婤母賸匜
6863	白君黃生匜	唯有白君堇生自乍它
6872	魯大嗣徒子仲白匜	魯大嗣徒子中白其庶女厲孟姬媵它
6877	儹乍旅盉	白揚父廼成賫
6877	儹乍旅盉	白揚父廼或吏牧牛誓曰
6888	吳王光鑑一	隹王五月既字白期吉日初庚
6888	吳王光鑑一	玄銧白銧
6889	吳王光鑑二	隹王五月既字白期吉日初庚
6889	吳王光鑑二	玄銧白銧
6901	白盂	白乍寶尊盂
6902	白公父旅盂	白公父乍旅盂
6905	要君餴盂	要君白居自乍餴盂

6910	師永盂	井白、榮白、尹氏、師俗父遣中
6910	師永盂	永用乍朕文考乙白尊盂
6924	江仲之孫白戔鍊盞	邛中之孫白戔自乍鍊盞
6924	江仲之孫白戔鍊盞	邛中之孫白戔自乍鍊盞
6926	杞白每亡盆	杞白每亡乍鼄𡛗(曹)寶盆
7009	兮仲鐘一	其用追孝于皇考己白
7010	兮仲鐘二	其用追孝于皇考己白
7011	兮仲鐘三	其用追孝于皇考己白
7012	兮仲鐘四	其用追孝于皇考己白
7013	兮仲鐘五	其用追孝于皇考己白
7014	兮仲鐘六	其用追孝于皇考己白
7015	兮仲鐘七	其用追孝于皇考己白
7020	單伯鐘	單白戮生曰
7021	虘鐘一	用追孝于己白
7022	虘鐘二	用追孝于己白
7023	虘鐘三	用追孝于己白
7024	虘鐘四	用追孝于己白
7026	邾弔鐘	邾叔止白□羼孚吉金用乍其龢鐘
7038	應侯見工鐘一	艾白內右雁侯見工
7043	克鐘四	用乍朕皇且考白寶龤鐘
7044	克鐘五	用乍朕皇且考白寶龤鐘
7136	邵鐘一	邵白之子
7137	邵鐘二	邵白之子
7138	邵鐘三	邵白之子
7139	邵鐘四	邵白之子
7140	邵鐘五	邵白之子
7141	邵鐘六	邵白之子
7142	邵鐘七	邵白之子
7143	邵鐘八	邵白之子
7144	邵鐘九	邵白之子
7145	邵鐘十	邵白之子
7146	邵鐘十一	邵白之子
7147	邵鐘十二	邵白之子
7148	邵鐘十三	邵白之子
7149	邵鐘十四	邵白之子
7204	克鎛	用乍朕皇且考白寶龤鐘
7337	白析戈	白析
7404	白之□執戈	尹執白之戈
7459	宮氏白子戈	宮氏白子元戈__
7460	宮氏白子戈二	宮氏白子元相
7527	__久白戈	__久白文妊為茲戈
7537	沕白戈	梁白乍宮行元用
7587	白矢戟	白矢
7881	白君權	白君西里__右
7990	季老□	季老或乍文考大白□□
M299	白大師釐盨	白大師釐乍旅盨
M343	魯司徒中齊盨	魯司徒中齊肇乍皇考白走公鍊盨殷
M345	魯司徒中齊匜	魯司徒中齊肇乍皇考白走父寶匜
M360	𩵦伯鎣	𩵦白自乍般鎣
M361	井伯南殷	井南白乍鄭季姚好尊殷

白 皀 号 爲 褅

M379	夆伯鬲	夆白乍郚孟姬尊鬲
M423.	趞鼎	用乍朕皇考龢白、奠姬寶鼎
M487	魯司徒伯吳𣪘	魯司徒白吳敢肇乍旅𣪘
M617	番白享匜	隹番白𩫖自乍匜
M622	番仲戈	番中乍之造戈、白皇
		小計：共 827 筆

皀 1301

7975	中山王墓兆域圖	執皀宮方百乇
		小計：共 1 筆

号 1302

J1261	号庚𣪘	（拓本未見）
		小計：共 1 筆

爲 1303

2178	白丙乍寶𣪘	爲乍寶𣪘
		小計：共 1 筆

褅 1304

0867	_公鼎	_公上_褅保登
0966	匚方乃孫乍且己鼎	乃孫乍且己宗寶褅嬰[匚方]
1276	_季鼎	王易赤⊖市、玄衣褅屯、鑾旂
1305	師奎父鼎	易载市冋黃、玄衣褅屯、戈琱胾、旂
1306	無叀鼎	易女玄衣褅屯、戈琱胾𠬝柲彤沙、攸勒鑾旂
1309	寰鼎	史褅受王令書
1309	寰鼎	易寰玄衣、褅屯、赤市、朱黃、鑾旂、攸勒、
1312	此鼎一	易女玄衣褅屯、赤市朱黃、鑾旂
1313	此鼎二	易女玄衣褅屯、赤市、朱黃、鑾旂
1314	此鼎三	易女玄衣褅屯、赤市、朱黃、鑾旂
1317	善夫山鼎	易女玄衣褅屯、赤市朱黃、鑾旂
1319	頌鼎一	易女玄衣褅屯、赤市朱黃、鑾旂攸勒、用事
1320	頌鼎二	易女玄衣褅屯、赤市朱黃、鑾旂攸勒、用事
1321	頌鼎三	易女玄衣褅屯、赤市朱黃、鑾旂攸勒、用事
1322	九年裘衛鼎	王大褅
1636	弔褅寶甗	弔褅乍寶彝永用
2765	㲃𣪘	易㲃玄衣、褅屯、旂
2769	師𤔲𣪘	易女玄衣褅屯、叔市
2773	即𣪘	玄衣、褅屯、鑾旂（旂）
2775.	害𣪘一	褅屯
2775.	害𣪘二	幺衣褅屯、旂、攸革
2785	王臣𣪘	玄衣褅屯

2797	輔師𣪘段	易女玄衣黹屯
2818	此段一	易女玄衣黹屯
2819	此段二	易女玄衣黹屯
2820	此段三	易女玄衣黹屯
2821	此段四	易女玄衣黹屯
2822	此段五	易女玄衣黹屯
2823	此段六	易女玄衣黹屯
2824	此段七	易女玄衣黹屯
2825	此段八	易女玄衣黹屯
2834	𤔲段	𨜿黹朕心
2835	訇段	易女玄衣黹屯、截市冋黃
2844	頌段一	易女玄衣黹屯
2845	頌段二	易女玄衣黹屯
2845	頌段二	易女玄衣黹屯
2846	頌段三	易女玄衣黹屯
2847	頌段四	易女玄衣黹屯
2848	頌段五	易女玄衣黹屯
2849	頌段六	易女玄衣黹屯
2850	頌段七	易女玄衣黹屯
2851	頌段八	易女玄衣黹屯
2986	曾白霥旅匿一	曾白霥哲聖元元武武孔黹
2987	曾白霥旅匿二	曾白霥哲聖元元武武孔黹
5799	頌壺一	易女玄衣黹屯、赤市朱黃
5800	頌壺二	易女玄衣黹屯、赤市朱黃
6787	走馬休盤	王乎乍冊尹冊易休玄衣黹屯
6789	寰盤	王乎史qr冊易寰玄衣黹屯
6857	蔡白黹匜	隹白黹乍寶匜
6925	晉邦盦	_新百黹
7341	大保黹戈	大保黹
7589	大保黹勾戟	大保、黹
M423.	趞鼎	王乎內史19冊易趞幺衣黹屯
		小計：共　53 筆

黼 1305

1323	師𣪕段	易女玄衮黼(黻)屯
		小計：共　1 筆

黼 1306 黹字重見

黻 1307

2743	𩱦段	王曰：𩱦
2743	𩱦段	𩱦拜䭫首
6792	史墻盤	受牆爾𩱦福懷
7159	𤼈鐘二	𥃝受余爾𩱦福
7166	𤼈鐘九	𥃝受余爾𩱦福霝冬

小計：共　　5 筆

第七卷總計：10641 筆

青銅器銘文檢索卷八

人 1308

0805	取它人善鼎	取它人之善貞(鼎)
0886.	喬夫人𨭈鼎	喬夫人鑄其𨭈鼎
0988	白矩鼎	用言王出內事人
1022	白宓父旅鼎	用鄉王逆造吏人
1024	大師人_子鼎	大師人o6乎乍寶鼎
1112	十一年庫嗇夫肖不茲鼎	庫嗇夫肖丕茲𠈇人夫_所為空二斗
1139	寓鼎	戊寅、王蔑寓曆事𨹧大人
1159	辛鼎一	萬年隹人
1160	辛鼎二	萬年隹人
1172	征人乍父丁鼎	天君賞㕛征人斤貝
1227	衛鼎	乃用鄉出入吏人
1279	中方鼎	王曰：中、茲𢦏人入史
1307	師望鼎	王用弗譚聖人之後
1311	師晨鼎	王乎乍冊尹冊令師晨足師俗𤔲邑人
1311	師晨鼎	隹小臣善夫、守□、官犬、眔奠人、善夫、官
1312	此鼎一	旅邑人、善夫
1313	此鼎二	旅邑人、善夫
1314	此鼎三	旅邑人、善夫
1315	善鼎	唯用妥福唬前文人
1317	善夫山鼎	王曰：山、令女官𤔲歙𪇑人于冕
1323	師𩛥鼎	𤔲辟前王吏余一人
1325	五祀衛鼎	迺令參有𤔲𤔲土邑人趞
1325	五祀衛鼎	𤔲馬頞人邦
1325	五祀衛鼎	𠩺有𤔲𪇑季、慶癸、燹□、荊人敢、井人𠶷屖
1326	多友鼎	凡目公車折首二百又□又五人
1326	多友鼎	執訊廿又二人
1326	多友鼎	卒復筍人孚
1326	多友鼎	折首卅又六人
1326	多友鼎	執訊二人
1326	多友鼎	公車折首百又十又五人
1326	多友鼎	執訊三人
1327	克鼎	易女井、𠈉、𪓐人𣪕
1327	克鼎	易女井人奔于量
1328	盂鼎	女勿𣪘余乃辟一人
1328	盂鼎	夙夕召我一人糞四方
1328	盂鼎	人鬲自馭至于庶人六百又五十又九夫
1328	盂鼎	人鬲千又五十夫極nx𨸏自㕛土
1329	小字盂鼎	□□□□□□□□三人
1329	小字盂鼎	孚人萬三千八十一人
1329	小字盂鼎	執酋一人
1329	小字盂鼎	孚人□□人
1329	小字盂鼎	□□□□□□□□□人賦入門
1330	曶鼎	王人迺賣(贖)用□
1330	曶鼎	用致絲人
1330	曶鼎	求乃人
1330	曶鼎	凡用即曶(曶)田七田、人五夫

人

1331	中山王䂉鼎	寡人聞之
1331	中山王䂉鼎	蒦(與)其汋(溺)烏(於)人施(也)
1331	中山王䂉鼎	長為人宗
1331	中山王䂉鼎	寡人幼童未甬(通)智
1331	中山王䂉鼎	以左右寡人
1331	中山王䂉鼎	以諱道寡人
1331	中山王䂉鼎	寡人聞之
1331	中山王䂉鼎	氏(是)以寡人医(委)賃(任)之邦
1331	中山王䂉鼎	寡人庸其悳(德)
1331	中山王䂉鼎	智(知)為人臣之宜施(也)
1331	中山王䂉鼎	後人其庸庸之
1331	中山王䂉鼎	昔者、吳人并雩(越)
1331	中山王䂉鼎	雩(越)人攸(修)斅備信
1331	中山王䂉鼎	戕(仇)人才彷(旁)
1332	毛公鼎	死(尸)母(毋)童(動)余一人在立(位)
1332	毛公鼎	惠我一人
1378	叜人守鬲	叜人守乍寶
1457	衛夫人行鬲	衛夫人文君弔姜乍其行鬲用
1661	乍冊般甗	王宜人方
1662	寶甗	王人vy輔歸䨺鑄其寶
1664	邕子良人甗甗	邕子良人羼其吉金自乍飤獻(甗)
1668	中甗	白買父以自氒人戍漢中州
1668	中甗	氒人□廿夫
2377	晉人吏寓乍寶毁	晉人吏寓乍寶毁
2415	降人𠊱寶毁	降人𠊱乍寶毁
2416	降人𠊱寶毁	降人𠊱乍寶毁
2526	弔德毁	王易弔德臣嬗十人
2592	鄧公毁	不故屯夫人始乍鄧公
2592	鄧公毁	用為夫人尊諆毁
2658	白㦰毁	隹用妥神褱唬前文人
2659	匽侯庫毁	匽侯庫畏夜怒人哉
2669	_妊小毁	白艿父吏____尹人于齊自
2672	伯艿父毁	白艿父吏____尹人于齊自
2684	_寵乎毁	乎其萬人永用[𢦏]
2706	鄀公敄人毁	上鄀公敄人乍尊毁
2711.	乍冊般毁	王宜人方無敄
2722	寏弔乍豐姞旅毁	丝毁䚄(猒?)皀(饇)亦壽人
2743	䚻毁	命女嗣(辭)成周里人
2746	追毁一	用亯孝于前文人
2747	追毁二	用亯孝于前文人
2748	追毁三	用亯孝于前文人
2749	追毁四	用亯孝于前文人
2750	追毁五	用亯孝于前文人
2751	追毁六	用亯孝于前文人
2764	艾毁	易臣三品:州人、重人、章人
2766	三兒毁	余□□□豙□□亡一人匄三邑□□□塱□□皇
2773	即毁	曰:嗣瑚宮人虢旛、用吏
2774.	南宮弔毁	又賜(賜)女邦_百人
2775.	害毁一	吏官嗣(司)人僕
2775.	害毁二	吏官_嗣人僕、小射

2778	格白𣪘一	殷人紉霄谷杜木
2778	格白𣪘一	殷人紉霄谷杜木
2780	格白𣪘三	殷人紉霄谷杜木
2781	格白𣪘四	殷人紉霄谷杜木
2782	格白𣪘五	殷人紉霄谷杜木
2782.	格白𣪘六	殷人紉霄谷杜木
2784	申𣪘	官𤔲豐人眔九戲祝
2791.	史密𣪘	齊自、族土(徒)、述人
2791.	史密𣪘	師俗率齊自、述人左
2791.	史密𣪘	率族人、釐白、僰、屆
2791.	史密𣪘	隻百人
2798	師𤸫𣪘一	今余唯𤔲(緟)先王令女官司邑人師氏
2799	師𤸫𣪘二	今余唯𤔲(緟)先王令女官司邑人師氏
2803	師酉𣪘一	𤔲乃且啻官邑人、虎臣
2804	師酉𣪘二	𤔲乃且啻官邑人、虎臣
2804	師酉𣪘二	𤔲乃且啻官邑人、虎臣
2805	師酉𣪘三	𤔲乃且啻官邑人、虎臣
2806	師酉𣪘四	𤔲乃且啻官邑人、虎臣
2806.	師酉𣪘五	𤔲乃且啻官邑人、虎臣
2814	鳥冊夨令𣪘一	姜商令貝十朋、臣十家、鬲百人
2814	鳥冊夨令𣪘一	用譱後人亯
2814	鳥冊夨令𣪘一	用𩜁寮人婦子
2814	鳥冊夨令𣪘一	後人永寶[鼎]
2814.	夨令𣪘二	姜商令貝十朋、臣十家、鬲百人
2814.	夨令𣪘二	用譱後人亯
2814.	夨令𣪘二	用𩜁寮人婦子
2814.	夨令𣪘二	後人永寶[鼎]
2818	此𣪘一	旅邑人善夫
2819	此𣪘二	旅邑人善夫
2820	此𣪘三	旅邑人善夫
2821	此𣪘四	旅邑人善夫
2822	此𣪘五	旅邑人善夫
2823	此𣪘六	旅邑人善夫
2824	此𣪘七	旅邑人善夫
2825	此𣪘八	旅邑人善夫
2828	宜侯夨𣪘	易才宜王人□又七生
2828	宜侯夨𣪘	易宜庶人六百又□六夫
2834	𤼈𣪘	其各前文人
2835	訇𣪘	𤔲邑人
2835	訇𣪘	__人、成周走亞
2835	訇𣪘	戍秦人、降人、服尸
2836	𢦚𣪘	孚戎孚人百又十又四人
2837	敔𣪘一	奪孚人四百
2842	卯𣪘	昔乃且亦既令乃父死(司)葊人
2842	卯𣪘	今余隹令女死𤔲(司)葊宮葊人
2854	蔡𣪘	女母弗善效姜氏人
2855	班𣪘一	王令毛公以邦冢君、土(徒)馭、戜人
2855.	班𣪘二	御戜人
2856	師訇𣪘	尸__三百人
3026	□□為甫人行盨	□□為甫人行盨

人

3086	善夫克旅盨	王令尹氏友、史趛典善夫克田人
3090	㙛盨（器）	雩邦人、正人、師氏人又辠又故
3090	㙛盨（器）	迺乍余一人及
3090	㙛盨（器）	用辟我一人
3090	㙛盨（器）	迺敢_訊人
3752.	人且辛爵	［人］且辛
4247	人斝	［人］
4449	裘衛盉	矩白庶人取瑾章于裘衛
4449	裘衛盉	𤔲馬單旅、司工邑人服眔受田燹趞
4869	次尊	公姞令次𤔲田人
4874	萬諆尊	用寧室人
4874	萬諆尊	_人萬年寶
4877	小子生尊	用鄉出內事人
4893	夨令尊	迺令曰、今我唯令女二人
4981	𣪘冊令方彝	今我唯令女二人、亢眔夨
5381	㝅人乍父己卣	［㝅］人乍父己尊彝
5381	㝅人乍父己卣	［㝅］人乍父己尊
5478	次卣	公姞令次𤔲田人
5494	𤔲𤔲乍母辛卣	乙巳、子令｛小子｝先以人于堇
5494	𤔲𤔲乍母辛卣	令望人方𦋀
5508	弔𧽊父卣一	女其用鄉乃辟軝侯逆造出內事人
5714	同白邦父壺	同白邦父乍弔姜萬人壺
5728	樊夫人壺	樊夫人_姬𢍰其吉金
5756	中白乍𡚸壺一	中白乍亲姬䜌人賸壺
5757	中白乍𡚸壺二	中白乍亲姬䜌人賸壺
5781	曾姬無卹壺一	聖趄之夫人曾姬無卹
5782	曾姬無卹壺二	聖趄之夫人曾姬無卹
5801	洹子孟姜壺一	齊侯既濟洹子孟姜喪其人民都邑
5802	洹子孟姜壺二	齊侯既濟洹子孟姜喪其人民都邑
5805	中山王譽方壺	下不順於人施
5805	中山王譽方壺	寡人非之
5805	中山王譽方壺	賈曰：為人臣而返（反）臣其宗
5805	中山王譽方壺	故辭禮敬則賢人至
5805	中山王譽方壺	㦎愛深則賢人親
6712	樊夫人盤	樊夫人□□□□□□□
6714	穌甫人槃	穌甫人乍嫚改襄賸般（盤）
6791	兮甲盤	淮夷舊我貟晦人
6791	兮甲盤	毋敢不出其貟、其積、其進人
6793	夨人盤	夨人有𤔲履田
6793	夨人盤	豆人虞丂、彔貞、師氏、右眚
6793	夨人盤	小門人䜌、原人虞艿、淮𤔲工虎、孝龠
6793	夨人盤	豐父、琟人有𤔲荆丂
6793	夨人盤	邦人𤔲工騕君
6793	夨人盤	散人小子履田戎
6821	樊夫人匜	樊夫人龏嬴自乍行它（匜）
6825	穌甫人匜	穌甫人乍嫚改襄賸匜
6827	甫人父乍旅匜一	甫人父乍旅匜、萬人（年）用
6828	甫人父乍旅匜二	甫人父乍旅匜、萬人（年）用
6861	曩甫人匜	曩甫人余余王_叡孫兹乍寶匜
6910	師永盂	周人𤔲工眉、㐭史、師氏

6910	師永盂	邑人奎父、畢人師同
6990	𨟭篙鐘	晉人救戎於楚競
7009	兮仲鐘一	用侃喜前文人
7010	兮仲鐘二	用侃喜前文人
7012	兮仲鐘四	用侃喜前文人
7013	兮仲鐘五	用侃喜前文人
7015	兮仲鐘七	用侃喜前文人
7047	井人鐘	井人妄曰
7048	井人鐘二	井人妄曰
7049	井人鐘三	用追孝侃前文人
7049	井人鐘三	前文人其嚴才上
7050	井人鐘四	用追孝侃前文人
7050	井人鐘四	前文人其嚴才上
7059	師臾鐘	用喜侃前文人
7060	昊生鐘一	用喜侃前文人
7062	柞鐘	嗣五邑佃人事
7063	柞鐘二	嗣五邑佃人事
7064	柞鐘三	嗣五邑佃人事
7065	柞鐘四	嗣五邑佃人事
7067	柞鐘六	嗣五邑佃人事
7158	瘋鐘一	敢乍文人大寶𠭯龢鐘
7159	瘋鐘二	用卲各喜侃樂前文人
7160	瘋鐘三	敢乍文人大寶𠭯龢鐘
7161	瘋鐘四	敢乍文人大寶𠭯龢鐘
7162	瘋鐘五	敢乍文人大寶𠭯龢鐘
7175	王孫遺者鐘	龢㳄民人
7184	叔夷編鐘三	左右余一人
7213	𬭼鎛	與鄩之民人
7214	叔夷鎛	左右余一人
7218	𨥫𨰻尹征城	_皮吉人享
7566	十三年相邦義戈	咸陽工師田公大人耆工□
7630	郾王戎人矛	郾王戎人
7636	郾王戎人矛一	郾王戎人乍百巨率矛
7637	郾王戎人矛二	郾王戎人乍巨攸矛
7714	攻敔王劍	台□戒人
7722	吳王光劍	台當戒人
7871	子禾子釜一	關人築桿rw斧、閉□
7871	子禾子釜一	而車人制之
7871	子禾子釜一	如關人不用命
7871	子禾子釜一	關人□□其事
7886	新郪虎符	用兵五十人以上
7975	中山王墓兆域圖	夫人堂方百五十乇
M545	配兒勾鑃	先人是娸
M702	宋公欒簠	乍其妹句敔(敔)夫人季子媵匿
M877	郾王戎人戟	郾王戎人乍攸鋸

小計：共 241 筆

人保

1309

保

0012	保鼎一	[保]
0013	保鼎二	[保]
0457	大保方鼎	大保鑄
0795	大保_鼎一	14乍尊彝大保
0796	大保_鼎二	14乍尊彝大保
0797	大保_鼎三	14乍尊彝大保
0803	排攸鼎	排攸乍保旅鼎
0856	大保冊鼎	[冊]乍寶尊彝[大保]
0867	_公鼎	_公上之_保登
0867	_公鼎	_公上_獣保登
0913	大保乍宗室鼎	大保乍宗室寶尊彝
0943	亞父庚且辛鼎	[亞俞fw]父父庚保且辛
1052	褱自乍碼硥_	其譻壽無期、永保用之
1063	鄧公乘鼎	永保用之
1163	齊陳_鼎蓋	永保用之[吳]
1178	宗婦鄁鼏鼎一	保辥鄁國
1179	宗婦鄁鼏鼎二	保辥鄁國
1180	宗婦鄁鼏鼎三	保辥鄁國
1181	宗婦鄁鼏鼎四	保辥鄁國
1182	宗婦鄁鼏鼎五	保辥鄁國
1183	宗婦鄁鼏鼎六	保辥鄁國
1191	堇乍大子癸鼎	匽侯令堇飴大保于宗周
1191	堇乍大子癸鼎	庚申、大保賞堇貝
1218	寡兒鼎	永保用之
1224	王子吳鼎	子子孫孫永保用之
1234	旅鼎	隹公大保來伐反尸年
1249	寠鼎	光用大保
1250	曾子斿鼎	下保臧r6□□
1255	作冊大鼎一	大揚皇天尹大保室
1256	作冊大鼎二	大揚皇天尹大保室
1257	作冊大鼎三	大揚皇天尹大保室
1258	作冊大鼎四	大揚皇天尹大保室
1264	螢鼎	史保厥家
1318	晉姜鼎	畯(允)保其孫子
1323	師訊鼎	用保王身
1323	師訊鼎	白大師武臣保天子
1327	克鼎	肆克龏保厥辟龏王
1327	克鼎	巠念厥聖保且師華父
1327	克鼎	保辥周邦
1328	盂鼎	鏤保先王
1331	中山王譽鼎	子子孫孫永定保之
1332	毛公鼎	臨保我有周
1524	□大嗣攻鬲	子子孫孫永保用之
1665	王孫壽甗甗	子子孫孫永保用之
1781	亞保酉殷	[亞保酉]
1918	保父丁殷	[保]父丁
2353	保侃母殷	保侃母易貝于南宮乍寶殷
2363	保攸母旅殷	保攸母易貝于庚姜
2388	大保乍父丁殷	大保易厥臣榗金
2395	丂保子達殷	保子達乍寶殷

2512	乙自乍歆彝	永保用之
2614	宗婦鄁嬰段一	保辥鄁國
2615	宗婦鄁嬰段二	保辥鄁國
2616	宗婦鄁嬰段三	保辥鄁國
2617	宗婦鄁嬰段四	保辥鄁國
2618	宗婦鄁嬰段五	保辥鄁國
2619	宗婦鄁嬰段六	保辥鄁國
2620	宗婦鄁嬰段七	保辥鄁國
2632	陳逆段	子孫是保
2675	大保段	王降征令于大保
2675	大保段	大保克敬亡譴
2675	大保段	王永(迨)大保
2681	鄦侯段	永保用亯
2682	陳侯午段	保又齊邦
2710	肄自乍寶器一	用保乃邦
2711	肄自乍寶器二	用保乃邦
2763	弔向父禹段	用䜌(緟)圝奠保我邦我家
2766	三兒段	子子孫永保用亯
2778	格白段一	鑄保段、用典格白田
2778	格白段一	其萬年子子孫孫永保用[eL]
2778	格白段一	鑄保段、用典格白田
2778	格白段一	其萬年子子孫孫永保用[eL]
2779	格白段二	鑄保段、用典格白田
2779	格白段二	其萬年子子孫孫永保用[eL]
2780	格白段三	鑄保段、用典格白田
2780	格白段三	其萬年子子孫孫永保用[eL]周
2781	格白段四	鑄保段、用典格白田
2781	格白段四	其萬年子子孫孫永保用[eL]周
2782	格白段五	鑄保段、用典格白田
2782	格白段五	其萬年子子孫孫永保用[eL]周
2782.	格白段六	鑄保段、用典格白田
2782.	格白段六	其萬年子子孫孫永保用[eL]周
2786	縣妃段	我不能不眔縣白萬年保
2792	師俞段	䍙司保氏
2792	師俞段	俞其萬年永保
2833	秦公段	保虁氒秦
2834	㝬段	用𩛥保我家
2856	師訇段	臨保我又周、雩四方民
2907	王子申匿	其釁壽期、永保用
2936	走馬脺仲赤匿	子子孫孫永保用亯
2942	楚子＿臥匿一	子孫永保之
2943	楚子＿臥匿二	子孫永保之
2944	楚子＿臥匿三	子孫永保之
2946	曾子□匿	子孫永保用之
2955	齊陳＿匿一	乍皇考獻弔餧逸永保用匿
2956	齊陳曼匿二	乍皇考獻弔餧般永保用匿
2957	子季匿	子子孫孫永保用之
2973	楚屈子匿	子子孫孫永保用之
2975	鄦子妝匿	其子子孫孫羕(永)保用之
2978	樂子敬𧾷臥匿	子子孫孫永保用之

保

2982	長子□臣乍媵匿	子子孫孫永保用之
2982	長子□臣乍媵匿	子子孫孫永保用之
2985	陳逆匿一	子子孫孫羕(永)保用
2985.	陳逆匿二	子子孫孫羕(永)保用
2985.	陳逆匿三	子子孫孫羕(永)保用
2985.	陳逆匿四	子子孫孫羕(永)保用
2985.	陳逆匿五	子子孫孫羕(永)保用
2985.	陳逆匿六	子子孫孫羕(永)保用
2985.	陳逆匿七	子子孫孫羕(永)保用
2985.	陳逆匿八	子子孫孫羕(永)保用
2985.	陳逆匿九	子子孫孫羕(永)保用
2985.	陳逆匿十	子子孫孫羕(永)保用
3092	齊侯乍飤𦎫一	其萬年永保用
3093	齊侯乍飤𦎫二	其萬年永保用
3094	□公克錞	永保用之
3096	齊侯乍孟姜善𦎫	子子孫孫永保用之
3097	陳侯午錞錞一	保又齊邦永世毋忘
3098	陳侯午錞錞二	保又齊邦永世毋忘
3099	十年陳侯午𦎫(器)	保有齊邦永世毋忘
3100	陳侯因資錞	台登台嘗、保有齊邦
3152	保爵	[保]
3534	保戣爵	[保戣]
3699.	田京保爵	[田京保]
4203	御正良爵	尹大保賞御正良貝
4314	保父己斝	[保]父己
4436	堯盉	用楚匋(保)眔叔堯
4864	乍冊䦉尊	隹明保殷成周年
4876	保尊	乙卯、王令保及殷東或(國)五侯
4876	保尊	蔑曆于保、易賓
4887	蔡侯𤔲尊	永保用之
4888	盠駒尊一	則萬年保我萬宗
4890	盠方尊	萬年保我萬邦
4893	夨令尊	王令周公子明保尹三事四方
4979	盠方彝一	萬年保我萬邦
4980	盠方彝二	萬年保我萬邦
4981	鳥冊令方彝	王令周公子明保尹三事四方
5199	大保鳥形卣	大保鑄
5474	䦉卣	隹明保殷成周年
5474	䦉卣	[fL]隹明保殷成周年
5481	叔卣一	王姜史叔事于大保
5481	叔卣一	叔對大保休
5482	叔卣二	王姜史叔事于大保
5482	叔卣二	叔對大保休
5483	周乎卣	孫子子其永保用周[eL]
5495	保卣	乙卯、王令保及殷東或五侯
5495	保卣	蔑曆于保、易賓
5495	保卣	乙卯、王令保及殷東或五侯
5495	保卣	蔑曆于保、易賓
5721	蔡侯壺	子子孫永保用享
5730	保𢑱母壺	王始易保𢑱母貝

5740	𤔲寇良父壺	子子孫永保用
5758	匹君壺	永保用之
5770	宗婦鄁嫛壺一	保辥鄁國
5771	宗婦鄁嫛壺二	保辥鄁國
5776	曩公壺	永保其身
5776	曩公壺	子孫永保用之
5780	公孫窹壺	兼保其身
5780	公孫窹壺	子子孫孫兼保用之
5805	中山王嚳方壺	其永保用亡彊
5824	孟縢姬賸缶	永保用之
5826	國差𦉜	子子孫孫永保用之
5832	保觚	[保]
6091	子保觚	[子保]
6634	郐王義楚祭耑	永保辝(台)身
6734	才盤	用萬年用楚保眾弔堯
6755	毛叔盤	子子孫孫永保用
6760	中子化盤	中子化用保楚王
6771	宗婦鄁嫛盤	保辥鄁國
6779	齊侯盤	子子孫孫永保用之
6781	夆弔盤	永保其身
6781	夆弔盤	永保用之
6788	蔡侯𥾝盤	永保用之
6792	史墻盤	上帝司vu尢保受天子綰令厚福豐年
6832	保弔黑臣匜	保弔黑姬乍寶它
6840	_子匜	子孫永保用
6872	魯大𤔲徒子仲白匜	子子孫孫永保用之
6875	慶弔匜	兼保其身
6875	慶弔匜	子子孫孫兼保用之
6876	夆弔乍季妃盥盤(匜)	永保其身
6876	夆弔乍季妃盥盤(匜)	永保用之
6906	王子申盞盂	永保用之
6907	齊侯乍朕子仲姜盂	永保其身
6907	齊侯乍朕子仲姜盂	子子孫孫永保用之
6920	曾大保旅盆	曾大保uq譽弔亟用其吉金
6924	江仲之孫白戔𨰻盞	永保用之(蓋)
6924	江仲之孫白戔𨰻盞	子子孫孫永保用之(器)
6925	晉邦盞	保辥王國
7016	楚王鐘	子孫永保用之
7019	邾太宰鐘	子孫孫永保用享
7020	單伯鐘	用保奠
7028	臧孫鐘	子子孫孫永保是從
7029	臧孫鐘二	子孫孫永保是從
7030	臧孫鐘三	子孫孫永保是從
7031	臧孫鐘四	子孫孫永保是從
7032	臧孫鐘五	子孫孫永保是從
7033	臧孫鐘六	子孫孫永保是從
7034	臧孫鐘七	子孫孫永保是從
7035	臧孫鐘八	子孫孫永保是從
7036	臧孫鐘九	子子孫孫永保是從
7051	子璋鐘一	子子孫孫永保鼓之

保
俘
仁

7052	子璋鐘二	子子孫孫永保鼓之
7053	子璋鐘三	子子孫孫永保鼓之
7054	子璋鐘四	子子孫孫永保鼓之
7055	子璋鐘五	子子孫孫永保鼓之
7056	子璋鐘六	子子孫孫永保鼓之
7057	子璋鐘八	子子孫孫永保鼓之
7058	邾公孫班鐘	子子孫孫永保用之
7076	者汈鐘八	子孫永保
7079	者汈鐘十一	子孫永保
7080	者汈鐘十二	子孫永保
7082	齊鞄氏鐘	子子孫孫永保鼓之
7108	𦅫弔之仲子平編鐘一	子子孫孫永保用之
7109	𦅫弔之仲子平編鐘二	子子孫孫永保用之
7110	𦅫弔之仲子平編鐘三	子子孫孫永保用之
7111	𦅫弔之仲子平編鐘四	子子孫孫永保用之
7112	者減鐘一	子子孫孫永保是尚
7113	者減鐘二	子子孫孫永保是尚
7114	者減鐘三	子子孫孫永保用之
7115	者減鐘四	子子孫孫永保用之
7116	南宮乎鐘	畯永保四方、配皇天
7124	沇兒鐘	子子孫孫永保鼓之
7157	邾公華鐘一	鼄(邾)邦是保
7157	邾公華鐘一	子子孫孫永保用享
7175	王孫遺者鐘	永保鼓之
7176	㝬鐘	保余小子
7176	㝬鐘	畯保四或
7188	叔夷編鐘七	女考壽萬年永保其身
7188	叔夷編鐘七	子孫永保用亯
7212	秦公鎛	保業氒秦
7213	𪒠鎛	𪒠保其身
7213	𪒠鎛	保盧兄弟
7213	𪒠鎛	保盧子姓
7213	𪒠鎛	子孫永保用享
7214	叔夷鎛	女考壽萬年永保其身
7214	叔夷鎛	子孫永保用亯
7215	其次勾鑃一	子子孫孫永保用之
7216	其次勾鑃二	子子孫孫永保用之
7217	姑馮勾鑃	子子孫孫永保用之
7341	大保[illegible]戈	大保[illegible]
7589	大保[illegible]勾戟	大保、[illegible]
7696	__劍	__自乍保弘吉之
7874	蔡太史鉌	永保用
M612	鄦子鐘	子子孫孫永保鼓之

小計：共　243 筆

仁　1310

1331	中山王嚳鼎	亡不逹(率)从(仁?)
1471	魯白愈父鬲一	魯白愈乍鼄姬仁朕(賸)羞鬲
1472	魯白愈父鬲二	魯白愈父乍鼄姬仁賸(賸)羞鬲
1473	魯白愈父鬲三	魯白愈父乍鼄姬仁賸(賸)羞鬲
1474	魯白愈父鬲四	魯白愈父乍鼄姬仁賸(賸)羞鬲
1475	魯白愈父鬲五	魯白愈父乍鼄姬仁賸(賸)羞鬲
2922	魯白俞父匿一	魯白俞父乍姬仁匿
2923	魯白俞父匿二	魯白俞父乍姬仁匿
2924	魯白俞父匿三	魯白俞父乍姬仁匿
6736	魯白愈父盤一	魯白俞(愈)父乍鼄姬仁朕賸般
6737	魯白愈父盤二	魯白俞(愈)父乍鼄姬仁朕賸般
6738	魯白愈父盤三	魯白俞(愈)父乍鼄姬仁朕賸般
6841	魯白愈父匜	魯白愉父乍鼄(邾)姬仁朕賸它

小計：共 13 筆

仕 1311

7407	仕斤徒戈	仕斤徒戈

小計：共 1 筆

佩 1312

1185	強白乍井姬鼎一	井姬婦亦佩祖考弔公宗室
1186	強白乍井姬鼎二	井姬婦亦佩祖考弔公宗室
1317	善夫山鼎	受冊佩目出
1319	頌鼎一	受令冊、佩以出
1320	頌鼎二	受令冊、佩以出
1321	頌鼎三	受令冊、佩以出
1329	小字盂鼎	盂目多旅佩
2713	瘨𣪘一	王對瘨楙、易佩
2714	瘨𣪘二	王對瘨楙、易佩
2715	瘨𣪘三	王對瘨楙、易佩
2716	瘨𣪘四	王對瘨楙、易佩
2717	瘨𣪘五	王對瘨楙、易佩
2718	瘨𣪘六	王對瘨楙、易佩
2719	瘨𣪘七	王對瘨楙、易佩
2720	瘨𣪘八	王對瘨楙、易佩
2844	頌𣪘一	佩目出
2845	頌𣪘二	佩目出
2845	頌𣪘二	佩目出
2846	頌𣪘三	佩目出
2847	頌𣪘四	佩目出
2848	頌𣪘五	佩目出
2849	頌𣪘六	佩目出
2850	頌𣪘七	佩目出
2851	頌𣪘八	佩目出
5799	頌壺一	受令冊佩以出
5800	頌壺二	受令冊佩以出

佩伯仲伊

	7158	瘋鐘一	皇王對瘋身楙、易佩
	7160	瘋鐘三	皇王對瘋身楙、易佩
	7161	瘋鐘四	皇王對瘋身楙、易佩
	7162	瘋鐘五	皇王對瘋身楙、易佩
			小計：共 30 筆
伯	1313	0589白字參見	
	1123.	番□伯者鼎	隹番□伯者自乍寶鼎
	1308	白晨鼎	王命䪌侯伯晨日
	2641	伯椃虘毁一	伯椃虘肇乍皇考剌公尊毁
	2642	伯椃虘毁二	伯椃虘肇乍皇考剌公尊毁
	M340	魯伯悆盨	魯伯悆用公龏
	M616	番休伯者君盤	隹番休伯者君用其吉金
	M685	曾子伯__鼎	曾子伯__鑄行器
	M695	曾伯宮父鬲	隹曾伯宮父穆迺用吉金
			小計：共 8 筆
仲	1314	0057中字參見	
	1243	仲__父鼎	周白__及仲__父伐南淮夷
	1305	師奎父鼎	用追考于剌仲
	2068	中乍旅毁	仲乍旅毁
	4556.	仲弔尊	[仲弔]
	4826	呂仲僕尊	呂仲僕乍毓子寶尊彝[或]
	5328	仲㦤卣	仲㦤乍寶彝
	7332	夭仲戈	夭仲
	7333	夭仲戈	夭仲
			小計：共 8 筆
伊	1315		
	2252	伊生乍公女毁	伊生乍公女尊彝
	2627	伊毁	伊__征于辛吏
	2627	伊毁	伊__賞辛吏秦金
	2800	伊毁	黼(緟)季內、右伊立中廷北鄉
	2800	伊毁	王乎命尹封冊命伊
	2800	伊毁	伊拜手諳首
	2800	伊毁	伊用乍朕不顯文且皇考徲弔寶𪒠彝
	2800	伊毁	伊其萬年無彊
	2837	敔毁一	至于伊、班
	5785	史懋壺	王乎伊白易懋貝
	7186	叔夷編鐘五	伊少臣隹輔
	7214	叔夷鎛	伊少臣隹輔
			小計：共 12 筆

孱 1316

1016	廟孱鼎	廟孱乍鼎
		小計：共 1 筆

仜 1317

2786	縣妀𣪘	𣪕、乃任（仜?)縣白室
		小計：共 1 筆

儼 1318 0164嚴字參見

倗 1319

0920	倗鼎	楚弔之孫倗之飤𩰫
0987	朋仲鼎	倗中乍畢媿賸鼎
1144	__獸鼎	朝夕鄉氒多倗友
1227	衛鼎	眔多倗友
1277	七年趞曹鼎	用鄉倗友
1278	十五年趞曹鼎	用卿倗友
1326	多友鼎	用倗用友
1412	倗乍義妣鬲	倗乍義妣寶尊彝
1975	倗𣪘	倗? 之匼
2294	倗万乍義妣𣪘	倗万乍義妣寶尊彝
2430	倗白__尊𣪘	倗白__自乍尊𣪘
2674	弔䟭𣪘	用侃喜百生倗友眔子婦（子孫）永寶用
2689	白康𣪘一	用鄉倗友
2690	白康𣪘二	用鄉倗友
2722	䆞弔乍豐姞旅𣪘	于䆞弔倗友
2736	口自父壺	其用友眔𣅀倗友歙
2768	楚𣪘	中倗父內
2778	格白𣪘一	格白取良馬乘于倗生
2778	格白𣪘一	格白取良馬乘于倗生
2779	格白𣪘二	格白取良馬乘于倗生
2780	格白𣪘三	格白取良馬乘于倗生
2781	格白𣪘四	格白取良馬乘于倗生
2782	格白𣪘五	格白取良馬乘于倗生
2782.	格白𣪘六	格白取良馬乘于倗生
2787	望𣪘	宰倗父右望入門
2787	望𣪘	宰倗父右望
2841	芇白𣪘	好倗友雩百者婚遘
2850	倗之匼	倗之匼
2898	白旅魚父旅匼	用倗旨飤
3070	杜白盨一	其用亯孝于皇申且考、于好倗友
3071	杜白盨二	其用亯孝于皇申且考、于好倗友
3072	杜白盨三	其用亯孝于皇申且考、于好倗友
3073	杜白盨四	其用亯孝于皇申且考、于好倗友
3086	善夫克旅盨	隹用獻于師尹、倗友、婚（聞）遘

3090	盨盨(器)	遹騶倗卽女
4831	倗乍氒考尊	倗乍氒考寶尊彝用萬年吏
4888	盠駒尊一	盠曰、王倗下不其
3074	杜白盨五	其用亯孝于皇申且考、于好倗友
5449	倗乍氒考卣	倗乍氒考寶尊彝
5614	亞倗壺一	[亞倗]
5733	曩中乍倗生歙壺	曩中乍倗生歙壺
5818	倗缶	倗之尊缶
6786	_弔多父盤	吏利于辟王卿事師尹倗友
6976	倗鐘	倗友朕其萬年臣天
7001	嘉賓鐘	大夫倗(朋)友
7082	齊鞄氏鐘	及我倗友
7175	王孫遺者鐘	及我倗友
7187	叔夷編鐘六	_而倗剌
7214	叔夷鎛	_而倗剌
7588	医石倗鉤戟	侯石倗
7913	朋史車鑾	倗史
M612	鄦子鐘	用樂嘉賓大夫及我倗友
		小計：共 52 筆

儆 1320

5805	中山王譽方壺	以憼(儆)嗣王
7182	叔夷編鐘一	尸不敢弗儆戒
7214	叔夷鎛	尸不敢弗儆戒
7770.1	中山侯鉞	目敬(儆)氒眔
		小計：共 4 筆

僟 1321

2524	仲幾父毁	中幾(僟)父史幾(僟)史于諸侯諸監
		小計：共 2 筆

何 1322

1628	何_安甗	何_安乍寶彝
1805	何戊毁	[何]戊
2009	何父癸毁	[何]父癸[彳?]
2733	何毁	王乎虢中入右何
2733	何毁	王易何赤市、朱亢、鑾旂
2733	何毁	何拜韻首
2733	何毁	何其萬年
3508	何乙爵	[何]乙
3563	子何爵	子[何]
4329	荷戈彤父癸斝	何乍父癸
4891	何尊	何易貝卅朋
5826	國差罎	攻師何鑄西郭寶罎四秉

6172 子蝠形何觚一 [子蝠何]
6173 子蝠形何觚二 [子蝠何]
6580 何兄日壬觶 [何]兄日壬
6628 鳥冊何般貝宁父乙觶 [何般貝宁]用乍父乙寶尊彝[鳥]
7549 十六年喜令戈 喜命韓鳳左庫工帀司馬裕冶何

小計：共 17 筆

備 1323

1331 中山王譽鼎 雩(越)人飲(修)斅備信
2793 元年師旋段一 備于大ナ
2794 元年師旋段二 備于大ナ
2795 元年師旋段三 備于大ナ
2836 㦿段 孚戎兵盾、矛、戈、弓、備、矢、裨、冑
5801 洹子孟姜壺一 于上天子用璧玉備一嗣(笥)
5801 洹子孟姜壺一 于南宮子用璧二備
5802 洹子孟姜壺二 于上天子用璧玉備一嗣
5802 洹子孟姜壺二 于南宮子用璧二備
7391 子備造戈 子備造戈

小計：共 10 筆

立 1324 1701立字重見

1332 毛公鼎 粤朕立(位)
1332 毛公鼎 死(尸)母(毋)童(動)余一人在立(位)
2792 師俞段 毗才位
5805 中山王譽方壺 述(遂)定君臣之位

小計：共 4 筆

儐 1325 1011賓字重見

儕 1326

2744 五年師旋段一 儕女十五易登
2745 五年師旋段二 儕女十五易登
6758 殷穀盤一 儕孫殷穀乍顭盤
6759 殷穀盤二 儕孫殷穀乍顭

小計：共 4 筆

俱 1327 0406具字重見

傳 1328

1331 中山王譽鼎 隹傅母氏(是)從

小計：共 1 筆

依
側
付
倗
敚

依 1329

1310	白晨鼎	虎幃冟依
7061	能原鐘	衣(依)余□郕(越)□者、利
7203	能原鎛	衣(依)余□郕(越)□者、利

小計：共 3 筆

側 1330

1306	無叀鼎	王乎史翏冊令無叀曰：官嗣Lk王lJ側虎臣
2835	訇毁	師笭側新□華尸、甾rx尸

小計：共 2 筆

付 1331

1264	螢鼎	因付氒且僕二家
1310	鬲攸從鼎	敢弗具付鬲从
1322	九年裘衛鼎	付裘衛林舀里
1325	五祀衛鼎	邦君厲眔付裘衛田
1330	曶鼎	不逆付
1330	曶鼎	則付卌秭
2837	敔毁一	復付氒君
6793	矢人盤	我既付散氏田器
6793	矢人盤	我既付散氏溼(隰)田、畛田
6910	師永盂	付永氒田

小計：共 10 筆

倗 1332

1155	戜者乍旅鼎	用丐倗魯福
2239	倗缶乍且癸毁	倗缶乍且癸尊彝
4044.	_倗戈父乙爵	[d9倗]父乙
J2193	毌倗父甲爵	父甲[毌倗]
4085	毌倗父己爵	父己[毌倗]
4102	毌倗父癸爵	[毌倗]父癸
5549	毌倗父乙方罍	[毌倗]父乙

小計：共 7 筆

敚 1333

1283	微繺鼎	王令敚繺訊嗣九陂
1382	敚白乍齋鬲一	敚白乍齍鬲
1383	敚伯鬲二	敚白乍齍鬲
1384	敚伯鬲三	敚白乍齍鬲
1385	敚伯鬲四	敚白乍齍鬲

	1386	散伯鬲五	散白乍盠鬲
	2629	牧師父𣪘一	乍散姚寶𣪘
	2630	牧師父𣪘二	乍散姚寶𣪘
	2631	牧師父𣪘三	乍散姚寶𣪘
	3117	微伯𤼈簠	散白𤼈乍簠
	3125	散白𤼈匕二	散白𤼈乍匕
	3126	散白𤼈匕一	散白𤼈乍匕
	4449	裘衛盉	單白廼令參有司:𤔲土散邑
	4878	召尊	白懋父賜(賜)召白馬妦(每?)黃猶(髮)散(微)
	5496	召卣	每黃髮散
	6792	史墻盤	才散盂處
	6792	史墻盤	散史刺且廼來見武王
	6793	矢人盤	鮮、且、散、 武父、西宮襄
	6793	矢人盤	散父、教稟父
	6912	微𤼈盆一	散𤼈乍寶
	6913	微𤼈盆二	散𤼈乍寶
	7163	𤼈鐘六	散史刺
	7929	散𤼈鍑	散𤼈乍寶
			小計:共　　23 筆
作	1334	2058乍字重見	
	0528.	作＿鼎	作＿[ey]
	1290	利鼎	用作朕文考＿白尊鼎
	1331	中山王𡺚鼎	隹十四年中山王𡺚詐(乍、作)鼎、于銘曰
	2452	女𩰫𣪘	用作𩰫尊彝
	2483	量侯𣪘	量侯豺作寶尊𣪘
	2521	姞氏自作𣪘	姞氏自钕(作)為寶尊𣪘
	2574	豐兮𣪘一	豐兮夷作朕皇考尊𣪘
	2575	豐兮𣪘二	豐兮夷作朕皇考尊𣪘
	2658	白𢦚𣪘	白𢦚肈其作西宮寶
	2853	不𡢁𣪘二	用作朕皇且公白孟姬尊𣪘
	2894	曾子㡭行器一	曾子㡭自作行器
	2946	曾子□匿	曾子□自作飤匿
	3027	仲𩜷旅𥁊	中𩜷□作鑄旅𥁊(𩔗)
	4234.	作＿女角	[cy]作hf女
	5468	子𡨦子卣	烏虖、誶帝家以𡨦子作永寶
	6870	𨟻公孫𢓊父匜	𨟻公孫誁父自作盥匜
	6875	慶弔匜	慶弔作朕子孟姜盥匜
	7061	能原鐘	小者乍(作)心□
	7061	能原鐘	□□乍(作)尸(夷)□
	7203	能原鎛	小者乍(作)心□
	7203	能原鎛	□□乍(作)尸(夷)□
	7219	冉鉦鋮(南疆征)	□□其之子□□□吉金□作鉦□
	7219	冉鉦鋮(南疆征)	萬枼之外子子孫孫□堋作台□□
	7481	郾王職乍𢦏鋸	郾王職作𢦏鋸
	7487	郾王詈乍巨＿鋸三	郾王職作巨𢦏鋸
	7536	郾王詈戈一	郾王詈作行議鍨
	7723	＿公劍	其以作為用元劍

侵儥償儀佁似

			小計：共 27 筆
侵	1335		
	1165	大師鐘白乍石鬳	大師鐘白侵自乍礛鬳
			小計：共 1 筆
儥	1336		
	2705	君夫殷	儥求乃友
			小計：共 1 筆
償	1337	1006賞字重見	
儀	1338		
	7151	虢叔旅鐘二	旅敢肇帥井皇考威儀
	7152	虢叔旅鐘三	旅敢肇帥井皇考威儀
	7153	虢叔旅鐘四	旅敢肇帥井皇考威儀
	7155	虢叔旅鐘六	皇考威儀
			小計：共 5 筆
佁	1339		
	0699	考姒乍旅鼎	考詞（佁姒始）乍旅鼎
	1008	崇嗣君鼎	崇詞（佁）君常羼其吉金
	1308	白晨鼎	的（佁嗣）乃且考侯于𨌲
	2456	的白迹殷一	的（佁始）白迹乍寶殷
	2457	的白迹殷二	的（佁始）白迹乍寶殷
	2592	鄧公殷	不故屯夫人詞（佁始）乍鄧公
	2689	白康殷一	用夙夜無佁（怠），
	2690	白康殷二	用夙夜無佁（怠），
	2726	曶殷	曰：用佁（嗣）乃且考吏
	3100	陳侯因脊錞	保佁（嗣）趄文
	6634	郐王義楚祭耑	永保佁（台）身
	6909	迸盂	𨻰諆各佁右
	7082	齊鞄氏鐘	于佁（台）皇且文考
	7108	鬳弔之仲子平編鐘一	佁（台）濼其大酉
	7109	鬳弔之仲子平編鐘二	佁（台）濼其大酉
	7110	鬳弔之仲子平編鐘三	佁（台）濼其大酉
	7111	鬳弔之仲子平編鐘四	佁（台）濼其大酉
	7175	王孫遺者鐘	余恁佁（台）心
	7219	冉鉦鋮（南疆征）	余台行的（佁）師
	7219	冉鉦鋮（南疆征）	余台政的（佁）徒
			小計：共 20 筆

便 1340

6877	傼乍旅壺	義便（鞭）女千
6877	傼乍旅壺	義便（鞭）女千
6877	傼乍旅壺	便（鞭）女五百
6877	傼乍旅壺	則到乃便（鞭）千

小計：共 4 筆

任 1341

1331	中山王嚳鼎	使智（知）社稷之任
1331	中山王嚳鼎	氏（是）以寡人匧（委）賃（任）之邦
2112	乍任氏从毀一	乍任氏从毀
2113	乍任氏从毀二	乍任氏从毀
2786	縣妃毀	叡、乃任縣白室
5803	胤嗣好蚉壺	或得賢佐司馬賈而冢任之邦
5805	中山王嚳方壺	而專賃（任）之邦
5805	中山王嚳方壺	受賃（任）佐邦

小計：共 8 筆

俗 1342

1276	__季鼎	白俗父右uJ季
1276	__季鼎	曰、用又（左）右俗父嗣寇
1311	師晨鼎	王乎乍冊尹冊令師晨足師俗嗣邑人
1325	五祀衛鼎	白邑父、定白、𤼷白、白俗父曰、厲曰：余執
1325	五祀衛鼎	井白、白邑父、定白、𤼷白、白俗父迺顜
1332	毛公鼎	俗（欲）我弗乍先王憂
1332	毛公鼎	俗（欲）女弗㠯乃辟圅于艱
2791.	史密毀	王令師俗、史密曰：東征
2791.	史密毀	師俗率齊𠂤、述人左
3085	駒父旅盨（盨）	堇夷俗
6910	師永盂	眔師俗父田
6910	師永盂	井白、榮白、尹氏、師俗父遣中

小計：共 12 筆

俾 1343 0470卑字重見

億 1344 0336啻字重見

使 1345

1331	中山王嚳鼎	使智（知）社稷之任
3090	𨟻盨（器）	勿使䖒虐從獄
4444.	卅五年盉	吏（使）乍盉般
5805	中山王嚳方壺	舉賢使能

	5805	中山王嚳方壺	使得賢在良佐賈
	5805	中山王嚳方壺	外之則將使上勤於天子之廟
	5805	中山王嚳方壺	使其老筞(策)賞中父
	7213	黏鎛	余四使是以
	7213	黏鎛	大使、大it、大宰
	7213	黏鎛	是台可使
			小計：共 10 筆

傳	1346		
	1668	中甗	日傳□王□休
	4753	傳匋乍從宗彝尊	傳匋乍從宗彝
	4816	亞_傳乍父戊尊	傳乍父戊寶尊彝[亞Jc]
	5506	小臣傳卣	師田父令小臣傳非余傳□朕考kz
	5506	小臣傳卣	白𣄰父賫小臣傳□□白休
	5801	洹子孟姜壺一	女受_湍傳_御
	5802	洹子孟姜壺二	女受_湍傳_御
	6793	矢人盤	則爰千罰千、傳棄之
	7888	騎傳馬節	騎傳佳
	7890	王命傳賃節一	王命命傳
	7891	齊馬節	齊節大夫傳五乘
	7894	鷹節二	馬乘帚伐_傳_年
	7895	王命傳節一	王命傳賃一擔飤之
	7896	王命傳節二	王命傳賃一擔飤之
	7897	王命傳節三	王命傳賃一擔飤之
	7898	王命傳節四	王命傳賃一擔飤之
	7899	鄂君啟車節	母舍槫(傳)飤
	7900	鄂君啟舟節	母舍槫(傳)飤
			小計：共 18 筆

仔	1347		
	0943	亞父庚且辛鼎	[亞俞fw]父父庚仔(保?)且辛
	6634	郗王義楚祭耑	仔郗王義楚羼余吉金
	3534	仔癸爵	仔癸
			小計：共 3 筆

佚	1348		
	2947	季宮父乍媵匿	季宮父乍中姊始姬佚匿
	2791	豆閉𣪘	用佚乃且考吏
	5758	匽君壺	匽君兹旅者其成公鑄子孟改媵(佚賸)盥壺
			小計：共 3 筆

佃	1349	與2196甸同字，請參看	

1300 南宮柳鼎 蒯義夷陽、佃吏
7040 克鐘一 易克佃、車馬乘
7041 克鐘二 易克佃、車馬
7062 柞鐘 蒯五邑佃人事
7063 柞鐘二 蒯五邑佃人事
7064 柞鐘三 蒯五邑佃人事
7065 柞鐘四 蒯五邑佃人事
7067 柞鐘六 蒯五邑佃人事
7204 克鎛 易克佃車馬乘

小計：共 9 筆

侮 1350

1331 中山王嚳鼎 隹傅侮氏（是）從

小計：共 1 筆

伏 1351

4792 史伏乍父乙旅尊 史伏乍父乙寶旅彝

小計：共 1 筆

伐 1352

0065 伐鼎 [伐]
1157 禽鼎 王伐禁侯
1234 旅鼎 隹公大保來伐反尸年
1239 __鼎一 隹王伐東尸
1239 __鼎一 以師氏眔有蒯後或𢦏伐Ld
1240 __鼎二 隹王伐東尸
1240 __鼎二 以師氏眔有蒯後或𢦏伐Ld
1242 塱方鼎 隹周公于征伐東尸
1243 仲__父鼎 周白__及仲__父伐南淮夷
1251 中先鼎一 隹王令南宮伐反虎方之年
1252 中先鼎二 隹王令南宮伐反虎方之年
1299 噩侯鼎一 王南征伐角、ph
1324 禹鼎 廣伐南或、東或
1324 禹鼎 㦰伐噩侯馭方
1324 禹鼎 弗克伐噩
1324 禹鼎 伐噩侯馭方
1324 禹鼎 敦伐噩
1326 多友鼎 廣伐京自
1326 多友鼎 癸未、戎伐筍、衣孚
1329 小字盂鼎 告曰、王□□白□□伐鬼方
1651 仲伐父甗 中伐父乍姬尚母旅獻（甗）其永用
2346 __乍諫殷 nb從王伐荊、孚
2451 過白殷 過白從王伐反荊、孚金

伐

2543	䇂馭段	伐楚㓝(荊)
2585	禽段	王伐禁侯
2611	朙渣嗣土𡧊段	王朿伐商邑
2622	琱伐父段一	琱伐父乍交尊段
2623	琱伐父段二	琱伐父乍交尊段
2623.	琱伐父段	琱伐父乍交尊段
2623.	琱伐父段	琱伐父乍交尊段
2624	琱伐父段三	琱伐父乍交尊段
2654	𩵦乍文父丁段	隹囗令伐尸方罝
2675	大保段	王伐彔子耶(聽)、𠭯氒反
2724	䡅白𡨦段	隹王伐逨魚
2724	䡅白𡨦段	㫊伐淖黑
2760	小臣謎段一	伐海眉
2761	小臣謎段二	伐海眉
2791.	史密段	廣伐東或(國)
2791.	史密段	周伐長必
2791.	史密段	周伐長必
2814	鳥冊矢令段一	隹王于伐楚白、才炎
2814.	矢令段二	隹王于伐楚白、才炎
2828	宜侯夨段	王省珷(武)王、成王伐商圖
2836	㦰段	戎伐𠭯
2837	敔段一	內伐湟、昴、參泉、裕敏、陰陽洛
2852	不嬰段一	馭方厰允廣伐西俞
2852	不嬰段一	女以我車宕伐厰允于高陵
2853	不嬰段二	馭方厰䊷廣伐西俞
2853	不嬰段二	女以我車宕伐厰䊷于高陶
2855	班段一	伐東或痟戎、咸
2855.	班段二	伐東或
3055	虢仲旅盨	伐南淮夷
3081	翏生旅盨一	伐角津、伐桐
3082	翏生旅盨二	伐角津、伐桐
3082	翏生旅盨二	伐角津、伐桐
3147	伐爵	[伐]
4860	魯侯尊	隹王令明公遣三族伐東或、才vq
4879	彔㦰尊	𠭯、淮夷敢伐內國
5465	員卣	員從史𣄨(旅)伐會
5498	彔㦰卣	𠭯、淮尸敢伐內國
5499	彔㦰卣二	𠭯、淮尸敢伐內國
5772	陳璋方壺	大壯孔陳璋內伐匽亳邦之隻
5804	齊侯壺	台元伐𤰈_丘
5804	齊侯壺	_伐陸寅其王馹執方_滕相
5895	伐觚	[伐]
6790	虢季子白盤	搏伐𤞷厰
6791	兮甲盤	王初各伐玁狁于䉼𢇛
6791	兮甲盤	則即井撲伐
6792	史墻盤	虘長伐尸童
7176	㝬鐘	王𦤎伐其至
7176	㝬鐘	撲伐氒都
7186	叔夷編鐘五	剛伐夏后
7214	叔夷鎛	剛伐夏后

7219	冉鉦鋮(南疆征)	余台伐郐
7229	伐甗戈	[伐、膚]
7534	□__戈	□__命司馬伐右庫工市高反冶□
7893	鷹節一	馬乘帚伐__四年市
7894	鷹節二	馬乘帚伐__傳__年
		小計：共 78 筆

孚 1353 0439孚字重見

1009	鄦侯簋鼎	孚(俘)氒金
		小計：共 1 筆

弔 1354

0239	弔丁鼎	[弔]丁
0252	弔龜鼎	[弔龜]
0362	弔父丙鼎	[弔]父丙
0372	弔父丁鼎二	[弔]父丁
0373	弔父丁鼎一	[弔]父丁
0374	弔父丁鼎三	[弔]父丁
0461	弔乍寶鼎	弔乍寶
0520	芇弔鼎	芇弔乍
0598	弔我乍用鼎	弔我乍用
0608	弔乍尊鼎	弔乍尊鼎
0626	弔乍旅鼎	弔乍旅鼎
0651	弔乍穌子鼎	弔乍穌子
0655	弔尹乍旅方鼎	弔尹乍旅
0708	弔乍懿宗齍方鼎	弔乍懿宗齍
0709	弔攸乍旅鼎	弔攸乍旅鼎
0775	陵弔乍衣鼎	陵弔乍衣寶鼎
0776	遣弔乍旅鼎	遣弔乍旅鼎用
0781	弔旝鼎	弔旝(旅)乍寶尊鼎
0782	雁弔乍寶鼎	雁弔乍寶尊齍
0818	外弔鼎	外弔乍寶尊彝
0829	尹小弔乍鑾鼎	尹小弔乍鑾鼎
0851	尹弔乍__姞鼎	尹弔乍sy姞賸鼎
0880	弔乍單公方鼎	弔乍單公寶尊彝
0899	弔具乍氒考鼎	弔具乍氒考寶尊彝
0902	弔__肇乍南宮鼎	弔sa肇乍南宮寶尊
0911	弔虎父乍弔姬鼎	弔虎父乍弔姬寶鼎
0918	湌叔鼎	湌弔之行貞(鼎)永用之
0920	倗鼎	楚弔之孫倗之飤鼾
0933	遂攺諆鼎	遂攺諆乍廟弔寶尊彝
0957	弔盂父鼎	弔盂父乍尊鼎其永寶用
0958	弔師父鼎	弔師父乍尊鼎其永寶用
0960	大__弔姜鼎	大□乍弔姜鼎其永寶用
0978	弔𤞷父鼎	弔𤞷父乍鼎
0983	羊庚鼎	La乍氒文考尸弔寶尊彝

弔

1012	康絲鼎	La乍氒文考尸弔寶尊彝
1021	虢弔大父鼎	虢弔大父乍尊鼎
1040	弔荼父鼎	弔荼父乍尊鼎
1049	靜弔乍旅鼎	靜弔乍鄙兄旅貞(鼎)
1064	武生_弔羞鼎一	武生kJ弔乍其羞鼎
1065	武生_弔羞鼎二	武生kJ弔乍其羞鼎
1086	內子仲□鼎	內子中□肇乍弔媿尊鼎
1087	鑄子弔黑臣鼎	鑄子弔黑臣肇乍寶貞(鼎)
1093	奠登白鼎	奠登白彶弔媾乍寶鼎
1121	唯弔從王南征鼎	唯弔從王南征、唯歸
1121	唯弔從王南征鼎	唯弔從王南征、唯歸
1124	玳乍父庚鼎一	車弔賞揚馬
1125	玳乍父庚鼎二	車弔賞揚馬
1126	弔夜鼎	弔夜鑄其餜鼎
1130	虢文公子牧鼎一	虢文公子牧乍弔改鼎
1131	虢文公子牧鼎二	虢文公子牧乍弔改鼎
1138	白陶乍父考宮弔鼎	白陶乍氒文考宮弔寶鬻彝
1154	黃孫子蜈君弔單鼎	唯黃孫子蜈君弔單自乍鼎
1163	齊陳_鼎蓋	乍皇考獻弔餜鼎
1173	羌乍文考鼎	用乍文考豸弔鬻彝
1185	強白乍井姬鼎一	井姬婦亦佩祖考弔公宗室
1186	強白乍井姬鼎二	井姬婦亦佩祖考弔公宗室
1188	旃弔樊乍易姚鼎	旃弔樊乍易姚寶鼎
1195	戈弔朕鼎一	戈弔朕自乍餜鼎
1196	戈弔朕鼎二	戈弔朕自乍餜鼎
1197	戈弔朕鼎三	戈弔朕自乍餜鼎
1216	貿鼎	弔氏事貣安曩白賓貿馬車乘
1241	蔡大師鼎	蔡大師腆媵鄦弔姬可母飤鲦
1244	瘐鼎	王乎虢弔召瘐
1262	旮鼎	用乍朕文考釐弔尊鼎
1265	默弔鼎	默弔仙姬乍寶鼎
1265	默弔鼎	默弔眔仙姬其易壽耇
1265	默弔鼎	默弔仙姬其萬年
1274	哀成弔鼎	嘉是隹哀成弔
1274	哀成弔鼎	哀成弔之鼎
1312	此鼎一	嗣土毛弔右此入門、立中廷
1313	此鼎二	嗣土毛弔右此入門、立中廷
1314	此鼎三	嗣土毛弔右此入門、立中廷
1319	頌鼎一	用乍朕皇考龏弔
1320	頌鼎二	用乍朕皇考龏弔
1321	頌鼎三	用乍朕皇考龏弔
1324	禹鼎	肆武公亦弗叚望朕聖且考幽大弔、懿弔
1330	曶鼎	井弔易曶(曶)赤金鈞
1330	曶鼎	井弔才異為□
1330	曶鼎	□吏氒小子瞉目限訟于井弔
1330	曶鼎	井弔曰、才
1349	弔父丁鬲	[弔弔]父丁
1358	弔乍彝鬲	[弔]乍彝
1374	虢弔尊鬲	虢弔乍尊鬲
1406	梳弔叙父鬲	梳弔叙父乍鼎

1417	弭弔乍犀妊齊鬲一	弭弔乍犀妊䵼
1418	弭弔乍犀妊齊鬲二	弭弔乍犀妊䵼
1419	弭弔乍犀妊齊鬲三	弭弔乍犀妊䵼
1425	鄭弔蒦父羞鬲	鄭弔蒦父乍羞鬲
1426	叔皇父鬲	弔皇父乍中姜尊鬲
1427	鄭興白乍弔媾鬲一	鄭興白乍弔媾鬲
1428	鄭興伯乍弔媾鬲二	鄭興白乍弔媾鬲
1430	奠井弔歡父拜鬲	奠井弔歡父乍拜鬲
1441	戈弔慶父鼎	戈弔慶父乍弔姬尊鬲
1445	樊君鬲	樊君乍弔qywJ媵器寶J2
1447	弔鼎鬲	弔鼎乍己白父丁寶尊彝
1448	白章父鬲一	白章父乍弔姬鬲
1449	白墉父鬲二	白章父乍弔姬鬲
1450	庚姬乍弔娊尊鬲一	庚姬乍弔娊尊鬲
1451	庚姬乍弔娊尊鬲二	庚姬乍弔娊尊鬲
1452	庚姬乍弔娊尊鬲三	庚姬乍弔娊尊鬲
1457	衛夫人行鬲	衛夫人文君弔姜乍其行鬲用
1484	江叔鬲	江弔盨乍其尊鬲
1500	_白鬲	口白乍弔姬尊鬲
1509	虢文公子钕乍弔妃鬲	虢文公子钕乍弔改鬲鼎
1510	内公鑄弔姬鬲一	内公乍鑄京氏婦弔姬媵
1511	内公鑄弔姬鬲二	内公乍鑄京氏婦弔姬朕鬲
1520	奠白荀父鬲	奠白荀父乍弔姬尊鬲
1636	弔猶寶甗	弔猶乍寶彝永用
1652	弔碩父旅甗	弔碩父乍旅獻(甗)
1667	陳公子弔遼父甗	陳公子子弔(叔)原父乍旅獻(甗)
1721	弔毁	[弔]
1955	弔弔母癸毁	[弔弔]母癸
1979	弔弔父丁毁一	[弔弔]父丁
1980	弔弔父丁毁二	[弔弔]父丁
1991	弔𢆶父乙毁	[弔弔]𢆶父乙
2022	弔乍寶彝毁	弔乍寶彝
2031	弔乍始障毁	弔乍姒(始)尊
2092	弔呂乍寶毁	弔呂乍寶毁
2093	弔乍寶障彝毁一	弔乍寶尊彝
2094	弔乍寶障彝毁二	弔乍寶尊彝
2117	弔龜乍父丙毁一	[弔龜]乍父丙
2118	弔龜乍父丙毁二	[弔龜]乍父丙
2121	弔歐乍乍寶毁	弔歐乍寶毁
2180	弔弔仲子日乙毁	[弔弔]中子日乙
2206	弔狀乍寶障毁一	弔狀乍寶尊毁
2207	弔虢乍寶障毁二	弔虢乍寶尊毁
2219	弔段父毁	弔段父乍叀毁
2228	龃弔乍寶毁	龃弔乍寶尊彝
2256	弔乍父丁毁	弔乍父丁寶尊彝
2277	弔單毁	弔單乍義公尊彝
2305	弔噩父乍鵷姬旅毁一	弔噩(咢)父乍鵷姬旅毁
2306	弔噩父乍鵷姬旅毁二	弔噩(咢)父乍鵷姬旅毁
2326	師奐父乍弔姑毁	師奐父乍弔姑寶尊毁
2327	弔寇乍日壬毁	弔寇乍日壬寶尊彝[舟]

弔

2333	妹弔昏𣪘	義弔聞(昏)肇乍彝用鄉賓
2335	告田乍且乙𡈼侯弔尊𣪘	乍且乙𡈼侯弔尊彝[告田]
2340	弔𩰬父𣪘	弔𩰬父乍尊𣪘、其萬年用
2342	弔宲乍寶𣪘	弔宲乍寶𣪘其萬年永寶
2398	𢑊弔山父𣪘一	𢑊弔山父乍疊姬尊𣪘
2399	𢑊弔山父𣪘二	𢑊弔山父乍疊姬尊𣪘
2400	𢑊弔山父𣪘三	𢑊弔山父乍疊姬尊𣪘
2431	_弔侯父乍尊𣪘一	弔侯父乍尊𣪘
2432	_弔侯父乍尊𣪘二	弔侯父乍尊𣪘
2433	害弔乍尊𣪘一	害弔乍尊𣪘
2434	害弔乍尊𣪘二	害弔乍尊𣪘
2462	弔向父乍㛊𡜊𣪘一	弔向父乍母辛𡛷(始)尊𣪘
2463	弔向父乍㛊𡜊𣪘二	弔向父乍母辛𡛷(始)尊𣪘
2464	弔向父乍㛊𡜊𣪘三	弔向父乍母辛𡛷(始)尊𣪘
2465	弔向父乍㛊𡜊𣪘四	弔向父乍母辛𡛷(始)尊𣪘
2466	弔向父乍㛊𡜊𣪘五	弔向父乍母辛𡛷(始)尊𣪘
2496	廣乍弔彭父𣪘	廣乍弔彭父寶𣪘
2526	弔𢓊𣪘	王易弔德臣嬗十人
2529	豐井弔乍白姬𣪘	豐井弔乍白姬尊𣪘
2545	季𩰫乍井弔𣪘	季𩰫肇乍𠬝文考井弔寶尊彝
2550	兌乍弔氏𣪘	兌乍朕皇考弔𠬝尊𣪘
2551	弔角父乍宕公𣪘一	弔角父乍朕皇孝宄公尊𣪘
2552	弔角父乍宕公𣪘二	弔角父乍朕皇考宄公尊𣪘
2582	內弔_𣪘	內弔_父乍寶𣪘
2589	孫弔多父乍孟姜𣪘一	孫弔多父乍孟姜尊𣪘
2590	孫弔多父乍孟姜𣪘二	孫弔多父乍孟姜尊𣪘
2591	孫弔多父乍孟姜𣪘三	孫弔多父乍孟姜尊𣪘
2593	弔䨺父乍旅𣪘一	弔䨺父乍𪈭姬旅𣪘
2594	弔䨺父乍旅𣪘二	弔䨺父乍𪈭姬旅𣪘
2594.	弔䨺父乍旅𣪘三	弔䨺父乍𪈭姬旅𣪘
2606	易_乍父丁𣪘一	hz弔休于小臣貝三朋、臣三家
2607	易_乍父丁𣪘二	hz弔休于小臣貝三朋
2629	牧師父𣪘一	牧師父弟弔𠈌父御于君
2630	牧師父𣪘二	牧師父弟弔𠈌父御于君
2631	牧師父𣪘三	牧師父弟弔𠈌父御于君
2634	𢽾叔𣪘	𢽾弔𢽾姬乍白媿賸𣪘
2635	賢𣪘一	公弔初見于衛、賢從
2636	賢𣪘二	公弔初見于衛、賢從
2637	賢𣪘三	公弔初見于衛、賢從
2638	賢𣪘四	公弔初見于衛、賢從
2640	弔皮父𣪘	弔皮父乍朕文考弗公
2647	魯士商𠭯𣪘	魯士商𠭯肇乍朕皇考弔䀆父尊𣪘
2653.	弔_孫父𣪘	弔_孫父乍孟姜尊𣪘
2665	_弔𣪘	ki弔u4my于西宮
2666	鑄弔皮父𣪘	乍鑄弔皮父尊𣪘
2666	鑄弔皮父𣪘	其妻子用亯考于弔皮父
2668	散季𣪘	㪚季肇乍朕王母弔姜寶𣪘
2673	□弔買𣪘	ky弔買自乍尊𣪘
2674	弔𡚬𣪘	弔𡚬乍寶尊𣪘
2698	陳財𣪘	䧊弔和子

2721	㒼𣪘	王命㒼眔弔緐父歸吳姬飴器
2722	䢅弔乍豐姞旅𣪘	䢅弔乍豐姞憝旅𣪘
2722	䢅弔乍豐姞旅𣪘	于䢅弔倗友
2727	蔡姞乍尹弔𣪘	蔡姞乍皇兄尹弔尊𩰫彝
2727	蔡姞乍尹弔𣪘	尹弔用妥多福于皇考德尹惠姬
2728	恆𣪘一	用乍文考公弔寶𣪘
2729	恆𣪘二	用乍文考公弔寶𣪘
2735	㢆敖𣪘	㢆敖堇用□弔于吏孟
2736	師遽𣪘	用乍文考旄弔尊𣪘
2762	免𣪘	井弔有免即令
2763	弔向父禹𣪘	弔向父禹曰
2763	弔向父禹𣪘	乍朕皇且幽大弔尊𣪘
2771	弭弔師求𣪘一	井弔內、右師求
2771	弭弔師求𣪘一	弭弔其萬年子子孫孫永寶用
2772	弭弔師求𣪘二	井弔內、右師求
2772	弭弔師求𣪘二	弭弔其萬年子子孫孫永寶用
2773	即𣪘	用乍朕文考幽弔寶𣪘
2774.	南宮弔𣪘	南宮弔入門
2783	趞𣪘	密弔右趞即立
2791	豆閉𣪘	用乍朕文考釐弔寶𣪘
2800	伊𣪘	伊用乍朕不顯文且皇考徲弔寶𩰫彝
2818	此𣪘一	司土毛弔右此入門、立中廷
2819	此𣪘二	司土毛弔右此入門、立中廷
2820	此𣪘三	司土毛弔右此入門、立中廷
2821	此𣪘四	司土毛弔右此入門、立中廷
2822	此𣪘五	司土毛弔右此入門、立中廷
2823	此𣪘六	司土毛弔右此入門、立中廷
2824	此𣪘七	司土毛弔右此入門、立中廷
2825	此𣪘八	司土毛弔右此入門、立中廷
2838	師𠭰𣪘一	易女弔市金黃、赤舄攸勒、用吏
2838	師𠭰𣪘一	易女弔市金黃、赤舄攸勒、用吏
2839	師𠭰𣪘二	易女弔市金黃、赤舄攸勒、用吏
2839	師𠭰𣪘二	易女弔市金黃、赤舄攸勒、用吏
2844	頌𣪘一	用乍朕皇考龔弔
2845	頌𣪘二	用乍朕皇考龔弔
2845	頌𣪘二	用乍朕皇考龔弔
2846	頌𣪘三	用乍朕皇考龔弔
2847	頌𣪘四	用乍朕皇考龔弔
2848	頌𣪘五	用乍朕皇考龔弔
2849	頌𣪘六	用乍朕皇考龔弔
2850	頌𣪘七	用乍朕皇考龔弔
2851	頌𣪘八	用乍朕皇考龔弔
2853.	__弔𣪘	__弔__福于大廟
2874	虢弔簠一	虢弔乍弔殷穀尊簠
2874.	虢弔簠二	虢弔乍弔殷穀尊簠
2875	衛子弔旡父旅簠	衛子弔旡父乍旅簠
2887	虢弔旅簠一	虢弔乍旅簠
2888	虢弔旅簠二	虢弔乍旅簠
2899	尹氏弔緐旅匡	吳王御士尹氏弔緐乍旅匡
2919	鑄弔乍嬴氏簠	鑄弔乍嬴氏寶簠

弔

弔

2921	__弔乍吳姬匿	q1弔乍吳姬尊匳(匡)
2927	商丘弔旅匿一	商丘弔乍其旅匿
2928	商丘弔旅匿一二	商丘弔乍其旅匿
2929	師麻孝弔旅匿(匡)	師麻s9弔乍旅匡
2931	鑄子弔黑匠匿一	鑄子弔黑匠肇乍寶匿
2932	鑄子弔黑匠匿二	鑄子弔黑匠肇乍寶匿
2933	鑄子弔黑匠匿三	鑄子弔黑匠肇乍寶匿
2935	鬵侯乍弔姬寺男媵匿	鬵侯乍弔姬寺男媵匿
2955	齊陳__匿一	乍皇考獻弔緐逸永保用匿
2956	齊陳曼匿二	乍皇考獻弔緐般永保用匿
2964.	弔邦父匿	弔邦父乍固(匿)
2965	曾侯乍弔姬媵器鬻彝	弔姬霝乍黃邦
2965	曾侯乍弔姬媵器鬻彝	曾侯乍弔姬邛嬭媵器鬻彝
2968	奠白大嗣工召弔山父旅匿一	奠白大嗣工召弔山父乍旅匿
2969	奠白大嗣工召弔山父旅匿二	奠白大嗣工召弔山父乍旅匿
2970	考弔㝡父尊匿一	考弔訙父自乍尊匿
2971	考弔㝡父尊匿二	考弔訙父自乍尊匿
2972	弔家父乍仲姬匿	弔家父乍中姬匡
2977	囗孫弔左課匿	囗孫弔左羼其吉金
2979	弔朕自乍薦匿	弔朕羼其吉金
2979	弔朕自乍薦匿	弔朕釁壽
2979.	弔朕自乍薦匿二	弔朕羼其吉金
2979.	弔朕自乍薦匿二	弔朕釁壽
2991	弔倉父寶盨	弔倉父乍寶盨
2991.	弔倉父寶盨二	弔倉父乍寶盨
3005	弔謀父旅盨毁一	弔謀父乍旅盨(鎮)毁
3005.	弔謀父旅盨毁二	弔謀父乍旅盨毁
3011	弔姞旅鎮	弔姞乍旅盨(鎮)
3014	弭弔旅盨	弭弔乍旅盨(鎮)
3019	弔賓父盨	弔賓父乍寶盨
3020	剻弔旅盨	剻弔乍旅盨(須)
3028	虢弔行盨	虢弔鑄行盨
3032.	奠登弔旅盨	奠登弔及子子孫孫永寶用
3033	昜弔旅盨	昜弔乍旅須
3036	奠井弔康旅盨	奠井弔康乍旅盨(頫)
3036.	奠井弔康旅盨二	奠井弔康乍旅盨
3038	鬲弔興父旅盨	鬲弔興父乍旅盨(須)
3043	遣弔吉父旅須一	遣弔吉父乍虢王姞旅盨(須)
3044	遣弔吉父旅須二	遣弔吉父乍虢王姞旅盨(須)
3045	遣弔吉父旅須三	遣弔吉父乍虢王姞旅盨(須)
3048	鑄子弔黑匠盨	鑄子弔黑匠肇乍寶盨
3049	單子白旅盨	單子白乍弔姜旅盨
3050	㚤弔乍旅盨	㚤弔乍中姬旅盨
3050	㚤弔乍旅盨	㚤弔其萬年永及中姬寶用
3061	弭弔旅盨	弭弔乍弔班旅盨
3077	弔尃父乍奠季盨一	弔尃父乍奠季寶鐘六、金尊盨四、鼎十
3078	弔尃父乍奠季盨二	弔尃父乍奠季寶鐘六、金尊盨四、鼎十
3079	弔尃父乍奠季盨三	弔尃父乍奠季寶鐘六、金尊盨四、鼎十
3080	弔尃父乍奠季盨四	弔尃父乍奠季寶鐘六、金尊盨四、鼎十
3090	塱盨(器)	弔邦父、弔姞萬年子子孫孫永寶用

3104	哀成弔豆	哀成弔之朕
3110.	弔賓父豆?	弔賓父乍寶盨
3259	弔爵一	[弔]
3260	弔爵二	[弔]
3261	弔爵三	[弔]
3262	弔爵	[弔]
3613	弔黽爵一	[弔黽]
3614	弔黽爵二	[弔黽]
3615	弔黽爵三	[弔黽]
3616	弔黽爵四	[弔黽]
3617	弔黽爵五	[弔黽]
3651	弔車爵	[弔車]
3651.	弔車爵	[弔車]
3920	弔父辛爵	[弔]父辛
4296	弔龜斝	[弔龜]
4331.	乍伯弔乙斝	乍白弔乙
4475	弔尊	[弔]
4537	__弔尊	[__弔]
4556.	仲弔尊	[仲弔]
4743	戒弔尊	戒弔乍寶尊彝
4803	虢弔尊	虢弔乍弔殷穀尊朕
4840	弔飽方尊	弔飽易貝于王始用乍寶尊彝
4855	弔爽父乍饙白尊	弔爽父乍文考饙白尊彝
4880	免尊	井弔右免
4926	吳弑馭觥(蓋)	[吳]弑馭弔史遣馬、弗左
4967	弔飽方彝	弔飽易貝于王始
5014	弔卣	[弔]
5160	弔父辛卣	[弔]父辛
5249	弔乍寶彝卣	弔乍寶彝
5253	弔乍旅卣	弔乍旅彝
5311	弔乍寶尊彝卣	弔乍寶尊彝
5339	弔䝞卣	弔䝞乍寶尊彝
5395	戣弔卣	戣弔乍氒寶尊彝
5397	弔夫冊卣	弔夫父冊乍寶彝
5459	榮弔卣	榮弔乍其為氒考宗彝
5468	子寮子卣	臺不弔Li乃邦
5468	子寮子卣	臺不弔Li乃邦
5500	免卣	井弔右免
5508	弔趯父卣一	弔趯父曰
5624	嬰父女壺	[嬰父女]56256252弔姜壺壺弔姜□□□□
5634	弔父丁壺	[弔]父丁
5694	魯侯乍尹弔姬壺	魯侯乍尹弔姬壺
5706	子弔乍弔姜壺一	子弔乍弔姜尊壺永用
5707	子弔乍弔姜壺二	子弔乍弔姜尊壺永用
5707	子弔乍弔姜壺二	子弔尊
5714	同白邦父壺	同白邦父乍弔姜萬人壺
5719	盜弔壺一	□□吉□盜弔永用之
5720	盜弔壺二	□□吉□盜弔永用之
5739	鄭楙弔賓父醴壺	鄭楙弔賓父乍醴壺
5749	矩弔乍仲姜壺一	矩弔乍中姜寶尊壺

弔

5750	矩弔乍仲姜壺二	矩弔乍中姜寶尊壺
5751	白公父乍弔姬醴壺	白公父乍弔姬醴壺
5760	蓮花壺蓋	□弔□__□__以其吉□寶壺
5776	員公壺	員公乍為子弔姜盥壺
5777	孫弔師父行具	邛立宰孫弔師父乍行具
5786	殳季良父壺	用享孝于兄弔婚媾者老
5789	命瓜君厚子壺一	屖屖康弔
5790	命瓜君厚子壺二	屖屖康弔
5796	三年瘐壺一	乎虢弔召瘐、易羔俎
5797	三年瘐壺二	乎虢弔召瘐、易羔俎
5799	頌壺一	用乍朕皇考龏弔
5800	頌壺二	用乍朕皇考龏弔
5804	齊侯壺	__王之孫右币之子武弔曰庚睪其吉金
5906	弔觚	[弔]
5908	弔觚	[弔]
5989	亞弔觚	[亞弔]
6019	弔丁觚	[弔]丁
6042	弔龜觚	[弔龜]
6061	弔車觚	[弔車]
6076	弔車觚	[弔車]
6161	弔父辛觚	[弔]父辛
6189	弔乍彝觚	弔乍彝
6216	龜且癸觚	[弔龜]且癸
6315	弔觶	[弔]
6335	弔龜觶一	[弔龜]
6548	弔龜且癸觶	[弔龜]且癸
6625	弔__乍構公觶	弔om乍構公寶彝
6719	京弔盤	京弔乍孟嬴盤
6726	筍侯乍弔姬盤	筍侯乍弔姬媵盤
6729	奠登弔旅盤	奠登弔乍旅盨
6734	才盤	用萬年用楚保眔弔堯
6742	弔五父盤	弔五父乍寶盤
6749	弔高父盤	弔高父乍中姒般
6750	白侯父盤	白侯父賸弔嬀㜏母槃(盤)
6755	毛叔盤	毛弔朕彪氏孟姬寶般
6757	干氏弔子盤	干氏弔子乍中姬客母賸般
6762	薛侯盤	薛侯乍弔妊襄朕盤
6763	句它盤	隹句它弔乍寶般
6765	齊弔姬盤	齊弔姬乍孟庚寶般
6773	__湯弔盤	林__湯弔obG1鑄其尊
6775	__仲乍父丁盤	弔皇父易中貝
6775	__仲乍父丁盤	中揚弔休
6775	__仲乍父丁盤	孫子其永寶弔休
6781	夆弔盤	夆弔乍季改盥般(盤)
6786	__弔多父盤	pL弔多父乍朕皇考季氏寶般
6805	㝬弔乍旅匜	㝬弔乍旅它
6818	弔侯父匜	弔侯父乍姜□寶它
6832	保弔黑匜匜	保弔黑姬乍寶它
6833	□弔穀匜	□子弔穀自乍賸匜
6845	弔__父乍師姬匜	弔__父乍睘白姬寶它

6850	弔高父匜一	弔高父乍中妀它
6851	弔高父匜二	弔高父乍中妀它
6854	辭馬南弔匜	辭馬南弔乍[illegible]姬賸它
6862	薛侯乍弔妊朕匜	薛侯乍弔妊襄朕匜
6867	弔男父乍為霍姬匜	弔男父乍為霍姬賸旅它
6874	鄭大內史弔上匜	奠大內史弔上乍弔娟賸匜
6875	慶弔匜	慶弔作朕子孟姜盥匜
6876	夆弔乍季妃盥盤(匜)	夆弔乍季改盥般
6888	吳王光鑑一	台乍弔姬寺吁宗__薦鑑
6888	吳王光鑑一	往巳弔姬
6889	吳王光鑑二	台乍弔姬寺吁宗__薦鑑
6889	吳王光鑑二	往巳弔姬
6892	虢弔乍旅盂一	虢弔乍旅盂
6893	虢叔乍旅盂二	虢弔乍旅盂
6919	子弔嬴內君寶器	子弔嬴內君乍寶器
6920	曾大保旅盆	曾大保uq譽弔亟用其吉金
6971	留鐘	留為弔𩁹禾鐘
6978	鄭井弔鐘	鄭井弔乍靈龢鐘用妥賓
6979	鄭井弔鐘二	鄭井弔乍靈龢鐘用妥賓
6993	弔旅魚父鐘	朕皇考弔旅魚父
7059	師臾鐘	師臾肁乍朕剌且虢季宄公幽弔
7059	師臾鐘	朕皇考德弔大𩐋鐘
7088	士父鐘一	□□□□□乍朕皇考弔氏寶𩐋鐘
7089	士父鐘二	□□□□□乍朕皇考弔氏寶𩐋鐘
7090	士父鐘三	□□□□□乍朕皇考弔氏寶𩐋鐘
7091	士父鐘四	□□□□□乍朕皇考弔氏寶𩐋鐘
7108	簷弔之仲子平編鐘一	筥弔之中子平自乍鑄游鐘
7109	簷弔之仲子平編鐘二	筥弔之中子平自乍鑄游鐘
7110	簷弔之仲子平編鐘三	筥弔之中子平自乍鑄游鐘
7111	簷弔之仲子平編鐘四	筥弔之中子平自乍鑄游鐘
7135	逆鐘	弔氏在大廟
7135	逆鐘	弔氏令史__召逆
7135	逆鐘	弔氏若曰：逆
7150	虢叔旅鐘一	虢弔旅曰
7150	虢叔旅鐘一	不顯皇考叀弔
7150	虢叔旅鐘一	用乍朕皇考叀弔大𩐋龢鐘
7151	虢叔旅鐘二	虢弔旅曰
7151	虢叔旅鐘二	不顯皇考叀弔
7151	虢叔旅鐘二	用乍朕皇考叀弔大𩐋龢鐘
7152	虢叔旅鐘三	虢弔旅曰
7152	虢叔旅鐘三	不顯皇考叀弔
7152	虢叔旅鐘三	用乍朕皇考叀弔大𩐋龢鐘
7153	虢叔旅鐘四	虢弔旅曰
7153	虢叔旅鐘四	不顯皇考叀弔
7153	虢叔旅鐘四	用乍朕皇考叀弔大𩐋龢鐘
7154	虢叔旅鐘五	虢弔旅曰
7154	虢叔旅鐘五	不顯皇考叀弔
7156	虢叔旅鐘七	朕皇考叀弔大𩐋龢鐘
7186	叔夷編鐘五	雩生弔尸
7213	𩐋鎛	齊群鞄(鮑)弔之孫

弔

	7213	𪒠鎛	用享用孝于皇祖聖弔
	7213	𪒠鎛	于皇祖又成惠弔
	7213	𪒠鎛	䍧(鮑)弔又成
	7214	叔夷鎛	雩生弔尸
	7241	弔戈一	[弔]
	7242	弔戈二	[弔]
	7320	弔龜戈	[弔龜]
	7394	弔孫𣪕戈	弔孫𣪕戈
	7406	弔侯乍戈	弔侯乍戈
	7432	盜叔戈	盜弔______
	7557	楚屈弔沱戈	楚屈弔沱屈□之孫
	7685	__侯武弔之用劍	p4侯武弔之用
	7757	弔黽形斧	[弔龜]
	7873	哀成弔鉙	哀成弔乍鉙
	7916	□弔馬銜	□弔
	M602	蔡䁠匜	蔡弔季之孫䁠賸孟臣有止𡢁盥盤
			小計：共　450 筆
佋	1355	1501卲字重見	
	1326	多友鼎	迺命向父佋多友
	2735	屖敖𣪘	用佋hf
			小計：共　2 筆
僰	1355+		
	2791.	史密𣪘	率族人、釐白、僰、㞳
	3088	師克旅盨一(蓋)	牙僰、駒車、𠦪較、朱虢、𨐨䩍
	3089	師克旅盨二	牙僰、駒車、𠦪較、朱虢、𨐨䩍
	5509	僰卣	隹僰揚尹休
	5791	十三年㾓壺一	牙僰、赤舃
	5792	十三年㾓壺一	牙僰、赤舃
			小計：共　6 筆
仏	1355+		
	1265	𣪕弔鼎	𣪕弔仏姬乍寶鼎
	1265	𣪕弔鼎	𣪕弔眔仏姬其易壽考
	1265	𣪕弔鼎	𣪕弔仏姬其萬年
	3394	亞䣄爵三	[亞䣄]、[亞仏]
			小計：共　4 筆
免	1356		
	2703	免乍旅𣪘	令免乍𤔲(辭司)土
	2703	免乍旅𣪘	免其萬年永寶用

2762	免設	井弔有免即令
2762	免設	卑冊令免日
2762	免設	免對揚王休
2762	免設	免其萬年永寶用
2954	史免旅匡	史免乍旅匡
4880	免尊	井弔右免
4880	免尊	王蔑免曆
4880	免尊	令史懋易免載市冋黃
4880	免尊	免其萬年永寶用
5500	免卣	井弔右免
5500	免卣	王蔑免曆
5500	免卣	令史懋易免載市冋黃
5500	免卣	免其萬年永寶用
6778	免盤	令乍冊內史易免鹵百s1
6778	免盤	免蔑、靜女王休
M252	免簠	令免乍司土
M252	免簠	免其萬年永寶用

小計：共　19 筆

佫　1356+

7117	郐黴兒鐘一	余炫佫之元子
7118	郐讆兒鐘二	余炫佫之元子

小計：共　2 筆

伎　1357

2219	弔伎父設	弔友父乍吏設

小計：共　1 筆

侜　1358

0834	鳥壬侜鼎	鳥壬侜乍尊彝

小計：共　1 筆

倫　1359

7549	十六年喜令戈	喜倫韓鳳左庫工帀司馬裕冶何

小計：共　1 筆

俯　1360

2201	白要俯乍寶設	白要父乍寶設

小計：共　1 筆

偺 1361

1026	奄望鼎	用夙夕偺公各
2292	集偺乍父癸殷一	集偺乍父癸寶尊彝
2293	集偺乍父癸殷二	集偺乍父癸寶尊彝
4814	偺乍父癸尊	偺乍父癸寶尊彝用旅
5427	偺乍父癸卣	偺乍父癸寶尊彝、用旅
		小計：共 5 筆

倘 1362

5805	中山王礐方壺	倘（適）曹（遭）郾君子徻
1331	中山王礐鼎	克倘大邦
		小計：共 2 筆

僩 1363

0785	才僩父鼎	才僩父乍尊彝
		小計：共 1 筆

儵 1363+

5663	儵媯乍寶壺	儵（孋）媯乍寶壺
		小計：共 1 筆

真 1364

1139	寓鼎	王才莽京鼎（真）_
1376	季貞尊鬲	季真乍尊鬲
1614	白真乍旅甗	白真乍旅獻
6727	真盤	真乍寶盤
		小計：共 4 筆

化 1365

6760	中子化盤	中子化用保楚王
		小計：共 1 筆

匕 1366 1965妣字重見

0443	歔父癸方鼎	[歔]匕癸
0450	戈妣辛鼎	[戈]匕辛
0665	亞㠱眢鼎	亞㠱眢匕（妣）酉
0848	木工乍妣戊鼎	木工乍匕戊嫛[冊]
1260	我方鼎	我乍禦Gx且乙、匕乙、且己、匕癸
1261	我方鼎二	我乍禦Gx且乙、匕乙、且己、匕癸

1364	匕糸父丁鬲	[匕糸]父丁
2011	天豕匕辛毀	[豢]匕辛
2397	_乍父辛毀	G3乍父辛皇母匕乙寶尊彝
2676	旅肄乍父乙毀	遘于{ 匕戊 }武乙爽、豕一[旅]
3125	敚白癲匕二	敚白癲乍匕
3126	敚白癲匕一	敚白癲乍匕
3127	仲枏父匕	中枏父乍匕永寶用
3128	魚鼎匕	延又匕蚰
3975	索匕乙爵	[索]匕乙
3976	奘匕己爵	[奘]匕己
3978	爻匕辛爵	[爻]匕(妣)辛
3978.	叚匕辛爵	[叚]匕辛
4695	女子匕丁尊	[母子]匕丁
5491	亞獏二祀卬其卣	才正月遘于匕丙肜日大乙爽
5685	曌匕乍父己壺	[曌]匕乍父己尊彝
5811	曾白文鑘	唯曾白文自乍匕pe鑘
6240	亞冀匕己觚	[亞冀]匕己
6612	亞㠱侯匕辛吴觶	[亞㠱侯匕辛吴]
6617	中亞址乍匕己觶	乍匕己彝[中亞址]
		小計：共　25 筆

卓　1367

1322	九年裘衛鼎	眉敖者膚(膚)卓吏見于王
2569	鼎卓林父毀	卓林父乍寶毀
		小計：共　2 筆

从　1368

1023	從乍寶鼎	从乍寶鼎
1310	鬲攸從鼎	鬲从目攸衛牧告于王
1310	鬲攸從鼎	弗能許鬲从
1310	鬲攸從鼎	敢弗具付鬲从
1310	鬲攸從鼎	从乍朕皇且丁公皇考叀公尊鼎
1310	鬲攸從鼎	鬲攸从其萬年子子孫孫永寶用
1331	中山王䇂鼎	亡不逹(率)从
1407	亞從父丁鬲	亞从父丁[鳥宁]
1641	比甗	从(比)乍寶獻(甗)其萬年用
J1109	逨從毀	逨從
2041	㝬乍從毀一	乍毀[㝬]
2042	㝬乍從毀二	乍从毀[㝬]
2106	从乍寶隣彝毀	从乍寶尊彝
2112	乍任氏从毀一	乍任氏从毀
2113	乍任氏从毀二	乍任氏从毀
2855	班毀一	以乃自右从毛父
2855	班毀一	以乃自右从毛父
2855	班毀一	趞令曰：以乃族从父征
2855.	班毀二	以乃自右从毛父

从 從

2855.	班毁二	以乃自右从毛父
4242	屬冊宰梳乍父丁角	王各、宰梳从
4623	天乍从尊	[天]乍从
4710	乍彭史從尊	乍彭史从尊
4884	臤尊	臤从師雝父戍于古自之年
4972	過从父彝	過从父乍＿白尊彝
5654	事从乍壺	事从乍壺
5773	陳喜壺	台寺ur巽(从?)
6633	翫乍文考觶	王工从翫各中
6691	乍姒從彝盤	乍姒从彝
7273	矛从戈	[矛从]
7690	蔡公子永之用劍	蔡公子永(從?)之用，蔡公子永之用
M282	師艅尊	師艅从王□功
M900	梁十九年鼎	躬于茲从

小計：共 33 筆

從 1369

0259	魚從鼎	[魚]從
0265	遽從鼎一	遽從
0266	遽從鼎二	遽從
0267	遽從鼎三	遽從
0268	遽從鼎四	遽從
0269	遽從鼎五	遽從
0724	鼺乍從旅鼎	[鼺]乍從旅彝
0937	內公乍鑄從鼎一	內(芮)公乍鑄從鼎永寶用
0938	內公乍鑄從鼎二	內公乍鑄從鼎永寶用
0939	內公乍鑄從鼎三	內公乍鑄從鼎永寶用
0969	從鼎	白姜易從貝{ 三十朋 }
0969	從鼎	從用乍寶鼎
0991	交鼎	交從嘼逨即
1056	曾白從寵鼎	曾白從寵自乍寶鼎用
1121	唯弔從王南征鼎	唯弔從王南征、唯歸
1121	唯弔從王南征鼎	唯弔從王南征、唯歸
1215	麥鼎	用從井侯征事
1221	井鼎	呼井從漁
1222	寂鼎一	師雝父省道至于誅、寂從
1223	寂鼎二	師雝父省道至于誅、寂從
1226	師艅鼎	師艅從
1233	＿鼎	h7肇從h0征
1275	師同鼎	Lz畀其井師同從
1298	師旂鼎	師旂眾僕不從王征于方
1298	師旂鼎	氒不從氒右征
1322	九年裘衛鼎	舍盠冒□羝皮二、豋(從)皮二
1326	多友鼎	從至、追搏于世
1329	小字盂鼎	□趞白□□戠旛虘目新□從、咸
1331	中山王譽鼎	隹傅母氏(是)從
1331	中山王譽鼎	氏(是)以寡許之謀慮唐(皆)從
1332	毛公鼎	大從(縱)不靜

1431	衛姒乍鬲	以從永征
1559	遽從甗	遽從
1666	迺乍旅甗	迺從師雝父肩吏
1821	魚從毁	[魚]從
1916	乍從彝毁一	乍從彝
1917	乍從彝毁二	乍從彝
2029	光乍從彝毁	[光]乍從彝
2030	豐乍從彝毁	豐乍從彝
2041	驧乍從毁一	乍從毁[驧]
2042	驧乍從毁二	乍從毁[驧]
2329	内公毁	内公乍鑄從用毁永寶
2346	__乍餗毁	nb從王伐荊、孚
2451	過白毁	過白從王伐反荊、孚金
2543	𤔲馭毁	𤔲御從王南征
2635	賢毁一	公弔初見于衛、賢從
2636	賢毁二	公弔初見于衛、賢從
2637	賢毁三	公弔初見于衛、賢從
2638	賢毁四	公弔初見于衛、賢從
2653	𠭯毁	𠭯用從永揚公休
2662.	宴毁一	宴從𠨘父東
2662.	宴毁二	宴從𠨘父東
2663	宴毁一	宴從𠨘父東
2664	宴毁二	宴從𠨘父東
2669	__妊小毁	妊小從
2672	伯艿父毁	妊小從
2774	臣諫毁	從王□□
2778	格白毁一	㱿妊彶佗𢆶從格白安彶甸
2778	格白毁一	㱿妊彶佗𢆶從格白安彶甸
2780	格白毁三	㱿妊彶佗𢆶從格白安彶甸
2781	格白毁四	㱿妊彶佗𢆶從格白安彶甸
2782	格白毁五	㱿妊彶佗𢆶從格白安彶甸
2782.	格白毁六	㱿妊彶佗𢆶從格白安彶甸
2801	五年召白虎毁	弋白氏從許
2852	不嬰毁一	戎大同從追女
2852	不嬰毁一	用從乃事
2853	不嬰毁二	戎大同從追女
2853	不嬰毁二	用從乃事
2854	蔡毁	勿吏敢又疾、止從獄
2855.	班毁二	以乃族從父征
2954	史免旅匡	從王征行
3081	翏生旅盨一	遹翏生從
3082	翏生旅盨二	遹翏生從
3082	翏生旅盨二	遹翏生從
3090	𤰇盨(器)	勿使䖒𠭯從獄
4210	遽從角一	遽從
4211	遽從角二	遽從
4330	光乍從彝斝	[光]乍從彝
4357	魚從盉	[魚從]
4390	亞夫乍從彝盉	亞夫、乍從彝
4401	中乍從彝盉一	中乍從彝

從

4402	中乍從彝盉二	中乍從彝
4446	麥盉	用從邢侯征吏
4528	魚從尊	[魚從]
4625	從乍彝尊	從乍彝
4696	天黽乍從彝尊	[天黽]乍從彝
4711	登乍從尊	登乍從彝[華]
4753	傳匈乍從宗彝尊	傳匈乍從宗彝
4854	__車奐乍公日辛尊	奐從王女南
4859	戉箙啟尊	啟從王南征
4863	褰乍父乙尊	褰從公亥ry洛于官
4881	曬方尊	公令曬從__
4892	麥尊	侯乘于赤旂舟從
5074	魚從卣	[魚]從
5197	乍從彝卣	乍從彝
5200	從乍彝卣	從乍彝
5254	__口從彝卣	[eq]乍從彝
5261	乍從彝卣	乍從彝
5262	戈乍從卣	[戈]乍從彝
5308	廣㚸乍從彝卣	[廣]㚸乍從彝
5309	豐乍從寶彝卣	豐乍從寶彝
5349	戰乍從彝卣	[戰(戎)]乍從彝
5465	員卣	員從史旟(旅)伐會
5489	戉箙啟卣	啟從征、堇(謹)不變
5490	戉稱卣	稱從師雖父戌于古自
5490	戉稱卣	稱從師雖父戌于古自
5497	農卣	敢對揚王休、從乍寶彝
5637	乍從彝壺	乍從彝
5703	內公鑄從壺一	內公乍鑄從壺永寶用
5704	內公鑄從壺二	內公乍鑄從壺永寶用
5705	內公鑄從壺三	內公乍鑄從壺永寶用
5801	洹子孟姜壺一	瑾nz無用從爾大樂
5802	洹子孟姜壺二	瑾nz無用從爾大樂
5804	齊侯壺	大鄺(筥)從河
5805	中山王嚳方壺	賈願從在{ 大夫 }
6044	魚從觚	[魚從]
6192	乍從彝觚一	乍從彝
6193	乍從彝觚二	乍從彝
6244	辛乍從彝觚	辛乍從彝
6259	亞夫乍寶從彝觚一	[亞夫]乍寶從彝
6260	亞夫乍寶從彝觚一	[亞夫]乍寶從彝
6680	魚從盤	[魚從]
6687	乍從彝盤	乍從彝
6692	口乍從彝盤	口乍從彝
6791	兮甲盤	兮甲從王折首執訊
6793	矢人盤	棗、州京、焂從鬲
6877	儹乍旅盉	女亦既從辭從誓
6980	內公鐘	內公乍從鐘
7028	臧孫鐘	子子孫孫永保是從
7029	臧孫鐘二	子孫孫永保是從
7030	臧孫鐘三	子孫孫永保是從

7031	藏孫鐘四	子孫孫永保是從
7032	藏孫鐘五	子孫孫永保是從
7033	藏孫鐘六	子孫孫永保是從
7034	藏孫鐘七	子孫孫永保是從
7035	藏孫鐘八	子孫孫永保是從
7036	藏孫鐘九	子子孫孫永保是從
7213	𦅫鎛	侯氏從告之日
7227	內公鐘一	內公乍鑄從鐘之句
7228	內公鐘二	內公乍鑄從鐘之句
7471	鳥篆戈	__乍昔__寽__從
7675	從金劍	從金賜鐘
7711	楚王酓章劍	楚王酓章為從士鑄
7975	中山王墓兆域圖	丌一從
7975	中山王墓兆域圖	從丘欧目至內宮六步
7975	中山王墓兆域圖	從丘欧目至內宮六步
7975	中山王墓兆域圖	從丘欧目至內宮六步
7975	中山王墓兆域圖	從丘欧目至內宮六步
7975	中山王墓兆域圖	從丘欧至內宮廿四步
7975	中山王墓兆域圖	從丘欧目至內宮六步
7975	中山王墓兆域圖	從丘欧目至內宮六步
7975	中山王墓兆域圖	從丘欧至內宮廿四步
7975	中山王墓兆域圖	從內宮目至中宮卅步
7975	中山王墓兆域圖	從內宮至中宮廿五步
7975	中山王墓兆域圖	從內宮至中宮廿五步
7975	中山王墓兆域圖	從內宮目至中宮卅步
7975	中山王墓兆域圖	從內宮至中宮卅六步
7975	中山王墓兆域圖	從內宮目至中宮卅六步
7996.	上官登	台為大𣃍之從鉄登□□

小計：共 159 筆

罒 1369+

1322	九年裘衛鼎	舍盠冒□羝皮二、罒（從）皮二

小計：共 1 筆

并 1370

1331	中山王譽鼎	昔者、吳人并雩（越）
1331	中山王譽鼎	克并之、于含（今）
4499	并尊	[并]
5948	并觚	[并]
7868	商鞅方升	皇帝盡并兼天下諸侯

小計：共 5 筆

比 1371

1042	白庙父鼎	白庙父乍比鼎

	1189	諆鼎	諆肇乍其皇考皇母者比君鬻鼎
	1310	鬲攸從鼎	鬲从(比)目攸衛牧告于王
	1310	鬲攸從鼎	弗能許鬲从(比)
北	1310	鬲攸從鼎	敢弗具付鬲从(比)
	1310	鬲攸從鼎	鬲攸从(比)其萬年子子孫孫永寶用
	1641	比甗	从(比)乍寶獻(甗)其萬年用
	2251	比乍白婦_段	比乍白婦tf尊彝
	3087	鬲从盨	䍐乎Jo夫tu鬲比田
	3087	鬲从盨	复友鬲比其田
	3087	鬲从盨	其邑复_言二邑。畀鬲比复乎小宮tu鬲比田
	3087	鬲从盨	復限余鬲比田
	3087	鬲从盨	凡復友復友鬲比田十又三邑
	3087	鬲从盨	乎右鬲比善夫_
	3087	鬲从盨	鬲比乍朕皇且丁公、 文考惠公盨
	4043	_京比爵	[_京比]
			小計：共 16 筆

北 1372

0527	北子_鼎	北子[d8]
0604	北白乍尊鼎	北白乍尊
0668	虘北鼎	虘北□季□
0837.	北子鼎	北子LJ乍車彝
0912	北子乍母癸方鼎	北子乍母癸寶尊彝
1210	甯_鼎	庚午王命甯_省北田四品
1277	七年趞曹鼎	井白入右趞曹立中廷、北鄉
1290	利鼎	井白内右利立中廷、北鄉
1300	南宮柳鼎	即立中廷、北卿
1309	寰鼎	立中廷、北鄉
1317	善夫山鼎	立中廷、北鄉
1327	克鼎	𪓐季右善夫克入門立中廷、北卿
1329	小字盂鼎	即立中廷、北卿
1366	北白鬲	北白乍彝
1600	_北子RA甗	uh北子[RA]
2580	𢻱乍北子段	𢻱乍北子柞段
2765	救段	井白內、右救立中廷北鄉
2770	𢦏段	穆公入、右𢦏立中廷北鄉
2775	裘衛段	南白入、右裘衛入門、立中廷、北鄉
2785	王臣段	益公入、右王臣即立中廷北鄉
2787	望段	立中廷、北鄉
2789	同段一	榮白右同立中廷、北鄉
2790	同段二	榮白右同立中廷、北鄉
2800	伊段	𪓐(�)季內、右伊立中廷北鄉
2817	師穎段	立中廷北鄉
2829	師虎段	井白內、右師虎即立中廷北鄉
4780	北白滅尊一	北白滅乍寶尊彝
4781	北白滅尊二	北白滅乍寶尊彝
4782	北白滅尊三	北白滅乍寶尊彝
4890	盠方尊	立于中廷北鄉

4978	吳方彝	立中廷北鄉
4979	盠方彝一	立于中廷北鄉
4980	盠方彝二	立于中廷北鄉
5390	北白殁卣	北白殁乍寶尊彝
5762	呂行壺	唯三月、白懋父北征
6787	走馬休盤	立中廷北卿
6789	寰盤	立中廷北鄉
7275	北耳戈一	[北耳]
7276	北耳戈二	[北耳]
7743	越王丌北古劍	唯越王丌北自乍元之用之劍
7743	越王丌北古劍	越王丌北古
7743	越王丌北古劍	越王丌北古
7776	__北鏃一	__北
7777	__北鏃二	__北
7778	__北鏃三	__北
7779	__北鏃四	__北
7780	__北鏃五	__北
7781	__北鏃六	__北
M151	北子宋盤	北子宋乍文父乙寶尊彝
M423.	趞鼎	宰訊趞入門立中廷北向
		小計：共 50 筆

冀 1373

2318	卌幽冀乍父癸毁	卌幽冀乍父癸寶尊彝
2814	鳥冊矢令毁一	戉冀、嗣气
2814.	矢令毁二	戉冀、嗣气
		小計：共 3 筆

丘 1374

2927	商丘弔旅匿一	商丘弔乍其旅匿
2928	商丘弔旅匿一二	商丘弔乍其旅匿
5804	齊侯壺	台元伐彘__丘
5804	齊侯壺	□□□□□其士女□__旬四舟____丘□__于__
7416	閭丘戈	膚(莒)丘為脽造
7425	事孫戈	事孫__丘戈
7526	卅四年屯丘令戈	卅四年屯丘命爽左工帀斋冶□
7532	九年我□令雍戈	高望、九年戋丘命雍工帀__冶__
7654	十二年邦司寇野矛	上庫工帀司馬丘玆冶賢
7734	四年春平侯劍	四年□□春升平侯□左庫工帀丘□________
7871	子禾子釜一	丘關之__
7899	鄂君啟車節	自鄂往、適陽丘、適邡(方)城
7899	鄂君啟車節	適高丘、適下蔡、適居鄛(鄛巢)、適郢
7975	中山王墓兆域圖	丘平□□□
7975	中山王墓兆域圖	丘平者卌乇
7975	中山王墓兆域圖	丘平者五十乇
7975	中山王墓兆域圖	丘□者五十乇

丘 巛 眾 徵

7975	中山王墓兆域圖	丘平者五十乇
7975	中山王墓兆域圖	丘平者卌乇
7975	中山王墓兆域圖	丘平者卌乇
7975	中山王墓兆域圖	丘平者五十乇
7975	中山王墓兆域圖	丘平者五十乇
7975	中山王墓兆域圖	丘平者卌乇
7975	中山王墓兆域圖	丘欧
7975	中山王墓兆域圖	丘欧
7975	中山王墓兆域圖	丘欧
7975	中山王墓兆域圖	丘欧
7975	中山王墓兆域圖	丘欧
7975	中山王墓兆域圖	丘欧
7975	中山王墓兆域圖	從丘欧目至內宮六步
7975	中山王墓兆域圖	從丘欧目至內宮六步
7975	中山王墓兆域圖	從丘欧目至內宮六步
7975	中山王墓兆域圖	從丘欧目至內宮六步
7975	中山王墓兆域圖	從丘欧至內宮廿四步
7975	中山王墓兆域圖	從丘欧目至內宮六步
7975	中山王墓兆域圖	從丘欧目至內宮六步
7975	中山王墓兆域圖	從丘欧至內宮廿四步

小計：共 37 筆

巛 1375

0000	姛巛鼎	姛巛

小計：共 1 筆

眾 1376

1298	師旂鼎	師旂眾僕不從王征于方
1330	曶鼎	用五田、用眾一夫日嗌
1331	中山王䁫鼎	親逹（率）參（三）軍之眾
1331	中山王䁫鼎	母（毋）眾而囂
2826	師寰𣪕一	今敢博氒眾眾段
2826	師寰𣪕一	今敢博氒眾眾段
2827	師寰𣪕二	今敢博氒眾眾段
7498	郾王詈戈	右攻肩（尹）□、攻眾
7868	商鞅方升	齊率卿大夫眾來聘
M883	中山侯鉞	目敬氒眾

小計：共 10 筆

徵 1377

7107	曾侯乙甬鐘	新鐘之變徵
7107	曾侯乙甬鐘	呂其反宣鐘之羽角無鐸之徵曾
7174	秦公鐘	霝音徵徵雝雝
7178	秦公及王姬編鐘二	霝音徵徵雝雝

7181	秦公及王姬編鐘六	霝音徵徵雝雝
7187	叔夷編鐘六	徵徵雝雝
7209	秦公及王姬鎛	霝音徵徵雝雝
7210	秦公及王姬鎛二	霝音徵徵雝雝
7211	秦公及王姬鎛三	霝音徵徵雝雝
7214	叔夷鎛	徵徵雝雝
M705	曾侯乙編鐘下一・一	曾侯乙乍時，宮、徵曾，
M705	曾侯乙編鐘下一・一	濁新鐘之徵
M705	曾侯乙編鐘下一・一	獸鐘之渚徵
M706	曾侯乙編鐘下一・二	夷則之徵曾
M706	曾侯乙編鐘下一・二	為槃鐘徵
M706	曾侯乙編鐘下一・二	為妥賓之徵頔下角
M706	曾侯乙編鐘下一・二	為無睪徵頔
M707	曾侯乙編鐘下一・三	曾侯乙乍時，徵頔、徵曾，
M707	曾侯乙編鐘下一・三	割肄之徵角
M707	曾侯乙編鐘下一・三	為獸鐘徵頔下角
M707	曾侯乙編鐘下一・三	割肄之徵曾
M708	曾侯乙編鐘下二・一	曾侯乙乍時，鄗鎛、徵角，
M708	曾侯乙編鐘下二・一	割肄之徵角
M708	曾侯乙編鐘下二・一	為獸鐘之徵頔下角
M710	曾侯乙編鐘下二・三	為刺音變徵
M710	曾侯乙編鐘下二・三	坪皇之變徵
M711	曾侯乙編鐘下二・四	為妥賓之徵頔下角
M711	曾侯乙編鐘下二・四	為無睪徵角
M711	曾侯乙編鐘下二・四	屖則之徵曾
M712	曾侯乙編鐘下二・五	曾侯乙乍時，宮、徵曾，
M712	曾侯乙編鐘下二・五	割肄之徵曾
M712	曾侯乙編鐘下二・五	為黃鐘徵
M713	曾侯乙編鐘下二・七	遅則之徵
M713	曾侯乙編鐘下二・七	新鐘之徵曾
M713	曾侯乙編鐘下二・七	無睪之徵
M713	曾侯乙編鐘下二・七	為大族之徵頔下角
M713	曾侯乙編鐘下二・七	為槃鐘徵曾
M713	曾侯乙編鐘下二・七	為坪皇徵角
M714	曾侯乙編鐘下二・八	曾侯乙乍時，徵、徵角，
M714	曾侯乙編鐘下二・八	割肄之徵
M714	曾侯乙編鐘下二・八	黃鐘之徵角
M714	曾侯乙編鐘下二・八	宣鐘珈徵
M714	曾侯乙編鐘下二・八	割肄之徵角
M714	曾侯乙編鐘下二・八	贏孠之羽徵
M714	曾侯乙編鐘下二・八	為獸鐘徵頔下角
M714	曾侯乙編鐘下二・八	為黃鐘徵曾
M715	曾侯乙編鐘下二・九	濁坪皇之徵
M716	曾侯乙編鐘下二・十	濁獸鐘之徵
M716	曾侯乙編鐘下二・十	穆鐘之徵
M716	曾侯乙編鐘下二・十	新鐘之徵頔
M718	曾侯乙編鐘中一・二	曾侯乙乍寺（時），角反，徵反，角反，徵反，
M720	曾侯乙編鐘中一・四	新鐘之徵頔
M721	曾侯乙編鐘中一・五	曾侯乙乍寺（時），下角，徵反，
M722	曾侯乙編鐘中一・六	新鐘之少徵頔

徵

M723	曾侯乙編鐘中一・七	曾侯乙作寺(時),宮、徵曾,
M723	曾侯乙編鐘中一・七	獸鐘之徵
M724	曾侯乙編鐘中一・八	新鐘之徵曾
M724	曾侯乙編鐘中一・八	新鐘之徵
M725	曾侯乙編鐘中一・九	曾侯乙作時,徵、徵角,
M725	曾侯乙編鐘中一・九	割肄之徵
M725	曾侯乙編鐘中一・九	割肄之徵角
M727	曾侯乙編鐘中一・十一	濁獸鐘之徵
M727	曾侯乙編鐘中一・十一	穆鐘之徵
M727	曾侯乙編鐘中一・十一	新鐘之徵顧
M729	曾侯乙編鐘中二・二	曾侯乙作時,角反,徵反,割肄之駃,
M732	曾侯乙編鐘中二・五	曾侯乙作時,下角,徵反,
M733	曾侯乙編鐘中二・六	新鐘之少徵顧
M734	曾侯乙編鐘中二・七	曾侯乙作寺(時),宮、徵曾,
M734	曾侯乙編鐘中二・七	獸鐘之徵
M735	曾侯乙編鐘中二・八	新鐘之徵曾
M735	曾侯乙編鐘中二・八	新鐘之徵
M736	曾侯乙編鐘中二・九	曾侯乙作時,徵、徵角,
M736	曾侯乙編鐘中二・九	割肄之徵
M736	曾侯乙編鐘中二・九	割肄之徵角
M737	曾侯乙編鐘中二・十	曾侯乙作時,宮角、徵,
M739	曾侯乙編鐘中二・十二	濁獸鐘之徵
M739	曾侯乙編鐘中二・十二	穆鐘之徵
M739	曾侯乙編鐘中二・十二	新鐘之徵顧
M742	曾侯乙編鐘中三・三	曾侯乙作時,宮角、徵,
M742	曾侯乙編鐘中三・三	割肄之徵反
M742	曾侯乙編鐘中三・三	韋音之徵曾
M743	曾侯乙編鐘中三・四	曾侯乙作時,商、羽徵,
M743	曾侯乙編鐘中三・四	坪皇之徵曾
M743	曾侯乙編鐘中三・四	為遟則徵曾
M744	曾侯乙編鐘中三・五	無睪之徵曾
M744	曾侯乙編鐘中三・五	新鐘之變徵
M745	曾侯乙編鐘中三・六	曾侯乙作時,商角、徵,
M745	曾侯乙編鐘中三・六	鄘鐘之徵角
M745	曾侯乙編鐘中三・六	韋音之徵曾
M746	曾侯乙編鐘中三・七	曾侯乙作時,商、羽徵,
M746	曾侯乙編鐘中三・七	為妥賓之徵顧下角
M746	曾侯乙編鐘中三・七	為無睪徵角
M746	曾侯乙編鐘中三・七	遟則之徵曾
M747	曾侯乙編鐘中三・八	曾侯乙作時,宮、徵曾,
M747	曾侯乙編鐘中三・八	割肄之徵曾
M747	曾侯乙編鐘中三・八	為黃鐘徵
M748	曾侯乙編鐘中三・九	遟則之徵
M748	曾侯乙編鐘中三・九	新鐘之徵
M748	曾侯乙編鐘中三・九	新鐘之徵曾
M748	曾侯乙編鐘中三・九	為坪皇徵角
M748	曾侯乙編鐘中三・九	無睪之徵
M748	曾侯乙編鐘中三・九	為夫族之徵顧下角
M748	曾侯乙編鐘中三・九	為槃鐘徵曾
M749	曾侯乙編鐘中三・十	曾侯乙作時,徵、徵角,

	M749	曾侯乙編鐘中三・十	割肄之徵
	M749	曾侯乙編鐘中三・十	獸鐘之徵角
	M749	曾侯乙編鐘中三・十	割肄之徵角
	M749	曾侯乙編鐘中三・十	為獸鐘之徵顧下角
	M749	曾侯乙編鐘中三・十	文王徵
	M749	曾侯乙編鐘中三・十	為黃鐘徵曾
	M751	曾侯乙編鐘上一・二	徵角、徵曾，
	M753	曾侯乙編鐘上一・四	徵曾、徵，
	M763	曾侯乙編鐘上三・二	宮曾、徵角，
	M764	曾侯乙編鐘上三・三	宮、角徵，穆音之宮，
	M765	曾侯乙編鐘上三・四	宮、徵曾，贏孠之宮，
	M766	曾侯乙編鐘上三・五	宮曾、徵角，妥賓之宮，
	M767	曾侯乙編鐘上三・六	宮角、徵，大族之宮，
	M768	曾侯乙編鐘上三・七	宮、徵曾，無睪之宮，
			小計：共 118 筆
朢	1378	又見望字條下	
	1026	奄朢鼎	奄朢聿乍寶尊鼎
	1187	員乍父甲鼎	唯正月既朢癸酉
	1220	鄘公鼎	隹王八月既朢
	1235	不䄅方鼎一	隹八月既朢戊辰
	1236	不䄅方鼎甲二	隹八月既朢戊辰
	1248	庚贏鼎	隹廿又二年四月既朢己酉
	1262	穸鼎	隹王九月既朢乙巳
	1284	尹姞鼎	休天君弗朢穆公聖粦明
	1285	㦰方鼎一	隹九月既朢乙丑、才螽自
	1307	師望鼎	大師小子師朢曰
	1307	師望鼎	朢肇帥井皇考
	1307	師望鼎	朢敢對揚天子不顯魯休
	1307	師望鼎	師朢其萬年子子孫孫永寶用
	1309	寰鼎	隹廿又八年五月既朢庚寅
	1324	禹鼎	肆武公亦弗叚朢朕聖且考幽大弔、懿弔
	1330	曶鼎	隹王元年六月既朢乙亥
	1533	尹姞寶鬲一	休天君弗朢穆公聖粦明𢓊吏（事）先王
	1534	尹姞寶鬲二	休天君弗朢穆公聖粦明𢓊吏（事）先王
	2643	史族𣪘	隹三月既朢乙亥
	2643	史族𣪘	隹三月既朢
	2694	豦乍且考𣪘	豦弗敢朢公白休
	2725.	䋣星𣪘	隹一月既朢丁亥
	2730	獻𣪘	隹九月既朢庚寅
	2766	三兒𣪘	㱃子□□朢中□□□母气
	2766	三兒𣪘	余□□□豕□□亡一人匃三邑□□□朢□□皇
	2767	𢻻𣪘一	正月既朢甲午
	2776	走𣪘	隹王十又二年三月既朢庚寅
	2786	縣妃𣪘	隹十又二月既朢辰才壬午
	2786	縣妃𣪘	其自今日孫孫子子母敢朢白休
	2787	望𣪘	王乎史年冊令朢
	2787	望𣪘	王呼史年冊令朢

2787	望毁	宰倗父右朢入門
2787	望毁	朢拜稽首
2787	望毁	宰倗父右朢
2787	望毁	朢拜稽首
2787	望毁	朢萬年子子孫孫永寶用（器）
2800	伊毁	隹王廿又七年正月既朢丁亥
2817	師顈毁	隹王元年九月既朢丁亥
2829	師虎毁	隹六年六月既朢甲戌
2854	蔡毁	隹元年既朢丁亥
2856	師訇毁	隹元年二月既朢庚寅
3056	師趛乍槅姬旅盨	隹王正月既朢
3056	師趛乍槅姬旅盨	隹王正月既朢
4198	朢乍父甲爵	公易朢貝、用乍父甲寶彝
4203	御正良爵	隹四月既朢丁亥
4447	臣辰冊冊多乍冊父癸盉	才五月既朢辛酉
4875	㫃折尊	令乍冊㫃（折）兄朢土于相侯
4876	保尊	才二月既朢
4888	盠駒尊一	王弗朢季舊宗小子
4922	亞它孔觥	［亞它］孔乍蠶逆王朢器［冊］
4928	折觥	令乍冊㫃（折）兄朢土于相侯
4976	折方彝	令乍冊㫃（折）兄朢土于相侯
5494	姛䜌乍母辛卣	令朢人方䍿
5495	保卣	才二月既朢
5495	保卣	才二月既朢
5501	臣辰冊冊多卣一	才五月既朢辛酉
5502	臣辰冊冊多卣二	才五月既朢辛酉
5504	庚嬴卣一	隹王十月既朢辰才己丑
5505	庚嬴卣二	隹王十月既朢辰才己丑
5506	小臣傳卣	隹五月既朢甲子
5507	乍冊魆卣	十二月既朢乙亥
5753	大師小子師朢壺	大師｛小子｝師朢乍寶壺
6784	三十四祀盤（祼盤）	隹王卅又四祀唯五月既朢戊午
6789	寰盤	隹廿又八年五月既朢庚寅
7532	九年我□令雍戈	高朢、九年戈丘命雍工帀_冶_
M423.	趞鼎	隹十又九年四月既朢辛卯

小計：共 66 筆

重 1379

0015	重鼎一	［重］
0016	重鼎二	［重］
1169	平安邦鼎	一益十釿料釿四分釿｛之重｝
1169	平安邦鼎	六益料釿｛之重｝
1253	平安君鼎	容四分齋五益六釿半釿四分釿之重
1351	重父□鬲	［重］父□
1757	重毁	［重］
2764	艾毁	易臣三品：州人、重人、亶人
3153	重爵	［重］
3154	重爵	［重］

3155	重爵	[重]
3521	己重爵	己[重]
3798	重父丙爵	[重]父丙
5576	重金方罍	百卌八重金＿＿一周鑄
5631	重父乙壺	[重]父乙
5717	旻成侯鍾	重十勻十八益
5754	＿氏扁壺	重十六斤
5779	安邑下官鍾	安邑下官重
5803	亂嗣好蚉壺	工qL重一石三百卅九刀之冢(重)
5850	重觚一	[重]
5851	重觚二	[重]
6025	癸重觚	癸[重]
6337	亞重觶	[亞重]
6449	重父丙觶	[重]父丙
6504	重父癸觶	[重]父癸
7222	□外卒鐸	重金容
7868	商鞅方升	重泉
7878	安邑下關鍾	安邑下關□重□□□嗇夫嘉句□....
7879	麗山鍾	重二鈞十三斤八兩

小計：共 29 筆

量 1380

1113	梁廿七年鼎一	大梁司寇肖亡智新為量
1114	廿七年大梁司寇肖無智鼎二	大梁司寇肖亡智鑄新量
1327	克鼎	易女井人奔于量
1668	中甗	䢅又舍女邜量至于女
2483	量侯毀	量侯豺作寶尊毀
2767	虘毀一	王才周師量宮
7868	商鞅方升	法度量則不壹歉疑者

小計：共 7 筆

監 1381

1315	善鼎	令女左足䰙侯、監𤔲師戍
1319	頌鼎一	王曰：頌、令女官𤔲成周賈廿家、監𤔲新寤
1320	頌鼎二	王曰：頌、令女官𤔲成周賈廿家、監𤔲新寤
1321	頌鼎三	王曰：頌、令女官𤔲成周、賈廿家、監𤔲新寤
1629	應監甗	雁監乍寶尊彝
2524	仲幾文設	中幾父、史幾史于諸侯諸監
2586	史𠂤設一	其于之朝夕監
2587	史𠂤設二	其于之朝夕監
2844	頌設一	監𤔲（司）新寤（造）賈用宮御
2845	頌設二	監𤔲（司）新寤（造）賈用宮御
2845	頌設二	監𤔲（司）新寤（造）賈用宮御
2846	頌設三	監𤔲（司）新寤（造）賈用宮御
2847	頌設四	監𤔲（司）新寤（造）賈用宮御
2848	頌設五	監𤔲（司）新寤（造）賈用宮御
2849	頌設六	監𤔲（司）新寤（造）賈用宮御
2850	頌設七	監𤔲（司）新寤（造）賈用宮御
2851	頌設八	監𤔲（司）新寤（造）賈用宮御
5732	鄧孟乍監嫚壺	鄧孟乍監嫚尊壺
5799	頌壺一	監𤔲新造賈用宮御
5800	頌壺二	監𤔲新造賈用宮御
6751	祉白章盤	祉白章自乍寶監
6885	吳王夫差御鑑一	自乍御監
6886	吳王夫差御鑑二	自乍御監
6887	𢻎陵君王子申鑑	造金監

小計：共　24 筆

臨 1382

0890	堇臨乍父乙鼎	堇臨乍父乙寶尊彝
0891	堇臨乍父乙方鼎	堇臨乍父乙寶尊彝
1328	盂鼎	古天異臨子
1332	毛公鼎	臨保我有周
2287	堇臨乍父乙設	堇臨乍父乙寶尊彝
J1440	弔臨父設	弔臨父乍寶設
2856	師訇設	臨保我又周、雩四方民
7121	郐王子旃鐘	以臨盟祀
7521	廿二年臨汾守戈	廿二年臨汾守曋庫系工歃造
7868	商鞅方升	臨廿六年

小計：共　10 筆

身 1383

1233	_鼎	省于氒身、孚戈
1316	䥝方鼎	安永𢦚䥝身
1316	䥝方鼎	母又眈于氒身
1323	師𢦚鼎	王曰：師𢦚、女克𧾷（賚）乃身

1323	師訊鼎	用保王身
1331	中山王嚳鼎	身勤社稷
1332	毛公鼎	以乃族干(扞)吾王身
2670	構侯毁	用永皇方身
2730	獻毁	獻身才畢公家
2763	弔向父禹毁	廣啟禹身
2834	㝬毁	朕立㝬身
2836	㦰毁	永襲氒身
2836	㦰毁	無䀿于㦰身
2855	班毁一	徃城、衛父身
2855.	班毁二	徃城衛父身
2856	師訇毁	佳王身厚賴
2856	師訇毁	率以乃友干吾王身
3088	師克旅盨一(蓋)	干害王身、乍爪牙。 王曰
3089	師克旅盨二	干害王身、乍爪牙。 王曰
4888	盠駒尊一	mo皇盠身
4890	盠方尊	刺剌朕身
4979	盠方彝一	刺剌朕身
4980	盠方彝二	刺剌朕身
5508	弔趯父卣一	唯女焂其敬辥乃身
5776	曩公壺	永保其身
5780	公孫窹壺	兼保其身
5804	齊侯壺	__靈公之身
5805	中山王嚳方壺	以輔相氒身
5805	中山王嚳方壺	氏以身蒙卒(甲)胄
5805	中山王嚳方壺	故邦亡身死
6634	郄王義楚祭耑	永保辝(台)身
6781	夆弔盤	永保其身
6875	慶弔匜	兼保其身
6876	夆弔乍季妃盥盤(匜)	永保其身
6907	齊侯乍朕子仲姜盂	永保其身
7007	梁其鐘	光梁其身
7008	通彔鐘	廣啟朕身
7084	邾公牼鐘一	台樂其身
7085	邾公牼鐘二	台樂其身
7086	邾公牼鐘三	台樂其身
7087	邾公牼鐘四	台樂其身
7088	士父鐘一	用廣啟士父身
7089	士父鐘二	用廣啟士父身
7090	士父鐘三	用廣啟士父身
7091	士父鐘四	用廣啟士父身
7122	梁其鐘一	汈其身邦君大正
7123	梁其鐘二	汈其身邦君大正
7135	逆鐘	用㝵朕身
7157	邾公華鐘一	不家于氒身
7158	㾓鐘一	皇王對㾓身楙、易佩
7159	㾓鐘二	廣啟㾓身
7159	㾓鐘二	用寓光㾓身
7160	㾓鐘三	皇王對㾓身楙、易佩
7161	㾓鐘四	皇王對㾓身楙、易佩

身

身
殷

7162	瘐鐘五	皇王對瘐身楙、易佩
7165	瘐鐘八	廣啟瘐身
7168	瘐鐘十一	用寓光瘐身
7185	叔夷編鐘四	女台卹余朕身
7188	叔夷編鐘七	女考壽萬年永保其身
7202	楚公逆鎛	逆其萬年又壽__身
7213	黏鎛	黏保其身
7214	叔夷鎛	女台卹余朕身
7214	叔夷鎛	女考壽萬年永保其身
7976	之利殘片	易女、身

小計：共　64 筆

殷　1384

1034	仲殷父鼎一	中殷父乍鼎
1035	仲殷父鼎二	中殷父乍鼎
1073	白鼎	隹白殷□八自寇年
1324	禹鼎	王迺命西六自、殷八自曰
1324	禹鼎	惠西六自、 殷六自
1328	盂鼎	我聞殷述令
1328	盂鼎	隹殷邊侯田雩殷正百辟
2039	白乍旅毁一	白乍旅殷
2040	白乍旅毁二	白乍旅殷
2079	殷乍寶彝毁	殷乍寶彝
2113	乍任氏从殷二	乍任氏从殷
2535	仲殷父毁一	中殷父鑄毁
2536	仲殷父毁二	中殷父鑄毁
2537	仲殷父毁三	中殷父鑄毁
2537	仲殷父毁四	中殷父鑄毁
2538	仲殷父毁五	中殷父鑄毁
2539	仲殷父毁六	中殷父鑄毁
2540	仲殷父毁六	中殷父鑄毁
2541	仲殷父毁七	中殷父鑄毁
2633.	食生走馬谷毁	唯食生走馬谷自乍吉金用尊殷
2644.	伯椃虘毁	白椃虘肇乍皇考剌公尊殷
2760	小臣謎毁一	白懋父目殷八自征東尸(夷)
2761	小臣謎毁二	白懋父目殷八自征東尸(夷)
2778	格白毁一	殷人紉霄谷杜木
2778	格白毁一	殷人紉霄谷杜木
2780	格白毁三	殷人紉霄谷杜木
2781	格白毁四	殷人紉霄谷杜木
2782	格白毁五	殷人紉霄谷杜木
2782.	格白毁六	殷人紉霄谷杜木
2817	師類毁	用乍朕文考尹白尊殷
2857	牧毁	用乍朕皇文考益白尊殷
2874	虢弔匿一	虢弔乍弔殷穀尊匿
4447	臣辰冊冊夕乍冊父癸盉	王令士上眔史寅殷于成周
4803	虢弔尊	虢弔乍弔殷穀尊朕
4864	乍冊翻尊	隹明保殷成周年

4871	𦀚𢆶𦀚尊	令豐殷大矩
4873	臣辰冊𠂤冊乍父癸尊	王令士□□寅殷于□
4876	保尊	乙卯、王令保及殷東或(國)五侯
5474	𨟻卣	佳明保殷成周年
5474	𨟻卣	[fL]佳明保殷成周年
5480	冊𢆶冊豐卣	令豐殷大矩
5480	冊𢆶冊豐卣	令豐殷大矩
5495	保卣	乙卯、王令保及殷東或五侯
5495	保卣	乙卯、王令保及殷東或五侯
5501	臣辰冊冊𡖄卣一	王令士上眔史黃殷于成周
5502	臣辰冊冊𡖄卣二	王令士上眔史黃殷于成周
5506	小臣傳卣	令師田父殷成周年
5763	殷句壺	殷句乍其寶壺
6758	殷𣪘盤一	僑孫殷𣪘乍顝盤
6759	殷𣪘盤二	僑孫殷𣪘乍顝
6792	史墻盤	達殷畯民
6792	史墻盤	雩武王既𢦏殷
7163	𤼈鐘六	雩武王既𢦏殷
M792	宋公䜌簠	有殷天乙唐孫宋公䜌

小計：共　54 筆

衣　1385

0775	陵弔乍衣鼎	陵弔乍衣寶鼎
1248	庚嬴鼎	王格□宮衣事
1276	__季鼎	王易赤⊖市、玄衣黹屯、䜌旂
1285	㦰方鼎一	王𠣞姜事內史友員易㦰玄衣、朱襮裣
1305	師𠫑父鼎	易載市冋黃、玄衣黹屯、戈琱㦛、旂
1306	無叀鼎	易女玄衣黹屯、戈琱㦛㔾柲彤沙、攸勒䜌旂
1308	白晨鼎	易女鬱鬯一卣、玄袞衣、幽夫(黼)
1309	寰鼎	易寰玄衣、黹屯、赤市、朱黃、䜌旂、攸勒、
1312	此鼎一	易女玄衣黹屯、赤市朱黃、䜌旂
1313	此鼎二	易女玄衣黹屯、赤市、朱黃、䜌旂
1314	此鼎三	易女玄衣黹屯、赤市、朱黃、䜌旂
1317	善夫山鼎	易女玄衣黹屯、赤市朱黃、䜌旂
1319	頌鼎一	易女玄衣黹屯、赤市朱黃、䜌旂攸勒、用事
1320	頌鼎二	易女玄衣黹屯、赤市朱黃、䜌旂攸勒、用事
1321	頌鼎三	易女玄衣黹屯、赤市朱黃、䜌旂攸勒、用事
1326	多友鼎	癸未、戎伐筍、衣孚
1328	盂鼎	易女鬯一卣、冋衣、市、舄、車馬
2687	敔𣪕	王蔑敔曆、易玄衣赤市
2703	免乍旅𣪕	易戠衣䜌
2728	㫚𣪕	易戠衣、赤⊖市
2765	𣪘𣪕	易𣪘玄衣、黹屯、旂
2769	師𥡴𣪕	易女玄衣黹屯、叔市
2770	𢦏𣪕	易女戠衣、赤⊖市、䜌旂
2773	即𣪕	玄衣、黹屯、䜌旂(旂)
2775.	害𣪕一	幺衣
2775.	害𣪕二	幺衣黹屯、旂、攸革

衣 衮

2777	天亡毁	天亡又王衣祀于王不顯考文王
2777	天亡毁	不克气衣王祀
2785	王臣毁	玄衣黹屯
2791	豆閉毁	王曰：閉、易女戠衣、𡿨市、䜌旂
2797	輔師嫠毁	易女玄衣黹屯
2818	此毁一	易女玄衣黹屯
2819	此毁二	易女玄衣黹屯
2820	此毁三	易女玄衣黹屯
2821	此毁四	易女玄衣黹屯
2822	此毁五	易女玄衣黹屯
2823	此毁六	易女玄衣黹屯
2824	此毁七	易女玄衣黹屯
2825	此毁八	易女玄衣黹屯
2835	訇毁	易女玄衣黹屯、戴市冋黃
2836	或毁	衣（卒）博
2837	敔毁一	于炂衣諱
2843	沈子它毁	迺沬克衣告剌成功
2844	頌毁一	易女玄衣黹屯
2845	頌毁二	易女玄衣黹屯
2845	頌毁二	易女玄衣黹屯
2846	頌毁三	易女玄衣黹屯
2847	頌毁四	易女玄衣黹屯
2848	頌毁五	易女玄衣黹屯
2849	頌毁六	易女玄衣黹屯
2850	頌毁七	易女玄衣黹屯
2851	頌毁八	易女玄衣黹屯
2854	𦉢毁	易女玄衮衣、赤舄
4853	復尊	匽侯賞復冂衣、臣妾、貝
4886	趩尊	易趩戠衣、戴市冋黃、旂
4892	麥尊	金＿、冂、衣、市、舄
4978	吳方彝	玄衮衣、赤舄
5798	曶壺	易女鬯卣一卣玄衮衣
5799	頌壺一	易女玄衣黹屯、赤市朱黃
5800	頌壺二	易女玄衣黹屯、赤市朱黃
5804	齊侯壺	商之台邑嗣衣裘車馬
6787	走馬休盤	王乎乍冊尹冊易休玄衣黹屯
6789	寰盤	王乎史qr冊易寰玄衣黹屯
7061	能原鐘	衣（依）余□郕（越）□者、利
7203	能原鎛	衣（依）余□郕（越）□者、利
M191	䋣卣	衣事亡眈
M252	免簠	易戠衣、䜌
M423.	趞鼎	王乎內史19冊易趞幺衣黹屯
		小計：共　68 筆

衮　1386

1308	白晨鼎	易女鬯卣一卣、玄衮衣、幽夫（黼）
1323	師𩛥鼎	易女玄衮𦃇屯、赤市朱黃、䜌旂、大師金雁
2854	𦉢毁	易女玄衮衣、赤舄

	4978	吳方彝	玄衮衣、赤舄
	5798	曶壺	易女鬱鬯一卣玄衮衣
			小計：共 5 筆
㯺	1387	2191里字重見	
	1332	毛公鼎	金車㯺較、朱䕌圅（靳）靳、虎冟熏裏、右厄
	2816	彔白𢦚𣪘	虎冟朱裏、金甬、畫聞（輯）
	2830	三年師兌𣪘	虎冟熏裏
	2840	番生𣪘	朱䕌鞃靳、虎冟熏裏、遣衡右厄
	2857	牧𣪘	朱䩛、圅靳、虎冟、熏裏
	3088	師克旅盨一（蓋）	虎冟、熏裏、畫轉、畫輯、金甬、朱旂
	3089	師克旅盨二	虎冟、熏裏、畫轉、畫輯、金甬、朱旂
	3090	㝬盨（器）	虎冟、熏裏
	4978	吳方彝	虎冟熏裏
			小計：共 9 筆
裣	1388		
	1285	𢦚方鼎一	王俎姜事內史友員易𢦚玄衣、朱襮裣
			小計：共 1 筆
襲	1389		
	2836	𢦚𣪘	永襲氒身
			小計：共 1 筆
𩏂	1389		
	1316	𢦚方鼎	安永𩏂𢦚身
	1332	毛公鼎	率褱（懷）不廷方
			小計：共 2 筆
褱	1390		
	1052	褱自乍礝鈮	褱自乍飤礝鈮
	2658	白𢦚𣪘	隹用妥神褱唬前文人
	2843	沈子它𣪘	乃沈子其顠褱多公能福
	2843	沈子它𣪘	它用褱𢦚我多弟子我孫
	2855	班𣪘一	文王孫亡弗褱井
	2855.	班𣪘二	文王孫亡弗褱井
	7159	𤼈鐘二	褱受余爾𪓐福
	7166	𤼈鐘九	褱受余爾𪓐福霝冬
	7725	元年劍	元年坒相邦王褱

小計：共 9 筆

裔 1391

2632	陳逆殷	陳氏裔孫逆
2985	陳逆匿一	余陳趄走裔孫
2985.	陳逆匿二	余陳趄走裔孫
2985.	陳逆匿三	余陳趄走裔孫
2985.	陳逆匿四	余陳趄走裔孫
2985.	陳逆匿五	余陳趄走裔孫
2985.	陳逆匿六	余陳趄走裔孫
2985.	陳逆匿七	余陳趄走裔孫
2985.	陳逆匿八	余陳趄走裔孫
2985.	陳逆匿九	余陳趄走裔孫
2985.	陳逆匿十	余陳趄走裔孫

小計：共 11 筆

褻 1392

1332	毛公鼎	雩參有嗣、小子、師氏、虎臣雩朕褻事

小計：共 1 筆

襄 1393

6714	穌甫人槃	穌甫人乍嫚改襄賸般（盤）
6762	薛侯盤	薛侯乍弔妊襄朕盤
6793	矢人盤	襄之有嗣
6825	穌甫人匜	穌甫人乍嫚改襄賸匜
6862	薛侯乍弔妊朕匜	薛侯乍弔妊襄朕匜
6887	郏陵君王子申鑑	__襄、冢三朱二圣朱四□（盤外底）
7186	叔夷編鐘五	其配襄公之__
7189	叔夷編鐘八	其配襄公之__
7214	叔夷鎛	其配襄公之__
7899	鄂君啟車節	大司馬卲陽敗晉帀於襄陽之歲
7900	鄂君啟舟節	大司馬卲陽敗晉帀於襄陵之歲

小計：共 11 筆

裨 1394

2836	㦰殷	孚戎兵盾、矛、戈、弓、備、矢、裨、胄

小計：共 1 筆

裕 1395

2837	敔殷一	內伐湋、昴、參泉、裕敏、陰陽洛
4891	何尊	叀王龏德谷（裕）天
7549	十六年喜令戈	喜命韓鳳左庫工帀司馬裕治何
7553	廿年奠令戈	廿年鄭命韓恙司寇吳裕
7562	廿一年奠令戈	廿一年奠命𨾦族司寇裕左庫工帀吉□治□

卒 1396

1326	多友鼎	卒復筍人孚
1326	多友鼎	唯孚車不克目、卒焚
2836	彧𣪘	衣(卒)博
7222	口外卒鐸	口外卒鐸
7392	王卒威之戈	王卒威之戈
7574	左軍戈	大夫__之卒
		小計：共 6 筆

𧘝 1397

0909	𧘝__父鼎	𧘝kw父乍狩姁朕(賸)鼎
		小計：共 1 筆

襃 1398

4808	亞㠱矣襃乍母辛尊	[亞㠱矣]襃乍母辛寶彝
		小計：共 1 筆

䙴 1399

6793	夨人盤	鮮、且、敚、 武父、西宮䙴
6793	夨人盤	迺卑西宮䙴
6793	夨人盤	西宮䙴、武父則誓
		小計：共 3 筆

襲 1400

1285	彧方鼎一	王俎姜事內史友員易彧玄衣、朱襲裣
		小計：共 1 筆

袋 1400+

3083	瘐𣪘(盨)一	易敀袋(帬?)
3084	瘐𣪘(盨)二	易敀袋(帬?)
		小計：共 2 筆

卒 𧘝 襃 䙴 襲 袋

裘 1401

1322	九年裘衛鼎	迺舍裘衛林曶里
1322	九年裘衛鼎	舍顏有嗣壽商圝、裘盠冟
1322	九年裘衛鼎	付裘衛林曶里
1322	九年裘衛鼎	東臣羔裘
1325	五祀衛鼎	帥履裘衛厲田四田
1325	五祀衛鼎	邦君厲眔付裘衛田
2612	不壽設	王姜易不壽裘
2767	盧設一	王乎宰曶易大師盧虎裘
2775	裘衛設	南白入、右裘衛入門、立中廷
2841	茾白設	己未、王命中到歸茾白or裘
2841	茾白設	易女or裘
4449	裘衛盉	矩白庶人取瑾章于裘衛
4449	裘衛盉	裘衛乃彘告于白邑父
4869	次尊	易馬易裘
5478	次卣	次蔑曆、易馬易裘
5597	次瓿	易馬易裘
5804	齊侯壺	商之台邑嗣衣裘車馬

小計：共 17 筆

求 1401+

1330	曶鼎	求乃人
2705	君夫設	價求乃友
2840	番生設	虔夙夜尃求不朁德
2985	陳逆匿一	乍求永命
2985.	陳逆匿二	乍求永命
2985.	陳逆匿三	乍求永命
2985.	陳逆匿四	乍求永命
2985.	陳逆匿五	乍求永命
2985.	陳逆匿六	乍求永命
2985.	陳逆匿七	乍求永命
2985.	陳逆匿八	乍求永命
2985.	陳逆匿九	乍求永命
2985.	陳逆匿十	乍求永命
3286	求爵	[求]
7000	邾君鐘	鼄君求吉金
7002	鑄侯求鐘	鑄侯求乍季姜朕鐘
7213	黏鎛	用求丂命彌生

小計：共 17 筆

老 1402

0609	老乍寶鼎	老乍寶鼎
1104	辛中姬皇母鼎	其子子孫孫用享孝于宗老
1331	中山王嚳鼎	隹虞(吾)老貯
1331	中山王嚳鼎	含(今)虞(吾)老貯

1331	中山王嚳鼎	虘(吾)老貯奔走不聽命
2801	五年召白虎段	余老止公僕庸土田多諫
5434	亞集箅乍文考父丁卣	亞集乍文老父丁寶尊彝
5786	㝵季良父壺	用享孝于兄弔婚媾者老
5786	㝵季良父壺	其萬年霝冬難老
5805	中山王嚳方壺	使其老筞(策)賞中父
6768	齊大宰歸父盤一	霝命難老
6769	齊大宰歸父盤二	霝命難老
6781	夆弔盤	壽老無期
6876	夆弔乍季妃盥盤(匜)	壽老無期
7187	叔夷編鐘六	霝命難老
7213	𦅫鎛	用祈壽老毋死
7214	叔夷鎛	霝命難老
7990	季老□	季老或乍文考大白□□

小計：共 18 筆

耆 1403

7419	滕侯耆之造戈一	滕侯耆之造
7420	滕侯耆之造戈二	滕侯耆之造
7566	十三年相邦義戈	咸陽工師田公大人耆工□

小計：共 3 筆

耇 1404

1230	師器父鼎	用旂覺壽黃句(耇)吉康
1305	師室父鼎	用匄覺壽黃耇吉康
2604	黃君段	用易覺壽黃耇萬年
2625	曾白文段	用易覺壽黃耇
2673	□弔買段	用易黃耇覺壽
2683	白家父段	用易害(丐)覺壽黃耇
2732	曾仲大父蝣段	用易覺壽黃耇霝冬
2792	師俞段	天子其萬年覺壽黃耇
2986	曾白霥旅匿一	曾白霥叚不黃耇萬年
2987	曾白霥旅匿二	曾白霥叚不黃耇萬年
4883	耳尊	侯萬年壽考黃耇
6663	白公父金勺一	子孫永寶用耇
6792	史墻盤	髮彔、黃耇彌生

小計：共 13 筆

壽 1405

壽

0951	壽春鼎	壽春倉萈
1006	鐈鼎	釁壽□□□孫用之
1027	番君召鼎	其萬年釁壽
1030	郙子員鼎	其永壽用止
1049	靜弔乍旅鼎	其萬年釁壽永寶用
1052	褱自乍磻飤	其釁壽無期、永保用之
1061	交君子__鼎	祈釁壽、萬年永寶用
1063	鄧公乘鼎	其釁壽無期
1085	曾者子乍鬻鼎	用享于且、子子孫永壽
1087	鑄子弔黑臣鼎	其萬年釁壽永寶用
1094	魯大左司徒元善鼎	其萬年釁壽永寶用之
1096	弗奴父鼎	其釁壽萬年永寶用
1102	無大邑魯生鼎	無大邑魯生乍壽母朕(賸)貞(鼎)
1102	無大邑魯生鼎	其萬年釁壽永寶用
1105	鑞季乍嬴氏行鼎	子子孫其釁壽萬年永用享
1106	曾孫無期乍飤鼎	釁壽無疆
1118	宋莊公之孫趍亥鼎	子子孫孫永壽用之
1126	弔夜鼎	用旂釁壽無疆
1132	邿白祀乍善鼎	其萬年釁壽無疆
1133	邿白乍孟妊善鼎	其萬年釁壽
1134	陳侯鼎	其永壽用之
1142	杞白每亡鼎	其萬年釁壽
1148	龕姜白鼎一	其萬年釁壽無疆
1149	龕姜白鼎二	其萬年釁壽無疆
1171	魯白車鼎	車其萬年釁壽
1189	諆鼎	諆其萬年釁壽
1198	姬鬻彝鼎	用匄釁壽無疆
1211	庚兒鼎一	釁壽無疆
1212	庚兒鼎二	釁壽無疆
1217	毛公旅方鼎	是用壽考
1218	寡兒鼎	釁壽無期
1224	王子吳鼎	其釁壽無諆(期)
1227	衛鼎	用桒壽、匄永福
1230	師器父鼎	用旂釁壽黃句(耇)吉康
1241	蔡大師䵼鼎	用旂釁壽萬年無疆
1245	仲師父鼎一	用易釁壽無疆
1246	仲師父鼎二	用易釁壽無疆
1259	鄀公䵼鼎	用气(乞)釁壽萬年無疆
1265	訧弔鼎	訧弔眔仲姬其易壽耇
1266	鄀公平侯鼎一	用賜釁壽
1267	鄀公平侯鼎二	用賜釁壽
1268	梁其鼎一	釁壽無疆
1269	梁其鼎二	釁壽無疆
1283	微䜌鼎	屯右釁壽、永令霝冬
1291	善夫克鼎一	釁壽永令霝冬
1292	善夫克鼎二	釁壽永令霝冬
1293	善夫克鼎三	釁壽永令霝冬
1294	善夫克鼎四	釁壽永令霝冬

1295	善夫克鼎五	釁壽永令霝冬
1296	善夫克鼎六	釁壽永令霝冬
1297	善夫克鼎七	釁壽永令霝冬
1304	王子午鼎	用祈釁壽
1305	師奎父鼎	用匄釁壽黃耇吉康
1306	無叀鼎	用割釁壽萬年
1312	此鼎一	丐釁壽
1313	此鼎二	用丐釁壽
1314	此鼎三	用享孝于文申（神）、用丐釁壽
1317	善夫山鼎	用旂丐釁壽綽綰
1318	晉姜鼎	晉姜用旂綽綰釁壽
1318	晉姜鼎	三壽是利
1319	頌鼎一	頌其萬年釁壽
1320	頌鼎二	頌其萬年釁壽
1321	頌鼎三	頌其萬年釁壽
1322	九年裘衛鼎	舍顏有嗣壽商圝、裘盠冟
1322	九年裘衛鼎	壽商眔啻曰
1322	九年裘衛鼎	壽商□
1324	禹鼎	勿遺壽幼
1324	禹鼎	勿遺壽幼
1461	鼄來隹鼎	萬壽釁其年無彊用
1498	鼄友父鬲	其釁壽永寶用
1525	隮子奠白尊鬲	其釁壽萬年無彊
1529	仲柟父鬲一	用祈釁壽萬年
1530	仲柟父鬲二	用祈釁壽萬年
1531	仲相父鬲三	用祈釁壽萬年
1532	仲相父鬲四	用祈釁壽萬年
1663	鼄五世孫矩甗	其釁壽無彊
1665	王孫壽甗	王孫壽羼其吉金
1665	王孫壽甗	其釁壽無疆、萬年無諆（期）
1667	陳公子弔遙父甗	用旂釁壽、萬年無疆
2163	壽乍父戊段	壽乍父戊尊彝
2320	戕乍尊段一	戕乍尊段其壽考寶用
2321	戕乍尊段二	戕乍尊段其壽考寶用
2469	犇乍王母媿氏餗段一	媿氏其釁壽萬年用
2470	犇乍王母媿氏餗段二	媿氏其釁壽萬年用
2471	犇乍王母媿氏餗段三	媿氏其釁壽萬年用
2472	犇乍王母媿氏餗段四	媿氏其釁壽萬年用
2493	鄦其肇乍段一	其萬年釁壽
2494	鄦其肇乍段二	其萬年釁壽
2512	乙自乍歆鬲	其釁壽無期（箕期）
2516	鄧公餗段	其萬年子子孫孫永壽用之
2528	魯白大父乍媵段	其萬年釁壽永寶用
2529.	__生段	uw生乍寶尊段、uw生其壽考萬年子孫永寶用
2531	魯白大父乍孟□姜段	其萬年釁壽永寶用亯
2532	魯白大父乍仲姬俞段	其萬年釁壽永寶用亯
2534	魯大宰邍父段一	其萬年釁壽永寶用
2534.	魯大宰邍父段二	其萬年釁壽永寶用
2556	復公子白舍段一	永壽用之
2557	復公子白舍段二	永壽用之

壽

2558	復公子白舍𣪘三	永壽用之
2569	鼎卓林父𣪘	用亯用孝、旛釁壽
2573	洃白寺𣪘	用易釁壽
2581	曹伯狄𣪘	其萬年釁壽
2582	內弔__𣪘	用孝用易釁壽
2601	向督乍旅𣪘一	督其壽考萬年
2602	向督乍旅𣪘二	督其壽考萬年
2604	黃君𣪘	用易釁壽黃耇萬年
2605	郙__𣪘	用易永壽
2605	郙__𣪘	用易永壽
2612	不壽𣪘	王姜易不壽裘
2622	琱伐父𣪘一	用易釁壽
2623	琱伐父𣪘二	用易釁壽
2623.	琱伐父𣪘	用易釁壽
2623.	琱伐父𣪘	用易釁壽
2624	琱伐父𣪘三	用易釁壽
2625	曾白文𣪘	用易釁壽黃耇
2628	畢鮮𣪘	用旛釁壽魯休
2632	陳逆𣪘	以匄羕（永）令釁壽
2633.	食生走馬谷𣪘	用易其良壽萬年
2641	伯椃虘𣪘一	萬年釁壽
2642	伯椃虘𣪘二	萬年釁壽
2644.	伯椃虘𣪘	萬年釁壽
2647	魯士商叡𣪘	叡其萬年釁壽
2651	內白多父𣪘	用易釁壽
2653.	弔__孫父𣪘	____釁壽永安
2667	尌仲𣪘	用亯用孝、旛匄釁壽
2673	□弔買𣪘	用易黃耇釁壽
2683	白家父𣪘	用易害（丐）釁壽黃耇
2684	__寵乎𣪘	用匄釁壽永令
2685	仲柟父𣪘一	用祈釁壽
2686	仲柟父𣪘二	用旛釁壽
2686	仲柟父𣪘二	壽
2689	白康𣪘一	康其萬年釁壽
2690	白康𣪘二	康其萬年釁壽
2691	善夫梁其𣪘一	用匄釁壽
2691	善夫梁其𣪘一	釁壽無彊
2692	善找梁其𣪘二	用匄釁壽
2692	善找梁其𣪘二	釁壽無彊
2695	𧫷兌𣪘	用祈釁壽萬年無彊多寶
2706	鄀公敄人𣪘	用賜釁壽
2712	虢姜𣪘	虢姜其萬年釁壽
2722	鋞弔乍豐姑旅𣪘	丝𣪘𩠹（猷?）皀（𩚁）亦壽人
2727	蔡姞乍尹弔𣪘	用旛匄釁壽
2732	曾仲大父蛕𣪘	用易釁壽黃耇霝冬
2746	追𣪘一	用旛匄釁壽永令
2747	追𣪘二	用旛匄釁壽永令
2748	追𣪘三	用旛匄釁壽永令
2749	追𣪘四	用旛匄釁壽永令
2750	追𣪘五	用旛匄釁壽永令

2751	追𣪘六	用旟匄𩛥壽永令
2766	三兒𣪘	用旟萬年𩛥壽
2786	縣妃𣪘	易君、我隹易壽
2791	豆閉𣪘	用易𩛥壽萬年
2792	師俞𣪘	天子其萬年𩛥壽黃耇
2807	鄁𣪘一	鄁其𩛥壽萬年無彊
2808	鄁𣪘二	鄁其𩛥壽萬年無彊
2809	鄁𣪘三	鄁其𩛥壽萬年無彊
2818	此𣪘一	用匄𩛥壽
2819	此𣪘二	用匄𩛥壽
2820	此𣪘三	用匄𩛥壽
2821	此𣪘四	用匄𩛥壽
2822	此𣪘五	用匄𩛥壽
2823	此𣪘六	用匄𩛥壽
2824	此𣪘七	用匄𩛥壽
2825	此𣪘八	用匄𩛥壽
2833	秦公𣪘	𩛥壽無彊
2834	𪒠𣪘	用椉壽、匄永令
2841	芇白𣪘	用旟屯彔永命魯壽子孫
2843	沈子它𣪘	用水霝令、用妥公唯壽
2844	頌𣪘一	頌其萬年𩛥壽無彊
2845	頌𣪘二	頌其萬年𩛥壽無彊
2845	頌𣪘二	頌其萬年𩛥壽無彊
2846	頌𣪘三	頌其萬年𩛥壽無彊
2847	頌𣪘四	頌其萬年𩛥壽無彊
2848	頌𣪘五	頌其萬年𩛥壽無彊
2849	頌𣪘六	頌其萬年𩛥壽無彊
2850	頌𣪘七	頌其萬年𩛥壽無彊
2851	頌𣪘八	頌其萬年𩛥壽無彊
2852	不嬰𣪘一	𩛥壽無彊
2853	不嬰𣪘二	𩛥壽無彊
2854	禁𣪘	禁其萬年𩛥壽
2857	牧𣪘	牧其萬年壽考子子孫孫永寶用
2893	隨侯𢍉逆匿	隨侯𢍉逆之匿、永壽用之
2907	王子申匿	其𩛥壽期、永保用
2919	鑄弔乍嬴氏匿	其萬年𩛥壽永寶用
2922	魯白俞父匿一	其萬年𩛥壽永寶用
2923	魯白俞父匿二	其萬年𩛥壽永寶用
2924	魯白俞父匿三	其萬年𩛥壽永寶用
2925	交君子__匿一	其𩛥壽萬年永寶用
2926	交君子__匿二	其𩛥壽萬年永寶用
2931	鑄子弔黑臣匿一	其萬年𩛥壽永寶用
2932	鑄子弔黑臣匿二	萬年𩛥壽永寶用
2933	鑄子弔黑臣匿三	萬年𩛥壽永寶用
2948	番君召𨽾匿一	用祈𩛥壽
2949	番君召𨽾匿二	用祈𩛥壽
2950	番君召𨽾匿三	用祈𩛥壽
2951	番君召𨽾匿四	用祈𩛥壽
2952	番君召𨽾匿五	用祈𩛥壽
2953	白其父慶旅祜	用易𩛥壽萬年

壽

2957	子季𠤳	萬壽無期
2958	陳公子𠤳	用旟釁壽
2958	陳公子𠤳	子子孫孫永壽用之
2959	鑄公乍朕𠤳一	其萬年釁壽
2960	鑄公乍朕𠤳二	其萬年釁壽
2961	陳侯乍媵𠤳一	用旟釁壽無彊
2961	陳侯乍媵𠤳一	永壽用之
2962	陳侯乍媵𠤳二	用旟釁壽無彊
2962	陳侯乍媵𠤳二	永壽用之
2963	陳侯𠤳	用旟釁壽無彊
2963	陳侯𠤳	永壽用之
2964	曾□□䤼𠤳	其釁壽無彊
2964.	弔邦父𠤳	其萬年釁壽無彊
2966	蜡公誸旅𠤳	用易釁壽萬年
2967	陳侯乍孟姜朕𠤳	用旟釁壽
2967	陳侯乍孟姜朕𠤳	永壽用之
2968	奠白大嗣工召弔山父旅𠤳一	用匄釁壽
2969	奠白大嗣工召弔山父旅𠤳二	用匄釁壽
2970	考弔脂父尊𠤳一	其釁壽萬年無彊
2971	考弔脂父尊𠤳二	其釁壽萬年無彊
2973	楚屈子𠤳	其釁壽無彊
2974	上鄀府𠤳	其釁壽無記
2976	盤公𠤳	目旟釁壽
2977	□孫弔左䤼𠤳	其萬年釁壽無彊
2978	樂子敬豧䶊𠤳	其釁壽萬年無諆(期)
2979	弔朕自乍薦𠤳	弔朕釁壽
2979.	弔朕自乍薦𠤳二	弔朕釁壽
2980	鼄大宰䤼𠤳一	其釁壽、用䤼萬年無異
2981	鼄大宰䤼𠤳二	其釁壽、用䤼萬年無異
2982	長子□臣乍媵𠤳	其釁壽萬年無期
2982	長子□臣乍媵𠤳	其釁壽萬年無期
2983	弭仲寶𠤳	弭中畀壽
2984	伯公父盤	用旂釁壽
2984	伯公父盤	用旂釁壽
2985	陳逆𠤳一	釁壽萬年
2985.	陳逆𠤳二	釁壽萬年
2985.	陳逆𠤳三	釁壽萬年
2985.	陳逆𠤳四	釁壽萬年
2985.	陳逆𠤳五	釁壽萬年
2985.	陳逆𠤳六	釁壽萬年
2985.	陳逆𠤳七	釁壽萬年
2985.	陳逆𠤳八	釁壽萬年
2985.	陳逆𠤳九	釁壽萬年
2985.	陳逆𠤳十	釁壽萬年
2986	曾白霥旅𠤳一	釁壽無彊
2987	曾白霥旅𠤳二	釁壽無彊
3021	乍遣盨	匄萬年壽畝冬
3048	鑄子弔黑臣盨	其萬年釁壽永寶用
3057	仲自父𩔗(盨)	用□釁壽無彊
3059	毁犇父盨三	用亯孝宗室、用匄釁壽

壽

3060	叓犨父盨二	用亯孝宗室、用匃釁壽
3062	乘父段(盨)	其萬年釁壽永寶用
3063	遡乍姜浧盨	用旛釁壽屯魯
3063	遡乍姜浧盨	用旛釁壽屯魯
3064	曩白子宼父征盨一	割釁壽無疆、慶其以臧
3064	曩白子宼父征盨一	割釁壽無疆、慶其以臧
3065	曩白子宼父征盨二	割釁壽無疆、慶其以臧
3065	曩白子宼父征盨二	割釁壽無疆、慶其以臧
3066	曩白子宼父征盨三	割釁壽無疆、慶其以臧
3066	曩白子宼父征盨三	割釁壽無疆、慶其以臧
3067	曩白子宼父征盨四	割釁壽無疆、慶其以臧
3067	曩白子宼父征盨四	割釁壽無疆、慶其以臧
3070	杜白盨一	用桼壽、匃永令
3071	杜白盨二	用桼壽、匃永令
3072	杜白盨三	用桼壽、匃永令
3073	杜白盨四	用桼壽、匃永令
3074	杜白盨五	用桼壽、匃永令
3075	白汈其旅盨一	用亯用孝、用匃釁壽多福
3076	白汈其旅盨二	用亯用孝、用匃釁壽多福
3081	翏生旅盨一	萬年釁壽永寶
3082	翏生旅盨二	萬年釁壽永寶王征南淮夷
3082	翏生旅盨二	萬年釁壽永寶
3086	善夫克旅盨	釁壽永令
3096	齊侯乍孟姜善摹	用旛釁壽、萬年無疆
3099	十年陳侯午摹(器)	用乍平壽造器摹台登台嘗
3110.	盂＿旁豆	釁壽萬年永寶用
3118	魯大嗣徒厚氏元善匱一	其釁壽萬年無疆
3119	魯大嗣徒厚氏元善匱二	其釁壽萬年無疆
3120	魯大嗣徒厚氏元善匱三	其釁壽萬年無疆
3121.	大宰歸父鑪	以旛釁壽
4344	嘉仲父斝	其釁壽萬年無疆
4435.	盄終盉	壽需冬
4852	□□乍其為氒考尊	用匃壽萬年永寶
4883	耳尊	侯萬年壽考黃耇
4887	蔡侯䙴尊	不諱考壽
5459	縈弔卣	用匃壽、萬年永寶
5582	對罍	用匃釁壽敬冬[㫃]
5583	不白夏子罍一	用旛釁壽無疆
5584	不白夏子罍二	用旛釁壽無疆
5733	曩中乍倗生歓壺	匃三壽懿德萬年
5743	齊良壺	其釁壽無期
5752	陳侯壺	用旛釁壽無疆
5760	蓮花壺蓋	用賜(賜)釁壽
5764	杞白每亡壺一	其萬年釁壽
5765	杞白每亡壺二	萬年釁壽
5768	虞嗣寇白吹壺一	用旛釁壽
5769	虞嗣寇白吹壺二	用旛釁壽
5775	祭公子壺	其釁壽無疆
5776	曩公壺	釁壽萬年
5777	孫弔師父行具	釁壽萬年無疆

壽

5780	公孫𢈡壺	用祈饗壽萬年
5783	曾白陭壺	用易饗壽
5786	旻季良父壺	用旟匄饗壽
5787	汈其壺一	用旟多福饗壽
5788	汈其壺二	用旟多福饗壽
5795	白克壺	克用匄饗壽無疆
5796	三年瘐壺一	乎師壽召瘐易彘俎
5797	三年瘐壺二	乎師壽召瘐易彘俎
5798	曶壺	曶用匄萬年饗壽
5799	頌壺一	頌其萬年饗壽
5800	頌壺二	頌其萬年饗壽
5801	洹子孟姜壺一	用祈饗壽
5802	洹子孟姜壺二	用祈饗壽
5808	孟城行鈃	其饗壽無疆
5809	弘乍旅鈃	其饗壽、子子孫孫永寶用
5810	喪鈃	用旟饗壽
5816	奠義白𨯒	易饗壽、孫子__永寶
5816.	伯亞臣𨯒	用祈饗壽萬年無疆
5825	縊書缶	㡿以祈饗壽
5826	國差𦉜	侯氏受福饗壽
6663	白公父金勺一	用旂饗壽
6743	毳盤	媿氏其饗壽萬年用
6746	齊侯乍孟姬盤	其萬年饗壽無疆
6748	德盤	其萬年饗壽
6750	白侯父盤	用旟饗壽萬年用之
6755	毛叔盤	其萬年饗壽無疆
6758	殷𣪘盤一	子子孫孫永壽之
6759	殷𣪘盤二	子子孫孫永壽用之
6762	薛侯盤	其饗壽萬年
6764	般仲__盤	其萬年饗壽無疆
6767	齊縈姬之嫚盤	其饗壽萬年無疆
6768	齊大宰歸父盤一	台旟饗壽
6769	齊大宰歸父盤二	台旟饗壽
6772	魯少司寇封孫宅盤	其饗壽萬年
6777	邛仲之孫白戔盤	用旟饗壽萬年無疆
6779	齊侯盤	用祈饗壽萬年無疆
6780	黃大子白克盤	用旟饗壽萬年無疆
6781	夆弔盤	其饗壽萬年
6781	夆弔盤	壽老無期
6782	者尚余卑盤	用旟饗壽萬年
6786	__弔多父盤	其吏__多父饗壽丂
6788	蔡侯𩡧盤	不諱考壽
6791	兮甲盤	其饗壽萬年無疆
6838	荀侯匜	其萬壽、子孫永寶用
6842	王婦曩孟姜旅匜	其萬年饗壽用之
6848	毳乍王母媿氏匜	媿氏其饗壽萬年用
6860	陳白元匜	永壽用之
6862	薛侯乍弔妊朕匜	其饗壽萬年
6868	大師子大孟姜匜	用祈饗壽
6870	㝅公孫㑥父匜	其饗壽無疆

6871	陳子匜	用旛釁壽萬年無彊
6871	陳子匜	永壽用之
6872	魯大嗣徒子仲白匜	其釁壽萬年無彊
6873	齊侯乍孟姜盥匜	用祈釁壽萬年無彊
6875	慶弔匜	其釁壽萬年
6876	夆弔乍季妃盥盤(匜)	其釁壽萬年
6876	夆弔乍季妃盥盤(匜)	壽老無期
6888	吳王光鑑一	釁壽無彊
6889	吳王光鑑二	釁壽無彊
6903	魯大嗣徒元歆盂	萬年釁壽永寶用
6905	要君餗盂	用祈釁壽無彊
6906	王子申盞盂	其釁壽無期
6907	齊侯乍朕子仲姜盂	其釁壽萬年
6908	郤宜同歆盂	孫子永壽用之
6918	曾孟嬭諫盆	其釁壽用之
6921	鄧子仲盆	其釁壽無彊
6924	江仲之孫白戔餗盞	其釁壽萬年無彊
6991	眉壽鐘一	龢吏朕辟皇王釁壽永寶
6992	眉壽鐘二	龢吏朕辟皇王釁壽永寶
7005	邵公鐘	釁壽萬年無彊
7007	梁其鐘	龢臣皇王釁壽永寶
7016	楚王鐘	其釁壽無彊
7019	邾太宰鐘	用□釁壽多福
7026	邾弔鐘	□用旂釁壽無彊
7027	邾公釛鐘	旂年釁壽
7037	遲父鐘	侯父眔齊萬年釁壽
7039	應侯見工鐘二	用易釁壽永命
7051	子璋鐘一	其釁壽無基
7052	子璋鐘二	其釁壽無基
7053	子璋鐘三	其釁壽無基
7054	子璋鐘四	其釁壽無基
7055	子璋鐘五	其釁壽無基
7056	子璋鐘六	其釁壽無基
7057	子璋鐘八	其釁壽無基
7058	邾公孫班鐘	其萬年釁壽
7059	師臾鐘	用匄釁壽無彊
7070	者沕鐘二	女安乃壽
7075	者沕鐘七	女安乃壽
7078	者沕鐘十	女安乃壽
7081	者沕鐘十三	女安乃壽
7108	簷弔之仲子平編鐘一	其受此釁壽
7109	簷弔之仲子平編鐘二	其受此釁壽
7110	簷弔之仲子平編鐘三	其受此釁壽
7111	簷弔之仲子平編鐘四	其受此釁壽
7112	者減鐘一	用祈釁壽每繡
7112	者減鐘一	若召公壽
7112	者減鐘一	若參壽
7113	者減鐘二	用祈釁壽每繡
7113	者減鐘二	若召公壽
7113	者減鐘二	若參壽

壽

7116	南宮乎鐘	天子其萬年釁壽
7121	郐王子旃鐘	釁壽無諆
7124	沇兒鐘	釁壽無期
7136	邵鐘一	余既壽㔽廣
7136	邵鐘一	以祈釁壽
7137	邵鐘二	既壽㔽廣
7137	邵鐘二	以祈釁壽
7138	邵鐘三	既壽㔽廣
7138	邵鐘三	以祈釁壽
7139	邵鐘四	既壽㔽廣
7139	邵鐘四	以祈釁壽
7140	邵鐘五	既壽㔽廣
7140	邵鐘五	以祈釁壽
7141	邵鐘六	既壽㔽廣
7141	邵鐘六	以祈釁壽
7142	邵鐘七	既壽㔽廣
7142	邵鐘七	以祈釁壽
7143	邵鐘八	既壽㔽廣
7143	邵鐘八	以祈釁壽
7144	邵鐘九	既壽㔽廣
7144	邵鐘九	以祈釁壽
7145	邵鐘十	既壽㔽廣
7145	邵鐘十	以祈釁壽
7146	邵鐘十一	既壽㔽廣
7146	邵鐘十一	以祈釁壽
7147	邵鐘十二	既壽㔽廣
7147	邵鐘十二	以祈釁壽
7148	邵鐘十三	既壽㔽廣
7148	邵鐘十三	以祈釁壽
7149	邵鐘十四	既壽㔽廣
7149	邵鐘十四	以祈釁壽
7157	邾公華鐘一	哉公釁壽
7158	瘋鐘一	釁壽霝冬
7159	瘋鐘二	用桒壽、匄永令
7160	瘋鐘三	釁壽霝冬
7161	瘋鐘四	釁壽霝冬
7162	瘋鐘五	釁壽霝冬
7174	秦公鐘	大壽萬年
7174	秦公鐘	釁壽無彊
7175	王孫遺者鐘	用觮釁壽
7176	㝬鐘	參壽隹利
7178	秦公及王姬編鐘二	大壽萬年
7178	秦公及王姬編鐘二	釁壽無彊
7187	叔夷編鐘六	用旂釁壽
7188	叔夷編鐘七	女考壽萬年永保其身
7202	楚公逆鎛	逆其萬年又壽__身
7209	秦公及王姬鎛	大壽萬年
7209	秦公及王姬鎛	釁壽無彊
7210	秦公及王姬鎛二	大壽萬年
7210	秦公及王姬鎛二	釁壽無彊

7211	秦公及王姬鎛三	大壽萬年
7211	秦公及王姬鎛三	釁壽無疆
7212	秦公鎛	釁壽無疆
7213	𩵦鎛	用祈壽老毋死
7214	叔夷鎛	用旂釁壽
7214	叔夷鎛	女考壽萬年永保其身
7215	其次勾鑃一	用旟萬壽
7216	其次勾鑃二	用旟萬壽
7218	𨛭諮尹征城	釁壽無疆
7220	喬君鉦	用旂釁壽
7995	陶範一	斆安寍壽
M340	魯伯悆盨	悆其萬年釁壽
M341	魯中齊鼎	其萬年釁壽
M342	魯中齊甗	其萬年釁壽
M343	魯司徒中齊盨	其萬年釁壽
M345	魯司徒中齊匜	其萬年釁壽
M423.	趙鼎	其釁壽萬年
M581	陳公子中慶簠蓋	用祈顈壽萬年無疆子子孫孫永壽用之
M582	陳公孫𢍰父𤋐	用祈釁壽萬年無疆
M582	陳公孫𢍰父𤋐	永壽用之
M602	蔡君匜	用祈釁壽
M612	鄦子鐘	釁壽毋已
M816	魯大左司徒元鼎	其萬年釁壽永寶用之

小計：共　471 筆

考　1406

0699	考姒乍旅鼎	考姒（始）乍旅鼎
0787	考乍友父鼎	考乍友父尊鼎
0828	𢿋史鼎	𢿋史乍考尊鼎
0899	弔具乍㽙考鼎	弔具乍㽙考寶尊彝
0917	游鼎	游乍㽙文考寶尊彝
0983(	羊庚鼎	La乍㽙文考尸弔寶尊彝
1007	史喜鼎	史喜乍朕文考翟祭
1012(	康𢆶鼎	La乍㽙文考尸弔寶尊彝
1053	白考父鼎	白考父乍寶鼎
1059	旂乍父戊鼎	文考遺寶責
1119	㬰方鼎	㬰肈對元德考友隹井乍寶尊彝
1138	白陶乍父考宮弔鼎	白陶乍㽙文考宮弔寶𩰫彝
1140	衛鼎	衛乍文考小中姜氏盂鼎
1144	__獸鼎	__獸乍朕考寶尊鼎
1153	白頵父鼎	白頵父乍朕皇考屖白吳姬寶鼎
1155	戒者乍旅鼎	用乍文考宮白寶尊彝
1163	齊陳__鼎蓋	乍皇考獻弔𩞁鼎
1171	魯白車鼎	魯白車自乍文考造靜鼎
1173	羌乍文考鼎	用乍文考㝊弔𩰫彝
1185	㴱白乍井姬鼎一	井姬婦亦㑢祖考弔公宗室
1186	㴱白乍井姬鼎二	井姬婦亦㑢祖考弔公宗室
1189	諆鼎	諆肈乍其皇考皇母者比君𩰫鼎

考

1190	內史鼎	其萬年用為考寶尊
1199	虢宣公子白鼎	用孝亯于皇且考
1205.	遣鼎	朕乍文考㚤白尊鼎(貞)
1207	眉__鼎	其用享于氒帝考
1213	師𩛥鼎一	師𩛥乍文考聖公
1214	師𩛥鼎二	師𩛥乍文考聖公
1217	毛公旅方鼎	亦引唯考
1217	毛公旅方鼎	是用壽考
1226	師𩛥鼎	其乍氒文考寶鼎
1227	衛鼎	衛肇乍氒文考己中寶鬻鼎
1229	厚趠方鼎	趠用乍氒文考父辛寶尊齍
1244	㾓鼎	用乍皇且文考盂鼎
1245	仲師父鼎一	其用亯用考于皇且帝考
1246	仲師父鼎二	其用亯用考于皇且帝考
1250	曾子斿鼎	用考用亯
1259	鄀公鼬鼎	用追亯丂于皇且考
1262	𥩯鼎	用乍朕文考釐弔尊鼎
1265	𢦚弔鼎	其用享于文且考
1266	鄀公平侯鼎一	于氒皇考屖__公
1267	鄀公平侯鼎二	于氒皇考屖__公
1268	梁其鼎一	用亯孝于皇且考
1269	梁其鼎二	用亯孝于皇且考
1273	師湯父鼎	乍朕文考毛叔鬻彝
1280	康鼎	用乍朕文考釐白寶尊鼎
1283	微䜌鼎	䜌乍朕皇考鬻彝尊鼎
1283	微䜌鼎	䜌用享孝于朕皇考
1286	大夫始鼎	始易友日考日攸
1286	大夫始鼎	用乍文考日己寶鼎
1290	利鼎	用作朕文考__白尊鼎
1300	南宮柳鼎	用乍朕剌考尊鼎
1301	大鼎一	用乍朕剌考己白盂鼎
1302	大鼎二	用乍朕剌考己白盂鼎
1303	大鼎三	用乍朕剌考己白盂鼎
1304.	王子午鼎	用享以考于我皇且文考
1305	師奎父鼎	用追考于剌仲
1306	無叀鼎	用享于朕剌考
1307	師望鼎	不顯皇考宄公
1307	師望鼎	望肇帥井皇考
1307	師望鼎	用乍朕皇考宄公尊鼎
1308	白晨鼎	似乃且考侯于䡅
1308	白晨鼎	用乍朕文考h8公宮尊鼎
1309	寰鼎	用乍朕皇考鄭白姬尊鼎
1310	鬲攸從鼎	从乍朕皇且丁公皇考叀公尊鼎
1312	此鼎一	用乍朕皇考癸公尊鼎
1313	此鼎二	用乍朕朕皇考癸公尊鼎
1314	此鼎三	用乍朕朕皇考癸公尊鼎
1316	㦰方鼎	㦰曰:烏虖、王唯念㦰辟剌考甲公
1316	㦰方鼎	㦰曰:烏虖、朕文考甲公、文母日庚
1317	善夫山鼎	用乍朕皇考叔碩父尊鼎
1319	頌鼎一	用乍朕皇考龏弔

2696	孟設一	對揚朕考易休
2697	孟設二	孟曰：朕文考眔毛公遣中征無需
2697	孟設二	毛公易朕文考臣自氒工
2697	孟設二	對揚朕考易休
2712	虢姜設	用禪追孝于皇考叀中
2713	瘋設一	瘋曰：覭皇且考嗣（司辭）威義
2713	瘋設一	乍且考設
2714	瘋設二	瘋曰：覭皇且考嗣（司辭）威義
2714	瘋設二	乍且考設
2715	瘋設三	瘋曰：覭皇且考嗣（司辭）威義
2715	瘋設三	乍且考設
2716	瘋設四	瘋曰：覭皇且考嗣（司辭）威義
2716	瘋設四	乍且考設
2717	瘋設五	瘋曰：覭皇且考嗣（司辭）威義
2717	瘋設五	乍且考設
2718	瘋設六	瘋曰：覭皇且考嗣（司辭）威義
2718	瘋設六	乍且考設
2719	瘋設七	瘋曰：覭皇且考嗣（司辭）威義
2719	瘋設七	乍且考設
2720	瘋設八	瘋曰：覭皇且考嗣（司辭）威義
2720	瘋設八	乍且考設
2723	畬設	升于氒文且考
2723	畬設	用乍氒文考尊設
2724	章白猒設	用乍朕文考寶尊設
2725.	莾星設	其用卲亯（享）于朕皇考
2726	曶設	曰：用嗣乃且考吏
2727	蔡姞乍尹弔設	尹弔用妥多福于皇考德尹叀姬
2728	恆設一	用乍文考公弔寶設
2729	恆設二	用乍文考公弔寶設
2730	獻設	乍朕文考光父乙
2732	曾仲大父蛕蚑設	蛕其用追孝于其皇考
2734	遹設	用乍文考父乙尊彝
2736	師遽設	用乍文考旄弔尊設
2738	衛設	用乍朕文且考寶尊設
2746	追設一	用乍朕皇且考尊設
2747	追設二	用乍朕皇且考尊設
2748	追設三	用乍朕皇且考尊設
2749	追設四	用乍朕皇且考尊設
2750	追設五	用乍朕皇且考尊設
2751	追設六	用乍朕皇且考尊設
2763	弔向父禹設	余小子司朕皇考
2764	苂設	追考對、不敢豢
2770	截設	用乍朕文考寶設
2773	即設	用乍朕文考幽弔寶設
2774	臣諫設	今肄服乍朕皇文考寶尊
2775	裘衛設	用乍朕文且考寶設
2775.	害設一	用＿乃且考
2775.	害設一	命用乍文考寶設
2775.	害設二	用＿乃且考
2775.	害設二	命用乍文考寶設

考

2777	天亡毁	天亡又王衣祀于王不顯考文王
2784	申毁	王命尹冊命申更乃且考
2784	申毁	用乍朕皇考孝孟尊毁
2785	王臣毁	用乍朕文考易中尊毁
2791	豆閉毁	用併乃且考吏
2791	豆閉毁	用乍朕文考釐弔寶毁
2791.	史密毁	用乍朕文考乙白尊毁
2796	諫毁	用乍朕文考叀公尊毁
2796	諫毁	用乍朕文考叀公尊毁
2797	輔師嫠毁	更乃且考司輔載
2798	師瘨毁一	用乍朕文考外季尊毁
2799	師瘨毁二	用乍朕文考外季尊毁
2800	伊毁	伊用乍朕不顯文且皇考徲弔寶䵼彝
2801	五年召白虎毁	余既訊㕓我考我母令
2801	五年召白虎毁	余或至我考我母令
2802	六年召白虎毁	亦我考幽白姜令
2803	師酉毁一	用乍朕文考乙白宄姬尊毁
2804	師酉毁二	用乍朕文考乙白宄姬尊毁
2804	師酉毁二	用乍朕考乙白宄姬尊毁
2805	師酉毁三	用乍朕文考乙白宄姬尊毁
2806	師酉毁四	用乍朕文考乙白宄姬尊毁
2806.	師酉毁五	用乍朕文考乙白宄姬尊毁
2807	郾毁一	郾用乍朕皇考龏白尊毁
2808	郾毁二	郾用乍朕皇考龏白尊毁
2809	郾毁三	郾用乍朕皇考龏白尊毁
2810	揚毁一	余用乍朕剌考憲白寶毁
2811	揚毁二	余用乍朕剌考憲白寶毁
2812	大毁一	用乍朕皇考剌白尊毁
2813	大毁二	用乍朕皇考剌白尊毁
2815	師毄毁	師訧、乃且考又Jq(勞?)于我家
2815	師毄毁	用乍朕文考乙中䵼毁
2816	彔白㦰毁	繇自乃且考
2816	彔白㦰毁	用乍朕皇考釐王寶尊毁
2817	師類毁	用乍朕文考尹白尊毁
2818	此毁一	用乍朕皇考癸公尊毁
2819	此毁二	用乍朕皇考癸公尊毁
2820	此毁三	用乍朕皇考癸公尊毁
2821	此毁四	用乍朕皇考癸公尊毁
2822	此毁五	用乍朕皇考癸公尊毁
2823	此毁六	用乍朕皇考癸公尊毁
2824	此毁七	用乍朕皇考癸公尊毁
2825	此毁八	用乍朕皇考癸公尊毁
2829	師虎毁	載先王既令乃祖考吏啻官
2829	師虎毁	令女更乃祖考啻官
2829	師虎毁	用乍朕剌考日庚尊毁
2830	三年師兌毁	用乍朕皇考釐公䵼毁
2834	㝬毁	用康惠朕皇文剌且考
2838	師嫠毁一	既令女更乃且考嗣(司)
2838	師嫠毁一	用乍朕皇考輔白尊毁
2838	師嫠毁一	既令女更乃且考嗣(司)小輔

2838	師𤔲𣪕一	用乍朕皇考輔白尊𣪕
2839	師𤔲𣪕二	既令女更乃且考嗣（司）
2839	師𤔲𣪕二	用乍朕皇考輔白尊𣪕
2839	師𤔲𣪕二	既令女更乃且考嗣（司）小輔
2839	師𤔲𣪕二	用乍朕皇考輔白尊𣪕
2840	番生𣪕	不顯皇且考
2840	番生𣪕	番生不敢弗帥井皇且考不杯元德
2841	茽白𣪕	用乍朕皇考武茽幾王尊𣪕
2842	卯𣪕	䛐乃先且考死嗣（司）𣹪公室
2843	沈子它𣪕	朕吾考令乃鴅沈子乍綰于周公宗
2843	沈子它𣪕	休同公克成妥吾考㠯于顯受令
2843	沈子它𣪕	烏虖隹考取丑念自先王先公
2843	沈子它𣪕	𠭯吾考克淵克
2844	頌𣪕一	用乍朕皇考𢍰弔
2845	頌𣪕二	用乍朕皇考𢍰弔
2845	頌𣪕二	用乍朕皇考𢍰弔
2846	頌𣪕三	用乍朕皇考𢍰弔
2847	頌𣪕四	用乍朕皇考𢍰弔
2848	頌𣪕五	用乍朕皇考𢍰弔
2849	頌𣪕六	用乍朕皇考𢍰弔
2850	頌𣪕七	用乍朕皇考𢍰弔
2851	頌𣪕八	用乍朕皇考𢍰弔
2853.	__弔𣪕	用乍且考寶尊彝
2855	班𣪕一	隹乍卲考爽益曰大政
2855.	班𣪕二	隹乍卲考爽益曰大政
2856	師訇𣪕	亦則於女乃聖且考克左右先王
2857	牧𣪕	用乍朕皇文考益白尊𣪕
2857	牧𣪕	牧其萬年壽考子子孫孫永寶用
2955	齊陳__匿一	乍皇考獻弔𩞁逸永保用匿
2956	齊陳曼匿二	乍皇考獻弔𩞁般永保用匿
2966	蜡公讅旅匿	用追孝于皇祖皇考
2970	考弔𢓊父尊匿一	考弔訊父自乍尊匿
2971	考弔𢓊父尊匿二	考弔訊父自乍尊匿
2972	弔家父乍仲姬匿	用旛𩜹考無彊
2982.	甲午匿	臣京考帝顯令誌于匿
2984	伯公父盤	用召者考者兄
2984	伯公父盤	用召者考者兄
2985	陳逆匿一	皇考皇母
2985.	陳逆匿二	皇考皇母
2985.	陳逆匿三	皇考皇母
2985.	陳逆匿四	皇考皇母
2985.	陳逆匿五	皇考皇母
2985.	陳逆匿六	皇考皇母
2985.	陳逆匿七	皇考皇母
2985.	陳逆匿八	皇考皇母
2985.	陳逆匿九	皇考皇母
2985.	陳逆匿十	皇考皇母
2986	曾白𣐿旅匿一	用孝用亯于我皇文考
2987	曾白𣐿旅匿二	用孝用亯于我皇文考
3021	乍遣盨	乍遣盨用追考

考

3047	孜乍乙公旅盨(蓋)	孜乍朕文考乙公旅盨
3054	滕侯穌乍旅毁	滕侯穌乍氒文考滕中旅毁
3057	仲自父鎮(盨)	其用亯用孝于皇且文考
3062	乘父毁(盨)	乘父士杉其肇乍其皇考白明父寶毁
3070	杜白盨一	其用亯孝于皇申且考、于好倗友
3071	杜白盨二	其用亯孝于皇申且考、于好倗友
3072	杜白盨三	其用亯孝于皇申且考、于好倗友
3073	杜白盨四	其用亯孝于皇申且考、于好倗友
3074	杜白盨五	其用亯孝于皇申且考、于好倗友
3083	瘐毁(盨)一	用乍文考寶毁
3084	瘐毁(盨)二	用乍文考寶毁
3086	善夫克旅盨	克其用朝夕亯于皇且考
3086	善夫克旅盨	皇且考其數數纂纂
3087	鬲从盨	鬲比乍朕皇且丁公、 文考惠公盨
3088	師克旅盨一(蓋)	則隹乃先且考又Jr于周邦
3088	師克旅盨一(蓋)	余隹巠乃先且考
3088	師克旅盨一(蓋)	今女更乃且考
3089	師克旅盨二	則繇隹乃先且考又Jr于周邦
3089	師克旅盨二	余隹巠乃先且考
3089	師克旅盨二	今女更乃且考
3100	陳侯因脊錞	皇考孝武趄公
3100	陳侯因脊錞	其唯因脊揚皇考
3111	大師盧豆	用卲洛朕文且考
3121.	義子罏	☐義子丙☐盧考☐
4144	癸旻乍考戊爵	癸旻乍考戊
4429	𠁁吳乍氒考盉	[𠁁]吳乍氒考寶尊彝
4449	裘衛盉	衛用乍朕文考惠孟寶般
4785	卿乍氒考尊	卿乍氒考寶尊彝
4805	☐乍氒皇考尊	__乍氒皇考寶尊彝
4817	曶尊	曶乍文考日庚寶尊器
4822	参尊	参乍☐考宗彝其永寶
4831	倗乍氒考尊	倗乍氒考寶尊彝用萬年吏
4832	𠁁漥白逘尊一	[𠁁]漥白逘乍氒彝考寶旅尊
4833	𠁁漥白逘尊二	[𠁁]漥白逘乍氒彝考寶旅尊
4834	白乍氒文考尊	白乍氒文考尊彝其子孫永寶
4835	鄦仲尊	鄦中__乍氒文考寶尊彝、日辛
4845	服方尊	乍文考日辛寶尊彝
4851	黃尊	黃肇乍文考宋白旅尊彝
4852	☐☐乍其為氒考尊	☐☐乍其為氒考宗彝
4855	弔爽父乍龖白尊	弔爽父乍文考龖白尊彝
4856	季受尊	用乍考__父尊彝
4857	乍文考日己尊	乍文考日己寶尊宗彝
4865	氒方尊	乍氒穆文且考寶尊彝
4867	鑿睘尊	用乍朕文考日癸旅寶[鑿]
4879	彔或尊	用乍文考乙公寶尊彝
4882	匽乍文考日丁尊	用乍文考日丁寶彝
4883	耳尊	侯萬年壽考黃耇
4886	趩尊	王乎内史冊令趩更氒且考服
4887	蔡侯𩰫尊	不諱考壽
4888	盠駒尊一	余用乍朕文考大中寶尊彝

4891	何尊	昔才爾考公氏
4892	[illegible]	[illegible]
4927	乍文考日己觥	乍文考日己寶尊宗彝
4973	乍文考日工夫方彝	乍文考日己寶尊宗彝
4974	__方彝	用乍高文考父癸寶尊彝
4974	__方彝	用鄧文考剌
5323	考乍父辛卣	考乍父辛尊彝
5344	卿乍氒考卣一	卿乍氒考尊彝
5345	卿乍氒考卣二	卿乍氒考尊彝
5428	___乍父考癸卣	uv乍文考癸寶尊彝[ev]
5432	㕘乍甲考宗彝卣	㕘乍甲考宗彝其永寶
5446	毌滐白逘旅卣一	[毌]滐白逘乍氒考寶旅尊
5449	倗乍氒考卣	倗乍氒考寶尊彝
5451	鄦仲奔乍文考日辛卣	鄦中奔乍氒文考寶尊彝、日辛
5459	縈弔卣	縈弔乍其為氒考宗彝
5477	單光壴乍父癸䰞卣	文考日癸乃__子壴乍父癸旅宗尊彝
5483	周乎卣	用啚于文考庚中
5483	周乎卣	用啚于文考庚中
5484	乍冊睘卣	用乍文考癸寶尊器
5484	乍冊睘卣	用乍文考癸寶尊器
5490	戉𦍲卣	用乍文考日乙寶尊彝
5490	戉𦍲卣	用乍文考日乙寶尊彝
5498	彔𢦚卣	用乍文考乙公寶尊彝
5499	彔𢦚卣二	用乍文考乙公寶尊彝
5506	小臣傳卣	師田父令小臣傳非余傳□朕考kz
5506	小臣傳卣	用乍朕考日甲寶
5508	弔䢅父卣一	余考不克御事
5510	乍冊嗌卣	用乍大禦于氒且考父母多申
5582	對罍	對乍文考日癸寶尊罍(罍)
5659	考母壺	考母乍聯医
5659	考母壺	考母乍聯医
5787	汈其壺一	用享考于皇且考
5788	汈其壺二	用享考于皇且考
5793	幾父壺一	用乍朕剌考尊壺
5794	幾父壺二	用乍朕剌考尊壺
5795	白克壺	用乍朕穆考後中尊壺
5796	三年𤼈壺一	用乍皇且文考尊壺
5797	三年𤼈壺二	用乍皇且文考尊壺
5798	曶壺	更乃且考乍冢𤔲土于成周八𠂤
5798	曶壺	用乍朕文考釐公尊壺
5799	頌壺一	用乍朕皇考龏弔
5800	頌壺二	用乍朕皇考龏弔
5805	中山王𰯼方壺	趄祖成考
6282	召乍父戊觚	召乍氒文考父戊寶尊彝
6633	靳乍文考觶	用乍文考尊彝、永寶
6634	郐王義楚祭耑	及我文考
6663	白公父金勺一	于朕皇考
6711	毌逘乍氒考盤	[毌]逘乍氒考寶尊彝
6722	彭生盤	彭生乍氒文考辛寶尊彝[冊光𠂤尹]
6745	白考父盤	白考父乍寶盤

考

6786	□弔多父盤	弔多父乍朕皇考季氏寶般
6787	走馬休盤	用乍朕文考日丁尊般
6788	蔡侯𨭉盤	不諱考壽
6789	袁盤	用乍朕皇考奠白奠姬寶盤
6792	史墻盤	害（㝬）屖文考乙公遽趮
6792	史墻盤	剌且文考弋𤔲（休）
6910	師永盂	永用乍朕文考乙白尊盂
6925	晉邦盦	我剌考□□□□□□□□疆武
6975	魯遼鐘	魯遼乍龢鐘用亯考
6993	弔旅魚父鐘	朕皇考弔旅魚父
7005	邵公鐘	皇且哀公、皇考晨公
7009	兮仲鐘一	其用追孝于皇考己白
7010	兮仲鐘二	其用追孝于皇考己白
7011	兮仲鐘三	其用追孝于皇考己白
7012	兮仲鐘四	其用追孝于皇考己白
7013	兮仲鐘五	其用追孝于皇考己白
7014	兮仲鐘六	其用追孝于皇考己白
7015	兮仲鐘七	其用追孝于皇考己白
7020	單伯鐘	不顯皇且剌考
7020	單伯鐘	余小子肇帥井朕皇且考懿德
7026	邾弔鐘	以乍其乍其皇且皇考
7043	克鐘四	用乍朕皇且考白寶龤鐘
7044	克鐘五	用乍朕皇且考白寶龤鐘
7047	井人鐘	覭盄文且皇考
7047	井人鐘	妄不敢弗帥用文且皇考穆穆秉德
7048	井人鐘二	覭盄文且皇考
7048	井人鐘二	妄不敢弗帥用文且皇考穆穆秉德
7059	師臾鐘	朕皇考德弔大龤鐘
7082	齊鞄氏鐘	于台皇且文考
7083	鮮鐘	用乍朕皇考龤鐘
7088	士父鐘一	□□□□□□乍朕皇考弔氏寶龤鐘
7088	士父鐘一	用喜侃皇考
7089	士父鐘二	□□□□□□乍朕皇考弔氏寶龤鐘
7089	士父鐘二	用喜侃皇考
7090	士父鐘三	□□□□□□乍朕皇考弔氏寶龤鐘
7090	士父鐘三	用喜侃皇考
7091	士父鐘四	□□□□□□乍朕皇考弔氏寶龤鐘
7091	士父鐘四	用喜侃皇考
7108	𨜒弔之仲子平編鐘一	中平善弜叡考鑄其游鐘
7109	𨜒弔之仲子平編鐘二	中平善弜叡考鑄其游鐘
7110	𨜒弔之仲子平編鐘三	中平善弜叡考鑄其游鐘
7111	𨜒弔之仲子平編鐘四	中平善弜叡考鑄其游鐘
7112	者減鐘一	于其皇且皇考
7113	者減鐘二	于其皇且皇考
7122	梁其鐘一	汈其曰：不顯皇其考
7122	梁其鐘一	汈其肇帥井皇且考秉明德
7122	梁其鐘一	用乍朕皇且考龢鐘
7123	梁其鐘二	汈其曰：不顯皇其考
7123	梁其鐘二	汈其肇帥井皇且考秉明德
7135	逆鐘	乃且考□政于公室

7150	虢叔旅鐘一	不顯皇考叀弔
7150	虢叔旅鐘一	旅敢肇帥井皇考威儀
7150	虢叔旅鐘一	用乍朕皇考叀弔大薔龢鐘
7150	虢叔旅鐘一	皇考嚴才上、異才下
7151	虢叔旅鐘二	不顯皇考叀弔
7151	虢叔旅鐘二	旅敢肇帥井皇考威儀
7151	虢叔旅鐘二	用乍朕皇考叀弔大薔龢鐘
7151	虢叔旅鐘二	皇考嚴才上、異才下
7152	虢叔旅鐘三	不顯皇考叀弔
7152	虢叔旅鐘三	旅敢肇帥井皇考威儀
7152	虢叔旅鐘三	用乍朕皇考叀弔大薔龢鐘
7152	虢叔旅鐘三	皇考嚴才上、異才下
7153	虢叔旅鐘四	不顯皇考叀弔
7153	虢叔旅鐘四	旅敢肇帥井皇考威儀
7153	虢叔旅鐘四	用乍朕皇考叀弔大薔龢鐘
7153	虢叔旅鐘四	皇考嚴才上、異才下
7154	虢叔旅鐘五	不顯皇考叀弔
7155	虢叔旅鐘六	皇考威儀
7156	虢叔旅鐘七	朕皇考叀弔大薔龢鐘
7156	虢叔旅鐘七	皇考嚴才上、異才下
7157	邾公華鐘一	台乍其皇且考
7158	瘋鐘一	不顯高且亞且文考
7158	瘋鐘一	瘋不敢弗帥且考
7159	瘋鐘二	皇考丁公龢薔鐘
7159	瘋鐘二	弋皇且考高對爾烈
7160	瘋鐘三	不顯高且亞且文考
7160	瘋鐘三	瘋不敢弗帥且考
7161	瘋鐘四	不顯高且亞且文考
7161	瘋鐘四	瘋不敢弗帥且考
7162	瘋鐘五	不顯高且亞且文考
7162	瘋鐘五	瘋不敢弗帥且考
7175	王孫遺者鐘	于我皇且文考
7176	㝬鐘	用卲各不顯且考先王
7187	叔夷編鐘六	用享于其皇祖皇妣皇母皇考
7188	叔夷編鐘七	女考壽萬年永保其身
7204	克鎛	用乍朕皇且考白寶薔鐘
7214	叔夷鎛	用享于其皇祖皇妣皇母皇考
7214	叔夷鎛	女考壽萬年永保其身
7220	喬君鉦	其萬年用喜用考
7990	季老□	季老或乍文考大白□□
M191	繁卣	用乍文考辛公寶尊彝
M282	師䣄尊	用乍𠭰文考寶彝
M341	魯中齊鼎	魯中齊肇乍皇考𩰫鼎
M343	魯司徒中齊盨	魯司徒中齊肇乍皇考白走公餗盨毁
M345	魯司徒中齊匜	魯司徒中齊肇乍皇考白走父寶匜
M361	井伯南毁	日用亯考
M423.	趞鼎	用乍朕皇考𩰫白、奠姬寶鼎
M457	鄭虢仲念鼎	鄭虢中念肇用乍皇且文考寶鼎

小計：共　520 筆

考

考孝

丂 1406+

1265	𢾊弔鼎	𢾊弔眔仙姬其易壽丂
		小計：共 1 筆

孝 1407

1070	鄲孝子鼎	王四月、鄲孝子台（以）庚寅之日
1104	辛中姬皇母鼎	其子子孫孫用享孝于宗老
1107	番仲吳生鼎	用亯用孝
1175	白鮮乍旅鼎一	用亯孝于文且
1176	白鮮乍旅鼎二	用亯孝于文且
1177	白鮮乍旅鼎三	用亯孝于文且
1185	㺇白乍井姬鼎一	又孝祀孝祭
1186	㺇白乍井姬鼎二	又孝祀孝祭
1188	旃弔樊乍易姚鼎	用亯孝于朕文且
1198	姬鬻彝鼎	用孝用亯
1199	虢宣公子白鼎	用孝亯于皇且考
1230	師器父鼎	用亯孝于宗室
1266	𨛜公平侯鼎一	用追孝于氒皇且晨公
1267	𨛜公平侯鼎二	用追孝于氒皇且晨公
1268	梁其鼎一	用亯孝于皇且考
1269	梁其鼎二	用亯孝于皇且考
1283	微䜌鼎	䜌用享孝于朕皇考
1285	㦰方鼎一	其用夙夜享孝于氒文且乙公
1304	王子午鼎	用享以孝于我皇且文考
1312	此鼎一	用享孝于文申（神）用
1313	此鼎二	用享孝于文申（神）
1314	此鼎三	用享孝于文申（神）、用丐釁壽
1316	㦰方鼎	用穆穆夙夜尊享孝妥福
1319	頌鼎一	用追孝
1320	頌鼎二	用追孝
1321	頌鼎三	用追孝
1327	克鼎	覭孝于申
1330	曶鼎	𦣻（曶）用絲金乍朕文孝𡨦白𩰫牛鼎
1529	仲枏父鬲一	用敢卿（饗）孝于皇且丂
1530	仲枏父鬲二	用敢卿（饗）孝于皇且丂
1531	仲枏父鬲三	用敢卿（饗）孝于皇且丂
1532	仲枏父鬲四	用敢卿（饗）孝于皇且丂
2332	白＿乍媿氏旅𣪘	白p1乍媿氏旅用追考（孝）
2485	陵仲孝𣪘	陵中孝乍父日乙尊𣪘
2487	白𩛥乍文考幽仲𣪘	𩛥其萬年寶、用鄉孝
2509	旅仲𣪘	其萬年子子孫孫永用亯孝
2535	仲殷父𣪘一	用朝夕亯孝宗室
2536	仲殷父𣪘二	用朝夕亯孝宗室
2537	仲殷父𣪘三	用朝夕亯孝宗室
2537	仲殷父𣪘四	用朝夕亯孝宗室
2538	仲殷父𣪘五	用朝夕亯孝宗室

2539	仲殷父段六	用朝夕亯孝宗室
2540	仲殷父段六	用朝夕亯孝宗室
2541	仲殷父段七	用朝夕亯孝宗室
2541.	仲殷父段七	用朝夕亯孝宗室
2541.	仲殷父段八	用朝夕亯孝宗室
2551	弔角父乍宕公段一	弔角父乍朕皇孝宄公尊段
2564	𦤎且日庚乃孫段一	用世亯孝
2565	且日庚乃孫段二	用世亯孝
2569	鼎卓林父段	用亯用孝、旂釁壽
2582	内弔__段	用孝用易釁壽
2593	弔䵼父乍旅段一	其夙夜用亯孝于皇君
2594	弔䵼父乍旅段二	其夙夜用亯孝于皇君
2594.	弔䵼父乍旅段三	其夙夜用亯孝于皇君
2605	邿__段	用追孝于其父母
2605	邿__段	用追孝于其父母
2613	白椃乍宄竇段	用追孝于𠂔皇考
2634	𠭯叔段	用亯孝于其姑公
2641	伯椃虘段一	用亯用孝
2642	伯椃虘段二	用亯用孝
2644.	伯椃虘段	用亯用孝
2652	__段	用孝于宗室
2667	尌仲段	用亯用孝、旂匄釁壽
2673	☐弔買段	其用追孝于朕皇且啻考
2681	𨛭侯段	𨛭（ 筥 ）侯少子析乙孝孫不巨
2684	__黿乎段	用亯孝皇且文考
2691	善夫梁其段一	用追亯孝
2692	善找梁其段二	用追亯孝
2698	陳肪段	用追孝☐我皇𩛥（ 和 ）鎗（ 會 ）
2706	郜公敄人段	用亯孝于𠂔皇且、于𠂔皇丂
2712	虢姜段	用禪追孝于皇考叀中
2722	𨤏弔乍豐姞旅段	豐姞憝用宿夜亯孝于𢽾公
2732	曾仲大父蛕蚑段	蛕其用追孝于其皇考
2746	追段一	用亯孝于前文人
2747	追段二	用亯孝于前文人
2748	追段三	用亯孝于前文人
2749	追段四	用亯孝于前文人
2750	追段五	用亯孝于前文人
2751	追段六	用亯孝于前文人
2784	申段	用乍朕皇考孝孟尊段
2818	此段一	用亯孝于文申
2819	此段二	用亯孝于文申
2820	此段三	用亯孝于文申
2821	此段四	用亯孝于文申
2822	此段五	用亯孝于文申
2823	此段六	用亯孝于文申
2824	此段七	用亯孝于文申
2825	此段八	用亯孝于文申
2836	彧段	用夙夜尊亯孝于𠂔文母
2844	頌段一	用追孝旂匄康𧶠屯右
2845	頌段二	用追孝旂匄康𧶠屯右

孝

2845	頌設二	用追孝旛匄康𩁹屯右
2846	頌設三	用追孝旛匄康𩁹屯右
2847	頌設四	用追孝旛匄康𩁹屯右
2848	頌設五	用追孝旛匄康𩁹屯右
2849	頌設六	用追孝旛匄康𩁹屯右
2850	頌設七	用追孝旛匄康𩁹屯右
2851	頌設八	用追孝旛匄康𩁹屯右
2879	大嗣馬飤匠	大嗣(司)馬孝述自乍飤匠
2948	番君召鎟匠一	用亯用孝
2949	番君召鎟匠二	用亯用孝
2950	番君召鎟匠三	用亯用孝
2951	番君召鎟匠四	用亯用孝
2952	番君召鎟匠五	用亯用孝
2966	蛣公諴旅匠	用追孝于皇祖皇考
2968	奠白大嗣工召弔山父旅匠一	用亯用孝
2969	奠白大嗣工召弔山父旅匠二	用亯用孝
2985	陳逆匠一	台(以)亯台(以)孝
2985.	陳逆匠二	台(以)亯台(以)孝
2985.	陳逆匠三	台(以)亯台(以)孝
2985.	陳逆匠四	台(以)亯台(以)孝
2985.	陳逆匠五	台(以)亯台(以)孝
2985.	陳逆匠六	台(以)亯台(以)孝
2985.	陳逆匠七	台(以)亯台(以)孝
2985.	陳逆匠八	台(以)亯台(以)孝
2985.	陳逆匠九	台(以)亯台(以)孝
2985.	陳逆匠十	台(以)亯台(以)孝
2986	曾白霥旅匠一	用孝用亯于我皇文考
2987	曾白霥旅匠二	用孝用亯于我皇文考
3034	白孝_旅盨	白孝kd鑄旅盨(須)
3034	白孝_旅盨	永其萬年子子孫孫寶用白孝kd鑄旅盨(須)
3057	仲白父鐶(盨)	其用亯用孝于皇且文考
3058	曼龏父盨一	曼龏父乍寶盨用亯孝宗室
3059	曼龏父盨三	用亯孝宗室、用匄鬠壽
3060	曼龏父盨二	用亯孝宗室、用匄鬠壽
3063	𨛭乍姜涋盨	用亯孝于姞公
3063	𨛭乍姜涋盨	用亯孝于姞公
3070	杜白盨一	其用亯孝于皇申且考、于好倗友
3071	杜白盨二	其用亯孝于皇申且考、于好倗友
3072	杜白盨三	其用亯孝于皇申且考、于好倗友
3073	杜白盨四	其用亯孝于皇申且考、于好倗友
3074	杜白盨五	其用亯孝于皇申且考、于好倗友
3075	白汈其旅盨一	用亯用孝、用匄鬠壽多福
3076	白汈其旅盨二	用亯用孝、用匄鬠壽多福
3097	陳侯午錞𨱏一	乍皇妣孝大妃祭器sk錞台登台嘗
3098	陳侯午錞𨱏二	乍皇妣孝大妃祭器sk錞台登台嘗
3100	陳侯因𪒠錞	皇考孝武趄公
3100	陳侯因𪒠錞	用乍孝武趄公祭器錞
4435.	𩁹終盉	用追孝
4824	引為虘膚尊	引為虘膚寶尊彝用永孝
5443	亞㠱侯矣㚸卣	㚸易孝用乍且丁彝[亞㠱侯矣]

5761	兮熬壺	享孝于大宗
5768	虞嗣寇白吹壺一	用享用孝
5769	虞嗣寇白吹壺二	用享用孝
5783	曾白陭壺	用孝用享
5786	旻季良父壺	用享孝于兄弔婚媾者老
5793	幾父壺一	幾父用追孝
5794	幾父壺二	幾父用追孝
5799	頌壺一	用追孝
5800	頌壺二	用追孝
5805	中山王譽方壺	慈孝寰惠
6663	白公父金勺一	用亯用孝
6786	_弔多父盤	用及孝婦嫼氏百子千孫
6786	_弔多父盤	多父其孝子
6792	史墻盤	佳辟孝友
6793	矢人盤	小門人繇、原人虞艿、 淮嗣工虎、孝龠
6868	大師子大孟姜匜	用亯用孝
6888	吳王光鑑一	用亯用孝
6889	吳王光鑑二	用亯用孝
7009	兮仲鐘一	其用追孝于皇考己白
7010	兮仲鐘二	其用追孝于皇考己白
7011	兮仲鐘三	其用追孝于皇考己白
7012	兮仲鐘四	其用追孝于皇考己白
7013	兮仲鐘五	其用追孝于皇考己白
7014	兮仲鐘六	其用追孝于皇考己白
7015	兮仲鐘七	其用追孝于皇考己白
7021	虘鐘一	用追孝于己白
7022	虘鐘二	用追孝于己白
7023	虘鐘三	用追孝于己白
7024	虘鐘四	用追孝于己白
7049	井人鐘三	用追孝侃前文人
7050	井人鐘四	用追孝侃前文人
7082	齊鞄氏鐘	用亯台孝
7117	郤繳兒鐘一	台追孝先且
7119	郤儔兒鐘三	台追孝先且
7120	郤儔兒鐘四	追孝樂我父兄
7136	邵鐘一	我以享孝樂我先且
7137	邵鐘二	我以享孝樂我先且
7138	邵鐘三	我以享孝樂我先且
7139	邵鐘四	我以享孝樂我先且
7140	邵鐘五	我以享孝樂我先且
7141	邵鐘六	我以享孝樂我先且
7142	邵鐘七	我以享孝樂我先且
7143	邵鐘八	我以享孝樂我先且
7144	邵鐘九	我以享孝樂我先且
7145	邵鐘十	我以享孝樂我先且
7146	邵鐘十一	我以享孝樂我先且
7147	邵鐘十二	我以享孝樂我先且
7148	邵鐘十三	我以享孝樂我先且
7149	邵鐘十四	我以享孝樂我先且
7158	瘋鐘一	用追孝𩁹祀

孝
毛

7159	瘭鐘二	追孝于高且辛公
7160	瘭鐘三	用追孝𩛥祀
7161	瘭鐘四	用追孝𩛥祀
7162	瘭鐘五	用追孝𩛥祀
7175	王孫遺者鐘	用㫃台孝
7212	秦公鎛	以卲格孝享
7213	黏鎛	用享用孝于皇祖聖弔
7215	其次勾鑃一	台享台孝
7216	其次勾鑃二	台享台孝
7867.	龍__	集尹陳夏、少集尹龔則、少攻(工)差(佐)孝癸
M340	魯伯悆盨	肇乍其皇孝皇母旅盨毁
M340	魯伯悆盨	悆□□用追孝
		小計:共 203 筆

毛 1408

1141	善夫旅白鼎	善夫旅白乍毛中姬尊鼎
1217	毛公旅方鼎	毛公旅鼎亦隹毁
1228	𣪘𣪘方鼎	㭁中賞㫃𣪘𣪘遂毛兩
1273	師湯父鼎	乍朕文考毛叔𩰫彝
1312	此鼎一	𤔲土毛弔右此入門、立中廷
1313	此鼎二	𤔲土毛弔右此入門、立中廷
1314	此鼎三	𤔲土毛弔右此入門、立中廷
1332	毛公鼎	毛公㾓對揚天子皇休
1433	召白毛尊鬲	召白毛乍王母尊鬲
2572	毛白噬父毁	毛白噬父乍中姚寶毁
2588	毛关毁	毛畀(关?)乍寶毁
2696	孟毁一	孟曰:朕文考眔毛公遣中征無需
2696	孟毁一	毛公易朕文考臣自㫃工
2697	孟毁二	孟曰:朕文考眔毛公遣中征無需
2697	孟毁二	毛公易朕文考臣自㫃工
2725	師毛父毁	師毛父即立
2807	𨛫毁一	毛白内門
2808	𨛫毁二	毛白内門
2809	𨛫毁三	毛白内門
2818	此毁一	司土毛弔右此入門、立中廷
2819	此毁二	司土毛弔右此入門、立中廷
2820	此毁三	司土毛弔右此入門、立中廷
2821	此毁四	司土毛弔右此入門、立中廷
2822	此毁五	司土毛弔右此入門、立中廷
2823	此毁六	司土毛弔右此入門、立中廷
2824	此毁七	司土毛弔右此入門、立中廷
2825	此毁八	司土毛弔右此入門、立中廷
2855	班毁一	王令毛白更虢城公服
2855	班毁一	王令毛公以邦冢君、土(徒)馭、𢦏人
2855	班毁一	以乃自右从毛父
2855	班毁一	以乃自右从毛父
2855.	班毁二	王令毛白更虢城公服
2855.	班毁二	王令毛公以邦冢君土

2855.	班毀二	以乃自右从毛父
2855.	班毀二	以乃自右从毛父
6755	毛叔盤	毛弔朕彪氏孟姬寶般
		小計：共 36 筆

毳 1409

2469	毳乍王母媿氏餗毀一	毳乍王母媿氏餗毀
2470	毳乍王母媿氏餗毀二	毳乍王母媿氏餗毀
2471	毳乍王母媿氏餗毀三	毳乍王母媿氏餗毀
2472	毳乍王母媿氏餗毀四	毳乍王母媿氏餗毀
6743	毳盤	毳乍王母媿氏顴盤
6785	守宮盤	馬匹、毳布三、専__三、鋈朋
6848	毳乍王母媿氏匜	毳乍王母媿氏顴盉
		小計：共 7 筆

尸 1410

0983(	羊庚鼎	La乍卑文考尸弔寶尊彝
1012(	康厶鼎	La乍卑文考尸弔寶尊彝
1233	__鼎	王令h0捷東反尸
1234	旅鼎	隹公大保來伐反尸年
1239	__鼎一	隹王伐東尸
1240	__鼎二	隹王伐東尸
1242	㙨方鼎	隹周公于征伐東尸
1243	仲__父鼎	周白__及仲__父伐南淮尸（夷）
1324	禹鼎	亦唯噩侯馭方率南淮尸、東尸
1328	盂鼎	易尸（夷）嗣王臣十又三白
1332	毛公鼎	死（尸）毋（毋）童（動）余一人在立（位）
2574	豐兮毀一	豐兮尸（夷）作朕皇考尊毀
2574	豐兮毀一	尸（夷）其萬年子孫永寶
2575	豐兮毀二	豐兮尸（夷）作朕皇考尊毀
2575	豐兮毀二	尸（夷）其萬年子孫永寶
2654	𤔲乍文父丁毀	隹□令伐尸方䍙
2739	無㠱毀一	王征南尸（夷）
2740	無㠱毀二	王征南尸（夷）
2741	無㠱毀三	王征南尸（夷）
2742	無㠱毀四	王征南尸（夷）
2742.1	無㠱毀五	王征南尸（夷）
2742.1	無㠱毀五	王征南尸（夷）
2743	䮀毀	易女尸（夷）臣十家
2760	小臣謎毀一	叡東尸（夷）大反
2760	小臣謎毀一	白懋父㠯毀八自征東尸（夷）
2761	小臣謎毀二	叡東尸（夷）大反
2761	小臣謎毀二	白懋父㠯毀八自征東尸（夷）
2788	静毀	小子眔服眔小臣眔卑（尸?）僕學射
2791.	史密毀	敋南尸膚、虎
2791.	史密毀	會杞尸、舟尸

尸

2803	師酉𣪘一	西門尸、𩰫尸、秦尸、京尸、畀th尸
2804	師酉𣪘二	西門尸、𩰫尸、秦尸、京尸、畀th尸
2804	師酉𣪘二	西門尸、𩰫尸、秦尸、京尸、畀th尸
2805	師酉𣪘三	西門尸、𩰫尸、秦尸、京尸、畀th尸
2806	師酉𣪘四	西門尸、𩰫尸、秦尸、京尸、畀th尸
2806.	師酉𣪘五	西門尸、𩰫尸、秦尸、京尸、畀th尸
2815	師𣪕𣪘	余令女尸我家
2826	師寰𣪘一	淮尸繇(舊)我員晦臣
2826	師寰𣪘一	正淮尸
2826	師寰𣪘一	淮尸繇(舊)我員晦臣
2826	師寰𣪘一	正淮尸
2827	師寰𣪘二	淮尸繇(舊)我員晦臣
2827	師寰𣪘二	正淮尸
2835	訇𣪘	西門尸、秦尸、京尸、𩰫尸
2835	訇𣪘	師笭側新□華尸、甾rx尸
2835	訇𣪘	戍秦人、降人、服尸
2837	敔𣪘一	南淮尸遷及
2856	師訇𣪘	尸＿三百人
2986	曾白𩰫旅簠一	克狄淮尸(夷)
2987	曾白𩰫旅簠二	克狄淮尸(夷)
3055	虢仲旅盨	伐南淮尸(夷)
3081	翏生旅盨一	王征南淮尸(夷)
3082	翏生旅盨二	王征南淮尸(夷)
3085	駒父旅盨(蓋)	南中邦父命駒父即南者侯達高父見南淮尸(夷)
3085	駒父旅盨(蓋)	堇尸(夷)俗
4866	小臣艅尊	隹王來正尸(夷)方
4867	鳌睘尊	才庠、君令余乍冊睘安尸(夷)白
4867	鳌睘尊	尸白賓用貝、布
4879	彔䥞尊	㪔、淮尸(夷)敢伐內國
5381	㝵人乍父己卣	[㝵]人(尸?)乍父己尊彝
5381	㝵人乍父己卣	[㝵]人(尸?)乍父己尊
5484	乍冊睘卣	王姜令乍冊睘安尸白
5484	乍冊睘卣	尸白賓睘貝布
5484	乍冊睘卣	王姜令乍冊睘安尸白
5484	乍冊睘卣	尸白賓睘貝布
5498	彔䥞卣	㪔、淮尸敢伐內國
5499	彔䥞卣二	㪔、淮尸敢伐內國
5503	競卣	命戍南尸
6791	兮甲盤	至于南淮尸(夷)
6791	兮甲盤	淮尸(夷)舊我員晦人
6792	史墻盤	虘長伐尸童
7061	能原鐘	大□□連者(諸)尸(夷)
7061	能原鐘	隹余□尸(夷)□□粎曰之
7061	能原鐘	□□乍(作)尸(夷)□
7176	㝬鐘	南尸東尸具見
7182	叔夷編鐘一	公曰：女尸
7182	叔夷編鐘一	尸不敢弗儆戒
7183	叔夷編鐘二	公曰：尸
7183	叔夷編鐘二	尸敢用拜稽首
7184	叔夷編鐘三	公曰：尸

7184　叔夷編鐘三　女尸毋曰余少子
7185　叔夷編鐘四　尸用或敢再拜䭬首
7185　叔夷編鐘四　尸雁典其先舊及其高祖
7186　叔夷編鐘五　雩生弔尸
7186　叔夷編鐘五　趄武霝公易尸吉金
7187　叔夷編鐘六　尸用乍鑄其寶鐘
7203　能原鎛　大□□連者（諸）尸（夷）
7203　能原鎛　隹余□尸（夷）□□粎曰之
7203　能原鎛　□□乍（作）尸（夷）□
7214　叔夷鎛　公曰：女尸
7214　叔夷鎛　尸不敢弗儆戒
7214　叔夷鎛　公曰：尸
7214　叔夷鎛　尸敢用拜䭬首
7214　叔夷鎛　公曰：尸
7214　叔夷鎛　女尸毋曰余少子
7214　叔夷鎛　尸用或敢再拜䭬首
7214　叔夷鎛　尸雁典其先舊及其高祖
7214　叔夷鎛　雩生弔尸

小計：共　98 筆

居　1411

2677　居__觑鑄____　居__觑曰
2677.　居__觑𣪘二　居__觑曰
6905　要君䤊盂　要君白居自乍䤊盂
7899　鄂君啟車節　王居於茂郢之遊宮
7899　鄂君啟車節　適高丘、適下蔡、適居鄵（鄵巢）、適郢
7900　鄂君啟舟節　王居於茂郢之遊宮

小計：共　6 筆

㞙倀　1412

1301　大鼎一　王才㸓倀宮
1302　大鼎二　王才㸓倀宮
1303　大鼎三　王才㸓倀宮
2812　大𣪘一　王才㸓倀宮
2813　大𣪘二　王才㸓倀宮

小計：共　5 筆

屖　1413

1153　白頵父鼎　白頵父乍朕皇考屖白吳姬寶鼎
1266　䣄公平侯鼎一　于昬皇考屖__公
1267　䣄公平侯鼎二　于昬皇考屖__公
1304　王子午鼎　㔽龏䚄屖
1325　五祀衛鼎　厲有嗣䜌季、慶癸、燹□、荊人敢、井人䧺屖
1647　井乍寶甗　屖乍旅甗子孫孫永寶用、豐井

2145	皿屖毁	皿屖乍尊彝
2181	季保乍寶隮毁	季屖乍寶尊彝
2600	白𣪘父毁	白𣪘父乍朕皇考屖白吳姬尊毁
2661	競毁一	白屖父蔑御史競曆、賞金
2661	競毁一	競揚白屖父休
2662	競毁二	白屖父蔑御史競曆、賞金
2662	競毁二	競揚白屖父休
2775.	害毁一	王才屖宮
2775.	害毁一	宰屖父右害立
2775.	害毁二	王才屖宮
2775.	害毁二	宰屖父右害立
2786	縣妃毁	白屖父休于縣改曰
2786	縣妃毁	縣改每揚白屖父休
4830	屖肇其乍父己尊	屖肇乍父己寶尊彝[䧹＿]
5503	競卣	隹白屖父以成𠂤即東
5503	競卣	白屖父皇競各于官
5789	命瓜君厚子壺一	屖屖康弔
5790	命瓜君厚子壺二	屖屖康弔
5791	十三年瘐壺一	屖父右瘐
5792	十三年瘐壺一	屖父右瘐
6792	史墙盤	害(㝬)屖文考乙公遽趩
J081	王孫𦗴鐘	
7175	王孫遺者鐘	余函龏䛇屖
M707	曾侯乙編鐘下一・三	為屖則羽角
M708	曾侯乙編鐘下二・一	屖則之羽曾
M710	曾侯乙編鐘下二・三	屖則之商
M711	曾侯乙編鐘下二・四	屖則之徵曾
M712	曾侯乙編鐘下二・五	為屖則羽角
M742	曾侯乙編鐘中三・三	屖則之羽曾

小計：共 35 筆

屏 1414

J2946	匽侯觶	(拓本未見)

小計：共 1 筆

肩 1415

1323	師訊鼎	休白大師肩𦣞
1666	遹乍旅甗	遹從師雝父肩吏
1668	中甗	䢅(肆)肩又羞余□□□
6816	白庶父乍肩匜	白庶父乍肩永寶用
7122	梁其鐘一	天子肩事
7123	梁其鐘二	天子肩事

小計：共 6 筆

𡰼 1416

7899	鄂君啟車節	夏𡱜之月、乙亥之日
7900	鄂君啟舟節	夏𡱜之月、乙亥之日
		小計：共 2 筆

屆 1417

2791.	史密𣪘	率族人、釐白、僰、屆
6910	師永盂	周人嗣工屆、𢦔史、師氏
		小計：共 2 筆

屁 1418

0000	𥳑左屁戟	（拓本未見）
0000	右屁君壺	（拓本未見）
0000	左屁君壺	（拓本未見）
		小計：共 3 筆

屓 1419

2735	屓敖𣪘	而易魯屓敖金十鈞
2735	屓敖𣪘	屓敖用環用璧
2735	屓敖𣪘	屓敖蓳用□弔于吏孟
2735	屓敖𣪘	屓敖其子子孫永寶
		小計：共 4 筆

尺 1420

7975	中山王墓兆域圖	兩堂間八十七乇（尺）
7975	中山王墓兆域圖	□堂□□□乇（尺）
7975	中山王墓兆域圖	兩堂間百乇（尺）
7975	中山王墓兆域圖	兩堂間百乇（尺）
7975	中山王墓兆域圖	兩堂間八十乇（尺）
		小計：共 5 筆

屈 1421

2973	楚屈子匿	楚屈子赤角賸中孀𢼸匿
6990	𨚲篙鐘	隹𨚲篙屈栾
7557	楚屈弔沱戈	楚屈弔沱屈□之孫
7867.	龍＿	連𥣫（敖）屈＿
		小計：共 4 筆

屨 1421+

1325	五祀衛鼎	帥履裘衛厲田四田
2812	大𣪘一	豕目睽履大易里
2813	大𣪘二	豕目睽履大易里
6793	矢人盤	迺即散用田履
6793	矢人盤	還、封于履道
6793	矢人盤	履井邑田
6793	矢人盤	矢人有嗣履田
6793	矢人盤	凡十又五夫正履
6793	矢人盤	散人小子履田戎
6910	師永盂	𠂤逹履𠂤彊宋句

小計：共 10 筆

舟 1422

0151	舟鼎	[舟]
0519	亞舟鼎	[舟亞舟]
?001	伯口舟鼎	(拓本未見)
2050	舟乍寶𣪘	舟乍寶𣪘
2422	舟洹泰乍且乙𣪘	其萬年子孫寶用[舟]
2768	楚𣪘	嗣莽啚官內師舟
2791.	史密𣪘	會杞尸、舟尸
3591	亞舟爵	[亞舟]
4142	父戊舟乍彝爵一	父戊舟乍尊
4143	父戊舟乍彝爵二	父戊舟乍尊
4201	盟舟惠爵	盟舟綸＿乍𠂤且乙寶宗彝
4604	舟父壬尊	[舟]父壬
4892	麥尊	王乘于舟、為大豐
4892	麥尊	侯乘于赤旂舟從
5215	舟父甲卣	[舟]父甲
5238	舟亥父丁卣	[舟亥]父丁
5317	大舟乍父乙卣	[大舟]乍父乙彝
5804	齊侯壺	庚率二百乘舟
5804	齊侯壺	□□□□□其士女□＿旬四舟＿＿丘□＿于＿歸獻
6608	舟敄乍父癸觶	敄乍父癸彝[舟]
6656	舟亞舟勺	[舟亞舟]
6669	舟盤	[舟]
7900	鄂君啟舟節	屯三舟為一舿、五十舿

小計：共 22 筆

俞 1423

0840	亞艅曆乍且己鼎	[亞俞]曆乍且己彝
0908	宥乍父辛鼎	宥乍父辛尊彝[亞俞]
0943	亞父庚且辛鼎	[亞俞fw]父父庚保且辛
1440	亞俞林𠃬鬲	林𠃬乍父辛寶尊彝[亞俞]
1466	亞艅彝母辛鬲	[亞俞]彝入餗于女子
2791	豆閉𣪘	嗣窭俞邦君

2792	師俞毁	𤔲馬共右師俞入門立中廷
2792	師俞毁	王乎乍冊內史冊令師俞
2792	師俞毁	俞拜韻首
2792	師俞毁	俞其蔑曆
2792	師俞毁	俞敢揚天子不顯休
2792	師俞毁	俞其萬年永保
2852	不娶毁一	馭方厰允廣伐西俞
2853	不娶毁二	馭方厰敉廣伐西俞
2922	魯白俞父匿一	魯白俞父乍姬仁匿
2923	魯白俞父匿二	魯白俞父乍姬仁匿
2924	魯白俞父匿三	魯白俞父乍姬仁匿
4413	吳盉	吳乍寶盉[亞俞]
5219	亞艅父乙卣	[亞俞]父乙
5388	亞艅窸乍父辛卣	窸乍父辛尊彝[亞俞]
6577	亞俞父辛觶	[亞俞]父辛
6698	亞艅吳盤	吳乍寶盤[亞俞]
6717	魯白厚父乍仲姬俞盤一	魯白厚父乍孟姬俞賸盤
6718	魯白厚父乍仲姬俞盤二	魯白厚父乍中姬俞賸盤
6736	魯白愈父盤一	魯白俞(愈)父乍鼄姬仁朕頮般
6737	魯白愈父盤二	魯白俞(愈)父乍鼄姬仁朕頮般
6738	魯白愈父盤三	魯白俞(愈)父乍鼄姬仁朕頮般
6766	黃韋艅父盤	黃韋俞父自乍飤器
7213	𩒳鎛	勿或俞改
7220	喬君鉦	乍無者俞寶sq__
7669	四年□雍令矛	左庫工帀刑秦冶俞敷___
		小計：共 31 筆

艅 1423

1226	師艅鼎	師艅從
1226	師艅鼎	易師艅金
1226	師艅鼎	艅則對揚氒德
2193	艅白乍寶毁	艅白乍寶尊彝
2532	魯白大父乍仲姬俞毁	魯白大父乍中姬艅賸毁
4738	艅白尊	艅白乍寶尊彝
4866	小臣艅尊	王易小臣艅夔貝
5324	艅白卣	艅白乍寶尊彝
6682	艅舌盤	[丁艅舌]
M282	師艅尊	師艅从王□功
M282	師艅尊	易師艅金
M282	師艅尊	艅則對揚氒德
		小計：共 43 筆

船 1424

7219	冉鉦鋮(南疆征)	台□台船
7219	冉鉦鋮(南疆征)	其船□□□大川

小計：共 2 筆

肜 1425

2654	㠱乍文父丁𣪘	才十月彡(肜)日[㠱]
3015	仲肜盨一	中彡(肜)乍旅盨
3016	仲肜盨二	中彡(肜)乍旅盨
4343	亞吴小臣邑斝	隹王六祀肜日、才四月[亞吴]
4866	小臣艅尊	隹王十祀又五肜日
5491	亞獏二祀𠨘其卣	才正月遘于匕丙肜日大乙爽

小計：共 6 筆

朕 1426 1005媵賸參看

1007	史喜鼎	史喜乍朕文考翟祭
1205.	遹鼎	朕乍文考胤白尊鼎(貞)
1331	中山王𰯌鼎	天降休命于朕邦
2384	鄧公𣪘一	𢍄(鄧)公乍𤼈嫚𣪘朕𣪘
2385	鄧公𣪘二	𢍄(鄧)公乍𤼈嫚𣪘朕𣪘
2791.	史密𣪘	用乍朕文考乙白尊𣪘
3087	鬲从盨	鬲比乍朕皇且丁公、文考惠公盨
5506	小臣傳卣	師田父令小臣傳非余傳□朕考kz
5506	小臣傳卣	用乍朕考日甲寶
5721	蔡侯壺	蔡侯□□皇□朕□□其萬年無□
5793	幾父壺一	對揚朕皇君休
5793	幾父壺一	用乍朕剌考尊壺
5794	幾父壺二	對揚朕皇君休
5794	幾父壺二	用乍朕剌考尊壺
5795	白克壺	用乍朕穆考後中尊壺
5798	曶壺	用乍朕文考釐公尊壺
5799	頌壺一	用乍朕皇考龔弔
5800	頌壺二	用乍朕皇考龔弔
5803	胤嗣好蚉壺	隹朕先王
5805	中山王𰯌方壺	隹朕皇祖文武
5805	中山王𰯌方壺	用隹朕所放
6080	朕女觚	[朕女]
6663	白公父金勺一	于朕皇考
6710	白百父乍孟姬盤	白百父乍孟姬朕盤
6715	曩白庭父盤	曩白庭父朕姜無須盤
6724	周棘生盤	周棘生□□□朕般
6725	郐王義楚盤	徐王義楚罿其吉金自乍朕盤
6736	魯白愈父盤一	魯白俞(愈)父乍鼄姬仁朕顈般
6737	魯白愈父盤二	魯白俞(愈)父乍鼄姬仁朕顈般
6738	魯白愈父盤三	魯白俞(愈)父乍鼄姬仁朕顈般
6740	白駟父盤	白駟父乍姬淪朕盤
6755	毛叔盤	毛弔朕彪氏孟姬寶般
6760	中子化盤	自乍朕盤
6762	薛侯盤	薛侯乍弔妊襄朕盤
6772	魯少司寇封孫宅盤	魯少𤔲寇封孫宅乍其子孟姬嬰朕般也(匜)

朕

6786	__弔多父盤	pL弔多父乍朕皇考季氏寶般
6787	走馬休盤	用乍朕文考日丁尊般
6789	寰盤	用乍朕皇考奠白奠姬寶盤
6826	㠱白庭父匜	㠱白庭父朕姜無顋它
6841	魯白愈父匜	魯白愉父乍鼄(邾)姬仁朕顋它
6862	薛侯乍弔妊朕匜	薛侯乍弔妊襄朕匜
6875	慶弔匜	慶弔作朕子孟姜盥匜
6907	齊侯乍朕子仲姜盂	齊侯乍朕子中姜寶盂
6910	師永盂	永用乍朕文考乙白尊盂
6976	倗鐘	倗友朕其萬年臣天
6991	眉壽鐘一	龕吏朕辟皇王釁壽永寶
6992	眉壽鐘二	龕吏朕辟皇王釁壽永寶
6993	弔旅魚父鐘	朕皇考弔旅魚父
7002	鑄侯求鐘	鑄侯求乍季姜朕鐘
7008	通彔鐘	廣啟朕身
7020	單伯鐘	余小子肇帥井朕皇且考懿德
7039	應侯見工鐘二	用乍朕皇且雁侯大薔鐘
7043	克鐘四	用乍朕皇且考白寶薔鐘
7044	克鐘五	用乍朕皇且考白寶薔鐘
7059	師臾鐘	師臾肁乍朕剌且虢季宄公幽弔
7059	師臾鐘	朕皇考德弔大薔鐘
7069	者沏鐘一	以克__光朕卲示之
7069	者沏鐘一	以r1光朕立
7071	者沏鐘三	以克__光朕卲示之
7072	者沏鐘四	台克__光朕卲
7073	者沏鐘五	台克__光朕于
7074	者沏鐘六	台以r1光朕立
7077	者沏鐘九	台以r1光朕立
7083	鮮鐘	用乍朕皇考薔鐘
7088	士父鐘一	□□□□□乍朕皇考弔氏寶薔鐘
7089	士父鐘二	□□□□□乍朕皇考弔氏寶薔鐘
7090	士父鐘三	□□□□□乍朕皇考弔氏寶薔鐘
7091	士父鐘四	□□□□□乍朕皇考弔氏寶薔鐘
7116	南宮乎鐘	用乍朕皇且南公
7122	梁其鐘一	用乍朕皇且考龢鐘
7123	梁其鐘二	用乍朕皇
7135	逆鐘	用甹朕身
7135	逆鐘	勿灋朕命
7150	虢叔旅鐘一	用乍朕皇考叀弔大薔龢鐘
7151	虢叔旅鐘二	用乍朕皇考叀弔大薔龢鐘
7152	虢叔旅鐘三	用乍朕皇考叀弔大薔龢鐘
7153	虢叔旅鐘四	用乍朕皇考叀弔大薔龢鐘
7155	虢叔旅鐘六	用乍朕
7156	虢叔旅鐘七	朕皇考叀弔大薔龢鐘
7174	秦公鐘	余夙夕虔敬朕祀
7174	秦公鐘	以康奠協朕或
7176	㝬鐘	朕猷又成亡競
7177	秦公及王姬編鐘一	余夙夕虔敬朕祀
7177	秦公及王姬編鐘一	以康奠協朕或
7182	叔夷編鐘一	余命女政于朕三軍

朕
般

7182	叔夷編鐘一	肅成朕師旟之政德
7182	叔夷編鐘一	諫罰朕庶民
7183	叔夷編鐘二	女巩勞朕行師
7183	叔夷編鐘二	弗敢不對揚朕辟皇君之
7185	叔夷編鐘四	女台卹余朕身
7190	叔夷編鐘九	諫罰朕庶民
7204	克鎛	用乍朕皇且考白寶𬭚鐘
7209	秦公及王姬鎛	余夙夕虔敬朕祀
7209	秦公及王姬鎛	以康奠協朕或
7210	秦公及王姬鎛二	余夙夕虔敬朕祀
7210	秦公及王姬鎛二	以康奠協朕或
7211	秦公及王姬鎛三	余夙夕虔敬朕祀
7211	秦公及王姬鎛三	以康奠協朕或
7212	秦公鎛	秦公曰：不顯朕皇且受天命
7212	秦公鎛	虔敬朕祀
7214	叔夷鎛	余命女政于朕三軍
7214	叔夷鎛	肅成朕師旟之政德
7214	叔夷鎛	諫罰朕庶民
7214	叔夷鎛	女巩勞朕行師
7214	叔夷鎛	弗敢不對揚朕辟皇君之易休命
7214	叔夷鎛	女台卹余朕身
7220	喬君鉦	喬君淲虘與朕以wL
7735	少虡劍一	朕余名之
7736	少虡劍二	朕余名之
7883	三侯權	三侯朕＿中余吉

小計：共 110 筆

般 1427

0115	般鼎	[般]
0378	般父丁鼎	[般]父丁
0879	乍父乙鼎	[as]般乍父乙
1247	函皇父鼎	函皇父乍琱娟般、盉尊器、鼎、段具
1277	七年趞曹鼎	王才周般宮
1290	利鼎	王客于般宮
1661	乍冊般甗	王賞乍冊般貝
1697	般段一	[般]
1698	般段二	[般]
2678	函皇父段一	函皇父乍琱娟(妘)般(盤槃)、
2679	函皇父段二	函皇父乍琱娟(妘)般(盤槃)、
2680	函皇父段三	函皇父乍琱娟(妘)般(盤槃)、
2681	函皇父段四	函皇父乍琱娟(妘)般(盤槃)、
2793	元年師旋段一	易女赤市同黃、麗般(鞶)
2794	元年師旋段二	易女赤市同黃、麗般(鞶)
2795	元年師旋段三	易女赤市同黃、麗般(鞶)
2955	齊陳＿匿一	齊陳ka不敢般康
2956	齊陳曼匿二	齊陳ka不敢逸般康
2956	齊陳曼匿二	乍皇考獻弔饋般永保用匿
3083	瘨段(盨)一	易敂(般)袋(帬?)

3084	㾓毁(簋)二	易敀(般)袋(幣?)
3811	般父丁爵	[般]父丁
3887	般父己爵	[般]父己
4119	般父癸爵	[般]父癸
4337	般乍兄癸斝	[般]乍兄癸尊彝
4338	般兄癸乍斝	[般]兄癸乍尊彝
4437	王乍豐妊盉	王乍豐妊單寶般盉
4443	王仲皇父盉	王中皇父乍ou娟般盉
4444.	卅五年盉	吏(使)乍盉般
4449	裘衛盉	衛用乍朕文考惠孟寶般
4597	般父己尊	[般]父己
4954	般缶彝方彝	[般缶]彝
5780	公孫窹壺	公子土斧乍子中姜Lw之般(盤槃)壺
6423	般父甲觶	[般]父甲
6452	般父丙觶	[般]父丙
6518.	般父癸觶	[般]父癸
6628	鳥冊何般貝宁父乙觶	[何般貝宁]用乍父乙寶尊彝[鳥]
6698	亞㣼吳盤	吳乍寶般(盤槃)[亞俞]
6701	宗仲乍尹姞盤	宗中乍尹姞般(盤)
6702	漁白盤一	漁白自乍般(盤槃)芺(縈鎣)
6706	鬲父乍絲女盤	鬲父乍絲女匋(寶)般(盤槃)
6710	白百父乍孟姬盤	白百父乍孟姬朕般(盤槃)
6714	穌甫人槃	穌甫人乍嫚改襄賸般(盤)
6715	曩白㛿父盤	曩白㛿父朕姜無須般(盤槃)
6717	魯白厚父乍仲姬俞盤一	魯白厚父乍孟姬俞賸般(盤槃)
6718	魯白厚父乍仲姬俞盤二	魯白厚父乍中姬俞賸般(盤槃)
6719	京弔盤	京弔乍孟䵼般(盤槃)
6720	來_乍_盤	來p9乍sr般(盤槃)
6724	周棘生盤	周棘生□□□朕般
6726	筍侯乍弔姬盤	筍侯乍弔姬媵般(盤槃)
6727	真盤	真乍寶般(盤槃)
6728	虢嫚□盤	虢嫚□乍寶般(盤槃)
6731	奠白盤	奠白乍般(盤槃)也(匜)
6733	史頌盤	史頌乍般(盤)
6734	才盤	堯敢乍姜般(盤槃)
6735	虢金氒孫盤	虢金氏孫乍寶般(盤槃)
6736	魯白愈父盤一	魯白俞(愈)父乍鼄姬仁朕顜般
6737	魯白愈父盤二	魯白俞(愈)父乍鼄姬仁朕顜般
6738	魯白愈父盤三	魯白俞(愈)父乍鼄姬仁朕顜般
6739	中友父盤	中友父乍般(盤)
6740	白駟父盤	白駟父乍姬淪朕般(盤槃)
6741	衵盤	□衵□□乍寶般(盤槃)
6742	弔五父盤	弔五父乍寶般(盤槃)
6743	鼄盤	鼄乍王母媿氏顜般(盤槃)
6744	穌吉妊盤	穌吉妊乍虢改魚母般(盤)
6746	齊侯乍孟姬盤	齊侯乍皇氏孟姬寶般(盤)
6747	師寏父盤	師寏父乍季姬般(盤)
6749	弔高父盤	弔高父乍中妣般
6752	取膚子商盤	取膚s6商鑄般
6753	仲叡父盤	中叡父乍rG姬尊般(盤)

6754	楚季苟盤	楚季苟乍嬭尊賸盥般
6755	毛叔盤	毛弔朕彪氏孟姬寶般
6756	番君白龏盤	隹番君白龏用其赤金自鑄般（盤槃）
6757	干氏弔子盤	干氏弔子乍中姬客母賸般
6761	白者君盤	隹番hJ白者君自乍寶般（盤槃）
6762	薛侯盤	薛侯乍弔妊襄朕般（盤槃）
6763	句它盤	隹句它弔乍寶般
6764	般仲＿盤	隹般中＿乍其盤
6765	齊弔姬盤	齊弔姬乍孟庚寶般
6767	齊縈姬之嫚盤	齊縈姬之嫚（姪）乍寶般
6772	魯少司寇封孫宅盤	魯少嗣寇封孫宅乍其子孟姬嬰朕般也（匜）
6774	＿右盤	唯qe右自乍用其吉金寶般（盤槃）
6778	免盤	用乍般盉
6779	齊侯盤	齊侯乍賸寡v1孟姜盥般
6781	夆弔盤	夆弔乍季改盥般（盤）
6782	者尚余卑盤	自乍鑄其般
6783	函皇父盤	函皇父乍琱娟般盉、尊器
6786	＿弔多父盤	pL弔多父乍朕皇考季氏寶般
6786	＿弔多父盤	乍絲寶般
6787	走馬休盤	用乍朕文考日丁尊般
6789	寰盤	用乍朕皇考奠白奠姬寶般（盤槃）
6791	兮甲盤	兮白吏父乍般
6835	匽公匜	匽公乍媯姜乘般匜
6868	大師子大孟姜匜	大師子大孟姜乍般匜
6876	夆弔乍季妃盥盤(匜)	夆弔乍季改盥般
J3625	鄭伯匜	奠白□□弔皇乍般匜
J3531	鄧伯吉射盤	（拓本未見）
M344	魯司徒中齊盤	魯司徒中齊肇乍般（盤槃）
M360	強伯鎣	強白自乍般鎣

小計：共 99 筆

服 1428

1327	克鼎	勳克王服
1328	盂鼎	已、女妹晨又大服
1329	小字盂鼎	三ナ（左）三右多君入服酉
1329	小字盂鼎	征邦賓尊其旅服、東鄉
1329	小字盂鼎	大采、三□入服酉
1329	小字盂鼎	□三事□□入服酉
1332	毛公鼎	女母（毋）敢豖在乃服
2764	艾毁	龏（割）井侯服
2774	臣諫毁	令貄服乍朕皇文考寶尊
2788	靜毁	小子眾服眔小臣眔㚔僕學射
2835	訇毁	戍秦人、降人、服尸
2840	番生毁	勳于大服
2855	班毁一	王令毛白更虢城公服
2855	班毁一	登于大服
2855.	班毁二	王令毛白更虢城公服
2855.	班毁二	登于大服

3085	騎父旅盨（蓋）	氒取氒服
3085	騎父旅盨（蓋）	氒獻氒服
4449	裘衛盉	嗣馬單旅、司工邑人服眔受田燹趞
4845	服方尊	服肇夙夕明亯
4886	趩尊	王乎內史冊令趩更氒且考服
5507	乍冊魖卣	隹公大史見服于宗周年
5507	乍冊魖卣	公大史成見服于辟王
5509	麸卣	亡競才服
7174	秦公鐘	盜百蠻具即其服
7178	秦公及王姬編鐘二	服
7181	秦公及王姬編鐘六	服
7209	秦公及王姬鎛	盜百蠻具即其服
7210	秦公及王姬鎛二	盜百蠻具即其服
7211	秦公及王姬鎛三	盜百蠻具即其服

小計：共 30 筆

舿 1429

7900	鄂君啟舟節	五十舿
7900	鄂君啟舟節	屯三舟為一舿

小計：共 2 筆

艁 1430

2099	艁白乍寶彝㲋	艁白乍寶彝

小計：共 1 筆

方 1431

0161	韋方鼎	［韋方］
0821	史逨方鼎一	史逨乍寶方鼎
0822	史逨方鼎二	史逨乍寶方鼎
1192	亞□伐＿乍父乙鼎	丁卯、王令宜子迨西方
1208	乙亥乍父丁方鼎	唯王正井方［卬］
1251	中先鼎一	隹王令南宮伐反虎方之年
1252	中先鼎二	隹王令南宮伐反虎方之年
1298	師旂鼎	師旂眔僕不從王征于方
1299	噩侯鼎一	噩侯馭方內豊于于王
1299	噩侯鼎一	馭方友王
1299	噩侯鼎一	馭方鄉王射
1299	噩侯鼎一	馭方休闌
1299	噩侯鼎一	馭方拜手韻首
1324	禹鼎	克夾召先王、奠四方
1324	禹鼎	亦唯噩侯馭方率南淮尸、東尸
1324	禹鼎	戣伐噩侯馭方
1324	禹鼎	伐噩侯馭方
1324	禹鼎	休隻氒君馭方

方

1327	克鼎	畯(允)尹四方
1328	盂鼎	匍有四方
1328	盂鼎	□有四方
1328	盂鼎	夙夕召我一人蒸四方
1329	小字盂鼎	鬼方□□□□□□□門
1329	小字盂鼎	告曰、王□□□□□伐鬼方
1331	中山王嚳鼎	今余方壯
1331	中山王嚳鼎	行四方
1331	中山王嚳鼎	方譽(數)百里
1332	毛公鼎	率懷不廷方
1332	毛公鼎	龖龖四方
1332	毛公鼎	雩四方
1332	毛公鼎	命女亟一方
1661	乍冊般甗	王宜人方
1668	中甗	中省自方
2654	𡚸乍文父丁𣪘	隹□令伐尸方罥
2670	𣗬侯𣪘	方吏姜氏、乍寶𣪘
2670	𣗬侯𣪘	用永皇方身
2670	𣗬侯𣪘	方其日受宦
2711.	乍冊般𣪘	王宜人方無𢾊
2777	天亡𣪘	王凡三方
2816	彔白𢦚𣪘	右闢四方
2833	秦公𣪘	竈(造)囿(佑)四方
2834	𡙧𣪘	墜于四方
2840	番生𣪘	用諫四方
2852	不嬰𣪘一	馭方𤞞允廣伐西俞
2853	不嬰𣪘二	馭方𤞞𢾊廣伐西俞
2855	班𣪘一	甹王立、乍四方亟
2855.	班𣪘二	乍四方亟
2856	師訇𣪘	臨保我又周、雩四方民
2986	曾白霥旅匿一	具既卑方
2987	曾白霥旅匿二	具既卑方
3088	師克旅盨一(蓋)	師克不顯文武、雁受大令、匍有四方
3089	師克旅盨二	師克不顯文武、雁受大令、匍有四方
3722	亞女方爵	[亞女方]
4866	小臣艅尊	隹王來正尸(夷)方
4876	保尊	遘于四方迨王大祀祓于周
4893	矢令尊	王令周公子明保尹三事四方
4893	矢令尊	舍四方令
4981	𩁹冊令方彝	王令周公子明保尹三事四方
4981	𩁹冊令方彝	舍四方令
5077	亞方卣	[亞方]
5493	召乍_宮旅卣	賞畢土方五十里
5494	𡚸𩁹乍母辛卣	令望人方罥
5495	保卣	遘于四方、迨王大祀
5495	保卣	遘于四方、迨王大祀
5803	𡩜𦉢䌛𧌢壺	枋(方)譽(數)百里
5804	齊侯壺	_伐陸寅其王駟孰方_滕相
6790	虢季子白盤	經維四方
6790	虢季子白盤	用政蠻方

6791	兮甲盤	王令甲征辭成周四方責
6792	史墻盤	遹征四方
6792	史墻盤	方蠻亡不俎見
6925	晉邦盦	廣嗣四方
7116	南宮乎鐘	畯永保四方、配皇天
7121	郘王子旃鐘	聞于四方
7163	癲鐘六	匍有四方
7174	秦公鐘	以虩事蠻方
7174	秦公鐘	匍有四方、其康寶
7177	秦公及王姬編鐘一	以虩事蠻方
7178	秦公及王姬編鐘二	匍有四方、其康寶
7209	秦公及王姬鎛	以虩事蠻方
7209	秦公及王姬鎛	匍有四方、其康寶
7210	秦公及王姬鎛二	以虩事蠻方
7210	秦公及王姬鎛二	匍有四方、其康寶
7211	秦公及王姬鎛三	以虩事蠻方
7211	秦公及王姬鎛三	匍有四方、其康寶
7212	秦公鎛	匍又四方
7494	方寅戈一	方寅用鍛金乍吉用
7495	方寅戈二	方寅用鍛金乍吉用
7499	邛季之孫戈	邛季之孫□方或之元
7537	汈白戈	印鬼方蠻攻旁
7899	鄂君啟車節	自鄂往、適陽丘、適邡(方)城
7975	中山王兆域圖	王后堂方二百乇
7975	中山王兆域圖	王堂方二百乇
7975	中山王兆域圖	夫人堂方百五十乇
7975	中山王兆域圖	大藏宮方百乇
7975	中山王兆域圖	執旦宮方百乇
7975	中山王兆域圖	五室宮方百乇
7975	中山王兆域圖	詔宗宮方百乇
M900	梁十九年鼎	徂省朔旁(方)

小計：共 99 筆

兀 1432

4827	兀乍高智日乙__尊	兀乍高智日乙__尊[臣辰𠂤冊]
5380	狽人乍父戊卣	[狽]兀乍父戊尊彝
5380	狽人乍父戊卣	[狽]兀乍父戊尊彝
6547	鳥兀且乙觶	[鳥兀]且乙

小計：共 4 筆

兒 1433

0152	兒鼎一	[兒]
0636	易兒鼎	兼明易兒
1211	庚兒鼎一	郘王之子庚兒自乍飤緐
1212	庚兒鼎二	郘王之子庚兒自乍飤緐
1218	寬兒鼎	蘇公之孫寬兒睪其吉金

	1668	中甗	史兒至、以王令曰
	2677	居＿戲鑄＿＿	余以鑄此＿兒
	2677.	居＿戲毀二	余以鑄此＿兒
兒	2766	三兒毁	晉孫气兒曰
允	3087	鬲从盨	u5（其）邑彶眔句商兒眔讎戋
兌	5437	㜏女子小臣兒乍己卣	女子{小臣}兒乍己尊彝[㜏]
	6616	者兒觶	者兒乍寶尊彝
	7117	𨛭𣪊兒鐘一	曾孫𣪊兒
	7117	𨛭𣪊兒鐘一	余mqiv兒
	7118	𨛭𪉵兒鐘二	曾孫𣪊兒
	7119	𨛭𪉵兒鐘三	余mqiv兒得吉金鏄鋁
	7124	沇兒鐘	徐王庚之子沇兒
	M545	配兒勾鑃	吳王□□□□□子配兒曰
			小計：共 18 筆

允 1434

1268	梁其鼎一	允臣天
1269	梁其鼎二	允臣天
1312	此鼎一	畯（允）臣天子霝冬
1313	此鼎二	畯（允）臣天子霝冬
1314	此鼎三	畯（允）臣天子霝冬
1318	晉姜鼎	畯（允）保其孫子
1319	頌鼎一	畯（允）臣天子、霝冬
1320	頌鼎二	畯（允）臣天子、霝冬
1321	頌鼎三	畯（允）臣天子、霝冬
1327	克鼎	畯（允）尹四方
1328	盂鼎	畯（允）正氒民
2659	郾侯庫毁	宴安允＿
2746	追毁一	畯（允）臣天子霝冬
2747	追毁二	畯（允）臣天子霝冬
2748	追毁三	畯（允）臣天子霝冬
2749	追毁四	畯（允）臣天子霝冬
2750	追毁五	畯（允）臣天子霝冬
2751	追毁六	畯（允）臣天子霝冬
2852	不嬰毁一	馭方厰允廣伐西俞
2852	不嬰毁一	女以我車宕伐厰允于高陵
2855	班毁一	允才顯、隹敬德、亡攸違
2855.	班毁二	允才顯
5805	中山王嚳方壺	烏虖、允㢤（哉）若言
7174	秦公鐘	盭盭允義
7177	秦公及王姬編鐘一	盭盭允義
7209	秦公及王姬鏄	盭盭允義
7210	秦公及王姬鏄二	盭盭允義
7211	秦公及王姬鏄三	盭盭允義
		小計：共 28 筆

兌 1435

2550	兌乍弔氏㲃	兌乍朕皇考弔𡴕尊㲃
2550	兌乍弔氏㲃	兌其萬年子子孫孫永寶用
2695	𦨶兌㲃	𦨶兌乍朕文且乙公
2695	𦨶兌㲃	兌其萬年
2830	三年師兌㲃	𨓢白右師兌入門、立中廷
2830	三年師兌㲃	王乎內史尹冊令師兌
2830	三年師兌㲃	師兌拜韻首
2830	三年師兌㲃	師兌其萬年子子孫孫永寶用
2831	元年師兌㲃一	同中右師兌入門、立中廷
2831	元年師兌㲃一	王乎內史尹冊令師兌
2831	元年師兌㲃一	兌拜韻首
2831	元年師兌㲃一	師兌其萬年子子孫孫永寶用
2832	元年師兌㲃二	同中右師兌入門、立中廷
2832	元年師兌㲃二	王乎內史尹冊令師兌
2832	元年師兌㲃二	兌拜韻首
2832	元年師兌㲃二	師兌其萬年子子孫孫永寶用

小計：共 16 筆

兄 1436

0594	𡚬祝父癸鼎	[𡚬]兄戊父癸
J797	帥鼎	帥隹懋兄念王母堇匋
0886	亞䣄季乍兄己鼎	[亞䣄]季乍兄己尊彝
1049	靜弔乍旅鼎	靜弔乍鄙兄旅貞(鼎)
1167	__父鼎一	有女多兄
1168	__父鼎二	有女多兄
1206	旟鼎	師𣗥酤兄
1238	曾子仲宣鼎	宣__用饔其者(諸)父者(諸)兄
1279	中方鼎	王令大吏兄𥂴土
1279	中方鼎	今兄畀女𥂴土
2282	史某䄛乍且辛㲃	史某䄛(兄)乍且辛寶彝
2298	戈厚乍兄日辛㲃	[戈]厚乍兄日辛寶彝
2727	𦾔姞乍尹弔㲃	𦾔姞乍皇兄尹弔尊𦨶彝
2814	烏冊矢令㲃一	公尹白丁父兄(貺)于戍
2814.	矢令㲃二	公尹白丁父兄(貺)于戍
2972	弔家父乍仲姬匠	用速先__者(諸)兄
2984	伯公父盨	用召者考者兄
2984	伯公父盨	用召者考者兄
4010	㢑兄癸爵	[㢑]兄癸
4337	般乍兄癸斝	[般]乍兄癸尊彝
4338	般兄癸乍斝	[般]兄癸乍尊彝
4588	娶兄丁尊	[娶]兄丁
4791	屯乍兄辛尊	屯乍兄辛寶尊彝[𩦿]
4819	述乍兄日乙尊	述乍兄日乙寶尊彝[钔]
4820	__何乍兄日壬尊	qn乍兄日壬寶尊彝[dk]
4875	忻折尊	令乍冊忻(折)兄望土于椃侯
4876	保尊	征兄六品
4928	折觥	令乍冊忻(折)兄望土于椃侯

兄
兢

4976	折方彝	令乍冊忻(折)兄望土于柾侯
5142	嬰兄丁卣一	[嬰]兄丁
5143	嬰兄丁卣二	[嬰]兄丁
5412	鸘屯乍兄辛卣	屯乍兄辛寶尊彝[鸘]
5425	何乍兄日壬卣	qn乍兄日壬寶尊彝[dk]
5426	亞施刺乍兄日辛卣	刺乍兄日辛尊彝[亞施]
5491	亞獏二祀𠚤卩其卣	丙辰、王令𠚤卩其兄wG于夆田
5495	保卣	征兄六品
5495	保卣	征兄六品
5508	弔趯父卣一	余兄為女丝小鬱彝
5510	乍冊嗌卣	不敢＿兄鑄彝
5574	女姬罍	敀兄午匚帚
5708	＿何乍兄日壬壺	qn乍兄日壬寶尊彝[dk]
5786	曼季良父壺	用享孝于兄弔婚媾者老
6179	兄辛亞觚	兄辛[亞]
6520	＿兄丁觶	[du]兄丁
6580	何兄日壬觶	[何]兄日壬
6619	子徒乍兄日辛觶	子徒乍兄日辛彝
6635	中觶	王易中馬自＿侯四＿、南宮兄
6786	＿弔多父盤	兄弟者子聞(婚)媾無不喜
6887	郙陵君王子申鑑	以會父兄
7001	嘉賓鐘	用樂嘉賓父兄
7003	舍武編鐘	用樂嘉賓父兄
7046	□□自乍鐘二	至王父䝍(兄)
7051	子璋鐘一	用樂父兄者諸士
7052	子璋鐘二	用樂父兄者諸士
7053	子璋鐘三	用樂父兄者諸士
7054	子璋鐘四	用樂父兄者諸士
7055	子璋鐘五	用樂父兄者諸士
7056	子璋鐘六	用樂父兄者諸士
7057	子璋鐘八	用樂父兄者諸士
7117	郐𠭯兒鐘一	樂我父兄
7119	郐儔兒鐘三	樂我父兄
7120	郐儔兒鐘四	追孝樂我父兄
7121	郐王子旃鐘	兼以父兄庶士
7124	沇兒鐘	及我父兄庶士
7175	王孫遺者鐘	用樂嘉賓父兄
7213	𥎦鎛	保𠪚兄弟
7217	姑馮勾鑃	及我父兄
7556	大兄日乙戈	大兄日乙
7556	大兄日乙戈	兄日戊
7556	大兄日乙戈	兄日壬
7556	大兄日乙戈	兄日癸
7556	大兄日乙戈	兄日癸
7556	大兄日乙戈	兄日丙

小計：共 73 筆

兢 1437

	3087	鬲从盨	其邑兢
			小計：共 1 筆
⿰兄非	1438		
	2262	⿰兄非乍寶設	⿰兄非乍寶設用日亯
			小計：共 1 筆
⿰兄尤	1439		
	2320	⿰兄尤乍尊設一	⿰兄尤乍尊設其壽考寶用
	2321	⿰兄尤乍尊設二	⿰兄尤乍尊設其壽考寶用
			小計：共 2 筆
⿰扌兄	1439+		
	0594	䀠⿰扌兄父癸鼎	[䀠⿰扌兄]父癸
			小計：共 1 筆
⿰犭兄	1440		
	6793	矢人盤	我既付散氏田器
			小計：共 1 筆
先	1441		
	1251	中先鼎一	王令中先省南或(國)
	1252	中先鼎二	王令中先省南或(國)
	1270	小臣夌鼎	令小臣夌先省楚应
	1284	尹姞鼎	彌ve先王
	1288	令鼎一	令眔奮先馬走
	1289	令鼎二	令眔奮先馬走
	1307	師望鼎	用辟于先王
	1315	善鼎	王曰：善、昔先王既令女左足𩰫侯
	1315	善鼎	今余唯肇醽先王令
	1318	晉姜鼎	晉姜曰：余佳司朕先姑君晉邦
	1323	師訊鼎	叀余小子肇盄先王德
	1323	師訊鼎	小子夙夕專古先且刺德
	1323	師訊鼎	白亦克款古先且蟲孫子一𨷻皇辟懿德
	1324	禹鼎	克夾召先王、奠四方
	1328	盂鼎	䜌保先王
	1328	盂鼎	雩我其遹省先王受民受疆土
	1331	中山王嚳鼎	昔者、虞(吾)先考成王
	1331	中山王嚳鼎	昔者、虞(吾)先祖趄王
	1332	毛公鼎	亦唯先正ht辥厥辟

先

1332	毛公鼎	不巩先王配命
1332	毛公鼎	永巩先王
1332	毛公鼎	王曰：父厝、□余唯肇巠先王命
1332	毛公鼎	告余先王若德
1332	毛公鼎	俗(欲)我弗乍先王憂
1332	毛公鼎	邳非先告父厝
1332	毛公鼎	王曰：父厝、今余唯䌛先王命
1332	毛公鼎	女母(毋)弗帥用先王乍明井(型)
1487	白先父鬲一	白先父乍𡚱尊鬲
1488	白先父鬲二	白先父乍𡚱尊鬲
1489	白先父鬲三	白先父乍𡚱尊鬲
1490	白先父鬲四	白先父乍𡚱尊鬲
1491	白先父鬲五	白先父乍𡚱尊鬲
1492	白先父鬲六	白先父乍𡚱尊鬲
1493	白先父鬲七	白先父乍𡚱尊鬲
1494	白先父鬲八	白先父乍𡚱尊鬲
1495	白先父鬲九	白先父乍𡚱尊鬲
1496	白先父鬲十	白先父乍𡚱尊鬲
1527	釐先父鬲	釐先父乍姜姬尊鬲
1533	尹姞賓鬲一	休天君弗望穆公聖粦明妣吏(事)先王
1534	尹姞賓鬲二	休天君弗望穆公聖粦明妣吏(事)先王
1668	中甗	王令中先省南或貫行
2713	瘨段一	用辟先王
2714	瘨段二	用辟先王
2715	瘨段三	用辟先王
2716	瘨段四	用辟先王
2717	瘨段五	用辟先王
2718	瘨段六	用辟先王
2719	瘨段七	用辟先王
2720	瘨段八	用辟先王
2763	弔向父禹段	肇帥井先文且
2785	王臣段	乎內史先冊命王臣
2796	諫段	先王既命女𦅫嗣王宥
2796	諫段	王乎內史先冊命諫曰
2796	諫段	先王既命女𦅫嗣王宥
2798	師瘨段一	先王既令女
2798	師瘨段一	今余唯䌛(緟)先王令女官司邑人師氏
2799	師瘨段二	先王既令女
2799	師瘨段二	今余唯䌛(緟)先王令女官司邑人師氏
2807	鄜段一	王曰：鄜、昔先王既命女乍邑
2808	鄜段二	王曰：鄜、昔先王既命女乍邑
2809	鄜段三	王曰：鄜、昔先王既命女乍邑
2810	揚段一	王乎內史q4(先?)冊令揚
2811	揚段二	王乎內史q4(先?)冊令揚
2817	師頵段	才先王既令女乍嗣土
2829	師虎段	載先王既令乃祖考吏啻官
2829	師虎段	今余隹帥井先令
2834	㝬段	巠雝先王
2834	㝬段	再盩先王宗室
2835	訇段	先虎臣後庸

2838	師餈毁一	才先王小學女
2838	師餈毁一	才昔先王小學女
2839	師餈毁二	才先王小學女
2839	師餈毁二	才昔先王小學女
2841	茾白毁	乃且克桒先王
2842	卯毁	飘乃先且考死嗣(司)榮公室
2842	卯毁	今余非敢m6先公
2842	卯毁	余懋爯先公官
2843	沈子它毁	烏虖隹考取丑念自先王先公
2854	櫫毁	昔先王既令女乍宰、嗣王家
2854	櫫毁	毋非先告櫫
2856	師訇毁	亦則於女乃聖且考克左右先王
2856	師訇毁	古亡丞于先王
2857	牧毁	牧、昔先王既令女乍嗣土
2857	牧毁	不用先王乍井
2857	牧毁	王曰：牧、女母敢弗帥用先王乍明井
2972	弔家父乍仲姬匿	用速先＿者(諸)兄
3088	師克旅盨一(蓋)	則隹乃先且考又Jr于周邦
3088	師克旅盨一(蓋)	余隹巠乃先且考
3088	師克旅盨一(蓋)	克龢臣先王
3089	師克旅盨二	則繇隹乃先且考又Jr于周邦
3089	師克旅盨二	余隹巠乃先且考
3089	師克旅盨二	克龢臣先王
3621	丁舟先爵一	丁[舟]先
3622	丁舟先爵二	丁[舟]先
3767	先父乙爵	[先]父乙
4890	盠方尊	更朕先寶事
4979	盠方彝一	更朕先寶事
4980	盠方彝二	更朕先寶事
5465	員卣	員先內邑
5494	�乍母辛卣	乙巳、子令{小子}先以人于堇
5510	乍冊嗌卣	征先龘死亡
5599	先壺	[先]
5803	胤嗣好盗壺	昔者先王孳愛百每
5803	胤嗣好盗壺	隹朕先王
5803	胤嗣好盗壺	鄉祀先王
5803	胤嗣好盗壺	s3逸(逸)先王
5803	胤嗣好盗壺	於呼、先王之悳
5803	胤嗣好盗壺	闲(孚)柯先王
5803	胤嗣好盗壺	以追庸先王之工刺(烈)
5805	中山王嚳方壺	以祀先王
5805	中山王嚳方壺	乏其先王之祭祀
6635	中觶	王曰用先
6790	虢季子白盤	是以先行
6877	儹乍旅盉	女上卲先誓
6925	晉邦盦	敢帥井先王
7006	戰狄鐘	侃先王
7006	戰狄鐘	先王其嚴才帝左右
7020	單伯鐘	來匹先王
7092	驫羌鐘一	入長城、先會于平陰

先

先見

7093	𠑇羌鐘二	入長城、先會于平陰
7094	𠑇羌鐘三	入長城、先會于平陰
7095	𠑇羌鐘四	先會于平陰
7096	𠑇羌鐘五	入長城、先會于平陰
7116	南宮乎鐘	先且南公
7117	絲𡚸兒鐘一	台追孝先且
7119	絲𡚸兒鐘三	台追孝先且
7122	梁其鐘一	農臣先王
7123	梁其鐘二	農臣先王
7136	邵鐘一	我以享孝樂我先且
7137	邵鐘二	我以享孝樂我先且
7138	邵鐘三	我以享孝樂我先且
7139	邵鐘四	我以享孝樂我先且
7140	邵鐘五	我以享孝樂我先且
7141	邵鐘六	我以享孝樂我先且
7142	邵鐘七	我以享孝樂我先且
7143	邵鐘八	我以享孝樂我先且
7144	邵鐘九	我以享孝樂我先且
7145	邵鐘十	我以享孝樂我先且
7146	邵鐘十一	我以享孝樂我先且
7147	邵鐘十二	我以享孝樂我先且
7148	邵鐘十三	我以享孝樂我先且
7149	邵鐘十四	我以享孝樂我先且
7158	癲鐘一	用辟先王
7160	癲鐘三	用辟先王
7161	癲鐘四	用辟先王
7162	癲鐘五	用辟先王
7174	秦公鐘	秦公曰：我先且受天令
7176	㝬鐘	用卲各不顯且考先王
7177	秦公及王姬編鐘一	秦公曰：我先且受天令
7179	秦公及王姬編鐘四	秦公曰：我先且受天令
7180	秦公及王姬編鐘五	秦公曰：我先且受天令
7182	叔夷編鐘一	余經乃先且
7185	叔夷編鐘四	尸雍典其先舊及其高祖
7209	秦公及王姬鎛	秦公曰：我先且受天令
7210	秦公及王姬鎛二	秦公曰：我先且受天令
7211	秦公及王姬鎛三	秦公曰：我先且受天令
7214	叔夷鎛	余經乃先且
7214	叔夷鎛	尸雍典其先舊及其高祖
7744	工𫊸太子劍	才行之先
M545	配兒勾鑃	先人是娸

小計：共 160 筆

見 1442

1124	玥乍父庚鼎一	己亥、揚見事于彭
1125	玥乍父庚鼎二	己亥、揚見事于彭
1137	匽侯旨鼎一	匽侯旨初見事于宗周
1322	九年裘衛鼎	眉敖者膚（盧）卓吏見于王

1582	見乍甗	見乍甗
2635	賢殷一	公弔初見于衛、賢從
2636	賢殷二	公弔初見于衛、賢從
2637	賢殷三	公弔初見于衛、賢從
2638	賢殷四	公弔初見于衛、賢從
2841	茾白殷	見、獻賣{ 帛貝 }
2843	沈子它殷	烏虖、乃沈子妹克蔑見猒于公
2854	禁殷	卑又見又即令
3085	駒父旅盨(蓋)	南中邦父命駒父即南者侯逹高父見南淮夷
3085	駒父旅盨(蓋)	豕不敢不敬畏王命逆見我
4720	見尊	見乍寶尊彝
4775	史見尊	史見乍父甲尊彝
4892	麥尊	侯見于周、亡尤
5373	史見乍父甲卣	史見乍父甲尊彝
5507	乍冊䰧卣	隹公大史見服于宗周年
5507	乍冊䰧卣	公大史成見服于辟王
5508	弔權父卣一	見余
5546	__見冊罍	[__見冊]
5805	中山王嚳方壺	則臣不忍見施
6266	史見乍父甲觚	史見乍父甲彝
6792	史墻盤	方蠻亡不俎見
6792	史墻盤	敚史剌且迺來見武王
7038	應侯見工鐘一	雁侯見工遺王于周
7038	應侯見工鐘一	㷭白內右雁侯見工
7039	應侯見工鐘二	見工敢對揚天子休
7164	痶鐘七	且來見武王
7176	㝬鐘	南尸東尸具見
7252	見戈	[見]
7899	鄂君啟車節	見其金節則毋政
7899	鄂君啟車節	不見其金節則政
7900	鄂君啟舟節	見其金節則毋征
7900	鄂君啟舟節	不見其金節則征

小計：共 36 筆

視 1443

1170	信安君鼎	眡(視)事司馬欨、治王石
1170	信安君鼎	眡(視)事欨、治瘏
4891	何尊	視于公氏

小計：共 3 筆

覞 1443+

2798	師瘨殷一	𤔲馬井白覞右師瘨入門立中廷
2799	師瘨殷二	𤔲馬井白覞右師瘨入門立中廷

小計：共 2 筆

觀 1444

5511	效卣	王雚(觀)于嘗
5805	中山王嚳方壺	明_之于壺而時觀焉

小計：共 2 筆

親 1445

1299	䣄侯鼎一	王親易馭____五㱿、馬四匹、矢五__
1331	中山王嚳鼎	親逹(率)參(三)軍之眾
1331	中山王嚳鼎	郾(燕)邦難䙷(親)
1434	王乍親王姬__鬲一	王乍親王姬__䵼彝
1435	王乍親王姬__鬲二	王乍親王姬__䵼彝
2785	王臣𣪘	易女朱黃、桒親
4888	盠駒尊一	王親旨盠駒、易兩
5785	史懋壺	親令史懋路筮、咸
5805	中山王嚳方壺	慈愛深則賢人親
7040	克鐘一	王親令克遹涇東至于京𠂤
7041	克鐘二	王親令克遹涇東至于京𠂤
7042	克鐘三	王親令克遹涇東至于京
7204	克鎛	王親令克遹涇東
7865	衛量	衛師親鑄

小計：共 14 筆

覲 1446

1089	女䜌方鼎	女䜌堇(覲)于王
1332	毛公鼎	亡不閈(覲)于文武耿光

小計：共 2 筆

覷 1447

6877	𠑹乍旅盨	專各嵤覷𠑹

小計：共 1 筆

覓 1448

1330	曶鼎	㫚(曶)覓匡卅秭
2855	班𣪘一	班非敢覓
2855.	班𣪘二	班非敢覓

小計：共 3 筆

覭 1449

1331	中山王嚳鼎	猶覭(眯迷)惑烏(於)子之而亡其邦

小計：共 1 筆

覭 1450		
1281	史頌鼎一	日遲天子覭令
1282	史頌鼎二	日遲天子覭令
1318	晉姜鼎	勿廢文侯覭令
1327	克鼎	覭孝于申
2713	瘐設一	瘐曰：覭皇且考嗣（司辭）威義
2714	瘐設二	瘐曰：覭皇且考嗣（司辭）威義
2715	瘐設三	瘐曰：覭皇且考嗣（司辭）威義
2716	瘐設四	瘐曰：覭皇且考嗣（司辭）威義
2717	瘐設五	瘐曰：覭皇且考嗣（司辭）威義
2718	瘐設六	瘐曰：覭皇且考嗣（司辭）威義
2719	瘐設七	瘐曰：覭皇且考嗣（司辭）威義
2720	瘐設八	瘐曰：覭皇且考嗣（司辭）威義
2746	追設一	追敢對天子覭揚
2747	追設二	追敢對天子覭揚
2748	追設三	追敢對天子覭揚
2749	追設四	追敢對天子覭揚
2750	追設五	追敢對天子覭揚
2751	追設六	追敢對天子覭揚
2752	史頌設一	日遲天子覭令
2753	史頌設二	日遲天子覭令
2754	史頌設三	日遲天子覭令
2755	史頌設四	日遲天子覭令
2756	史頌設五	日遲天子覭令
2757	史頌設六	日遲天子覭令
2758	史頌設七	日遲天子覭令
2759	史頌設八	日遲天子覭令
2759	史頌設九	日遲天子覭令
4892	麥尊	覭考于井侯
6790	虢季子白盤	孔覭又光
6792	史墻盤	祗覭穆王
7047	井人鐘	覭盄文且皇考
7048	井人鐘二	覭盄文且皇考
7159	瘐鐘二	義文神無彊覭福
7167	瘐鐘十	義大神無彊覭福

小計：共 34 筆

鰈 1451		
7900	鄂君啟舟節	適鰈、適兆陽、內澮、適鄗

小計：共 1 筆

醜 1452		

	5411	䚊䚊乍父戊卣	䚊乍父戊寶尊彝[䚊]
			小計：共 1 筆
觀	1453		
	1331	中山王譽鼎	昔者郾君子僧觀(叡)弇夫䛒(悟)
			小計：共 1 筆
欽	1454		
	3128	魚鼎匕	欽哉
			小計：共 1 筆
吹	1455		
	0849	吹乍㛄妊鼎	吹乍㛄妊尊彝
	2390	吹乍寶毁二	吹乍寶毁
	5508	弔趞父卣一	丝小彝妹吹
	5768	虞嗣寇白吹壺一	虞嗣寇白吹乍寶壺
	5769	虞嗣寇白吹壺二	虞嗣寇白吹乍寶壺
			小計：共 5 筆
歌	1456	0362訶字重見	
	6877	僕乍旅盨	歌qb女
	6877	僕乍旅盨	歌qb
	7472	朝訶右庫戈	朝歌右庫倏工币__
			小計：共 3 筆
吹	1456+		
	7555	二年戈	宗子攻五吹我左工币__
			小計：共 1 筆
次	1457		
	0289	史次鼎	史次
	1158	小子__鼎	王商貝、才𨙵師次
	1668	中甗	在㞢自餗(次)
	3121	王子嬰次盧	王子嬰次之炒盧
	4324.	亞次罍	[亞次鬻]
	4869	次尊	公姞令次嗣田人
	4869	次尊	次蔑曆
	5478	次卣	公姞令次嗣田人

	5478	次卣	次蔑曆、易馬易裘
	5597	次觥	公姞令次嗣田
	5597	次觥	孚次蔑曆
	6122	𡘇亞次觚	[𡘇亞次]
	6791	兮甲盤	其賈毋敢不即次、即市
	7215	其次勾鑃一	其次羼其吉金
	7216	其次勾鑃二	其次羼其吉金
	7218	斜𩦷尹征城	次hp升㣈
			小計：共 16 筆
欮 1458			
	1273	師𣄰父鼎	象弭、矢臺、彤欮
	2359	欮乍孚𣪘	欮乍孚𣪘兩
			小計：共 2 筆
玖 1459			
	7477	王子玖戈	王子玖之用戈、q5
			小計：共 1 筆
放 1460			
	2129	果乍放旅𣪘	果乍放旅𣪘
			小計：共 1 筆
䰧 1461			
	7697	越王句踐劍	越王䰧(句)淺(踐)自乍用劍
			小計：共 1 筆
㱃 1462			
	2979	弔朕自乍𩰪匿	以㱃稻粱
	2979.	弔朕自乍𩰪匿二	以㱃稻粱
			小計：共 2 筆
敗 1463			
	3128	魚鼎匕	帛命入敗
			小計：共 1 筆
歁 1464			

歙散旡㝉

J762	辛伯鼎	
1242	㚸方鼎	歙秦歙
1317	善夫山鼎	王曰：山、令女官嗣歙獻人于冕
2546	聖毁	辛巳、王畬（歙）多亞聖亯京
2736	口𠂤父壺	其用友眔吕倗友歙
2853.	尹毁	辰才庚口口歙口宮
4874	萬諆尊	用亯口尹＿歙
5509	㸚卣	王歙西宮、烝、咸
5666	白乍姬	白乍姬歙壺
5672	白𢦚壺	白𢦚乍歙壺
5727	廿九年東周左𠂤歙壺	為東周左𠂤歙壺
5733	𩰫中乍倗生歙壺	𩰫中乍倗生歙壺
5737	左＿壺	左内歙廿八
5741	左歙壺一	左歙卌二
5742	左歙壺二	左歙卌二
5784	㚥氏壺	虞以匽歙
5805	中山王嚳方壺	氏以遊夕歙飤
6903	魯大嗣徒元歙盂	魯大嗣徒元乍歙盂
7117	斜䣄兒鐘一	歙飤訶舞
7119	斜儔兒鐘三	歙飤訶舞
7124	沇兒鐘	用盤歙酉

小計：共　21 筆

散　1464+

M727	曾侯乙編鐘中一・十一	割肄之散商
M739	曾侯乙編鐘中二・十二	割肄之散商

小計：共　2 筆

旡　1464+

2875	衛子弔旡父旅匿	衛子弔旡父乍旅匿
7867.	龍＿	羅莫𩛥（敖）臧（臧）旡

小計：共　2 筆

㝉　1465

1325	五祀衛鼎	白邑父、定白、㝉白、白俗父曰、厲曰：余執
1325	五祀衛鼎	井白、白邑父、定白、㝉白、白俗父迺顜
4449	裘衛盉	榮白、定白、㝉白、單白
4449	裘衛盉	白邑父、榮白、定白、㝉白

小計：共　4 筆

卷八總計：共　4593 筆